René Bazin

L'ISOLÉE

PREMIÈRE PARTIE

LE SOIR DE JUIN

– Ma sœur Pascale, vous avez les yeux rouges.

– Pas d'avoir pleuré... C'est l'air qui est vif, ce soir.

– Oui, et puis la fatigue de la classe, n'est-ce pas ? Vous vous tuerez, sœur Pascale !

Une voix jeune, inégale, avec des trous creusés par la fatigue, répondit :

– Elles sont si gentilles, mes petites !... Et au bout de huit jours, aucune ne penserait plus à moi,... ni peut-être personne au monde.

Et elle riait.

Un murmure de mots prononcés à peine, avec des hochements de tête, et qu'on sentait avoir été dits souvent, enveloppa de tendresse sœur Pascale : « Enfant !... Quand serez-vous raisonnable ? Vous voulez vous faire dire qu'on vous aime... Croirait-on qu'elle vient d'avoir vingt-trois ans aujourd'hui ?... Aujourd'hui même, 16 juin 1902. Vous le voyez, tout le monde sait votre âge. »

Un contentement d'être ensemble, d'être au calme, de s'aimer les unes les autres, leur vint à toutes. Et celle qui avait l'autorité, levant les yeux au delà de la cour, vers les maisons distantes et leur bordure de ciel, dit :

– Il fait bon respirer. Comme on calomnie notre air lyonnais ! Ça sent la campagne, vous ne trouvez pas ?

Dans le silence de quelques secondes, tous les yeux se levèrent, les poitrines lasses ou malades aspirèrent la joie de l'été, que la ville n'avait pas toute bue et détruite. Et il y eut plusieurs de ces âmes, adoratrices et reconnaissantes pour le reste du monde, qui remercièrent secrètement.

Elles étaient cinq femmes, cinq religieuses, en costume gros bleu, voile noir et guimpe blanche, dans le préau de l'école, allée cimentée, protégée par un toit, et qui s'étendait, derrière la maison, tout le long de la cour de récréation. Elles réservaient « pour la communauté » cet étroit espace, et leur coutume était de s'y réunir et de s'y promener aux heures de liberté, lorsque comme à présent, les élèves avaient quitté l'école. Elles s'y trouvaient mieux groupées, en même temps que mieux abritées contre la curiosité des voisins, car l'aile gauche du bâtiment s'enfonçait un peu vers le levant. Cinq femmes : une seule pouvait être dite une vieille femme. Elle s'appelait sœur Justine, et, depuis vingt-cinq ans, faisait fonction de supérieure : créature toute d'action, replète et tassée sur ses hanches, qui avait le visage rond, un bon nez rond, le teint pâle à cause de l'habituelle privation d'air qu'elle subissait, les yeux bruns, pleins de vie et de gaieté, tout droits et dont les paupières, capables seulement de s'ouvrir et de se fermer, mais inexpertes aux artifices, ne nuançaient jamais le regard. Des poils blancs et drus, piqués au-dessus de sa bouche, d'autres qui frisaient sous le menton, des rides peu nombreuses et enfoncées dans la chair, une mèche de cheveux d'argent qui dépassait parfois le bandeau posé de travers, disaient qu'elle avait près de soixante ans.

Sœur Justine, si elle était demeurée dans son pays, chez ses parents, journaliers de la campagne de Colmar, eût été ce que les paysans nomment une « marraine, » une ménagère maîtresse chez elle et quelquefois chez ses voisins, bienfaisante et redoutée. À vingt ans, elle était entrée dans la congrégation de Sainte-Hildegarde, dont la maison mère est à Clermont-Ferrand, et, depuis lors, elle n'était retournée qu'une fois en Alsace, à la veille de la guerre de 1870. Le sang militaire et gardien de frontière de sa race se reconnaissait en elle. Prompte à se décider, parlant net, ne revenant jamais sur un ordre, douée de clarté, de repartie, de courage plus que le commun des hommes, elle n'avait cessé d'être la conseillère et l'appui d'une foule qui changeait incessamment autour d'elle. Enfants, parents, pauvres qui passent, les souffrances et les faiblesses de tout ordre, et les plus secrètes comme les autres, avaient confiance dans sa force, devinant sa tendresse pour le menu peuple, qui se reconnaissait et se sentait en elle respectable. Quand ils ne savaient plus que faire : « Allons trouver sœur Justine », disaient-ils. Ils la trouvaient toujours prête à partir s'il le fallait, plus attentive au remède que curieuse du mal, jamais déconcertée, ni abandonnée inutilement à l'émotion. Dans sa robe de laine gros bleu, dont elle relevait les manches sur ses bras, comme une travailleuse de la glèbe, dans sa guimpe blanche et son voile noir, elle eût fait volontiers le tour du monde. Elle faisait seulement, chaque jour, le tour des classes de son école et de quelques îlots de maisons voisines. Elle instruisait les grandes élèves, celles de dernière année. Parmi les sœurs, elle était également la confidente, le soutien, l'abri. Dans le quartier, on l'appelait un peu partout, sans même la connaître, à la place de la Providence qu'on n'appelait pas. Et à ce rude métier, elle ne paraissait pas s'user, toujours calme, alerte, roulant sur ses courtes jambes. « Ne jamais être à soi, disait-elle, c'est le plus sûr pour ne pas s'ennuyer. »

La plus âgée des sœurs, après elle, n'avait pas quarante ans. Ceux qui la voyaient de loin, ou rapidement, pouvaient même la croire beaucoup plus jeune. Mince et longue, presque sans ride, les yeux souvent baissés, le nez droit, les lèvres fines et bleues à force d'être pâles, elle avait, dans l'attitude et dans la physionomie, quelque chose de fier, de virginal et d'austère. Elle ressemblait, avec la vérité et la vie en plus, à ces martyres anciennes, peintes sur les vitraux, rigides, la main appuyée sur une épée, symbole de leur honneur, de leur force et de leur mort. Quand elle regardait quelqu'un, même une enfant, cette impression ne s'effaçait pas, au contraire. Les yeux de sœur Danielle, très noirs sous des sourcils d'une ligne admirable, exprimaient une âme défiante de soi, tenue en bride et si sévère pour elle-même qu'on la croyait sévère pour les autres. C'était une domptée, une volonté toujours peureuse malgré l'expérience, une vierge sage préoccupée du vent qui souffle sur les lampes. Cette femme, dans sa physionomie presque tragique, portait la trace de ce qu'il en coûte à certaines âmes pour mater la nature et la tenir serve. Elle avait un cœur ardent, dont l'enthousiasme se reconnaissait à la promptitude de l'obéissance. On la sentait capable d'héroïsme et préoccupée quelquefois de ne point le laisser voir. La supérieure lui avait confié la seconde classe et les comptes de la communauté. Elle aurait pu lui demander de faire la cuisine, ou le blanchissage, ou toute autre besogne. Elle l'emmenait avec elle, à Noël, quand il fallait aller présenter les vœux des sœurs de Sainte-Hildegarde au cardinal archevêque de Lyon et à l'abbé Le Suet, « monsieur le supérieur ». Comme elle s'acquittait, avec scrupule, de ses moindres devoirs, sœur Danielle n'échappait pas à l'admiration de ses compagnes, témoins avertis et tendres. Mais elle se contraignait, pour ne pas être trop aimée, à cause de l'orgueil qui peut en venir. Même dans l'intimité fraternelle, même dans les conversations des soirs d'été ou d'automne, dans la cour ou dans le préau, elle ne se départait point de sa réserve, interrogeant rarement, répondant ce qui suffisait, souriant à peine. Quand elle était seule, ce qui signifiait seule avec Dieu, cette âme fermée s'ouvrait, et l'ardente flamme s'échappait et montait, et elle jetait à Dieu, au monde visible et au monde invisible, aux âmes de ses enfants adoptives, aux misères qu'elle savait et à celles qu'elle ignorait, dans la prière et dans les larmes, cet amour jalousement caché. Ce n'était cependant qu'une fille de pauvres, née dans une famille de laboureurs, dans cette âpre Corrèze, où le soleil du Midi chauffe déjà rudement la terre, sous le couvert des châtaigniers. Sur la porte de sa cellule, elle avait écrit, à l'intérieur, cette devise : *Libenter et fortiter*. Elle savait, comme ses sœurs, un peu de latin, à cause de l'office qu'elle récitait chaque jour.

Paysanne aussi la petite sœur Léonide, mais d'une autre province. Elle était fille de la campagne lyonnaise, du pays de Lozanne, où, sur les collines vêtues de vignes, de gros villages, çà et là, ouvrent largement leurs toits de tuile, comme un amas de coquilles vides. Elle avait labouré, sarclé, fauché, vendangé, mettant toute sa force et tout son esprit dans le travail des champs, et elle continuait, sous l'habit religieux, son rôle modeste et presque tout manuel, tourière et cuisinière de la communauté, chargée de l'entretien des lampes, du balayage des classes, et apprenant à lire, le dimanche, aux toutes petites élèves que les mères du quartier, pour être plus libres de courir les champs, les rues ou les bals, confiaient souvent aux sœurs de Sainte-Hildegarde. On ne la voyait jamais oisive. Elle était petite, noiraude de visage avec deux taches de sang aux pommettes, « deux baisers du fourneau », disait-elle, et, bien qu'elle n'eût pas trente ans, elle avait perdu toutes ses dents. Ses lèvres déformées et hâlées ne disaient guère que les mêmes mots : « Oui, ma sœur ; bien volontiers, ma sœur ; entrez donc, ma petite ; entrez donc, madame, je cours prévenir ma sœur supérieure. » Toute simple, n'ayant peur de rien, obéissante par amour, effacée librement, elle aurait pu écrire sur sa porte : *Ecce ancilla Domini*. Elle ne l'avait pas fait, par humilité ou par oubli. Tout Lyon la connaissait. Les receveurs de tramways – quelques-uns – la prenaient par le bras, pour l'aider à monter quand elle arrivait, avec son panier chargé de pommes de terre et de carottes, du marché du quai

Saint-Antoine. « Hisse, la petite mère ! » disaient-ils. Elle répondait : « Non, la petite sœur ! » Et ils riaient.

Les deux autres religieuses de l'école sortaient d'un milieu différent : sœur Edwige, née à Blois, fille d'un chef de station dans la campagne d'Indre-et-Loire, et sœur Pascale, fille d'un canut lyonnais. Elles avaient, l'une pour l'autre, une amitié vive, une préférence que la première s'efforçait de cacher, par charité, et que la seconde laissait voir, par faiblesse. On ne pouvait approcher sœur Edwige, la regarder, l'entendre, sans penser à cette chose sublime qu'exprime le mot miséricorde. L'universelle pitié habitait en elle. La bonté sans limite, inlassable, et qui ne fait point acception de personnes, rayonnait de son visage et de ses mains. Elle était dans la grâce de son geste, dans l'ovale pur de ses joues, dans ses yeux bleus, limpides, qui semblaient aimer, d'un amour d'admiration, de respect, de dévouement ou de pitié, toute créature sur laquelle ils se posaient ; des yeux doux, incapables de dissimulation, de haine, ou seulement d'ironie ; des yeux simples comme ceux d'une enfant qui aurait eu l'intelligence de la souffrance ; des yeux si beaux, d'une tendresse si chaste et si large, que les sœurs avaient coutume de dire : « Les yeux de sœur Edwige donnent du bon Dieu ». Elle faisait la classe primaire : six ans, sept ans. Les petites adoraient leur maîtresse. Elles comprenaient cette maternité souriante d'une âme virginale. Elles n'étaient pas les seules. Les timides, les désespérés, les très vieux aussi, tous ceux qui, ayant besoin de protection, ont l'instinct de « la sauve », tous ceux-là, s'ils rencontraient par hasard sœur Edwige, venaient à elle dès que le rayon des yeux bleus avait touché leur cœur. Elle pleurait aisément. Elle avait l'air de récolter de l'amour, pour le Dieu de miséricorde qui transparaissait en elle. On aurait voulu lui dire : « Que votre main se lève sur nous, et nous serons guéris ! » Plusieurs avaient balbutié des mots qui signifiaient quelque chose de semblable. Mais son visage était devenu aussitôt sévère, et le charme qui la faisait aimer s'était évanoui. Et puis elle sortait rarement, ayant beaucoup à faire dans l'école.

Sa distinction et sa jeunesse, autant que sa bonté, lui avaient gagné le cœur de la plus jeune des religieuses : sœur Pascale. Comme toutes celles qui sont nées dans le monde ouvrier, et qui sont intelligentes, sœur Pascale avait le goût des bonnes manières, un certain sens aristocratique, qui lui faisait discerner, dans la rue, dans une conversation, dans un dessin d'ornement, ce qu'il y avait d'élégant, de juste et de vraiment français. Elle se trompait peu. Et ce sentiment était mêlé chez elle de beaucoup d'envie, avant qu'elle fût entrée au couvent. Elle était jolie remarquablement dans « le monde », non pas belle, mais jolie, avec ses cheveux d'un blond cendré mêlé de fauve, ses yeux blonds aussi, tout pleins d'or vif, et que toute parole avivait encore, qu'elle fût dite ou écoutée, son nez un peu court, ses joues fermes, où, quand elle riait, deux pommettes rondes se dessinaient, sa mâchoire un peu forte et ses lèvres très rouges, mobiles comme son regard et toujours mouillées. Elle était de ces pâles qui ont été fraîches, et qui le redeviennent subitement. Elle n'avait pas de teint, et il y avait toujours de l'ombre sous ses yeux. Elle riait volontiers. Sa taille était fine, flexible. Même sous la grosse robe de bure bleue, on devinait que sœur Pascale aimait à courir, et qu'elle aurait sauté à la corde, comme ses élèves, si elle avait été sans témoins. Il y avait de l'enfant chez elle, et de l'enfant de la Croix-Rousse, insouciante du lendemain comme ceux qui n'ont rien de la veille, gaie, point embarrassée, ardente, préservée par l'exemple d'une famille exceptionnelle et croyante comme les pierres de la cité « mariale ». Pour être entrée au couvent, elle n'en avait pas moins gardé son franc parler, sa vivacité, son extrême sensibilité. Elle ne pouvait voir couler le sang, ni soigner un abcès, ni entendre raconter une opération sans pâlir. On avait essayé, au noviciat, d'aguerrir cette petite Lyonnaise contre cette « sensiblerie » comme disaient ses compagnes : mais vainement. Elle éprouvait aussi une joie plus épanouie, et que plusieurs déclaraient excessive, devant une fleur, une belle lumière, un beau coucher de soleil, un bel enfant. Elle avait une affection plus forte pour celles de ses élèves qui étaient jolies ou bien habillées, ou du moins mieux que les autres. Et c'était une imperfection dont elle s'accusait. La franchise habitait cette âme qui cheminait vers la paix, mais qui ne l'avait pas, et ne la posséderait peut-être jamais entièrement. Les sœurs de l'école l'aimaient pour sa jeunesse, pour son esprit, sa grande sincérité, et aussi pour sa faiblesse et pour l'aide que leur demandait, naïvement et souvent, cette compagne de la route fraternelle.

Les cinq religieuses de Sainte-Hildegarde vivaient là, dans cette maison bruyante une grande partie du jour, silencieuse le soir. Toutes étaient surmenées ; toutes, sauf la plus vieille. La récitation quotidienne de l'office de la Sainte-Vierge, après la classe du soir, la méditation et la messe chaque matin, la surveillance des quelques élèves que les sœurs nourrissaient à midi, la correction des devoirs, pendant la récréation, après souper, puis, pour les deux plus âgées surtout, l'innombrable affaire et ministère d'un quartier pauvre, où les bonnes volontés sont sollicitées jusqu'à l'épuisement, remplissaient les jours, les semaines, les mois. Dans cette incessante occupation, dans ce perpétuel oubli d'elles-mêmes et dans cette pauvreté, elles jouissaient de la douceur, inconnue du monde, que donne le voisinage, même silencieux, d'êtres choisis, entièrement dignes d'amour, et dont toute l'énergie est commandée par la charité. Elles formaient un groupe plus uni qu'une famille ; et cependant elles étaient venues de régions différentes, de milieux dissemblables, et pour des raisons qui variaient aussi : sœur Justine poussée par l'ardeur de sa foi et le goût de l'action ; sœur Danielle par le zèle de la perfection et l'attrait de la mysticité ; sœur Léonide par humilité ; sœur Edwige par amour des pauvres ; sœur Pascale par défiance d'elle-même et pour être parmi les saintes.

Il y avait, entre elles, une liberté entière, et elles ne s'étonnaient pas de voir chacune parler selon son tempérament et suivre la préoccupation familière à son esprit.

En cette soirée de juin, elles revenaient d'assister au salut, dans l'église de Saint-Pontique. Le chevet de l'église était à quelques pas de leur porte, sur la place plantée de deux rangs de platanes. Quand elles eurent regardé dans la direction de l'orient, par-dessus le petit mur de la cour de récréation, comme faisait la supérieure, trois d'entre elles commencèrent aussitôt à se promener dans le préau ouvert, sœur Danielle et sœur Léonide encadrant la grosse sœur Justine. Les deux autres ne quittèrent pas tout de suite le spectacle qu'elles avaient sous les yeux, bien qu'il fût sans grande beauté. Sœur Edwige contemplait, de ses yeux tendres et pénétrés d'admiration, le bas du ciel, le haut des peupliers plantés le long du Rhône et qu'on apercevait entre les maisons éloignées, en avant, elle sentait la douceur que l'adieu du soleil laisse un instant aux choses, on ne sait quoi qui les pénètre et les rend transparentes et glorieuses. L'autre religieuse, la plus jeune, Pascale, s'amusait à observer, en tournant lentement la tête, depuis l'entaille de la rue qui coupait la ligne des maisons, à gauche, la dentelure des toits et les façades trouées de fenêtres, où des silhouettes vagues et l'éclat des premières lampes rappelaient l'idée de la vie familiale. De tous les côtés, d'ailleurs, s'élevait le bourdonnement du travail finissant, composé, comme celui de la campagne, de mille cris et bruits : pas des hommes sur les pavés, conversations dans les chantiers voisins, coups de marteau plus espacés, sifflet d'une sirène donnant le signal du départ, heurts sonores de planches remuées au bord du Rhône, tout cela noyé et menu dans le prodigieux silence qui tombait de là-haut, et qui saisissait la ville, puissamment, par intervalles de plus en plus fréquents et longs. Sœur Pascale songeait à des choses passées, et à des enfants disséminées dans ces vastes espaces.

La nuit descendait, avec sa paix trompeuse, car le travail seul faisait relâche : ni la souffrance, ni la misère, ni la haine, ni le vice ne diminuaient. Seules, quelques âmes victorieuses et cachées avaient la paix.

– Vous pensez à cette chaude journée, ma sœur Pascale ? demanda sœur Edwige. Il faisait intolérable dans ma classe.

Elle ajouta, après un silence et avec une joie secrète dont elle tressaillit :

– Comme cela finit doucement !

Elle songeait, en disant cela, à la fin de sa jeunesse, ou de la vie.

– Non, répondit l'autre, je me rappelle mon père, qui cessait de pousser le battant du métier, à cette heure-ci.

– Pauvre petite ! Depuis combien de jours l'avez-vous perdu ?

– Quatre semaines. Il est mort le 16 mai.

La voix compatissante de sœur Edwige reprit hâtivement :

– Oh ! je n'ai pas compté, mais pas un jour je n'ai manqué à ma promesse, vous savez, pas un jour : ce n'est que la date que j'avais oubliée.

Derrière elles, entre elles, une voix connue, plus ferme, interrompit :

– Venez avec les autres, voulez-vous ?

C'était sœur Danielle.

Sœur Edwige et sœur Pascale, d'un même mouvement, se détournèrent, et se mirent à se promener avec les autres, marchant d'abord à reculons, jusqu'au mur de droite, puis tournèrent et continuèrent à marcher de même, faisant face à leur supérieure, à sœur Danielle et à la tourière, sœur Léonide.

L'allée était étroite, et ne permettait guère de marcher cinq de front.

– Nous causions, dit sœur Justine, des réponses qu'elles nous font. Nos enfants qui nous viennent de la laïque ne savent pas un mot de catéchisme ni d'histoire sainte. Celles qui nous viennent directement de leur famille n'en savent souvent pas plus.

– Croiriez-vous, répondit en riant sœur Léonide, qu'une nouvelle, qui est entrée chez les petites voilà quinze jours, m'a répondu ce matin : « Comment s'appelait le premier homme ? – Adam. – Et la première femme ? – Adèle. – Qu'avait-elle fait ? Quelle faute ? – Oh ! je sais, ma sœur : elle avait boulotté une pomme ! »

Il y eut quelques sourires, mais seule la petite paysanne du Lyonnais, qui contait l'histoire, eut un vrai rire sonnant, qui traversa la cour et sauta par-dessus les murs.

– Ce n'est pas si mal répondu ! fit sœur Justine... Si elles ne se trompaient que sur le nom de la première femme, le mal serait léger... Mais celles à qui l'on demande ce que c'est que Jésus-Christ, et qui répondent : « Je ne sais pas », voilà les vraies pauvresses et la vraie faute.

– De qui ? demanda une voix grave.

Deux ou trois voiles s'inclinèrent vers celle qui venait de parler. C'était sœur Danielle ; il n'y eut pas de réponse ; mais le nom de Jésus-Christ, semé dans ces terres vierges, levait en elles toutes, silencieusement. Il grandissait pendant qu'elles continuaient de parler ou d'écouter.

– Lætitia Bernier m'est arrivée ce matin avec un chapeau à plumes tout neuf, d'au moins...

Sœur Justine, peu au courant des modes, chercha un instant, puis, se souvenant d'une inscription lue sur la devanture d'une boutique :

– D'au moins quatre francs quatre-vingt-quinze, acheva-t-elle.

– Ce n'est pas cher pour un chapeau, dit sœur Léonide, qui connaissait tout.

– Est-ce que vous savez, sœur Léonide, reprit sœur Justine, que la cousine de Lætitia, Ursule Magre, est guérie tout à fait ?

– Oui, notre sœur supérieure, même qu'elle m'a rencontrée hier, sans me reconnaître, place Bellecour.

– Elle ne vous a pas vue ?

– Oh ! que si ! Pour une ancienne élève de Sainte-Hildegarde, ça n'est pas gentil. Mais maintenant qu'elle ne travaille plus à son atelier de lingerie...

– Elle n'est plus à son atelier !

– Non.

– Où est-elle ?

– Pas à l'Armée du Salut non plus.

Sœur Léonide rougit. Elle rapportait souvent, de ses tournées en ville, des nouvelles qu'elle ne communiquait pas à ses compagnes, si ce n'est, comme à présent, par surprise, et avec le regret immédiat d'avoir trop parlé. Personne n'insista ; il y eut quelques visages dont la physionomie tranquille se voila de pitié. Celui de sœur Edwige resta calme. Elle plongeait, dans le ciel où la nuit était presque faite, son regard émerveillé ; elle remuait les lèvres, et on eût dit qu'elle priait en prenant comme grains de chapelet les étoiles.

Sœur Pascale, son mobile visage indigné et tragique, dit, ne relevant que le refus de saluer cette petite sœur Léonide, une ancienne amie :

– Quelle indignité !

La supérieure leva les yeux sur la fille du canut lyonnais.

– Oui, poursuivit celle-ci, une indignité ! Ne pas saluer une bonne sœur qui vous a appris à lire, qu'on a vue pendant quatre ou cinq ans tous les jours, c'est une ingratitude que je ne comprends pas !

– Vous la verrez souvent, ma petite.

– Je ne m'y habituerai jamais... J'en ai souffert déjà... Tenez, quand je traverse la place, le matin, pour aller à l'église, je passe quelquefois près d'inconnus qui me regardent avec une haine furieuse.

– Eh ! oui.

– Des hommes d'ici, comme moi ; des enfants d'ouvriers, comme moi ! Et moi je pense : « Savez-vous ce que je fais pour vous, misérables ? Je fais des mères, des femmes, du bonheur, et vous ne m'aimez pas ! »

La grosse sœur supérieure se mit à rire, en voyant, dans le crépuscule, le visage passionné de celle qui parlait.

– Il y a tant de raisons d'être ingrat, sœur Pascale, des mauvaises et des bonnes !

– Oh ! des bonnes !

– Mais oui !

– Nous ne sommes point méprisées pour nous-mêmes, dit la voix émouvante de sœur Edwige, et c'est le plus triste.

Comme elle parlait toujours sagement et saintement, quatre âmes attentives l'écoutaient.

La sœur se baissa pour écarter une balle de jeu oubliée sur le ciment du préau, et souple, reprenant la marche, elle continua, de cet air pénétré qui venait de sa parfaite sincérité :

– Porter son Jésus dans le monde ; ne pas l'exposer à mourir en soi ; l'élever comme un ostensoir, rarement ; le laisser transparaître, à l'habitude, comme un amour...

Elle avait dit toute sa vie. Elle ajouta plus bas :

– Le reste ne dépend pas de nous, le reste n'existe pas.

Pendant un moment il ne s'éleva du préau, dans le bourdonnement atténué de la cité, que le bruit des bottines de feutre des promeneuses remuant le sable sur le ciment.

– Et vous, sœur Danielle, dit la supérieure, quelle est votre ambition, puisque sœur Edwige a dit la sienne ?

La religieuse interrogée hésita, à cause de l'ennui que lui causait toute occasion de parler et de paraître, puis elle obéit :

– Je voudrais racheter des âmes, secrètement. Cela fait tant de bien, quand on souffre, de penser qu'on prend un peu de la souffrance des autres !

– Vous serez exaucée sûrement, dit la grosse voix rieuse de l'Alsacienne. Ce ne sont pas les épreuves qui nous ont manqué, ni qui nous manqueront. Et vous, sœur Léonide ?

– Oh ! moi, tout ce qu'on voudra pourvu que je n'aie jamais à commander !

– Qui sait ?

– Moi, je sais, puisque je ne suis pas capable de faire autre chose que ce que je fais.

– Et vous, sœur Pascale ? Nous allons voir si elle mérite vraiment que nous l'aimions comme nous faisons.

– Je ne suis guère sainte, dit aussitôt la voix jeune et inégale ; et j'ai besoin de vous toutes pour le devenir : et c'est mon ambition.

Sœur Pascale les regarda l'une après l'autre, avec cette chaleur calme du regard qui ressemble à celle du premier matin.

– Mais j'ai besoin d'autre chose encore, ajouta-t-elle : de nos petites. Je les aime inégalement, voilà le malheur. Vous le savez bien. Mais dès que j'en vois une, même de celles que j'aime le moins, mon cœur se fond...

– C'est vrai, dit sœur Edwige, elles sont la vie qui monte, et la grâce divine qui passe.

Leurs mots demeuraient dans le cercle étroit qu'elles formaient en marchant.

Pendant qu'elles parlaient et qu'elles pensaient ainsi humblement et fraternellement, le quartier, la ville immense où elles étaient perdues, avait cessé le travail. Si elles avaient pu voir et entendre la vie d'une seule rue, tout près de leur école, quelles différences elles auraient aperçues, entre elles et « le monde » ! Les ouvriers de chez Japomy, le tanneur, injuriaient un contremaître parce que celui-ci avait donné sans ménagement un ordre juste ; des matrones, groupées au seuil des portes, calomniaient le patron et la patronne, selon leur habitude ; la femme du patron refusait un mari pour sa fille, pour cette seule raison qui lui semblait suffisante, qu'il était moins riche que ne l'était la jeune fille ; des agents rudoyaient des errants et des déguenillés ; des politiciens de quartier entretenaient, au cabaret, leur popularité, en prêchant la haine de « tous ceux qui se croient plus que nous » ; des garçons bouchers, riches de leur paye nouvelle, roulaient en voiture découverte ; un aumônier incompris, oublié dans une œuvre de paroisse pauvre, parlait sans respect de son archevêque. L'orgueil était et régnait partout, l'orgueil fratricide, premier vice du peuple et du monde, bien avant la volupté, bien avant le mensonge, ou la soif de l'or.

La dernière pâleur du ciel, au-dessus de la cour et de ses deux platanes, était morte ; les lampes désignaient, les unes au-dessus des autres, les cuisines des maisons ; les trouées sur le Rhône avaient été comblées par la brume ; le halètement de la dernière machine en marche, dans les usines d'à côté, s'était dissipé avec le dernier jet de vapeur blanche. De grands courants d'air, venus du plateau des Dombes, glissaient comme des torpilles dans l'atmosphère étouffante, et se répandaient çà et là en nappes froides. Deux des religieuses, sœur Pascale et sœur Edwige, croisèrent les bras sur leur poitrine, et enfouirent leurs mains dans les manches bleues. Les étoiles s'étaient avivées ; c'était la saison et l'heure de leur floraison ; elles formaient des grappes si pressées que le sable de la cour en recevait de menues étincelles, et qu'il y avait, sur les toits, comme du givre. Un coup de sonnette, assourdi, à l'intérieur de l'école, fit sursauter sœur Léonide.

– Qui peut sonner ? dit-elle.

– Vous le verrez bien, mon enfant, dit tranquillement la supérieure. Allez ouvrir.

La tourière cuisinière était déjà partie. On entendit vaguement un bruit de verrous tirés ; puis elle revint, un peu gênée, à cause de l'infraction à la règle qu'elle avait dû commettre.

– Notre mère, c'est Ursule Magre, l'ancienne de l'école...

– Je sais bien, voyons ! Nous venons de parler d'elle ! Qu'est-ce qu'elle voulait ?

– Vous voir.

– Vous lui avez dit que je la verrais demain ?

– Non, notre mère, je l'ai fait entrer ; il paraît que c'est pressé ; elle avait l'air tout chose.

– Tout quoi ?

– Drôle, non, ému, avec sa grande perruque ébouriffée... Elle est au parloir, notre mère.

La vieille religieuse tapota deux fois la joue de la tourière...

– Ne pas savoir encore ouvrir la porte, à votre âge !

Ce fut tout le reproche. Elle quitta le groupe de la communauté qui continua la tranquille promenade, et la nuit n'entendit plus que quatre voix jeunes, qui parlaient sans éclat et riaient aisément.

Sœur Justine suivit le couloir qui tournait, traversa dans les ténèbres toute la maison, et, près de la porte d'entrée, pénétra à gauche, dans la petite pièce sans autre meuble que des chaises, où elle recevait « les familles ». Sur la cheminée, une lampe à essence, – un globe de verre protégeant un petit canon de métal, – éclairait la salle. Et dans la lueur dansante reflétée par les quatre murs nus, une grande fille blonde, ferme de maintien, les paupières à demi baissées, ses cheveux magnifiques pyramidant sur sa tête, salua familièrement.

– Bonjour, ma mère !

Mais elle ne tendit pas la main ; elle ne chercha pas à embrasser la vieille directrice de l'école dont elle avait été l'élève.

– J'ai une chose pressée à vous dire, continua Ursule Magre ; et cela me coûte... Vous me promettez le secret ?

– J'en porte plus gros que moi, des secrets, ma petite, la moitié de ceux du quartier. Tu peux y aller... Je vais t'aider... Voyons : il y a cinq ans que tu n'es pas revenue me voir, il y a une raison ; tu as fauté, peut-être ?

La grande fille blonde, dont les joues, le nez fort et relevé, le cou découvert étaient roses et transparents dans la lumière, se renversa un peu en arrière, leva les deux mains et les tint à distance de sa poitrine, les paumes en dehors, pour faire entendre : « Qu'est-ce que cela fait ici ? » Puis elle dit :

– Il ne s'agit pas de moi, mais de votre école : elle va être fermée.

Sœur Justine l'empoigna par le bras, l'entraîna jusqu'au mur du fond, la força de s'asseoir sur une des chaises, en face de la petite lampe, s'assit près d'elle.

– Qu'est-ce que tu dis ? Fermée ? l'école ?

Elle était plus blanche que sa guimpe, et ses rides, subitement, s'étaient creusées.

– J'en suis sûre ; l'ordre est donné de vous faire quitter l'école.

– Quand ?

– De gré ou de force, dans cinq ou six jours.

– Un mois avant les vacances ?

– Faut croire.

– Oh ! mon Dieu ! Et mes enfants, que vont-elles devenir ?

– Justement, je viens vous prévenir.

La vieille femme se pencha en avant, se plia en deux, et Ursule Magre n'eut plus à côté d'elle qu'un gros paquet bleu et noir, d'où s'échappait une plainte : « Mon Dieu ! mon Dieu ! que c'est dur ! »

Ursule Magre, que le voisinage des sanglots attendrissait, avait elle-même un petit pli d'émotion aux coins des lèvres. Elle respirait vite sous son corsage de percale mauve ; elle observait, gênée, tantôt la vieille religieuse abattue par la nouvelle comme par une balle, tantôt le lumignon de la lampe qui se tordait et fumait dans le globe de verre.

Ce ne fut qu'une crise d'un moment. Sœur Justine se redressa, essuya ses yeux avec son voile, puis, saisissant les deux mains d'Ursule :

– Voyons, ma petite, il faut être pratique ; il ne faut pas s'emballer dans le chagrin ; c'est toute ma vie qui est en cause ; mais tu ne peux pas être sûre : c'est un bruit qui court ; c'est un bruit qui court ; nous n'avons pas eu besoin de demander une autorisation comme les écoles nouvelles, notre maison mère est autorisée...

La jeune fille fit un geste pour dire : « Est-ce que je sais ? »

– Il paraît que le Gouvernement l'a dit : nous n'avions pas de demandes à faire. Monsieur l'abbé Le Suet, notre supérieur, l'a positivement lu.

– Je vous dis, moi, que vous allez être fermées.

– Mais nous existons depuis quarante ans ! Tu entends, quarante !

– Raison de plus.

– Comment le sais-tu ?

Sœur Justine abandonna les mains d'Ursule Magre. Cette fille avait l'air si sûre de ce qu'elle disait ! Les deux femmes se regardaient, les yeux dans les yeux, la plus vieille cherchant à deviner si on la trompait, et la plus jeune irritée de la défiance qu'elle lisait dans le regard de la supérieure, et d'autant plus irritée qu'elle n'était pas sans éprouver une honte secrète, devant cette ancienne maîtresse d'école que la longue fréquentation des milieux populaires rendait clairvoyante. Ursule Magre avait trop d'orgueil pour avouer son embarras. Elle le domina, et, avec cette franchise hardie qu'elle avait toujours eue pour dire ses fautes, sans en demander pardon :

– Ce n'est pas possible, à nous autres, reprit-elle, de vivre comme vous faites... Je suis en ménage, vous comprenez ?... Il est agent de police, et c'est lui qui m'envoie.

Sœur Justine ne manifesta aucune surprise ; elle dit, d'un ton radouci :

– Pourquoi alors n'est-il pas venu à ta place ? La commission n'est pas belle.

– Parce que ça l'embête. Il n'aime pas les affaires. Ils ont vite peur, les hommes, vous savez, plus que nous. Et puis...

– Et puis ?

– Ce que je vous dis de sa part, c'est pour vous rendre service...

– Par exemple ! Et en quoi ? Est-ce qu'il peut empêcher le malheur ?

– Non.

– Alors ?

Ursule balança la tête, deux ou trois fois.

– Écoutez, ma mère, dit-elle en traînant sur les mots, je ne serais pas venue, si ça n'avait été que pour vous faire de la peine. On n'est pas méchante, on n'a pas mauvais souvenir de vous, et, si on n'est plus dévote...

– Tu ne l'as jamais été !

– ... si on a oublié bien des choses, on a tout de même du regret de vous voir partir. Je vous aide en vous prévenant... Voici comment... Avez-vous l'intention de résister ?

Sœur Justine leva les épaules :

– Parbleu ! si je pouvais !

– Il ne faut pas.

– Tu dis ?

– Il m'a bien recommandé de vous dire qu'il ne faut pas résister. Puisque c'est la loi ! « Si elles nous forcent à venir en nombre, qu'il m'a dit, si elles font de l'esclandre, je ne réponds de rien, et la maison mère de Clermont-Ferrand sera probablement fermée ; tandis que, si elles s'en vont sans tapage, d'elles-mêmes, d'abord elles sauvent leur maison mère, et puis, qui sait ? à la rentrée prochaine, on permettra peut-être plus facilement d'enseigner à celles qui se séculariseront... le Gouvernement tiendra compte de leur bonne volonté... » Voilà ce qu'il m'a dit, ma mère.

Elle attendait une réponse. Elle n'en eut pas. Sœur Justine avait compris que la nouvelle était vraie. Elle regardait maintenant le mur d'en face ; ses genoux tremblaient sous la lourde robe ; elle voyait ses religieuses descendant les trois degrés de pierre de la place, et les enfants tout autour, en larmes, et les classes désertes, et les cellules pleines de poussière. Elle n'entendait pas. Ursule disait :

– Le mieux, d'après lui, serait de partir tout de suite, demain ou après-demain, sans prévenir, sans bruit... La maison mère...

Sœur Justine se leva. Son visage gardait ces plis de douleur que la nouvelle y avait creusés. Mais quelque chose encore, dans sa physionomie, se mêlait au chagrin : l'angoisse d'avoir à décider elle-même la mort de l'école ; le sentiment de sa charge qui voulait qu'elle organisât le supplice ; l'appréhension de cette minute, toute prochaine, où elle dirait l'affreux secret aux quatre compagnes qui attendaient, ignorant tout.

– Qu'est-ce que je répondrai ? demanda, hésitante, Ursule Magre. Qu'est-ce que vous ferez ?

La vieille femme fit signe de la main : « Tais-toi ! » Elle dit avec effort :

– Laisse-moi aller leur dire...

Elle traversa le petit parloir, et prit la lampe. Elle sanglotait en dedans, malgré elle, sous son voile rabattu. Ursule Magre la suivait. Elle eut envie de l'embrasser en souvenir d'autrefois. Mais elle n'osa plus. Elle descendit les marches, pendant que la religieuse, élevant la lampe du côté de la porte, détournait et cachait de l'autre côté son pauvre vieux visage en larmes.

La porte retomba. La main qui levait la lampe s'abaissa, et sœur Justine, sans témoin, dans l'ombre du couloir, dans le vent qui descendait, chaud, par la cage de l'escalier, pleura. Elle penchait la tête, et les larmes tombaient sur la pierre incrustée de sable et usée par les pieds d'enfants. Elle, si forte, si bien exercée à contenir son cœur, elle ne pouvait reprendre sa maîtrise sur elle-même. Elle se sentait défaillir, et dut s'appuyer au mur.

Les sœurs, les chères collaboratrices innocentes, là, à quelques mètres plus loin, leur paix encore profonde, leur joie, toute leur vie qu'elle allait briser... Un éclat de voix fraîche – elle reconnut sœur Edwige – vint, du dehors, jusqu'en ce lieu où la vieille femme souffrait son agonie et par avance celle des autres. Fut-ce le contact de la vie qui passait, ou une grâce directe et subite ? Sœur Justine posa la lampe dans une niche du couloir, à la place accoutumée, souffla la flamme, et, à tâtons comme elle était venue, atteignit la porte qui ouvrait sur le préau.

Dans la nuit calme et traversée de souffles, les quatre sœurs continuaient de se promener. Elles y trouvaient le plaisir du repos et celui de l'obéissance. Rien n'avait troublé leur quiétude : aucune parole, aucune diminution de la beauté de l'heure, aucune appréhension, même légère, au sujet de l'absence de sœur Justine, car elles savaient que les pauvres font souvent des explications longues. Le bruit de la ville, après celui du travail, s'apaisait. Dans l'air, où flottait moins de poussière, on respirait parfois l'odeur des fenaisons lointaines, apportée par le vent.

Et sœur Justine apparut, tendant ses bras en croix, au bout du préau.

Elles crurent à une plaisanterie, et se mirent à courir.

– Notre mère ! La voilà revenue ! Que vous avez été longtemps !

Mais en approchant, malgré tout l'incertain de la clarté de la nuit, elles soupçonnèrent, elles virent que sœur Justine avait un visage de douleur, et que ses bras n'étaient pas tendus pour elles, mais pour signifier la croix.

– Oh ! mes pauvres chères filles, mes petites enfants, voici l'heure de souffrir !

Elle joignit ses mains, et regardant, en face d'elle, sœur Pascale accourue la première, elle dit fermement :

– Nous serons chassées dans une semaine !

Ses quatre compagnes l'entouraient, et le sourire du revoir était encore sur leurs lèvres. Il fallait un instant pour que la nouvelle s'enfonçât jusqu'au cœur. Mais elle toucha partout le fond même de ces âmes, plus capables de souffrir que d'autres, parce qu'elles avaient plus d'amour. Il n'y eut pas de cris, mais des frémissements, des mots murmurés, appels à Dieu qui était leur force et leur refuge, des fronts qui se penchèrent, des mains qui se rapprochèrent, des paupières qui se fermèrent sur la première larme et tâchèrent de la retenir.

Puis une voix angoissée dit :

– Mon Dieu, ayez pitié de nos petites ! C'était celle de sœur Danielle.

Sœur Edwige dit :

– Oh ! la chère bien-aimée maison !

Sœur Pascale dit :

– Qu'est-ce que je vais devenir sans vous toutes ?

Sœur Léonide tira sa montre de nickel, serrée dans sa ceinture, et s'éloigna rapidement. Pendant qu'elle s'éloignait et descendait dans la cour de récréation, ses compagnes, relevant leur visage, demandaient, toutes ensemble :

– Notre mère, est-ce donc possible ? – On nous avait dit que nous étions en règle ? – Est-ce qu'il n'y a pas de recours ? – Comment l'avez-vous appris ? – Oh ! dites-nous vite : peut-on espérer ? Pouvons-nous quelque chose ? Que voulez-vous que nous fassions ?

Sœur Justine, impassible en apparence, parce qu'elle les voyait troublées, baissa les yeux pour ne plus voir les leurs, ni leurs larmes, ni leurs lèvres jeunes, tremblantes comme celles des vieilles femmes, et elle dit :

– Mes petites enfants, il faut prier beaucoup ; c'est l'essentiel puisque c'est le divin ; quant à l'action humaine, je compte écrire demain...

Une cloche sonna une demi-douzaine de coups bien espacés. C'était la cloche de la « réglementaire ». Sœur Justine s'arrêta aussitôt de parler ; les sœurs se mirent en file, la plus jeune, Pascale, prenant la tête, et rentrèrent dans la maison.

Le grand silence était commencé, et devait durer jusqu'au lendemain huit heures.

Ursule Magre était loin déjà. Elle habitait, avec son amant, près de la pointe de la presqu'île Perrache, entre Saône et Rhône. Elle allait le rejoindre et lui rendre compte de ce qu'elle avait fait. Elle mordait ses lèvres rouges ; elle était non pas peinée, mais ennuyée d'avoir été mêlée à cette histoire d'expulsion, et d'avoir vu de trop près la douleur de cette vieille femme. Sûrement, elle refuserait de revenir chez les sœurs de Sainte-Hildegarde pour y passer un nouveau quart d'heure comme celui-là. Fargeat viendrait lui-même s'il le voulait ; car ce n'était pas aux femmes de faire le métier des hommes, non vraiment. Elle apprêtait déjà les phrases qu'elle dirait, et le ton, et le geste. Il y avait de la colère dans sa marche relevée, et dans le port de la tête rose et or qui, au passage, devant les boutiques éclairées, attirait le regard insolent, ou sournois, ou béatement admirateur des hommes. Plusieurs la reconnaissaient. Beaucoup l'appelaient : « Eh ! la belle fille ? » Elle allait au milieu de la chaussée, faisant la moue, bougonne, et ne répondait pas. Un jeune gars, minable, arrivait de loin, avec une brassée de seringat à demi fané et fripé : le reste invendu de sa provision. Il criait : « Fleurissez-vous ! Fleurissez-vous ! Ce n'est plus qu'un sou ! Un sou la botte ! » Las, fléchissant de fatigue comme un homme ivre, l'adolescent venait à la rencontre d'Ursule ; quand il passa près d'elle, il respira l'odeur de parfumerie qu'elle répandait, et son esprit de gamin de Lyon le fit s'écrier : « Pas la peine de te fleurir, toi, la belle, tu embaumes ! » Elle se mit à rire de bon cœur. Elle fut plus jolie. Elle le sentit. Presque tout son ennui tomba, et aussi le peu du chagrin d'autrui qu'elle emportait. Elle continua le long du Rhône, où les étoiles, par millions, noyaient leur lumière dans le clapotis des eaux troubles. Elle monta « chez elle », au second. Quand elle rentra dans la cuisine, un homme vêtu d'un pantalon et d'un gilet, sans tunique à cause de la chaleur, et qui prenait l'air, le corps plié sur l'appui de la fenêtre, fit craquer une allumette. C'était un homme de trente ans, à museau de rat, yeux ardents, nez pointu, moustache raide et les cheveux en arrière. Il approcha la bougie allumée de la figure d'Ursule qui entrait. Sa figure mince se colora un peu, et ses yeux intelligents et peu sûrs, ses yeux qui changeaient beaucoup plus souvent que ceux d'Ursule Magre, pétillèrent de curiosité et de plaisir.

– Eh bien ?

– Je l'ai vue.

– Elle t'a mise à la porte ?

– Mais non !

– Je m'y attendais.

– Une ancienne élève, voyons !

– C'est vrai. Alors, reçue ?

– Oui.

– Quand elle a su qu'on allait fermer sa boîte, elle a commencé par dire du mal du Gouvernement, n'est-ce pas ?

– Non.

– Des larmes, naturellement ?

– Oh ! oui, pauvre sœur, ça me faisait quelque chose de la voir pleurer. J'ai cru qu'elle allait se trouver mal...

– Tu as parlé de la maison mère ?

– Tu me l'avais dit.

– Bravo, ma chatte ! Et elle a calé tout de suite ? C'est drôle l'effet que ça produit, cette parole-là. C'est immanquable : « Sauver la maison mère ! » Tu as été admirable ! Elle a promis de filer sans tapage, pour sauver...

– Elle n'a rien promis du tout !

– Ah !

– Et tu m'as fait faire une vilaine commission, tu sais ? Je n'en ferai plus de pareille ; tu t'en chargeras...

Il n'écoutait plus. Il réfléchissait. Ses lèvres s'allongèrent brusquement.

– Allons ! dit-il en riant, ne te fâche pas ! Le tour est joué et bien joué. C'est tout ce qu'il me faut. Si elle ne t'a pas chassée, elle ne fera pas de tapage... Le patron va être content. Viens que je t'embrasse !

DEUXIÈME PARTIE

UNE VOCATION

La nuit plus humide à présent, et mûrisseuse de fruits, étendait sur la campagne ses ailes frissonnantes. Le sang des plantes et celui des hommes se renouvelait. La plupart des créatures dormaient. Chez les sœurs de Sainte-Hildegarde, la veilleuse du coucher ne fut pas éteinte plus tard que de coutume. Dans ces âmes saintes, l'abandon aux mains de la Providence combattait et calmait la douleur. Il fut, peu à peu, victorieux. L'une après l'autre, les sœurs s'endormirent. Une seule demeura éveillée, dans l'angoisse que grandissaient la solitude et la nuit : ce fut sœur Pascale. Toute son enfance lui revenait en mémoire, et cet hier d'elle-même, à mesure qu'elle s'y enfonçait davantage, la jetait dans des alarmes nouvelles.

Son enfance lui revenait en mémoire, surtout la fin, épanouie et douloureuse. Cinq ans plus tôt, Pascale habitait ce coin de la Croix-Rousse que les anciens du quartier appellent « les Pierres Plantées », presque au sommet de cette montée de la Grande-Côte, vieille rue peuplée de canuts, d'échoppiers, de revendeurs, de chiffonniers, – marchands de pattes, comme disent les Lyonnais, – de bouchers, épiciers, boulangers, aux boutiques étroites et profondes ; rue qui coule d'abord tout droit du haut du plateau, et se coude en bas, près de la Saône, et se ramifie en patte d'oie ; rue pavée de galets pointus à l'ancienne mode ; rue d'une pente si rapide que pas une voiture ne peut s'y risquer, et que l'asphalte des trottoirs est entaillée, afin que les passants ne tombent pas trop souvent. Elle était fille d'un des grands quartiers populaires, de l'ancienne colline des tisseurs, séparée seulement par la Saône de la colline où l'on prie, de Fourvière qui lève son église au-dessus de la brume des deux fleuves.

Pascale avait emporté, au fond de ses yeux d'or, l'image de tout un monde. Elle revoyait, par exemple, avec une sûreté de mémoire qui l'émouvait autant que l'avait fait la vie, ce matin du 8 décembre 1897, où elle avait résolu de parler, pour la première fois, du secret qui l'oppressait. L'aube se levait, tardive. Cette nuit-là non plus, Pascale n'avait pas dormi. Elle guettait l'heure où pâlirait la plus haute vitre de la fenêtre, celle qui, vue d'en bas, du lit de Pascale, n'avait que du ciel en face, et elle songeait : « Encore le brouillard ! Toute la journée ne voir le soleil qu'à travers des tas d'étoupes ! Moi qui avais prié pour qu'il fît beau temps ! » Et puis les métiers électriques s'étaient mis à battre, au-dessus de l'étage des Mouvand, qui habitaient le second. Car les trois étages étaient occupés par des canuts, et, depuis des siècles, les murs, les planchers, les meubles, du haut en bas, tremblaient tout le jour, comme d'un grand orage qui ne cessait pas. Ah ! il en avait passé, de la soie, par l'escalier ! Il en était sorti, des belles pièces tissées ! Elles en avaient fait du chemin, les navettes : bien des fois le tour du monde !

La maison, associée au labeur des machines, commençait donc sa journée. Et aussitôt, une voix lointaine, venant de l'atelier, appela :

– Pascale ? Les entends-tu ? Depuis qu'ils paient soixante-dix francs à l'usine de Jonage pour la force électrique, en font-ils un tapage, ces Rambaux !

– C'est vrai !

– As-tu bien dormi ?

– Pas comme d'habitude.

– Moi, magnifiquement. Je me réjouis de ma journée. Habille-toi vite. Je suis tout prêt !

Et Pascale, se levant en hâte, sentit qu'elle frémissait plus fort que les murs : « Il va falloir lui dire, à ce père qui m'aime tant, que je vais me faire religieuse, que je vais le quitter, lui dire cela... tout à l'heure !... »

Elle passa un jupon de laine, s'approcha de l'armoire à glace en mauvais palissandre craquelé, seul luxe de sa chambre et seul héritage de la mère Mouvand, et dénoua ses cheveux. Ces cheveux étaient sa plus grande beauté, non pour leur longueur, car ils tombaient à peine jusqu'à sa ceinture, mais pour la vie puissante qui était en eux, leur souplesse, la flamme çà et là mêlée dans la cendre du blond, couronne de jeunesse, dont le rayonnement éclairait son pâle visage d'ouvrière. Le moindre mouvement du cou faisait courir des lueurs sur ces lourds écheveaux, qu'on eût dit faits avec les soies de la Chine ou du Japon, et assortis pour broder les oiseaux traversant les airs, ou les poissons traversant les vagues, sur le fond bleu des paravents. Bien souvent elle s'était complu à regarder ses cheveux, cette tendre Pascale ; elle leur avait souri ; elle avait eu de ces pensées de vanité qui ne sont, au fond, que des désirs d'amour. Mais, depuis plusieurs mois, elle ne se permettait plus ces idées de coquetterie ; ce matin, elle n'avait pas de mal à s'en défendre, non sûrement, et à la lumière de veilleuse que répandait le matin, ce qu'elle regarda dans la glace, ce furent ses yeux las et cernés. « Qu'est-ce qu'ils deviendront quand j'aurai fini de pleurer, quand j'aurai tout dit ? On ne me reconnaîtra plus, tant ils seront enfoncés ! » Elle leva les épaules. Qu'importait ? Elle se remit promptement, d'ailleurs, à se coiffer et à se vêtir.

D'où lui venait la vocation religieuse ? D'abord et surtout d'une parfaite connaissance d'elle-même. Sa mère, morte trois ans plus tôt, qui avait un visage large aux pommettes et creusé immédiatement au-dessous, évidé et tout pointu en bas, la mère Mouvand, tisseuse aux yeux de prière et de rêve, courbée depuis l'enfance sur le battant du métier, et qui n'aimait pas les dessins compliqués, à cause du constant effort qu'ils exigent de l'esprit, sa mère lui avait transmis, avec son tempérament inquiet, son cœur sensible à l'excès, son amour passionné pour les enfants et sa timidité vis-à-vis des hommes. Pascale, moins protégée par le travail reclus, élève chez les sœurs jusqu'à treize ans, puis occupée aux devoirs du ménage, la cuisine, le balayage, les courses pendant que les parents tissaient, avait remarqué le chemin rapide que faisaient en elle-même les mots d'affection, la joie ou la peine des confidences reçues, les leçons sentimentales de quelques romans prêtés par des amies, les attentions, les regards, les admirations désintéressées, les désirs mauvais, tumultueux comme la rue à onze heures, et dont le voisinage la gênait, mais la flattait aussi, quand elle sortait, quand elle traversait la montée de la Grande-Côte pour aller acheter des légumes ou du lait, quand elle rencontrait, dans l'escalier, les fils débauchés et hardis des Rambaux, les voisins du troisième, qui, pour elle seule, levaient leur casquette et s'écartaient de la rampe, ou quand venaient à l'atelier les employés de M. Talier-Décapy, chargés par le patron de se rendre compte de la fabrication, de transmettre les ordres, de demander à Mouvand de passer chez le fabricant. Elle éprouvait un attrait, mêlé d'une crainte secrète, pour toute occasion de paraître, d'être louée, de se trouver dans la foule où elle était tout de suite convoitée, dans la lourde buée de volupté qui s'élève du pavé des villes, et que toute créature est forcée de boire avec l'air et avec la lumière, mais qui souffle plus vive au visage des plus jeunes, surtout des plus jolies. Au tressaillement de son être, à la curiosité de son esprit, à la durée du trouble qu'elle ressentait en de telles occasions, elle reconnaissait sa fragilité, et elle s'en alarmait, étant une fille pieuse et éprise de pureté comme d'une richesse. Elle s'était dit un jour : « Je me perdrai, peut-être, dans le monde, plus vite qu'une autre. J'aurais besoin d'un abri. » Et cette pensée, souvent, lui était revenue.

Un second trait de son caractère avait frappé la jeune fille. Elle avait observé que, indécise, lente à prendre un parti, tourmentée de regrets et d'imaginations quand elle en avait pris un, même à l'occasion des plus petites choses, elle trouvait au contraire, dans l'obéissance raisonnable, un apaisement de tout son être. Il suffisait que son père, ou jadis sa mère, ou une personne qu'elle avait en estime lui eût dit : « Voilà le mieux, voilà ce qu'il faut faire, » pour qu'elle n'eût plus ni hésitation, ni retour, ni alarme. Il lui était apparu que sa faiblesse se changeait en force quand elle était commandée, qu'elle aurait besoin longtemps, toujours peut-être, d'une direction éclairée, ferme et aimée. Elle appartenait à l'immense multitude des âmes qui n'ont la paix, qui n'ont de puissance et de hauteur que dans leur amour et par lui. Et, sans doute, elle aurait pu se marier, et souvent, comme les autres jeunes filles, elle avait examiné cet avenir qui est celui de presque toutes : un mari, un ménage, des enfants. Mais elle n'avait pas été élevée dans l'illusion que le mariage et le bonheur sont une même chose. Elle avait vu des réalités différentes. Fille d'une mère morte jeune, sœur d'une petite Blandine emportée à l'âge de dix ans par une méningite, de santé délicate elle-même, et enrhumée chaque hiver, plus longtemps qu'il n'aurait fallu, elle ne pouvait songer au mariage sans se souvenir de tant de jeunes femmes qu'elle avait connues, si promptement accablées par la fatigue des maternités nombreuses et par la difficulté de gagner le pain, pour soi-même et souvent pour tous, de tant d'autres voisines encore, abandonnées, battues, mariées à des brutes ou à des fainéants. Et lors même qu'elle aurait été demandée par un brave homme laborieux, comme il n'en manquait pas à la Croix-Rousse, fils de tisseur, commerçant ou employé, la protection eût-elle été complète ou suffisante ? « Si je ne suis pas tout à fait mauvaise, je serai médiocre, en ménage, dans le milieu mêlé où je continuerai de vivre, et à cause de la facilité avec laquelle je subis les influences ; j'aurai des velléités de courage et de perfection, comme à présent, et je ne monterai pas. Mon salut serait bien plus assuré, si je me retirais du monde : j'aurais la sauvegarde des murs, de l'exemple, de la règle, de la prière fréquente et obligée. Dans le monde je serai mauvaise ou médiocre. Dans le cloître je pourrais devenir une âme sainte. N'est-ce pas ma voie ? »

Elle s'en était ouverte à une femme qu'elle croyait être de bon conseil, une tordeuse qui venait, au moins une fois par mois, quelquefois deux, pour rattacher la chaîne d'une pièce finie à la chaîne d'une pièce nouvelle et ne faire qu'une seule étoffe. C'est un métier qui exige beaucoup de propreté, d'adresse, d'attention, d'habitude. Tant de fils à souder l'un à l'autre, et sans qu'il y paraisse ! La veuve Flachat, personne discrète et bien proprement pauvre, arrivait le matin, apportant le lait qu'elle avait acheté dans une boutique « de toute confiance », et vite elle se mettait au travail. On ne voyait plus son visage penché. Elle trempait dans le lait son index et son pouce, et tordait alors les fils, qui semblaient, sous ses doigts, fondre pour mieux s'unir et plus également. On la nourrissait, comme il est d'usage. Et il avait été facile à Pascale, pendant les moments où le père était sorti, de parler à la tordeuse, qui savait écouter comme elle savait tordre.

– Je ne suis pas étonnée de ce que tu me dis là, ma petite Pascale, – elle l'avait toujours connue et elle la tutoyait, – ta mère eût été contente de t'entendre. Elle avait le goût des longs offices...

– Mais, pas moi ! répondait Pascale en riant. Je m'ennuie vite à l'église. Je ne suis pas ce que vous croyez, madame Flachat !

– Je sais bien ce que je veux dire, reprenait la femme en tordant les brins de fil ; je veux dire que ta mère était comme toi, portée à être meilleure que le monde, et donc à y souffrir. Je l'ai traversé, le monde, moi, ma fille, je puis t'assurer qu'on y trouve autre chose que des joies : tu penses peut-être au couvent ?

– Sans le désirer, oui, madame Flachat.

– Comme à un mariage qu'on étudie.

– À peu près.

– Eh bien ! ma mignonne, il faut continuer sans te presser, sans te faire de tourment. Si le cœur se prend, laisse-toi aller.

Elle parlait comme la sagesse même.

Pascale réfléchissait.

Et c'est alors que, dans cette âme tourmentée, pure, défiante d'elle-même, de Pascale Mouvand, Dieu avait mis le désir de la vie religieuse, où elle devinait que se trouveraient, pour elle, la paix et la direction, avec cette tendresse enveloppante, sans détour et sans trahison, dont le rêve était né avec elle. Il avait ajouté sa grâce à cette bonne volonté tremblante. Aucune illumination brusque, aucune ardeur mystique, aucune vapeur d'encens, aucune rêvasserie d'oriflamme et de bleu, aucune propension merveilleuse au sacrifice, n'acheminait Pascale vers le couvent, mais la persuasion raisonnable qu'aucune autre existence n'assurerait mieux le développement de ce qu'il y avait de bon en elle, et ne la protégerait plus sûrement contre le reste. Elle avait peur, elle avait vu l'abri, elle y allait. La pensée de quitter son père la faisait souffrir, mais cette autre pensée la décidait que les conditions du salut éternel ne sont pas les mêmes pour toutes les âmes, qu'elles sont impérieuses, qu'elles échappent au jugement de ceux qui ne croient pas, et qu'il n'y a point de devoir qu'on puisse leur opposer.

La vocation n'avait rien d'étonnant, ni de nouveau d'ailleurs, chez les Mouvand. Cette vieille race de canuts lyonnais avait toujours été et était encore, dans son dernier descendant, laborieuse, goguenarde en paroles, ardente tout au fond, capable de longues patiences et de révoltes terribles, ménagère et dévote. Malgré tant d'efforts faits pour agrandir dans le peuple l'ignorance ou l'hostilité religieuse, elle comptait au premier rang, parmi ces nombreuses familles d'ouvriers de la Croix-Rousse, de la Guillotière ou de Saint-Irénée, qui, aux jours de fête ou de deuil, regardent vers Fourvière d'un œil attendri, et pour qui la Vierge est une parente et un bien municipal. Les Mouvand avaient participé à la fondation de cette œuvre ancienne des Hospitaliers-veilleurs, œuvre d'assistance et de prédication créée par des ouvriers de Lyon en 1767, et, au seuil du XXe siècle, Adolphe Mouvand se faisait encore honneur d'aller le dimanche aux Hospices, raser et coiffer les malades pauvres, comme l'avait fait son arrière-grand-oncle maternel, Jean-Marie Moncizerand. Il avait élevé ses enfants – hélas ! il fallait dire aujourd'hui son enfant, – dans la tradition de foi pratique à laquelle il était demeuré fidèle. Et il ne se pouvait, sans doute, qu'il refusât son consentement à Pascale, qu'il se mît en travers de ce projet, qu'il fût, longtemps du moins, inexorable. Mais elle ne lui avait pas parlé, jusque-là, de sa résolution. Elle l'avait laissé, par pitié, à cause de la différence d'humeur qu'il y avait entre elle et lui, en dehors des luttes, des hésitations, des objections qui l'avaient torturée. Il ne se doutait de rien. Et sa surprise, sa douleur, sa première colère peut-être, quand il allait apprendre le secret, voilà ce qui avait empêché bien des nuits, et cette nuit notamment, Pascale de dormir.

Quand elle eut achevé de se coiffer, d'agrafer sa robe, elle jeta sur ses épaules une pèlerine de laine soyeuse et fine, toute noire, qui avait appartenu à sa mère, attacha les deux bords près de son cou avec une barrette de métal piquée de fausses turquoises, et, comme elle appartenait à une génération qui est « glorieuse », comme disait le canut, elle mit des gants de peau bruns.

Alors elle eut un battement de cœur si violent qu'elle s'appuya contre le fer de son lit, une main posée sur sa poitrine. « Dites-moi ce qu'il faut que je dise ? » murmura-t-elle. Lentement elle ouvrit la porte de sa chambre. La chambre à côté, celle de son père, était vide. Pascale la traversa, tourna au bout à angle droit, et entra dans le vaste atelier du canut. Heureusement, les Rambaux travaillaient, là-haut, car on l'eût entendue, sans cela, marcher sur le vieux plancher. Adolphe Mouvand n'était pas à sa place habituelle de travail, assis sur la banquette du premier métier, mais debout au fond de la salle, près de l'autre machine, poussiéreuse et toujours immobile : l'ancien métier de la mère Mouvand. Personne, depuis trois ans, n'avait eu la permission de toucher à cette relique. Le canut avait posé sur le battant, tout verni par l'usage sa main petite et adroite à empaumer le bois. Il regardait le sol, les ponteaux fixant l'armature, la mécanique au-dessus du cadre du métier, et les cartons, encore suspendus en l'air, du dernier dessin qu'avait tissé la défunte. Mouvand était tourné vers les fenêtres de l'atelier. La lumière, incomparablement plus vive que dans les bas quartiers de Lyon, éclairait l'arête de la silhouette, haute et voûtée, du maître tisseur, son visage taillé carrément, rude, et qu'encadrait une barbe grise, fournie et frisante, qui revenait toute en avant, à cause de l'habitude qu'il avait de l'appuyer, en travaillant, contre sa poitrine. Le canut avait mis sa jaquette et son pantalon noirs des jours de fête. Sur son crâne, couvert de cheveux durs et coupés ras, de la même couleur que la barbe, des mèches plus blanches mettaient des lueurs de vieille peluche. Il étudiait quelque chose, il songeait, il n'entendait pas venir sa fille. Mais, à un moment où il regardait en bas, il vit, quand elle fut près de lui, les lames du plancher subitement envahies par de l'ombre. Et il aperçut Pascale, et toute son âme se sépara du métier, et il fronça les sourcils, comme surpris en faute. Mais ce n'était qu'un mouvement de l'instinct. Sur le masque lourd et grave, une joie, tout de suite après, passa ; elle alluma les yeux du tisseur, tout enfoncés et ternes comme le ciel qu'ils regardaient souvent ; elle les agrandit ; elle rosit un peu le parchemin des joues ; elle fit apparaître, sous les moustaches, les lèvres moqueuses et hardies, et qui avaient jeté tant de mots plaisants dans l'air de Lyon, les jours de fête, de chômage ou de grève, quand on se rencontrait au cabaret avec les amis, ou qu'on jouait aux boules, dans les hauts de la Croix-Rousse. En un instant le visage, la pensée, l'attitude d'Adolphe Mouvand s'étaient transformés. Il sortait ainsi de lui-même rarement, comme d'un terrier. C'était l'image de Pascale qui avait fait cela, de sa fille passionnément aimée, et qui venait à lui, prête à partir.

– Eh ! jolie ! dit-il, – très souvent il l'appelait ainsi, – tu m'as fait peur !

Il se pencha pour la regarder, ayant les yeux usés.

– En voilà une mine ! Comme tu es pâle ! Tu ne vas pas recevoir les cendres, pourtant ? C'est le jour de notre Vierge, et j'entends bien manger des bugnes avec toi !

Il l'embrassa sur les deux joues, en faisant claquer ses lèvres.

– Ça te va-t-il, des bugnes que nous achèterons, en revenant de la messe, au père Bellefin qui les frit si bien ? Je me sens tout content de sortir avec toi ! Là ! ça te va-t-il ?

Elle fut décontenancée par cette bonne humeur. Elle embrassa son père, et les mots préparés moururent dans ce baiser, les mots cruels.

– Sais-tu à qui je pensais ? continua-t-il. À toi. Oui, en touchant le métier de ma défunte, je me disais que tu ne pourrais pas le mener ; c'était bon pour elle, et c'est bon pour moi ; ma vieille carcasse et celle de ma mécanique sont mariées comme malheur et misère : mais toi, tu n'aurais pas la force.

– Je le crois, dit Pascale.

– Ni le goût !

Elle se mit à sourire, et dit :

– Ni le temps surtout.

Mais il ne devina rien, et, suivant le songe paternel :

– Tu as raison ; ta mère ne voulait pas que je t'apprenne à faire de belles soies ; alors moi, j'ai dit : « Elle ne fera pas de camelote, » et tu n'as rien appris du tout... Et puis tu étais délicate, et puis on te gâtait. Tu n'as appris chez nous que le métier de ménagère. Tu le fais bien, par exemple !

Il s'arrêta un moment, l'enveloppa d'une pensée d'orgueil et de tendresse :

– Mais écoute, reprit-il, la vieillesse convertit quelquefois ; à présent je veux bien voir travailler l'électricité chez moi ; nous prendrons Jonage, tu n'auras qu'à surveiller, et nous vendrons le vieux métier de la défunte mère... Tu feras l'article pas cher, du ruban même, si tu veux. Et nous serons plus riches. Qu'en dis-tu ?

Elle répondit, tournée vers la rue où la lumière grandissait :

– Vous m'aimez trop... Venez, nous allons manquer la messe.

Ils descendirent par l'escalier dont les paliers sans fenêtre, à cause des cabinets extérieurs, n'étaient séparés du vide que par une grille de fer. Le vent soufflait là presque aussi bien que dans la rue.

– Attention, et serre ton tricot, dit le père, car l'escalier de chez nous, ç'a été la mort des miens. Et toi, jolie, il faut que tu vives !

Elle descendait devant lui, serrant la pèlerine qui dessinait mieux ses épaules et son buste rond. Comme elle était leste, et que l'air froid l'animait, elle sauta les trois dernières marches de pierre, pour montrer qu'elle vivait bien, elle, et que la jeunesse ne lui manquait pas.

Ensemble, le père et la fille entendirent la messe à l'église Saint-Bernard, qui est en haut de la Croix-Rousse, puis, comme l'avait promis le père, ils descendirent jusqu'à la rue des Tables-Claudiennes, où était l'échoppe du friturier, et achetèrent des beignets. Mouvand mangea les siens dans la rue ; Pascale demanda un sac de papier.

– Voilà nos demoiselles d'à présent, Bellefin ! dit le canut. Ça ne vit plus dehors.

L'autre allongea, hors de son étroite boutique, sa tête en boule, au sommet de laquelle un peu de suie étendue figurait des cheveux, et, d'un œil d'ancien connaisseur, admirant Pascale :

– Je n'en ai pas de pareille, fit-il. Tu as de la chance, toi, de te « lantibardaner » comme ça avec elle. Quel âge ça a-t-il ?

– Dix-huit ans passés, répondit Pascale.

– Et une voix ! Répète pour que je t'entende chanter, et tu auras une bugne de plus dans ton sac !

– Dix-huit, monsieur Bellefin ! dix-huit ! dix-huit !

Pour la première fois elle riait franchement. Ce Bellefin était drôle, et il savait parler aux filles. Elle riait, les lèvres entr'ouvertes, humides, lisses comme la nacre d'une coquille, et elle répétait, regardant le vieux bonze au fond de sa niche, sachant que le quartier appartenait à elle et au matin : « Dix-huit, mais donnez-moi ma bugne, monsieur Bellefin, et du sucre dessus, beaucoup, car je l'aime bien ! »

On eût dit que les deux hommes écoutaient un merle élevé et instruit par l'un d'eux, ou un pinson de concours :

– Hein ! ça vous a-t-il un bec ? Crois-tu que ça ne serait pas dommage de ne pas l'avoir pris, choyé et instruit ?

En reprenant la marche vers la montée de la Grande-Côte, Adolphe Mouvand sentit qu'il n'avait jamais tant aimé Pascale, ni si orgueilleusement.

Arrivé à l'angle de la rue des Tables-Claudiennes et de la montée :

– Allons, dit-il, retourne à tes affaires. Moi, je vais aux miennes. J'en ai beaucoup, et tu ne m'attendras pas pour le dîner. Mais, à une heure, trouve-toi là-haut, à Fourvière, quand les cloches sonneront l'entrée des hommes.

Ils se séparèrent, et, pendant le reste de la matinée, vécurent loin l'un de l'autre. Mouvand, depuis sa jeunesse, avait l'habitude de régler ses affaires le jour du 8 décembre, et cela comprenait quelques paiements, deux ou trois visites à de vieux canuts retirés ou impotents, et un déjeuner à onze heures et demie, chez Constant Mury, forte tête socialiste de la Croix-Rousse, canut bien en chair, qui présidait l'équipe de joueurs de boules des Pierres-Plantées.

Avant une heure, il était rendu sur la place de la Cathédrale, au pied de la colline de Fourvière. Elle était toute noire, aussi noire que la façade de l'église et de la Manécanterie, tant les groupes d'hommes s'y pressaient, tassés et immobiles au milieu, encore fluctuants à l'entrée de la rue Saint-Jean, de la rue Antonine et de la rue de la Brèche, à cause des groupes de nouveaux arrivants, qui tentaient de pénétrer dans la masse et en agitaient la circonférence. Il n'y avait là que des hommes, cinq ou six mille. Tout à l'heure, ils seraient un millier de plus, et ils marcheraient en colonne, le long des lacets de la colline sainte, afin d'aller proclamer, dans le temple lyonnais, la foi lyonnaise.

Le canut salua quelques camarades reconnus çà et là, près du portail de Saint-Jean : « J'avais bien dit à Pascale que la procession serait belle, pensa-t-il. En voilà du monde ! Ma petite doit être déjà là-haut. » Il ne se mêla pas à la foule, ayant des rhumatismes au bas des reins qui lui rendaient la marche difficile sur les pentes, et monta, par le funiculaire, en quelques instants, jusqu'à la plate-forme, lieu de refuge, lieu plus proche du ciel, où la basilique lève, au-dessus de la ville immense, ses quatre tours octogonales, épanouies en diadèmes. Sans le savoir il gravissait son calvaire. Oh ! combien de fois nous allons ainsi, avec notre joie à peine tremblante, malgré la vie, au rendez-vous obscur où nous attend la destinée ! Il avait le cœur plus libre encore que de coutume, ayant eu, depuis le matin, plus de loisirs, et plus d'occasions de sortir de ces murs qui nous ont vus pleurer. Sa belle humeur s'était enhardie dans la compagnie de quelques

amis réunis chez Constant Mury. En payant deux sous au rece-
veur du funiculaire :

– C'est pas cher, votre ficelle, dit-il, mais vous ne charriez
pas loin. Avez-vous vu ma fille ?

– J'en ai vu, oui, qui ont passé au tourniquet. Mais la vôtre,
je ne sais pas !

– Une jolie, dit Mouvand, en levant les épaules, une blonde
aux joues fraîches, il n'y en pas tant ? Et une aile de tourterelle
au chapeau ?

Il ne se trompait pas. Pour lui, et à cause de la fête, Pascale
avait mis son chapeau de feutre orné d'une plume grise. Elle attendait son père devant la façade. Elle le mena rapidement à
droite, à l'endroit où la procession, par la montée de Fourvière, allait déboucher. D'en bas, le bourdon de Saint-Jean avait annon-
cé : « Ils partent ». Et bientôt, la grosse cloche de la montagne de
Fourvière, celle de la tour du sud-est, lancée à toute volée, lui répondit, et salua les premiers pèlerins apparus devant la basilique.

Ils montaient tête nue, remplissant toute la largeur de la
rue, presque tous récitant le chapelet. Le chemin les versait
contre la nef de l'église ; ils tournaient à droite, et la colonne, avec
son bruit de pas et de cantiques, lentement, s'engageait dans le
cloître de l'ancienne chapelle et entrait par là dans la basilique
neuve, selon l'ordre prescrit. C'était tout Lyon qui montait : les
hommes des usines, des magasins, des bureaux, des chantiers,
les riches, les pauvres, inconnus les uns aux autres et confondus,
roulant pêle-mêle, comme les mottes au versoir de la même char-
rue. Et le bourdon allongeait sa grande voix au-dessus des bruits
de la cité, vague triomphale, roulant sur les fumées, perçant les
brumes, déferlant à bien des milliers de mètres en avant, en arrière, sur le plateau des Dombes, sur la plaine du Rhône, sur les
collines au delà d'Écully et de Sainte-Foy. En même temps, le ca-
rillon de la tour de droite, de la tour du sud-ouest, avec ses onze
notes d'airain, se mettait à chanter les hymnes à la Vierge. Les
hommes chantaient aussi. Ils chantaient à présent hors de la basilique et au dedans. Et tant que dura le défilé de cette armée pèlerine, toutes les pierres de la falaise, toutes celles de ses églises
et de ses maisons, tous les os des vivants et des morts qu'elle
portait, frémirent au passage de la prière récitée, chantée, son-
née.

Au fond de l'église, Pascale, entrée par fraude dans une poussée de la foule, avec son père, s'était placée debout contre le socle, en carrare blanc, d'un des piliers de la nef. Son père se tenait près d'elle. Toutes les chaises avaient été enlevées, et la foule sombre des pèlerins, emplissant la basilique, donnait toute sa splendeur à la décoration des murailles et des voûtes, sculptures, colonnes, mosaïques, verrières toutes dorées et fleuries de mauve, ombres légères, ombres vivifiées par les reflets qui se mêlaient et se fondaient comme les feux d'une opale. Il y eut un cantique, le cardinal entra et traversa les rangs, puis un prêtre parla brièvement. Cette foule croyait et priait. Une émotion l'agitait tout entière, et c'était autre chose que le respect ou l'amour divin : c'était le sentiment d'une force et d'une fraternité, une sorte de réconfort religieux, dans lequel vivaient les aïeux de tous ces hommes, et que ceux-ci n'éprouvaient plus que par moments, disséminés qu'ils étaient dans vingt églises, habitués à n'être que des groupes, ou des volontés solitaires, et prenant ici tout à coup une conscience d'armée. Chacun priait mieux ; les inconnus étaient des frères ; les voisins n'avaient point de haine ; l'humiliation était commune, l'espérance commune, le Père commun ; et l'avenir commun mettait entre les voisins, ignorants l'un de l'autre, une muette salutation, un peu de respect, un peu d'au revoir éternel.

Adolphe Mouvand appartenait trop solidement, par toutes ses ascendances et par ses habitudes de vie, au vrai peuple lyonnais, pour ne pas s'épanouir dans cette joie et dans cette fierté. Il chantait, il écoutait, il levait sa tête, et ses yeux, tout pleins de la vision habituelle des murs nus et des machines, en se posant n'importe où, buvaient une lumière de paradis. Il en oubliait de regarder Pascale. Comme d'autres, il ignorait le sens mystérieux de ces paons aux queues étalées, de ces anges aux ailes ouvertes, et des symboles partout répandus, mais comme tous ses compagnons, il comprenait qu'il avait là, sous les yeux, une strophe nouvelle ajoutée à l'hymne ancien, et que sa ville avait élevé à la Vierge un monument bien supérieur, par l'art et par la piété, à tant d'églises neuves qui n'ont d'autre âme que celle du passé. Il se sentait tout fier et tout brave. La jeune fille, elle, ne voyait rien, absorbée qu'elle était par la pensée qui la faisait souffrir. La tête appuyée contre la pierre du pilier, elle avait fermé les yeux ; elle s'inquiétait parce que l'heure était venue ; elle ne bougeait pas, comme si le moindre mouvement eût dû amener l'aiguille de l'horloge sur le point fatal. Par moments une exclamation jaillissait du fond de sa douleur : « Mon Dieu, je suis brisée par la peine que je vais lui faire ! Rien ne pourrait me décider à le quitter, si ce n'est Vous qui m'appelez ! Il me faut votre ombre et tout l'abri des amitiés saintes, parce que je n'ai de volonté que pour plier devant ceux que j'aime. Secourez-moi, car ma lâcheté voudrait encore se taire ; fortifiez-moi, parce qu'il a tant de droits sur moi, que je me sens cruelle en lui parlant des miens. Et pourtant, mon Dieu, si je me mariais, il faudrait le quitter aussi ! Aidez-le à m'écouter ; aidez-moi à lui parler ! »

La foule s'écoulait ; tous les voisins avaient quitté les dernières travées de l'église, et descendaient l'escalier, au delà des portes de bronze, quand Pascale, lentement, leva la main, et la mit sur l'épaule de son père.

— Quand tu voudras, ma jolie, dit le canut, en s'éveillant du rêve, je suis prêt...

Il allait se détourner pour partir, mais, sentant qu'elle le retenait :

— Qu'as-tu à me dire ? fit-il.

Et il se pencha, mettant sa bonne oreille tout près de la bouche qui avait pâli.

— Père, je vous parle ici, parce que Dieu est plus près de nous...

Elle voulait le préparer. Elle n'eut plus de force contre son secret. Il renversa toutes les barrières ; il s'échappa.

— Pardonnez-moi, je veux être religieuse !

— Religieuse ? Qu'est-ce que tu dis là ?

Il la vit très pâle. Et les mots qu'elle venait de dire entrèrent en lui.

— Alors, c'est tout à fait vrai ? Tu veux ?...

Elle fit signe que oui, craintivement, comme si elle pouvait le tuer avec un geste trop décidé.

À son grand étonnement, Pascale ne le vit ni chanceler, ni se raidir, mais se redresser seulement un peu du côté du tabernacle, et répondre, non pas à elle, mais à Celui qui avait parlé par les lèvres de Pascale.

– Oh ! mon Dieu, est-ce possible ? Je ne m'y attendais pas ! Religieuse ! Ma fille !

Et comme si le projet avait déjà pénétré aux dernières profondeurs où est la volonté, comme s'il était déjà compris et jugé à moitié, Mouvand, regardant toujours derrière la porte dorée, dit :

– C'est pour soigner nos malades dans les hospices de Lyon que tu me quitteras, Pascale ?

– Non, papa, j'irai chez les sœurs de Sainte-Hildegarde.

– Élever les mioches ?

La voix répondit, très bas, le long du pilier :

– Faire mon salut.

Tous deux ils restèrent silencieux, le temps de dire un *Ave Maria.* Puis Pascale, ayant levé les yeux, vit cette chose admirable et qu'elle n'avait jamais imaginée dans ses rêves : un homme de grande foi, déjà victorieux au premier choc de l'épreuve. Toute la race sanctifiée, tous les aïeux du canut, trépassés et sauvés, devaient intercéder pour lui. Des yeux de l'homme, deux larmes tombèrent, mais le visage ne s'attrista point. Une joie au contraire y grandit, et l'âme y parut, toute contente, pour obéir. Il fut cependant un long moment sans pouvoir parler. Puis il dit, toujours tourné vers le haut de l'église :

– Je ne te disputerai point au bon Dieu, Pascale. Tu iras où tu veux.

Son regard se perdit un moment dans les voûtes de la basilique. Puis, entourant de son bras le cou de sa fille, le canut, qui était de sang vif, incapable de méditations longues, entraîna Pascale par la baie ouverte des portes de bronze, et descendit ainsi les marches, dernier pèlerin, abritant et serrant contre lui, dans l'air froid du dehors, sa fille fiancée à Dieu. C'était un roi qui descendait, avec une jeune reine. Personne ne le savait.

Quand ils furent sur la place :

– Que vous êtes bon ! disait-elle. J'avais grand'peur de vous parler !

Il reprit sa grosse voix :

– Que tu es bête ! À moi ?

– Je n'ai pas dormi de la nuit, car, au matin, j'avais résolu de dire mon secret.

– Avant la messe ?

– Oui.

– Tu avais l'air si drôle ! Est-ce qu'il y a longtemps que tu songes à te faire religieuse ?

– Deux ans au moins.

– C'est pour cela que tu m'emmenais plus souvent aux vêpres ?

– Oui.

– Que tu as refusé d'aller à la noce de notre voisine du premier, la Thiolouse ?

– Peut-être.

– Et que tu n'as pas voulu que je t'achète une broche en doublé pour ta fête ?

– Oui.

– Je n'avais rien deviné. Que c'est facile à tromper, les pères ! Je me disais quelquefois : « Elle a un amoureux. » Tu aurais pu en avoir, même plusieurs ?...

Elle riait. Elle savait que c'était vrai. Et ils s'engageaient, après avoir traversé la place, dans la rue du Juge-de-Paix, un chemin de banlieue, qui ne descend pas la colline, mais s'en va en tournant vers l'ouest.

– Si tu avais eu l'idée du mariage, ma jolie, ce n'est pas les prétendants qui t'auraient manqué. Je crois que le fils des Rambaux aurait bien voulu de toi ?

– Moi, pas de lui.

– En effet, il ne vaut pas cher. Travailleur, mais c'est tout, et ce n'est pas assez pour faire un homme. J'en connais d'autres, qui trouvaient Pascale à leur goût.

– Vous d'abord, dit-elle, le remerciant du regard.

La pensée de la séparation, jusque-là vague, écartée par d'autres qui se pressaient dans l'esprit du canut, se glissa au milieu des autres. La douleur était entrée dans sa joie. Mais la greffe ne prend pas tout de suite. L'arbre de joie s'épanouissait.

– C'est vrai que j'avais grand plaisir à vivre avec toi, Pascale. Toi, peut-être moins ?

– Oh ! si.

– Depuis que j'ai perdu la défunte, je suis peut-être un peu trop sorti, le dimanche, de mon côté ?

– Non.

– Trop joué aux boules avec les amis ? J'aurais dû promener Pascale ?

– Je n'aurais pas demandé mieux, mais mon idée n'aurait pas changé.

– Qui te l'a donnée, alors ?

Elle dit en hochant la tête :

– Je me suis sentie faible.

Il ne comprit pas, n'ayant pas l'habitude de considérer les choses par le dedans, et se contenta de faire un signe d'assentiment.

Ils marchaient entre les murs rouillés ou verdis par la mousse, clôtures de jardins de couvents ou de maisons de retraite, et le chemin tournait et se tordait, mais le silence était le même, partout autour d'eux. Çà et là, une branche avançante, de platane ou de tilleul, débordait et bénissait le passant.

Pascale, reprise par le songe habituel, mais calme à présent et même joyeuse, fit une centaine de pas sans rien dire, puis, comme le père n'avait pas compris une première fois :

– J'ai besoin d'une règle, reprit-elle, pour être toute bonne.

– Tu l'étais assez pour moi ! murmura le canut.

Il ajouta tout de suite, pour réparer le blasphème qu'il venait de formuler.

– Il est vrai qu'il y en a un autre, plus difficile à contenter. Pascale, je te le répète, je ne dirai rien contre. Non, je te le promets.

Tous deux, l'ouvrier et l'enfant, ils se sentaient l'âme légère, légère d'une joie qu'ils goûtaient avec une sorte de respect et de hâte ; ils la devinaient immortelle par l'origine et passante dans leur esprit ; ils savaient d'où elle vient ; ils espéraient, l'un et l'autre, gagner la terre future où elle ne cesse plus ; ils avaient la certitude qu'ils agissaient selon l'ordre, en conformité avec la volonté divine.

– Religieuse, répétait Mouvand ; non, quand le temps sera venu, je ne l'empêcherai pas...

Quand le temps sera venu ?... C'était la douleur qui revenait. Pascale n'avait pas dit quand elle partirait ; son père ne se l'était pas d'abord demandé. L'émotion lui avait caché sa peine future. Il essaya d'échapper à la question née en lui, insistante à présent et angoissante : « Quand part-elle ? Quand va-t-elle me laisser seul ? » Il dit :

– Je ne me rappelle d'autre religieuse, dans la famille, qu'une arrière-grand'tante ; mais c'est si loin dans mon enfance !

La rue du Juge-de-Paix, celle des Quatre-Vents qu'ils suivirent ensuite, étaient rougies par la lumière du couchant. Le soleil, près de tomber, rapide dans sa chute, poursuivi par les brumes qui ne l'avaient pas lâché, y creusait des abîmes d'or et de pourpre aussitôt comblés par l'écroulement des nuages, mais qu'il rouvrait plus loin. Pascale et son père se trouvaient maintenant devant la grille de Loyasse, le grand cimetière, situé sur la colline et à l'endroit où elle descend vers l'ouest. Ils faisaient là leur visite traditionnelle. Adolphe Mouvand se rendait à Loyasse chaque fois que revenait cette date du 8 décembre, et en ce moment, un instinct plus pressant encore l'y ramenait. Le quartier de Saint-Irénée, tout proche, avait été le berceau de sa race. Les tombes des vieux canuts étaient là, à Loyasse, ou y avaient été, car les pauvres n'ont que des places louées au cimetière, et sont chassés de la tombe, quand le terme n'est plus payé, comme ils l'ont été, pendant la vie, de la chambre ou de l'atelier, en des jours de détresse. Il y avait encore, entre leurs fusains taillés, côte à côte, la croix de fonte du grand-père et celle de la mère Mouvand, femme du canut. Par la grande allée, entre les sycomores sans feuilles, l'ouvrier et sa fille gagnèrent le bord du plateau, où finissaient les « concessions perpétuelles », où commençait une pente rapide, vaste champ tout noir d'abord, et frangé de blanc, tout en bas. C'était le clos Lièvre, avec ses tombes de pauvres, parents en haut, enfants près de la vallée, avec ses innombrables couronnes de perles, sombres pour les grands et couleur de lait pour les petits. Les deux Lyonnais apportaient des nouvelles à leurs morts, et quand ils s'agenouillèrent, tous deux, ayant mis leur mouchoir sous leurs genoux, ils firent une prière qui était vraie, et que l'émotion vivifiait. La figure du canut s'allongea, sa barbe drue bâilla comme s'il parlait ; il passa la main sur ses yeux, comme s'il voulait retenir ses larmes ; puis il se releva, et, avec son couteau, il se mit à faire la toilette des tombes, négligées faute de temps et à cause de la longue distance. Pascale, demeurée seule, avait l'impression que son cœur, ou sa pensée, quelque chose de doux qui était tout elle-même, descendait sous l'herbe mouillée et se faisait entendre de la morte, et elle disait : « Maman, je vais au couvent, je suis venue te le dire. Bénis-moi. J'ai l'âme tendre comme tu l'avais. Ne t'inquiète pas pour moi ; je souffrirai moins là où je serai, que tu n'as fait dans ta vie de femme et de maman ; j'ai idée que tu as mérité pour moi la vie meilleure ; je prierai pour toi ; ce sera ma visite, car il me sera difficile, peut-être impossible de monter à Loyasse, d'ici longtemps ; tu sauras que je suis bien. J'aurais voulu que maman me vît avec mon voile... Tu aurais pleuré. Tu aurais bien compris... Je t'embrasse à travers la terre et les pierres. Je suis ton enfant. Je te remercie pour toute mon enfance, qui m'a menée où je vais. »

Elle se leva. Son père, qui avait resongé à la maison en touchant la croix de fer plantée sur les os de la mère Mouvand, dit, en fermant la lame du couteau, qui s'abattit avec un bruit sec sur l'armature :

– Tu es jeune, Pascale, il n'y a point de presse : dans combien de temps entreras-tu en religion ?

Elle avait repris sa route, près de lui, et ils remontaient l'avenue funèbre. Elle ne répondit pas, tout d'abord, par pitié, et elle lui prit le bras, pour qu'il eût mieux, par cette caresse, la certitude qu'elle l'aimait.

– Tu es si jeune ! répéta-t-il.

Ils marchèrent encore quelque temps, sans qu'elle eût répondu, et, sortant de Loyasse, ils montèrent à droite par le chemin qui suit le mur d'enceinte du fort déclassé. Mouvand attendait, il se troublait. Elle sentit qu'il lui serrait le bras, pour dire : « Allons, jolie, fais-moi de la peine ; j'ai compris ». Et elle répondit :

– Je voudrais entrer à Noël, au noviciat.

– À Noël, Pascale ! Dans quinze jours ! Dans quinze jours je ne t'aurai plus ?

Lui si ferme, si gai, si peu porté à geindre et à récriminer, il dut s'arrêter, et il respira vite, cinq ou six fois, les paupières baissées, comme s'il avait fait un effort trop grand.

– Oh ! dit Pascale, ne me faites pas pleurer ! Je suis si faible, même quand je vois clairement mon devoir, que, si vous me montriez votre peine, je serais capable de ne pas aller au couvent, ni dans quinze jours, ni plus tard. Et pourtant je suis sûre que Dieu m'attend !

Adolphe Mouvand était de ces hommes que le respect de Dieu arme tout de suite contre eux-mêmes.

– Tu as raison, dit-il, en espaçant les mots, il faut être brave... C'est un honneur qui nous est fait.

– Comme vous comprenez bien, papa !

– Et une fameuse indulgence qui m'est offerte ! Moi qui tâche d'en gagner dans la compagnie des Hospitaliers-veilleurs : je n'aurai jamais mieux... Et puis, vois-tu, Pascale, il ne faut pas sacrifier tes années, qui sont jeunes, aux miennes qui sont finies... Va faire ta vie, comme nos anciens... C'est là qu'ils habitaient, tiens, Pascale !

Il avait été si bien instruit dans la doctrine chrétienne, que les idées les plus hautes sur le devoir, sur la destinée d'une âme, lui étaient habituelles.

En parlant, le canut escaladait le talus de terre gazonné qui épaule, tout du long, la muraille militaire. C'est la crête du plateau, jadis fortifié par les Romains et qu'enveloppe encore, du côté de l'ouest, l'appareil abandonné de longs glacis et de longs murs de forteresse. Pascale avait suivi son père, et s'appuyait sur les pierres taillées qui couvrent le parapet.

– Voilà Saint-Irénée d'où sont descendus les Mouvand, dit le père en étendant la main, et, en bas, voilà la ville, mais on ne voit pas la partie de chez nous.

En avant et en dessous d'eux, dans un pli profond de la terre, le vieux quartier ouvrier de Saint-Irénée, tout entier du même rose fané, tassait, pressait les toits de ses maisons, dont quelques-uns semblaient avoir été soulevés, – mais de bien peu, – par l'effort des autres, et sur lesquels couraient et se fondaient les fumées fraternelles. Une pente raide et boisée, parallèle à la muraille d'enceinte, se levait en arrière, et formait le fossé que les hommes habitaient. Et au delà, par-dessus les arbres, d'autres sommets de collines se dressaient, de moins en moins précis dans la lumière diminuée, tous orientés vers les fleuves où plongeait leur éperon. De ce côté, sur la gauche et bien bas, dans la plaine, s'étendait ce que Mouvand avait appelé la ville. Mais c'était bien autre chose que la ville. Par delà la Saône invisible, tournant au pied des roches de Fourvière et de Saint-Just, c'était toute la partie sud de l'énorme cité, la presqu'île Perrache, le Rhône, la pointe du quartier de la Guillotière, le quartier de la Mouche, et des prés mêlés de bâtisses et de peupliers espacés, et des campagnes vertes, sans autres limites que la brume, et où s'arrondissait, lumineux au départ, mais diminuant d'éclat, l'arc des fleuves mêlés qui coulaient au midi. Pascale et son père regardaient surtout la ville. Elle était à demi voilée par une nappe de brouillard transparente, et que le soir tombant teignait d'une lueur fauve. Cinq cent mille créatures s'agitaient là-dessous. C'était l'air respiré par elles et tout plein de leurs douleurs, c'était la fumée de leurs foyers et de leurs machines, et la poussière de l'usure de toutes choses, qui formaient ce nuage que le vent poussait vers Loyasse. L'écheveau embrouillé des bruits et des cris de la ville montait en même temps. Les deux promeneurs, saisis par cette apparition de leur ville, demeuraient muets. Le canut pensait au travail, dont l'odeur et le frémissement le rejoignaient, l'enveloppaient, le rappelaient dans l'abîme où sa cellule, à lui, attendait vide. Il hocha la tête, et murmura dans sa moustache : « Pas aujourd'hui ! Il y a relâche pour le père Mouvand. C'est fête ! Et demain encore, à cause de la petite ! » Mais la brume enfermait des plaintes aussi, des souffles de fiévreux et de malades, des paroles de haine et de révolte, des cris désespérés. Et Pascale, qui allait au couvent pour se sauver, mais pour se sauver en se dévouant, comprit les voix mêlées, et ouvrant sa poitrine à la marée de souffrance, elle respira tout, à pleins poumons et à plein cœur, et elle pensa : « Il y a aussi des misères comme celles-là que je consolerai. J'instruirai des petites, et elles m'aimeront. Je serai pour elles une mère, passionnément, indéfiniment. » Et elle se sentit ensuite le cœur si large, si heureux, qu'elle serait demeurée là, longtemps, si le père n'avait pas remué ses gros souliers ferrés.

– En avant, jolie, la route de descente est longue encore !

Ils ne s'expliquèrent point. Mais le cours de leurs pensées avait changé. Pascale était ramenée à cette vocation, à présent définitive, et qui s'emparait de toute la puissance de rêve de la jeune fille ; le vieux tisseur, enthousiaste et enfant malgré l'âge, peu gâté par la vie, se promettait de bien employer les quinze jours qui restaient. Il les emplissait de congés, de régalades, de sorties avec Pascale. Pour la première fois, il se trouvait devant le mirage des vacances. Elles l'éblouissaient.

Pascale et son père continuèrent de suivre l'enceinte fortifiée jusqu'à la porte de Saint-Irénée. La nuit était complète ; les brumes, un moment dissociées par la suprême attaque du soleil, s'étaient ressoudées, et fermaient le tombeau. On sentait leur poids peser sur les épaules. Le vieux Mouvand, qui n'aimait pas se trouver dehors à cette heure, où, comme il disait, « il tombe du mal sur la terre », proposa de souper dans une auberge qu'il connaissait dans les bas de Saint-Irénée. Ils passèrent donc sous la porte monumentale, et cherchèrent l'auberge, où on serait à couvert et au chaud.

Quand ils sortirent, il était tout près de sept heures. Remis de la fatigue de la journée, contents d'avoir causé plus intimement que d'habitude, contents de l'extra qu'ils s'étaient offert, ils dégringolèrent les escaliers et les rues torrentueuses qui mènent de Saint-Irénée aux quais de la Saône. Ils étaient au milieu de cette passerelle suspendue, qui aboutit à la rue Sala, et qui crie sous le pied des passants, comme une mouette en chasse, lorsque, sept heures sonnant, toutes les cloches de la ville s'ébranlèrent. Elles disaient : « Illuminez ! » Et voici que, aussitôt, les lignes de lumières que traçaient les becs de gaz semblèrent se multiplier. En dessous, en dessus, très haut, sur les façades invisibles des maisons de Lyon, à droite, à gauche, en avant, d'autres lignes de points lumineux surgirent dans la nuit. Elles s'allumèrent avec une rapidité et un caprice incroyables, brisant l'image coutumière des ponts, des places, des rues. Le tour des fenêtres, le cintre ou le fronton des portes, la niche d'une statue, se dessinèrent en traits de feu. Les quais devinrent étincelants ; la colline de Fourvière s'alluma ; le clocher de la vieille église surgit, tout serti d'or, du milieu des ténèbres ; une croix immense, plantée sur la terrasse de la basilique, leva ses bras au-dessus de la ville ; l'archevêché apparut comme un palais de feu ; des inscriptions éclatèrent aux flancs de la colline : « Lyon à Marie... *Maria Mater Dei...* Dieu protège la France » ; des étoiles, des guirlandes, des festons, des veilleuses dans des verres à boire, des lanternes vénitiennes, des chandelles piquées dans des goulots de bouteilles, tremblèrent au vent dans les ruelles, dans les carrefours, apprenant à ceux qui en auraient douté, qu'il y avait ici, là-bas, là-haut, des âmes dans les taudis, et une foi commune à l'énorme ville. Ce n'était pas Fourvière, c'était Lyon tout entier qui illuminait. Pascale ravie, Mouvand démonstratif, prenaient une rue, puis l'autre, suivaient des groupes, les quittaient, revenaient à la Saône, ne pouvant assez voir et disant : « Comme c'est beau, cette année, l'illumination ! Allons voir encore si les Bourbouze ont illuminé ! Et les Boffard ? Quand nous rentrerons, nous regarderons s'il y a des lampions chez les Seignemorte. » Il y en avait presque partout. La colline de la Croix-Rousse, lointaine, semblait couverte d'une résille d'étincelles ; la Guillotière avait des profondeurs phosphorescentes comme la mer. « Toutes les étoiles sont sur la terre, ce soir, disait le canut. C'est une jolie fête ! » Il n'y avait point d'étoiles et point de lune dans le ciel, en effet, mais seulement la nuée de brouillard, éclairée en dessous, et que les hommes, après le soleil, teignaient d'une pourpre vague.

Longtemps, au bras l'un de l'autre, dans la foule innombrable amusée par les illuminations et les étalages des boutiques toutes éclairées, Adolphe Mouvand et sa fille prolongèrent leur promenade. Ils se communiquaient leurs remarques et leurs idées, librement, comme ceux qui n'ont aucun secret. Ils trouvaient cela infiniment doux. Et c'étaient de pauvres joies, ou des souvenirs et des allusions qui n'avaient de sens que pour eux. Mais, parfois aussi, à la fin de ce grand jour, où leurs âmes s'étaient parlé, il venait, à l'un ou à l'autre, une pensée pieuse, une idée de sacrifice et de paradis. Ils étaient comme deux chapelles voisines d'où parfois s'élevait le même cantique. Ils s'aimaient mieux que jamais. Ils se le disaient. Et quand ils rentrèrent, tard, ils avaient envie de pleurer de joie, à cause de la souffrance qu'ils avaient acceptée.

Le lendemain, en se levant, Adolphe Mouvand s'approcha, en se frottant les mains, de Pascale qui allumait le fourneau pour réchauffer le café.

– J'ai eu mon idée, à mon tour ! dit-il.

Il frappa sur la poche gauche de son pantalon.

– J'avais mis quelques écus de côté. Pas beaucoup. J'aurais bien du regret de les manger sans toi. Veux-tu que nous fassions un voyage ?

– Où ?

– Jusqu'à Nîmes, où sont nos seuls parents vivants, les Prayou. Tu ne les as jamais vus. Tu les verras. Trois jours de congé, père Mouvand, comme un gentilhomme !

– Tout mon rêve ! dit Pascale heureuse. Voyager ! ça me fera des histoires à raconter plus tard, à mes petites !

Le temps d'écrire, pour avertir les Prayou, et de terminer une pièce de soie qu'il avait promise, et, un matin, deux jours plus tard, le canut et sa fille prenaient le train pour le Midi.

Ils partaient avec le brouillard ; ils arrivèrent à Nîmes dans la splendeur d'un jour d'hiver, dans le froid vivant, fouettant et clair du mistral.

– Comme ça pique ! disait le canut, en mettant sa main hors de la portière du compartiment.

– Comme c'est clair ! répondait Pascale émerveillée ; c'est la lumière de l'été de chez nous.

Le château de Tarascon, celui de Beaucaire, le Rhône entre les deux, où le soleil penche tour à tour le reflet d'un des châteaux qui vient saluer l'autre ; puis les terres nues, où les mas isolés, bâtis en quadrilatère, ont l'air de forteresses, avec leurs cyprès droits, lances plantées dans le sol et qui veillent au nord ; puis les premières maisons de Nîmes, blanches sous le soleil, se miraient dans les yeux d'or de Pascale. Quant au canut, il se penchait rarement à la portière du wagon ; il fumait en regardant presque uniquement sa fille heureuse, et c'étaient deux délices pour lui. Ils s'étaient peu parlé pendant le voyage, mais ils avaient eu le sentiment du bonheur l'un de l'autre, cette ombre de la joie d'autrui, qui vient, si apaisante, jusque sur nous. Quand ils descendirent du wagon, en gare de Nîmes, à peine avaient-ils mis le pied sur le quai, qu'une grosse femme, noire de cheveux et noiraude de visage, courut au canut, et l'embrassa bruyamment.

– Eh ! vous voilà ! Oh ! mon cousin, en voilà une surprise ! Je ne croyais pas vous revoir jamais... La petite Pascale,... où est-elle ? Cette belle fille ? Moi qui l'ai vue à trois ans ! Comme elle est brave !

– Et jolie, pour sûr ! dit une voix derrière elle. Pascale sourit avant d'avoir vu qui parlait, et elle continua de sourire en apercevant un grand garçon élancé, pâle, très jeune, qui avait le haut du visage d'une statue antique et la mâchoire avançante et brutale. Une moustache courte, des poils frisés sous le menton, cachaient à demi ce bas de figure inquiétant, et corrigeaient le dessin sinueux des lèvres ; les yeux étaient veloutés ; la main se tendait vers la main de Pascale.

– Mademoiselle, dit-il en montrant ses dents, vous m'excusez ? Nous autres ici, quand nous rencontrons une belle fille, nous ne pouvons nous en tenir. Il faut qu'elle le sache !

– Ce n'est pas une offense, dit Pascale.

Et, flattée, elle lui donna la main, pendant que la cousine Prayou embrassait à son tour la jeune fille, et s'emparait de la petite valise que celle-ci tenait dans sa main gauche.

– Ah ! le coquin, dit la mère ; il s'y connaît ! Et ça n'a que vingt ans !... Croyez-vous ?... Sortons, venez... Nous demeurons à côté... Comment trouvez-vous le Midi ?

– Froid, dit le canut.

– Un coup de mistral, un coup de balai de la vallée du Rhône ! dit le jeune homme, qui se mit à côté de Pascale, et marcha en avant, près d'elle, tandis que derrière, venaient le canut, en jaquette à boutons de corne, et la grosse femme coiffée en cheveux, avec un tout petit chignon et de larges clairs entre les mèches grasses.

Elle avait l'embonpoint, l'assurance et l'allure d'un maître nageur. Elle portait la valise, que, de loin en loin, le père Mouvand proposait de porter. Jules Prayou s'en allait, les mains libres, et montrait sa ville à Pascale : les beaux platanes, à présent dépouillés, de l'avenue Feuchère, l'esplanade avec la fontaine de Pradier, et ces Arènes, près desquelles ils passèrent, avant de s'engager dans la rue de Montpellier. Le vent soufflait, et roulait le bas des jupes autour des jambes des femmes.

– Comme il vous pousse ! disait Pascale. On dirait qu'il veut me faire entrer dans votre rue de Montpellier.

– Vous en verrez de plus belles demain, répondait Jules Prayou. Celle-ci est vieille... Voici l'hôpital des malades.

Il montrait un portail monumental encadrant une grille, au delà de laquelle on voyait une grille plus petite, et de vieux bâtiments en carré.

– Mon défunt est mort ici, disait dévotement, en arrière, la veuve Prayou.

– Il vous a laissé du bien, ma cousine ? demanda le canut, qui ne se mettait pas aisément en frais de sensibilité.

– Eh ! quelque peu ! quelques bicoques, une olivette, mais les grands fils, ça dépense, monsieur Mouvand...

– Il n'a pas de métier ?

La grosse femme eut un geste vague, plein d'esprit, et, pour montrer qu'il avait plusieurs métiers, tous de rendement incertain, elle réunit les cinq doigts de sa main gauche et les agita ensuite comme des petites vagues qui fuient, en étendant son bras vers l'horizon.

— On vous dit riche, vous, vieux père ! repartit-elle familièrement.

Et elle accompagna cette affirmation, qui n'était guère qu'une interrogation habile, d'un coup d'œil étonnamment aigu et envieux, que le canut ne remarqua pas. Il marchait lourdement, en dodelinant ses épaules voûtées.

— Un mensonge, dit-il : le beau travail n'enrichit guère.

En même temps, Pascale, à qui les prévenances, la vivacité, la façon hardie de Jules Prayou, plaisaient plus que la rudesse et les galanteries lourdes des fils de canuts de la Croix-Rousse, disait, comme pour le remercier par une confidence :

— L'hôpital ?... J'ai pensé à entrer chez les Filles de Saint-Vincent-de-Paul.

— Singulier goût !

— Pourquoi ? dit-elle innocemment. Donner sa vie aux malades, c'est un emploi si beau. Mais il faut plus de force que je n'en ai, et plus de courage. J'ai une horreur du sang, une horreur invincible...

— Ah ! vraiment ?

— Je ne puis voir une blessure, ou seulement y penser, sans me sentir mal. Pas vous ?

Un éclat de rire lui répondit.

— C'est pour cela, reprit-elle, que j'ai choisi un ordre enseignant.

— Vous êtes bigote alors ?

Jules Prayou fit deux ou trois pas, à demi tourné de son côté, et l'étudiant avec une insistance qu'elle prit pour de l'intérêt.

Si elle avait pu lire dans le regard, jusque-là si câlin, elle aurait vu qu'il était devenu dur tout à coup, comme une pierre dont on a fait tomber la mousse. Jules Prayou cessa de s'occuper de

Pascale, pendant plusieurs minutes, et marcha même un peu en avant d'elle. Ils longeaient les immenses terrains du marché aux bestiaux, et Jules Prayou, reconnaissant, çà et là, aux abords du marché, ou aux fenêtres des garnis voisins, quelques jeunes bouchers ou des conducteurs de bestiaux, cévenols ou provençaux, leur disait bonjour, d'un geste de la main qu'il avait pesante et charnue. Il disait même d'autres choses que Pascale ne comprenait pas. Elle s'amusait à suivre la mimique des sourcils, des paupières, des doigts, de la tête de ce garçon qui connaissait tout le monde depuis qu'on approchait de l'extrême ouest de la ville. Un immense boulevard coupait la rue. Le vent soufflait en tempête ; il soulevait de la poussière comme des copeaux blancs, et la jetait sur les petits micocouliers plantés dans les contre-allées de la promenade. Mais la sérénité du ciel était complète et paraissait immuable. C'était le Midi, la terre sèche et sculptée sous le bleu du firmament. À droite, loin, au bout du cours de la République, au-dessus du promontoire de pins du jardin de la Fontaine, la tour Magne se levait, proue rose et dorée, dressée dans le mistral.

Ils eurent bientôt traversé le boulevard, et, après avoir suivi une autre rue, ils atteignirent le Cadereau, le torrent qui borde Nîmes, au ras des collines, et qui sépare la cité méridionale d'avec l'autre région, celle qui monte toujours, mottes vertes et collines tout d'abord, vers le plateau des Cévennes.

C'est là qu'habitaient les Prayou.

– Encore cent pas, dit Jules, et nous boirons un verre de carthagène, pour faire baisser la poussière. Vous n'avez jamais bu de carthagène, mademoiselle Pascale ?

– Ma foi, non !

– De l'eau-de-vie jetée dans du moût de vin, au sortir du pressoir. Un régal, vous verrez !

– Oh ! voilà la campagne, en avant ! s'écria Pascale. Et des maisons, comme une allée qui entre parmi... C'est là que vous habitez ?

– Oui.

– Que c'est joli !

– C'est Montauri pour vous servir.

Les yeux d'or recevaient avec une joie jeune, et buvaient, et cherchaient encore l'image de la pente molle couverte d'olivettes et de vergers, verdure légère, fumée de feuillages clairs écrasés contre le sol, et d'où jaillissaient, autour de quelques villas, le fuseau noir d'un cyprès ou la voûte d'un pin parasol.

Les deux couples, Jules et Pascale, Mouvand et la veuve Prayou, longèrent un instant le torrent, passèrent devant un lavoir établi au bord de la route, et, tout de suite après, tournant à gauche, par un pont étroit jeté sur le Cadereau, pénétrèrent dans un faubourg d'une seule rue, amorce d'un quartier futur, coupé par trois ruelles perpendiculaires et qui montait, pendant une centaine de mètres, parmi les grands enclos plantés d'oliviers. Les voyageurs allèrent jusqu'aux deux tiers de cette impasse, qu'une haie limitait au fond, et, au delà de la deuxième rue transversale, à gauche, Jules Prayou poussa une porte :

– Entrez, mademoiselle ; entrez, monsieur Mouvand ; ce n'est pas un palais : mais, dans dix ans, au lieu de cette bicoque, j'aurai mon joli mazet sur la colline.

– Il a l'air entreprenant ! dit le canut qui précédait la veuve Prayou.

– Quatre fois comme son père ; un peu trop, ajouta-t-elle tout bas, en faisant passer devant elle le cousin lyonnais. Ce qu'il veut, je suis obligée de le vouloir.

– Eh ! tant pis !

Elle le retint sur le seuil.

– Quand il est en colère contre moi, mon bon, tout le quartier tremble ! Et fort avec cela !

Elle accompagna ces derniers mots d'une moue admirative, et le canut entra dans une chambre, à gauche du couloir qui séparait les deux pièces du petit pavillon sur la rue occupée par la veuve Prayou.

Sur la table du milieu, recouverte d'une toile cirée bordée par une ganse noire, quatre verres de carthagène, – des verres à bordeaux – étaient déjà disposés. Une crédence provençale, en bois blond, avec de longues ferrures et qui contenait la vaisselle de la maison, indiquait, ainsi que la toile cirée de la table, que la pièce servait de salle à manger, dans les grands jours. Et le lit occupait une large place à droite de la fenêtre.

— L'appartement de Jules est au fond du jardin, dit la mère, en montrant, par cette fenêtre, une petite maison, élevée d'un étage.

— Il est là, chez lui, comme un prince, ajouta-t-elle. Et c'est lui qui vous logera ce soir.

Las du voyage, mis en appétit par le froid et en belle humeur par la nouveauté de toutes choses, Adolphe Mouvand fit honneur à la liqueur populaire nîmoise, et au dîner que prépara la veuve Prayou. Après le dîner, Pascale et son père furent conduits dans le petit logement bâti au fond de la cour, et où vivait d'ordinaire Jules Prayou ; le père coucha dans la chambre d'en bas, attenant à une salle de débarras qui servait d'entrée, et la jeune fille dans le grenier mansardé du premier étage, où la vieille parente avait fait dresser un lit. Jules Prayou dormit, sans doute, dans quelque coin du pavillon qu'habitait la mère ; on ne le revit plus avant dix heures le lendemain matin.

En s'éveillant, Pascale eut une surprise. Elle aimait la campagne, sans la connaître bien et par contraste et privation, comme tant d'ouvrières qui croient qu'elles rapportent avec elles les champs et leur douceur, quand elles rentrent de la promenade, le dimanche, ayant au coin de la bouche, serrée entre leurs dents jeunes, une branche d'épine fleurie ou de lilas. Par sa fenêtre sans rideaux, elle apercevait la pente de Montauri, et d'abord, au pied du logis, un terrain vague où les jardinets, les bûchers, les buanderies des voisins avaient aussi leur porte de sortie, vaste carré d'herbe mal nivelé, plein de fondrières qui devaient être d'anciennes fosses à chaux, semé de pierres de taille inutilisées et demeurées debout ou couchées, et aussi de larges bancs de chardons et d'autres plantes dures de tige, tannées et décolorées par l'hiver, et sur lesquelles des ménagères étendaient souvent le linge de leur lessive. Cette pâture appartenait aux Prayou, et c'était le reste du terrain acheté par le père Prayou, et où il avait construit trois maisonnettes, la sienne et les deux autres qui la flanquaient, à droite et à gauche, sur la rue de Montauri. Au delà, en avant et à droite, les olivettes montaient, ouatant de vert pâle toute la colline, et c'étaient des enclos successifs aux vieux murs bas, et, parmi les oliviers, des amandiers échevelés, des bouquets de lauriers, de pins, de grenadiers, de chênes rabougris autour des maisons de campagne, et un air de laisser-aller de tous ces domaines qui ne semblaient ni trop dessinés, ni trop taillés, ni trop alignés, ni trop propres. Enfin, et Pascale y laissait errer son âme facile et vite prise au charme des choses reposées, l'air était, au-dessus des olivettes, au-dessus des arbres bas, formés en couronnes, d'une limpidité plus grande encore que la veille ; on distinguait des branches mortes à la distance où la colline, là-bas, ployait vers le sud ses buissons pâles et les offrait au jour plus chaud. Il y avait de l'or, du blond, de la vie dans le ciel méridional, au lieu de cette brume et de cette fumée de Lyon, que Pascale sentait si pesante à ses poumons et si froide à son cœur. Oui, l'éclat de la lumière avait grandi encore depuis la veille. Pascale ouvrit la fenêtre ; le mistral ne soufflait plus ; il faisait frais ; des linots, descendus des pays du nord, volaient d'un mazet à l'autre, troupes festonnantes, dorées par le soleil et d'où venait un petit cri.

C'était le jour de congé qu'Adolphe Mouvand avait longtemps rêvé. Il fut très rempli. On partit tard, il est vrai, à cause de Jules qui ne rentrait pas. Le jeune homme était « chez des amis, pour affaires », expliquait la veuve Prayou. Il arriva enfin, le chapeau de feutre posé en arrière, un brin de mimosa à la boutonnière, cravaté de rouge, embrassant tout le monde et disant, à l'oreille du canut, qui attendait dans la rue et regardait en l'air avec les yeux éblouis d'un vieux hibou barbu :

– Papa Mouvand, je ne regrette pas de vous avoir fait attendre : j'ai fait avec les amis une jolie affaire de contrebande, cette nuit.

– Tu fraudes ? dit le canut tranquillement. Moi, mon garçon, je ne l'ai jamais fait.

– Oh ! ici ! répondit Prayou...

Et sa bouche sinueuse s'allongea dans un rire silencieux, méprisant et rapide. Puis, voyant que le bonhomme attendait l'explication :

– Ici, reprit le jeune homme, un homme qui n'a pas peur, qui sait se garder et se faire des amis, peut devenir riche avec l'alcool... Eh bien ! mademoiselle, nous partons !

Ils virent tout ce que voient les gens des trains de plaisir et tout de la même manière : sans arrêt, n'ayant pas les moyens de rattacher les choses à l'histoire ou à l'art, et donnant le même temps et les mêmes mots : « C'est beau, il n'y a pas mieux à Lyon », aux magasins de bijoux en doublé, à la Maison Carrée, au Palais de justice, à la fontaine Pradier, aux Arènes et aux églises qu'on visita toutes, les anciennes et les neuves, pour plaire à Pascale. Celle-ci avait une manière harmonieuse de s'agenouiller, laissant ployer naturellement son corps, sans secousse, et d'un geste orienté vers le tabernacle, tandis que la veuve Prayou s'agenouillait en spirale, et que Jules demeurait debout à l'entrée des rangs de chaises. Et puis, dès qu'elle s'était relevée, elle était toute aux explications verbeuses de Jules Prayou, qui ne savait rien, mais qui parlait autrement bien qu'un Lyonnais. Il savait être galant, par exemple, et il fallut entrer dans les magasins de « souvenirs », choisir une croix d'argent, des cartes postales, un album, une paire de ciseaux. « Dans quelques jours, disait tout bas Pascale, — elle ne voulait pas que le père se souvînt, en ce moment, de la date qui approchait, — je ne pourrai conserver et emporter que les ciseaux. La croix d'argent est trop jolie. — Prenez tout de même, disait Prayou : l'argent que je gagne, je ne le dépense pas souvent à acheter des croix. »

Ils étaient tous harassés, poudreux et de belle humeur. Après avoir dîné, fort tard dans l'après-midi, en dehors de la ville, à la « guinguette de la Cigale » située au nord-ouest, sur les premières pentes qui bordent la vallée du Rhône, et où Prayou avait ses entrées et un compte ouvert, ils revinrent vers Montauri, par les chemins qui montent et descendent les collines, toujours bordés de murs, toujours pierreux, et que dépassaient, à chaque moment, une branche de pin ou d'amandier, le fût noir d'un cyprès incliné par le vent, ou même, malgré la saison tardive, sur le treillage des tonnelles, des roses grimpantes, épuisées, fleurissant jusqu'à la mort. Pascale, la moins lasse de tous, disait : « Je n'ai jamais si bien respiré. » Elle disait encore : « Il est quatre heures, et il fait plus clair que chez nous en plein midi. » On entrait parfois, par des portes laissées ballantes ou par des brèches, dans l'enclos en terrasse d'un mazet, trente oliviers, deux mûriers, un amandier assoiffé, tirant du roc une verdure misérable et, au milieu, une cabane fermée, où la famille, le dimanche, venait se reposer et chercher de l'ombre. « Et voilà le mazet ! disait la mère Prayou. Nous en aurons un plus tard, et mieux que ça. — Il y en a de plus petits ? demandait Pascale. — Oui, ma jolie, et nous les appelons des cantagrils. — Chantegrillon ? Oh ! c'est nommé ! répondait Pascale. — On tape bien les noms, dans le Midi », disait

Jules ; et la veuve Prayou concluait : « Beaucoup de pierres, une bicoque, vingt oliviers et un peu de terre qui se promène, ça fait déjà un mazet, mais le nôtre sera plus beau. »

Quand ils furent tout en haut de la colline de Montauri, ayant trouvé, sous l'arche d'un vieux portail, entrée d'une villa, le gardien et la gardienne, que connaissaient les Prayou, ils furent invités à se « rafraîchir », puis, comme il arrive, les maîtres n'étant pas là et consentant par procuration, ils furent conduits jusqu'au bout de l'allée « pour voir la ville ». Pascale et Jules s'assirent sur le mur bas qui soutenait la vaste terrasse plantée de la villa, et qui plongeait, à sept ou huit pieds plus bas, dans le sol d'une olivette en pente. Au delà, le terrain se relevait encore, et c'était proprement la colline de Montauri couronnée de pins, et par-dessus, et dans l'ouverture aux belles lignes tombantes de la colline, on voyait toute la cité de Nîmes, et les campagnes qui l'enveloppent.

La ville, qui semblait immense et plate, était d'un rose atténué, presque mauve, et de longues collines l'entouraient, sur toute une moitié de l'horizon, comme des étoffes drapées à plusieurs plis, et de la même couleur que les vieilles monnaies qu'on retrouve dans le sol de la cité. Et ce rose de la ville et le vert des collines étaient de nuances si fines et si fondues, sous la dernière grande flambée de soleil, que Pascale, qui n'avait pas l'habitude de contempler longtemps les lointains, comprit la douceur de ceux-là, et songea qu'ils n'avaient pas d'hiver. Du côté de la plaine, l'enveloppe était harmonieuse aussi et d'un gris violet, terres labourées, bois dépouillés par l'hiver, région qui se développait, vers le sud, jusqu'à ces pentes peu élevées, miroirs du soleil, terres inclinées pour renvoyer le jour dans la coupe du Rhône, et au delà desquelles il y a l'étincellement des étangs et la mer d'Aigues-Mortes.

Ce qui donnait à ces caresses de lumière tout leur pouvoir et toute leur douceur, c'étaient les feuillages proches entre lesquels passait et luisait le regard de la ville, comme entre des cils qui le voilent, et l'affinent, et le rendent plus pénétrant. Pascale, assise de côté sur le mur d'appui, recevait et comprenait, dans ces jours d'émotion continue, les pensées éparses dans le monde, et que n'eût pas arrêtées au passage, en des jours plus calmes, son esprit moins tendu. Jules Prayou, les pieds pendants au-dessus de l'olivette, n'étudiait pas le paysage, mais regardait, en bas et autour de l'enclos, les pistes faites par les ouvriers et les maraudeurs. La veuve Prayou et Adolphe Mouvand, peu intéressés par la beauté du jour, causaient avec le jardinier, en arrière, de la moyenne récolte d'olives qu'il y avait. Pascale, ayant compris ce que renfermait d'invitations à vivre et à jouir de la vie cette image de Nîmes ensoleillée, disait dans son cœur : « Je vous renonce, joies qui me troublez, et que je ne connais pas. Je vous échappe. Je me réfugie dans la paix qui est votre inimitié, parce qu'elle vous surpasse, je le sens quelquefois, quand mon cœur est parfaitement pur. Je renonce les ambitions et les amusements dont sont pleines ces maisons, et les consolations auxquelles on peut prétendre sans sacrifice de soi. Comme elles sont nombreuses ici, les mères jeunes qui sont aimées, qui attendent, à cette heure, le mari revenant du travail, et qui déjà soulèvent, pour l'offrir aux caresses de l'époux, l'enfant qui est à deux ! Mes enfants, à moi, m'aimeront moins. Mais j'en aurai d'innombrables, et Dieu suppléera aux tendresses qui me manqueront. » Ses lèvres toujours mouillées remuaient dans l'air frais qui montait de l'olivette. Jules Prayou avait cessé de regarder dans l'enclos, il regardait ardemment cette jolie voisine, dont le visage, tendu vers Nîmes rose et lointaine, songeait dans le reflet du soir. Il voyait de profil cette tête charmante, coiffée de rayons d'or, qui se détachait sur l'écran sombre d'un if et d'une touffe de lauriers plantés sur la terrasse ; il voyait ce cou un peu long, et pâle, et les épaules tombantes, sur lesquelles la mère Prayou avait jeté un châle de laine blanc, et qui se soulevaient régulièrement, à chaque gorgée d'air pur que buvaient les lèvres ouvertes au vent.

Il aurait voulu plaisanter avec elle, comme il faisait avec d'autres, la voir occupée de lui, la courtiser librement, et il devinait que Pascale était en ce moment très loin de lui en esprit, et une jalousie de ce qu'elle pensait s'emparait de lui.

— Ma cousine, dit-il assez haut, quelle drôle d'idée vous avez d'entrer en religion ?

— Pourquoi drôle ? dit-elle, sans cesser de baigner son visage dans la clarté diminuante que reflétait la ville. C'est une idée très sérieuse, au contraire.

— Quand on est jolie comme vous !

— Oh ! répondit-elle, et son rire léger parfuma le vent comme une fleur qui éclôt, vous croyez qu'elles sont toutes laides, les religieuses ? Il y en a de biens jolies. Vous connaissez peu ces choses-là, mon cousin !

– On dirait, ma parole, que vous avez peur des hommes ?

Elle se détourna. Elle sentit le feu trouble de ce regard qui l'avait enveloppée, et, se remettant debout :

– Je n'ai pas à vous dire pourquoi je vais au couvent, dit-elle ; ce sont là mes secrets, et cela me regarde seule.

Pour la seconde fois, elle put observer la violence de ce qu'elle eût appelé le caractère méridional, de ce qui n'était que l'instinct à sa toute-puissance, sans honte et sans frein. Jules Prayou lui jeta une injure en patois, et sauta, du haut du mur où il était assis, dans l'enclos d'oliviers qui dévalait en dessous. Pendant quelques minutes, elle le vit, parmi les arbres, allongeant le pas, les mains dans les poches, tournant vers elle, de loin en loin, son visage pâle de colère.

Pascale le rappelait, croyant à une plaisanterie.

– Revenez donc ?

– Et où va-t-il encore ? dit la mère Prayou en accourant. Vous l'avez contrarié ?

– Moi ? Je lui ai dit que mes raisons de me faire religieuse ne regardaient que moi.

La vieille femme hocha la tête, et, comme la fine et hardie silhouette de son fils disparaissait derrière un second mur de clôture, qu'il venait de sauter sans se soucier du maître ou du gardien :

– Surtout, dit-elle sérieusement, quand il reviendra, ne le contrariez pas de nouveau, et soyez gentille avec lui.

– Alors, c'est vous qui le gronderez ?

– Vous ne le connaissez pas ! Il serait capable...

Elle n'acheva pas sa pensée, et ajouta seulement :

– Il est terrible !

Ils descendirent, tous trois, par le chemin de Saint-Césaire, espérant y retrouver Jules Prayou, qui avait pris cette direction à travers les mazets. Mais ils ne virent personne.

Après une demi-heure de silence, et comme il venait de reconnaître dans le crépuscule les bâtiments de l'abattoir, Adolphe Mouvand dit en frisant sa barbe et tourné vers la veuve Prayou :

– Vous ne l'élevez pas, ce garçon-là ; c'est lui qui vous commande. Prenez-y garde !

La femme le prit en riant.

La nuit était presque noire, quand ils entrèrent dans la petite maison de Montauri. Il ne faisait pas aussi froid que la veille, mais madame Prayou voulut allumer du feu dans sa chambre, et elle y fit brûler, toute la soirée, des brins de chêne kermès encore pourvus de leurs feuilles sèches, dont elle avait une provision sous le hangar. Comme elle se faisait illusion sur la fortune des Mouvand, et aussi parce que l'absence de Jules la libérait d'une surveillance qui la gênait extrêmement, elle fut expansive ; elle raconta « la famille » au père Mouvand qui aimait les souvenirs, elle se montra affectueuse avec Pascale, et même portée à la dévotion. Elle ne cessait de recommander « ses intentions » aux prières de la future novice. Elle lui demanda aussi de faire chauffer l'eau pour le grog. Et, étendue paresseusement, elle disait : « Que c'est agréable d'être servie ! » Et Pascale, croyant retrouver en elle quelque chose de cette tendresse dont elle avait été si tôt et si durement privée, se laissait embrasser, et s'émouvait, et vouait une affection jeune, naïve, vive, à cette vieille femme qui l'appelait « mon enfant », et qui avait, en l'appelant ainsi, cette chaleur de voix, cette mimique naturelle où tout le corps est complice du mot, qui pénétraient de reconnaissance la fille du canut lyonnais. Les dernières heures passées « en famille », – car Mouvand ne pouvait prolonger ses vacances et son chômage, – firent sur l'esprit de Pascale, et même sur celui de son père, une impression plus forte que le plaisir du voyage. « Une bonne femme pour sûr, disait le canut en regagnant le soir son logement : elle cause trop vite pour moi, elle gouverne mal son gars, mais c'est une bonne femme, notre parente. »

Le lendemain, une demi-heure avant le départ, Jules Prayou arriva, empressé, câlin, souriant comme à l'arrivée, pria Pascale, en plaisantant, d'oublier ses vivacités de la veille ; il demanda la permission de l'embrasser ; il voulut porter lui-même la valise jusqu'à la gare ; il promit à sa cousine, avec un geste de la main tendue vers le nord, d'aller la voir, un jour, en quelque lieu qu'elle fût envoyée par ses supérieures, et, quand le train s'ébranla et que Pascale vit, sur le quai, ces deux parents qui multipliaient les « au revoir » en agitant leurs mains pleines de phrases encore, elle ne put s'empêcher de dire à son père :

– Nous avons bien fait de venir.

Il pensait comme elle, mais la vraie raison, qu'il était seul à connaître en ce moment, c'est que, pendant deux jours, il n'avait pas entendu son cœur lui répéter le jour, et l'heure, et la minute.

Ce furent alors les dix derniers jours. D'un accord tacite, Pascale et son père ne parlaient plus de l'imminente séparation. Lui, il s'était promis d'être brave, « pour mériter » ; elle s'appliquait à être charmante, pour remercier le vieux Mouvand. Elle y réussissait. Elle achevait de se faire aimer. Ce furent, pour l'ouvrier et pour sa fille, des jours tout remplis de la joie d'être ensemble, d'une joie qu'on exprimait, sur laquelle on revenait, qu'on aurait voulu augmenter encore, parce qu'on sentait en dessous la secrète douleur de la fin prochaine. Quand ils se regardaient l'un l'autre, chacun, dans les yeux qu'il interrogeait, apercevait la même date ineffaçable, et chacun souriait, pour faire croire : « Je ne la vois pas. » Pascale était gaie à cause de lui, et elle arrivait à lui faire illusion. Elle voulait lui laisser la vision intacte d'une Pascale heureuse jusqu'au bout. Un matin, elle avait étendu, sur la table de sa commode, les deux robes d'été qu'elle possédait, l'une pauvre et usée, en laine légère de deux gris, l'autre de cotonnade blanche à fleurs mauves, presque élégante, tuyautée au col et aux manches. Voulait-elle les revoir ? Les toucher une fois encore ? Les donner ? Son père qui, depuis le retour de Nîmes, quittait souvent le métier pour venir faire un « brin de causette » dans la cuisine ou dans la chambre, surprit Pascale qui pliait les manches, les ramenait sur le corsage, et, de la main, soulevait la retombée d'étoffe pendante le long du meuble. Il eut un mouvement de recul. Pascale le vit, et dit très vite : « Elle a besoin d'être repassée, vous voyez, et je suis maladroite pour tuyauter. Je la confierai à la lingère. » Il calcula que la lingère rendrait la robe dans quatre ou cinq jours, eut un plissement des lèvres qui fit s'abaisser les moustaches dans la barbe, ne dit pas pourquoi il était venu, et s'en alla.

Adieux innombrables et muets ! Ils remplissaient les heures de Pascale. Elle touchait un objet, et elle pensait : « Je n'y toucherai plus. » Elle serrait, dans un tiroir, son dé d'argent, et elle disait : « Je ne le mettrai plus à mon doigt. » Elle parcourait, au bras de son père, sous prétexte de se promener, les rues de son quartier, et elle considérait avec une attention passionnée les maisons, les enseignes, les échappées qu'on a, par-dessus le quai Saint-Clair, sur le Rhône et le parc de la Tête-d'Or ; elle quittait aussi, en pensée, beaucoup de gens qui ne s'en doutaient pas. Comme elle n'avait point divulgué son projet, plusieurs des habitants du quartier s'étonnaient de l'insistance qu'elle mettait à les regarder, à leur serrer la main quand ils étaient pressés et qu'elle les rencontrait dans la rue, ou sur le seuil des portes : « Elle a donc du temps à perdre, cette Pascale ? » disaient-ils. Non, elle retenait un peu de sa jeunesse qui allait la quitter. Elle ne pouvait pas leur dire : « Vous ne me verrez plus ; adieu, la grosse marchande de lait qui me trouviez jolie, et me le faisiez comprendre en me faisant la mesure un peu plus pleine qu'aux autres ; adieu, les ménagères époumonées qui considériez votre jeunesse dans la mienne, et me jalousiez ; adieu, visage d'infirme qui te collais aux vitres et le couvrais de la buée de tes lèvres quand je passais ; adieu, la fontaine où les petits gars des écoles font gicler l'eau ; adieu, les bandes de promeneurs et de promeneuses du dimanche, qui ne savez pas qu'il y aura, dimanche prochain, une jeune fille de moins parmi vous ; adieu, les habituées de la messe matinale, qui ne m'aurez plus pour voisine ; adieu, les yeux, les voix, les cœurs, les mots, les cris, ma joie, mes peines, mon ennui d'ici : vous êtes durs à quitter tous ! »

Elle puisait sa force dans la longue réflexion où sa décision s'était mûrie, et aussi dans le courage de son père. Car il lui fallait toujours un exemple, et comme une rampe où tenir sa main. Le canut avait fait de cette question une espèce d'affaire d'honneur, entre lui et Dieu. Il s'était dit : « Ne mollissons pas ! J'ai mes idées, eh bien ! il ne faut pas que je me défile parce qu'elles me demandent un sacrifice ; il ne faut pas non plus que les camarades, qui ne pensent pas comme moi, puissent dire que je suis bigot tant que ça ne me gêne pas. Ils verront si je suis ou si je ne suis pas de Saint-Irénée, moi, de père en fils chrétien de cœur et tisseur de belle soie !... Et puis, quand il n'y aurait pas d'autre raison : je dois ça à Dieu, pour mes péchés. Je lui donne Pascale, comme je donnerais mon sang : goutte à goutte. »

Pas un moment il n'avait faibli, il n'avait cessé de montrer à tous, et à sa fille d'abord, sa même humeur taciturne, que secouait tout à coup un accès de gaieté facile. S'il pleurait, tout au fond, il n'en paraissait rien. Pascale pensait quelquefois : « Il a une nature plus heureuse que la mienne. » Il avait surtout une nature plus robuste.

Les deux derniers jours, ils se promenèrent beaucoup, au bras l'un de l'autre, faisant quelques visites. Le temps était devenu doux : trois heures de soleil humide et tiède entre les brumes du matin et celles du soir. Ils ne motivaient pas ces visites, et elles étonnaient ceux qui les recevaient. À quoi bon parler ? Les gens ne seraient pas longtemps dans leur surprise.

La veille au soir, Adolphe Mouvand et sa fille firent la prière ensemble. Pascale commençait, le père répondait. Et la voix de l'homme était mal assurée, parce qu'il venait d'écouter celle de l'enfant, la voix qui allait se taire dans la maison.

Avant de se retirer chacun dans sa chambre, ils s'embrassèrent plus longuement et plus fort que de coutume.

Et le matin se leva, presque pur, le matin de Noël. Ils n'eurent, ni l'un ni l'autre, la force de se rencontrer et de se dire bonjour. Quand il fut prêt, Adolphe Mouvand ouvrit la porte du palier, et appela : « Pascale ? » Elle vint, portant à la main un sac de toile brune, où elle avait serré quatre paires de bas noirs et six chemises : tout le trousseau et toute la dot qu'elle apportait aux sœurs de Sainte-Hildegarde. Quand le père l'aperçut, il prit la fuite, et, de peur de s'effondrer, là, sur le palier, sentant la douleur qui lui serrait la gorge, il descendit la moitié de l'étage en toute hâte. Pascale alla jusqu'à la première marche. Elle était très pâle et très droite, elle marchait lentement. Comme si elle avait oublié quelque chose, tout à coup, elle déposa le sac sur le palier, et rentra dans l'appartement. Elle n'avait rien oublié. Elle ne voulait pas être vue. En courant elle pénétra dans sa chambre, et, fermant la porte derrière elle, elle regarda, une dernière fois, tout autour de cette petite pièce nue et fanée, où elle avait vécu dix-huit ans, et, tendrement elle baisa les quatre murs. Puis elle sortit en courant, ayant dit adieu à sa jeunesse et à ses années non troublées.

Adolphe Mouvand était au bas de l'escalier. Il ne se retourna pas, quand il entendit, derrière lui, descendre une femme qui tâchait d'étouffer ses sanglots.

Tous deux, pâles, redressés, le regard perdu en avant, ils se mirent en route. De loin en loin, le canut passait la main sur sa barbe, que le givre frangeait de glaçons. Les larmes ne coulaient pas. Les voisins ne remarquèrent pas l'air singulièrement grave qu'avaient ces Mouvand, le père et la fille, et le peu de soin qu'ils prenaient d'assurer leurs pieds sur les entailles de la montée de la Grande-Côte, un jour de gel. Puis ce fut un couple sans nom, sans histoire, dans la grande ville qui s'éveillait. Ils ne disaient que des mots, ces pauvres gens, et de ceux qui n'avouent pas la tendresse dont ils sont pleins : « Tu n'as pas froid ? » « Prends garde au ruisseau, il est glacé. » Une fois, le canut dit : « Allons par ici, ce sera plus long, » et son visage se déforma, dans une grimace douloureuse qui lui tordit la mâchoire. Ils ne pouvaient tarder beaucoup à arriver, Pascale ayant promis d'entrer avant huit heures au parloir d'une école que les sœurs de Sainte-Hildegarde avaient à la Guillotière. Deux autres fois, Mouvand parla. Au moment où il commença d'entrer dans le quartier de la Guillotière, il arrêta Pascale, sur le quai, au bord du Rhône, et lui qui avait une grosse voix rude, il demanda, du ton d'un enfant, humblement, tendrement : « Pascale, veux-tu t'en revenir chez nous ? » Pascale, qui n'avait point cessé de regarder dans le vague, loin devant elle, murmura « non » très bas, et reprit son chemin dans le brouillard léger. Le père suivit. Quand il aperçut la place de l'Abondance, ouverte devant lui et si libre, et qui serait si courte à traverser, il répéta, comme un mendiant qui ne croit plus qu'on lui donnera : « Veux-tu t'en revenir ? » Mais elle ne répondit rien. Peut-être n'entendait-elle pas. Il lui avait dit, la veille : « Je ne veux pas voir la supérieure. Je te conduirai comme quand tu étais petite, jusqu'à la porte. » L'école, non loin de là, levait sur la rue son fronton triangulaire surmonté de la croix. Pascale sonna d'abord, afin qu'il y eût de l'irréparable. Puis, dès qu'elle eut entendu le son de la sonnette usée, debout sur la première marche et aussi grande que son père, elle se tourna vers lui, lui jeta les bras autour du cou, et fondit en larmes, couvrant de baisers les joues du vieux tisseur : « Je vous aime ! je vous aime ! je vous aime ! je vous aimerai toute ma vie ! »

Elle s'écarta, elle le considéra, avec ses yeux ardents et lourds de larmes, comme pour photographier à jamais et imprimer en elle l'image de cet être cher. D'un geste de mère, elle attira contre sa poitrine la grosse tête poilue du tisseur, et la baisa au front, lentement. La porte avait été ouverte. Une tourière jeune avait dit gaiement : « C'est notre nouvelle sœur ! » puis s'était tue, apitoyée. Pascale murmura, tandis que le père fermait les yeux, vaincu à la fois et éperdu : « Je vous remercie d'avoir été généreux. Je vous aime ! Adieu ! Adieu ! » Elle sourit à celle qui attendait, monta deux marches, et la porte retomba, entre elle et le père.

Alors Mouvand s'assit sur une marche, et pleura librement.

Deux ans se passèrent, pendant lesquels Pascale vécut à la maison-mère de Clermont-Ferrand, et fit son noviciat. Le canut s'habitua à l'absence de sa fille, ou du moins personne ne put dire, dans le quartier de la Croix-Rousse, qu'il ne s'y habituait pas. On parla huit jours de l'entrée de Pascale en religion, et de la décision du canut de prendre un apprenti. Seulement, l'apprenti ne logea pas dans la maison. Il venait le matin, et, à quelque heure qu'il arrivât, il apercevait les épaules énormes de Mouvand courbées sur le métier. Le canut n'avait jamais tant travaillé. Il n'avait jamais vieilli plus vite non plus. Sa voix de basse était devenue caverneuse, et chaque ride un sillon. À ceux qui le plaisantaient sur la vocation de Pascale, il répondait : « Puisqu'il y a des filles de plaisir, il faut qu'il y ait des filles de prière, c'est mon avis. »

Quand il reçut, à la fin de décembre 1899, la nouvelle que Pascale allait être envoyée, comme auxiliaire, à l'école de la place Saint-Pontique, il eut une joie, car la petite aurait pu ne jamais revenir à Lyon. Et il dit à l'apprenti, un jeune gars imberbe, et pâle comme une lumière qu'on a oublié d'éteindre en plein jour : « J'aurai un beau dimanche, Joannès, j'irai voir ma fille à Saint-Pontique ! » Il pensa : « Comme elle sera jolie, avec ses vingt ans sous la cornette ! »

Il pensait juste. Dans le petit parloir aux murs blancs, il la revit, et, après l'avoir embrassée de tout son cœur et de toute la force de ses bras, il la contempla. Il était assis sur une chaise, elle sur une autre, et il la reconnaissait, trait par trait :

– Tu as toujours tes yeux fleuris, tes yeux jaunes comme des cœurs de marguerite.

Elle riait comme autrefois, même d'une voix plus claire, ne l'ayant pas encore usée à faire la classe.

– Tu n'as plus tes cheveux. Moi qui les chérissais ! Tiens, si, on en voit encore un petit bout doré, à l'endroit où l'oreille tourne...

– Ils échappent toujours !

– C'est de l'or. C'est tout ce qu'il y en avait dans la maison. Tu aurais dû m'en laisser une mèche... Tu as le teint plus rose, tu as la bouche lisse comme un berlingot...

– Papa ! on ne nous dit pas ces choses-là !

– Ce n'est que moi, Pascale ! Et il y a deux ans ! Oh ! les douces cinq premières minutes ! Puis ils avaient essayé de causer. Elle lui parla de ses compagnes qu'il ne connaissait pas ; de Clermont-Ferrand où il n'était jamais allé ; des méthodes de classe auxquelles il ne prenait aucun intérêt. Très bonnement, elle l'interrogea sur le quartier, et sur le métier. Mais déjà, dans l'esprit de Pascale, bien des détails s'étaient effacés ; des figures avaient disparu ; toutes les petites nouveautés de la maison ou de la rue, elle ne les avait pas vues. Le vieux Mouvand vit qu'elle faisait effort pour imaginer les rues nouvelles qu'il lui nommait, le métier nouveau, et le dessin du papier qu'il avait acheté « pour que sa chambre fut moins froide » : elle n'y réussissait pas, et, d'ailleurs, tout cela n'intéressait que sa bonté, pas sa vie. Mouvand comprit qu'il n'y avait de commun entre eux, désormais, ni maison, ni quartier, ni occupations, plus rien que le passé, qu'il n'y aurait plus même de congé ensemble qu'au delà de la tombe. Mouvand sentit que tout le sacrifice n'était pas fait. Il demanda :

– Es-tu heureuse dans ta position, Pascale ?

– Tout à fait.

– Comme autrefois ?

Elle ne voulut pas répondre « plus » ; elle fit seulement un signe de tête. Elle était heureuse évidemment, d'une manière qu'il comprenait mal, heureuse sans lui et loin de lui. Il se leva, bien que l'heure de la récréation ne fût pas finie. Il caressa, du bout des doigts, le bandeau qui cachait l'or, et le voile noir, et les mains de l'enfant. Il dit : « Je reviendrai. C'est le dimanche qu'on te voit ? »

Mais il laissa passer plusieurs mois sans revenir. Ses camarades, les joueurs de boules des Pierres-Plantées, remarquèrent qu'il avait moins de force pour « tirer » et que sa boule était souvent « courte ». Le vin du chef de groupe n'égayait plus qu'un peu celui qu'il épanouissait jadis. Le printemps vint, puis l'été. Mouvand ne renonça point à aller voir Pascale, mais il la voyait rarement et peu de temps. Sa foi robuste avait grandi dans la solitude. Il n'était point triste : il n'aimait plus la vie, voilà tout. Il disait, dans ses prières : « Je suis vieux, je suis laid, je suis abandonné, personne ne peut plus m'aimer, excepté Dieu ! *Gloria ! Alléluia !* Mon âme est à demi sauvée ! » Depuis que sa fille avait pris le voile, il saluait toutes les religieuses, dans la rue. Mais il évitait les occasions de leur parler, à cause de la petite qu'elles lui rappelaient trop. Il devenait sensible à l'excès. Probablement il l'avait été toute sa vie, mais en dedans, à la manière des forts, sans que les femmes et les indiscrets pussent s'en douter. À présent que sa force avait diminué, jusqu'à l'empêcher de travailler plus de huit heures par jour, les nerfs « avaient pris le dessus », et il se sentait commandé par ses impressions qu'autrefois personne n'aurait seulement soupçonnées. Plus régulièrement que jamais, il assistait aux réunions des Hospitaliers-veilleurs, et, le dimanche, avec ses camarades de l'œuvre, il se rendait aux Hospices, le matin, et, dans les deux salles de fiévreux confiés à sa « colonne », on le voyait s'approcher des lits, causer avec les malades, les soulever, leur tailler les cheveux et la barbe. Cette antique forme de la charité lyonnaise lui plaisait. Il rencontrait, dans cette confrérie, des hommes de son métier et des croyants de sa trempe. Il avait aussi, jadis, et selon les règlements de l'œuvre, assisté et veillé à domicile les malades pauvres. Il ne pouvait plus le faire. Un matin de la fin de l'été, pendant que, vêtu de son tablier blanc à grande poche, jeté par-dessus sa jaquette, il rasait les joues d'un malade, une des sœurs des hospices de Lyon passa au pied du lit, et dit :

– Monsieur Mouvand, votre chef de colonne vous demande, dans la salle à côté.

Elle continua de glisser sur le parquet, de son pas muet et léger. Sa coiffure toute blanche, cornette, bride, collerette, s'évanouit dans la salle voisine, derrière la porte qui se referma, et retira de la salle un rayon de jour. Le canut avait appuyé sa main gauche, qui tenait le linge à barbe, sur le lit du malade, et, son rasoir pendant au bout de l'autre main, il demeura penché de ce côté, immobile, sa grosse tête en avant, comme un chien en arrêt. Ce ne fut qu'au bout d'une minute qu'il sembla reprendre conscience de ce qu'il devait faire, et se redressa. Il se hâta d'accommoder son « client », serra son rasoir dans son tablier, et passa dans la salle, où le « conducteur » de la colonne l'attendait, pour lui demander un renseignement. Quand il eut répondu, il commença d'enlever son tablier de barbier volontaire.

– Tu as l'air plus malade que tous ceux qui sont ici, Mouvand ? Tu as raison d'aller faire un tour dehors, ça te remettra, mon vieux !

Le canut hocha la tête, deux ou trois fois, comme il faisait souvent, avant de répondre. Puis il dit :

– Je ne reviendrai plus.

– Avant la prochaine fois !

– Non, jamais !

– Tu te sens usé ?

– Oui, je suis presque fini, je ne peux plus être de rien, voilà ce que tu diras aux confrères... Mais il y a autre chose.

– Quoi donc ?

– Je ne veux plus voir la sœur qui a passé tout à l'heure : elle ressemble trop à ma fille Pascale... Et voilà pour toi... Adieu.

Il ne revint plus, en effet. On ne le vit plus, le dimanche, qu'aux offices, et sur le boulevard de la Croix-Rousse, jouant aux boules. Ses camarades, pour le ménager, lançaient moins loin « le petit », et quelquefois, quand il avait le dos tourné, du bout du pied rapprochaient sa boule, pour qu'il eût encore la joie de gagner.

Au printemps de 1902, il était très absorbé par un grand travail : une pièce de soie blanche magnifique, pour la fabrication de laquelle il avait été choisi, parmi des centaines d'ouvriers, par le successeur de M. Talier-Décapy, le grand fabricant lyonnais. Il y travaillait avec un soin extrême, se lavait les mains vingt fois par jour, afin de ne pas salir l'étoffe : une soie épaisse et souple, couleur de neige, semée de couronnes de feuilles brodées en fil d'argent. Il mettait de l'amour et de l'orgueil à tisser cette lumière. Le 16 mai, qui est la veille de Saint-Pascal, il revenait de voir sa fille, et le vieil homme avait au cœur deux joies, toutes deux voilées ; il avait trouvé Pascale moins pâle, et elle lui avait dit : « J'irai vous voir, et vous quêter, avec notre mère supérieure, parce que la communauté qui est pleine de sœurs chassées, à Clermont-Ferrand, ne peut pas nous venir en aide, et il nous faut plusieurs cents francs pour vivre jusqu'à la fin de l'année.

– Plusieurs cents francs ! Je ne t'en donnerai qu'un morceau. Viens tout de même.

Était-ce bon, ce rêve ! Pascale à la Croix-Rousse ! Pascale montant la Grande-Côte, Pascale dont on verrait, par la fenêtre, le voile noir, et la robe bleue en mouvement, et les yeux regardant en l'air ! La voix de Pascale dans la chambre d'où elle avait, si longtemps, éloigné la vieillesse ! Les yeux de Pascale reflétant les choses de la maison et le portrait du père au travail, comme jadis, quand elle arrivait derrière le canut, et le surprenait en disant : « On ne s'embrasse donc pas, aujourd'hui ? » La seconde joie, qui n'était qu'un accompagnement de la première, Adolphe Mouvand l'éprouvait à revenir le long de la Saône par temps doux, les mains dans les poches, à sentir tourbillonner dans sa barbe le vent d'été, qui n'est frais que quand il court. Et puis, sur le quai, il y avait de la verdure, oui, ce qu'il en faut pour qu'un canut ait une impression de campagne.

Mouvand se hâtait. Il avait chaud, quand il s'assit devant le métier, et qu'il enleva le papier qui couvrait la pièce. Avec plus de goût que de coutume, avec plus de force, il donna le coup de pédale, sa main gauche poussa le battant, sa main droite lança la navette. Il travaillait depuis une heure, et le jour était splendide dans l'atelier ; l'apprenti s'était reposé trois fois ; Mouvand, excité par la beauté de cette matière qu'il maniait et du tissu qu'il voyait se former entre ses doigts, courbait en mesure ses épaules et sa tête chenue coiffée d'une vieille casquette à oreilles relevées, qu'il portait d'ordinaire à la maison. Un coup de sonnette ne le fit pas suspendre son travail, pas plus que l'entrée d'un employé de la fabrique Talier-Décapy, qui servait de guide à un industriel italien, client de la maison. Celui-ci, figure mince et osseuse allongée par une barbiche en pointe, s'approcha du canut, l'observa un moment, étudia l'étoffe, et, touchant l'épaule du tisseur :

– C'est admirable ! dit-il.

Mouvand arrêta le battant au point où les fils de la chaîne, exactement tendus, prolongeaient en rayons séparés la lumière pleine de la soie déjà tissée. Il toucha même d'un doigt le bord de sa casquette.

– J'amène chez vous, monsieur Mouvand, un connaisseur, le plus important des exportateurs de soie de l'Italie... Vous pouvez juger, monsieur, de l'habileté de nos ouvriers lyonnais. Celui-ci est un des plus habiles.

– Le dernier ! dit la grosse voix du canut. Jamais de camelote ! Jamais de ruban, chez moi !

L'Italien admirait vraiment. Il touchait l'étoffe ; il lui souriait ; il avait envie de lui parler.

– Vous êtes un artiste, dit-il. Vous tissez un chef-d'œuvre ; c'est une robe de bal ?

Le vieux canut, content d'être loué devant Joannès l'apprenti, mais plus encore de voir reconnu son mérite si longuement acquis, enleva sa casquette, et proclama :

– Robe de cour, pour le sacre du roi d'Angleterre !

Les mots frappèrent les murs fanés de l'atelier, et les poutrelles dansantes, et les vitres rousselées aux angles par les fumées d'hiver.

Toute la fierté des vieux pères, créateurs, pour une part, de l'œuvre lyonnaise, artisans qui comprenaient la beauté de leur travail, qui s'en réjouissaient, toute l'émotion d'une vie renfermée, pauvre et goûtant la richesse qu'elle ouvrait, tout cela passa dans ses paroles.

Quand les visiteurs furent partis, de la même voix, le canut dit à l'apprenti libéré et goguenard, qui regagnait sa banquette après avoir fermé la porte :

– Retiens son jugement, Joannès. Tu es dans la maison d'un artiste. Et j'ai eu à peu près raison, va, quand j'ai dit : du dernier !

Il travailla jusqu'à la nuit, afin d'achever la pièce, s'il le pouvait. La visite l'avait ému, et ce fut la troisième joie, profonde aussi, de sa journée.

Le lendemain, à sept heures, quand Joannès entra dans l'atelier, il trouva le maître assis près du métier et les bras étendus en croix sur l'étoffe, à laquelle il ne manquait plus, pour être achevée, qu'un quart de mètre.

Adolphe Mouvand était mort.

Pascale eut, de cette mort, une douleur qui acheva de troubler sa santé déjà éprouvée par la fatigue, par la privation d'exercice et d'air. Ses compagnes, dans cette occasion, furent prodigues d'attentions, de paroles tendres, de silences respectueux et amis. Elles furent divinatrices, étant toutes habituées, filles de ferme, ou d'atelier, ou de bureau, à méditer sur la Passion du Maître qui rend habile à connaître et à plaindre les autres souffrances. Pascale avait, vraiment, parmi elles, le conseil et l'appui. Sans doute, elle luttait, mais aidée et soutenue. Elle était adorée des enfants, qui la sentaient faible, qui lisaient, dans le mouvement de ses cils abaissés tendrement dès qu'elle répondait : « Bonjour », dans la caresse prompte de sa main, dans la contraction de son visage à la nouvelle d'un accident ou à la vue d'une plaie, la toute-puissance des affections et des émotions sur cette jeune maîtresse. Les plus petites couraient vers elle, dès qu'elles l'apercevaient, dans la cour ou dans les corridors ; il y en avait qui lui baisaient les mains ; elles se pendaient à ses jupes maternelles, et, pendant la récréation du patronage, le dimanche, quand sœur Pascale surveillait, les grandes venaient lui dire ce qui leur coûtait le plus à avouer, les misères de la toilette et celles du cœur. Elle n'aimait pas ces confidences, qui la rejetaient dans l'agitation de la vie. Elle disait en riant : « Pourquoi moi, mes chéries ? Je n'ai pas d'expérience ; je ne puis vous dire ce que j'aurais fait, quand j'étais la fille d'un canut, dans le quartier de la Croix-Rousse. » Ce qui lui plaisait, avant tout, c'était, après le jour, l'office du soir récité en commun, la récréation, la prière, l'apaisement où l'on entre avec le souvenir de la vie encore frémissante et le sentiment persistant des âmes qui veillent sur la vôtre, puissances redoutables aux forces de séduction ou d'épouvante qui rôdent dans la nuit. Elle aimait le silence jusqu'après la messe du matin : quel rafraîchissement et quel renouvellement de force ! « La grâce descend dans le silence », disait Pascale. Elle n'était pas mystique, mais elle avait de vifs élans de piété, des gestes d'âme qui sait le chemin, et qui ne peut se maintenir au vol, mais qui saute et touche les grappes pleines, et retombe avec un parfum qui demeure. Elle était exacte, et même minutieusement, dans l'observation du règlement. Elle aimait ses élèves, les jolies encore de préférence, mais l'amour grandissait avec le devoir accompli. Une sainte naîtrait peut-être de la faiblesse défendue par quatre femmes saintes.

Voilà pourquoi la nouvelle que la communauté était menacée, troubla jusqu'au fond de l'être sœur Pascale. Toute la nuit, le passé traversa l'esprit de la religieuse, elle revit la route parcourue, et elle essaya, mais vainement, d'imaginer, dans l'épouvante, ce lendemain qui était comme la nuit, mystérieux, pressant, dangereux. Et elle se leva brisée de fatigue.

TROISIÈME PARTIE

LA VOIE DOULOUREUSE

La matinée du mardi s'avançait. Dans le jour radieux, les enfants de l'école, prisonnières comme des guêpes dans une serre, commençaient à s'énerver : trente petites de six à huit ans, qui écrivaient, le dos courbé et les yeux souvent levés vers la maîtresse. Pascale dictait : « Une voix s'est fait entendre dans Rama, des pleurs et des cris lamentables ; c'est Rachel qui pleure ses enfants, et elle ne veut pas se consoler, parce qu'ils ne sont plus. »

Pauvre voix, à laquelle les enfants étaient habituées, sourde et faible.

– Vous avez compris ? Relisez vos dictées. Je les corrigerai tout à l'heure. Mélie, viens me trouver ?

Une enfant se leva, d'une seule détente de ses muscles agiles, et vint près du bureau de la maîtresse. C'était une roussotte, aux yeux bleus, durs et mobiles, aux lèvres larges, aux dents aiguës, – tête de petite louve, sortant d'une robe grise, de toute saison, – l'élève la plus vieille de la classe (dix ans), la plus dissipée. Elle monta sur la première marche du marchepied, et planta son regard assuré dans les yeux las de sœur Pascale. La maîtresse était tournée vers la fenêtre, et l'enfant avait le visage dans l'ombre. Les autres élèves, presque toutes, essayaient d'entendre. Quelques-unes relisaient leur copie.

À voix basse, sœur Pascale demanda :

– Ma petite, j'ai encore une observation à te faire.

Mélie eut un mouvement d'épaules du plus parfait irrespect :

– Pourquoi donc ? J'ai écrit comme les autres !

– Ce n'est pas cela que je veux dire.

– J'ai pas causé !

– C'est vrai.

– Quoi alors ?

– Tu n'es pas venue à la messe, avant-hier ?

L'enfant fronçait les sourcils, et regardait du côté de ses compagnes, qui levèrent le nez et se mirent à rire, en voyant que la sœur grondait encore Mélie, la paresseuse, la désordonnée, la mauvaise tête.

Mélie, par-dessus ses compagnes, avec un air de révolte, regardait très loin, chez elle, dans le taudis paternel. Et elle se taisait.

Sœur Pascale se pencha, et, bien bas :

– Tu veux donc me faire de la peine ?

– Sur que non !

En un instant, la petite tête farouche se trouva nez à nez avec le visage de la maîtresse, et elle était sombre encore, et irritée, mais d'une autre chose, de se voir méconnue, de ce que cette sœur Pascale ne comprenait pas qu'on l'aimait, elle, qu'on lui sauterait au cou, en pleine classe, si on n'avait pas peur de se faire renvoyer... L'ardent reproche de ce regard n'échappa pas à Pascale, dont les lèvres s'allongèrent un peu. Aussitôt l'enfant parla, résolue.

– Je vas vous le dire, mais rien qu'à vous ; j'ai pas pu venir.

– Explique.

– Samedi soir, papa et maman sont rentrés tous deux brindezingues : il a fallu que je les couche ; ils ont fait le train toute la nuit : le matin, je dormais.

La main de sœur Pascale se posa, comme pour absoudre, sur la tignasse rebelle de Mélie. L'enfant se haussa sur la pointe des pieds, pour mieux rencontrer cette caresse, elle, la battue, la privée de mère, la rebutée.

– Va, dit sœur Pascale...

En disant cela, une idée de faubourienne lui vint.

– Ils n'auront pas leur plumet tous les samedis, il faut l'espérer ?

Et alors tu viendras dimanche prochain, et puis les autres...

Elle s'arrêta brusquement. Que disait-elle ? Dimanche prochain, les autres ? Deux larmes rapides, dans ses yeux jeunes, apparurent au bord des cils.

Et Mélie descendit la marche en disant :

– Sœur Pascale a un chagrin : elle n'a pas pu rire.

Les élèves n'avaient rien entendu ; mais elles avaient vu. « Que t'a-t-elle dit ? Elle pleure ? Tu as menti ? – Non. – Pourquoi pleure-t-elle ? – Est-ce qu'on sait ? – Elle a un chagrin, dis, Mélie ? – Bien sûr. – Qu'est-ce que c'est ? » Le soleil chauffait les arbres et les maisons de la place ; les petites filles s'agitaient ; sœur Pascale cherchait à reprendre sa voix de professeur : « Nous allons corriger la dictée... »

Elle fut libérée par la cloche qui sonna la récréation. Sœur Pascale croyait pouvoir enfin rejoindre la supérieure, et connaître un peu plus du destin qui la menaçait, savoir ce qu'on allait faire, et à quelle résolution sœur Justine s'arrêtait.

– Ma sœur Pascale, dit celle-ci, en la rencontrant dans le couloir, vous surveillerez le déjeuner des « lointaines ». Vous avez une mine de carême. Quel roseau vous êtes !

Sœur Pascale, pendant la récréation, essaya de jouer, essaya d'être gaie, et d'obéir comme elle le devait, amoureusement. Elle sentait en elle comme un poids de larmes qui l'oppressait. Autour d'elle, les enfants couraient, glissaient, croisaient leurs routes, bruissaient comme des moucherons d'été. Mais la jeune maîtresse se faisait battre aux barres comme une vieille. De loin, elle apercevait, allant et venant, sœur Léonide, pressée comme à l'habitude, et trottant, et qui riait, de ses lèvres sans dents, aux gamines qui l'appelaient, ou bien elle voyait encore, sage, calme dans sa robe bleue, sœur Edwige qui, debout dans l'embrasure d'une fenêtre, corrigeait un cahier de devoirs.

À quatre heures et demie, à « l'heure des parents », les quatre femmes se retrouvèrent, – la cuisinière était à la cuisine, – derrière la porte d'entrée qui venait de se fermer sur la dernière élève.

– Eh bien ? dit anxieusement sœur Pascale. Qu'avez-vous décidé, notre mère ? Qu'allons-nous devenir ? Avez-vous une idée ? Que faites-vous ?

La vieille sœur Justine, qui jouissait infiniment d'être « en communauté », adressa d'abord un signe amical de sa grosse tête crevassée de rides à sœur Danielle, à sœur Edwige, à sœur Pascale. « Bonjour, mes enfants ! Les classes sont finies. Les poitrines se cicatrisent. Bonjour, mes grandes filles ! »

– Ce que j'ai fait ? dit-elle ensuite, j'ai commencé une lettre.

– Et après ?

– Je la terminerai, et je la ferai mettre à la poste, ce soir, par sœur Léonide.

– C'est tout ?

– Non, j'attendrai la réponse de notre mère générale, qui répondra sans doute jeudi à notre supérieur monsieur le chanoine Le Suet, ou à moi.

– Et d'ici là ?

– Deux jours ? Nous ferons la classe et nous prierons.

– Et si...

Sœur Pascale hésita un moment, mais, comme on lui pardonnait les hardiesses de parole qu'elle avait apportées de la Croix-Rousse, elle continua :

– ... si personne ne nous dit rien ?

Les yeux fermes de sœur Justine s'arrêtèrent sur la raisonneuse :

– Alors seulement, ma petite Pascale, nous agirons de nous-mêmes.

Le surlendemain, tout de suite après le dîner de midi, – préparé en vingt minutes et mangé en quinze, – sœur Justine, et celle qui, dans les jours d'exception, prenait le rôle d'assistante, sœur Danielle, traversaient le quartier de Saint-Pontique, passaient sous la gare de Perrache, et, sur le cours du Midi, montaient dans un tramway, car elles étaient pressées, et elles allaient loin. Assises l'une à côté de l'autre dans la voiture, elles échangeaient quelques mots, dans le bruit des roues et des vitres dansantes.

– Monsieur le supérieur doit avoir des ordres ?

– Je le pense, puisque je n'ai rien reçu de la mère générale.

– Il va nous dire de partir pour Clermont-Ferrand. C'est sûr.

– C'est infiniment probable.

– Il faudra lui demander l'heure des trains ?

Monsieur le supérieur voyage quelquefois, nous jamais.

– Voyons, sœur Danielle, notre sœur Léonide sait ces choses-là parfaitement... Les demander à monsieur le supérieur ? À quoi pensez-vous ?

Pendant une partie du trajet, elles restèrent ensuite silencieuses, chacune songeant à Clermont-Ferrand. Comme le tramway débouchait en vue du pont de Tilsitt, sœur Danielle se pencha vers la supérieure :

– Je retrouverai, là-bas, plusieurs de celles avec lesquelles j'ai fait mon noviciat. Je ne pourrai pas m'empêcher d'en être heureuse... Mais qu'est-ce que nous ferons, si nombreuses, dans la maison, chassées de tant d'écoles, de tous les coins de la France, et rassemblées là ? Comment nous loger toutes ? Comment vivre ? S'il y avait seulement, pour notre congrégation, des missions au delà de la mer, dans un pays dangereux...

Elles avaient traversé la Saône. Elles étaient rendues. Vivement elles descendirent de la voiture, et longèrent, pendant quelques pas, le quai Fulchiron, jusqu'à la maison carrée, respectable et cossue, où habitait le chanoine Le Suet.

C'était un grand abbé qui, dans sa soutane, était de même largeur, en haut, en bas, et au milieu, de quelque côté qu'on le regardât. Il n'était pas gros, il n'était pas maigre ; il avait de la dignité dans l'allure, de l'onction et même de la nonchalance dans le débit, une grande tiédeur de zèle, une correction de vie parfaite, une confiance en soi non apparente mais sans limite. Tout le clergé de Lyon le connaissait. Il avait monté sur place. Prêtre concordataire s'il en fut, il ne comprenait que l'accord, et le prix lui paraissait toujours abordable, parce que le besoin de la paix n'avait chez lui aucun rival : pas même l'honneur de la religion en laquelle il croyait. L'œil profond, les cheveux demi-longs et rares sur le sommet du crâne, les sourcils épais, la lèvre inférieure lourde et cotonneuse, le nez souvent pâli par une aspiration émue, l'abbé Le Suet était un consultant sans remède, mais écouté. On venait à lui pour lui raconter ses ennuis. On le quittait sans autre provision de voyage que des paroles qu'on aurait pu lire dans les journaux : « Les temps sont pénibles. Avec de la bonne volonté, tout s'arrangera, bonne volonté de part et d'autre. Les catholiques ne sont pas exempts de fautes. Assurément, vous avez raison de vous plaindre, et je vous plains ; mais il aurait fallu prévoir, et faire ceci, et faire cela, en temps utile, vous comprenez bien, utile, etc. » Quant à savoir au juste ce qu'il avait conseillé, ceux qui le connaissaient, de nouvelle ou d'ancienne date, n'auraient pas pu le dire : il avait toujours blâmé ses amis et craint quelque chose. Sa fonction avait été de tirer en arrière, sur ses troupes. Surtout, il ne conseillait rien pour aujourd'hui. Les opérations les plus nettes de son esprit s'exerçaient sur les petites affaires locales et ecclésiastiques du passé. Là-dessus, il ne tarissait pas. Il avait toutes les mémoires. Il citait des vicaires qui avaient eu des mots malheureux avant le concile, c'est-à-dire des mots trop ultramontains avant la définition. On n'en citait aucun de lui, ni dans un sens, ni dans l'autre. Son aumône était normale. On le disait riche, ce qui est toujours bien relatif quand il s'agit d'un prêtre français. Quelques confrères étaient éblouis par le confortable de sa salle d'attente, meublée de chaises recouvertes de reps gros bleu, de gravures anciennes représentant des scènes de l'histoire sainte d'après quelque Poussin, de vases de fleurs artificielles, – don de la communauté, – sous verre, et d'une pendule coucou, rapportée de la Forêt-Noire. L'abbé Le Suet prêchait d'anciens sermons, de ses jeunes années, ravivés par des citations extrêmement modernes. Il avait été nommé chanoine honoraire vers 1885. On avait parlé de sa candidature à l'épiscopat. On n'en parlait plus. Sa vanité l'y eût poussé, et la conviction qu'il eût été « administrateur ». Sa bonne foi était entière. C'était un bon laïque tonsuré, orthodoxe, de caractère appauvri, d'esprit moyen, incapable de trahison, devenu incapable d'action et souhaitant vainement la paix en pleine guerre, un traînard jouant de la flûte sur le derrière de l'armée.

Quand sœur Justine sonna chez l'abbé, la bonne, cette vieille Zoé proprette, plate et froide, qui avait l'œil d'un inspecteur de police, la reconnut, et dit sèchement :

– Je ne sais pas si monsieur le supérieur va pouvoir vous recevoir ;... ça m'étonnerait : il part ce soir.

– Pour Paris, peut-être ? demanda sœur Justine.

– Non, pour les eaux de Vichy. Elle revint, après cinq minutes.

– Entrez, mais ne restez pas longtemps.

Elle leur montra, de l'épaule soulevée, la porte, qu'elles avaient plus d'une fois franchie, de la salle d'attente, et rentra dans sa cuisine.

L'abbé parut presque aussitôt, venant de son salon, ne s'excusa pas de recevoir les sœurs dans la salle d'attente, s'assit dans le fauteuil Voltaire en tapisserie conventuelle, et dit :

– Je vous écoute.

Puis il ferma les yeux.

Elles avaient pris les deux seules chaises de paille de la pièce. L'abbé, dans le fauteuil, penché en avant, les coudes appuyés sur les genoux, dodelinait la tête et grognait aux explications de sœur Justine, pour faire voir qu'il ne dormait pas.

– Que faire, monsieur le supérieur ? demanda celle-ci en terminant. Nous sommes averties que notre école sera fermée après-demain. Devons-nous résister ?

– Assurément non ! dit l'abbé en ouvrant les yeux et la bouche en même temps, et en parlant d'un air d'autorité. Je m'y oppose ! Et la maison mère ? Vous voulez donc faire fermer la maison mère ?

– Non, monsieur le supérieur, mais affirmer notre droit. Si on n'entend pas tomber les pierres du mur, qui se doutera que l'on démolit, qu'on fait des ruines, et que ce n'est pas volontairement que nous quittons nos enfants ?

L'abbé dit :

– Ne provoquons pas...

– Mais, monsieur le supérieur, on nous vole, on nous met à la porte, on nous arrache nos enfants, on nous interdit la vie en commun...

– Permettez !

– ... La vie en commun, à Lyon tout au moins, monsieur le supérieur. Nous devons avoir quitté l'école après-demain, et nous retirer à la maison mère.

– Qui vous a dit cela ?

– Mais, les gens de la police ! Où voulez-vous que nous allions ?

– Il n'est pas possible, fit l'abbé, en rajustant ses lunettes, et en regardant, l'une après l'autre, les deux religieuses, il n'est pas possible, vous entendez bien, à la maison mère de vous recevoir... Elle est comble...

Les deux femmes avaient sursauté. Elles dirent ensemble :

– Comment ! ne pas rejoindre nos mères ?

– J'en suis avisé, reprit l'abbé, par une lettre de la supérieure générale, lettre désolée... et j'allais vous en écrire moi-même, avant mon départ : on n'a plus de place.

– Mais alors ?

Il leva les deux mains, pour dire : « Évidemment ! »

– C'est la séparation ?

Il inclina la tête.

– Se laïciser ?

Il s'inclina de nouveau.

– Quitter sœur Danielle, sœur Edwige, sœur Léonide, sœur Pascale ?

– Ma chère fille...

– Ne plus enseigner nos enfants, revenir au monde, tout perdre ! Vous ne l'avez pas dit ? Il nous est permis de télégraphier à la maison mère ? Elle pourra...

– Je sais ce qu'elle pourra faire, interrompit l'abbé Le Suet, et c'est peu de chose.

Il ouvrit un tiroir, et prit, entre l'index et le pouce, quelques pièces de monnaie enveloppées dans un fragment de journal.

– Très peu de chose... La maison mère est très pauvre ; elle a trois mille religieuses à nourrir quotidiennement, et inutilement. Je suis chargé de vous remettre, à chacune, quarante francs. Ce sera la petite provision, le petit viatique... Une dame généreuse a préparé, je le sais aussi, des costumes pour laïcisées. Vous passerez chez elle, en quittant l'école, et vous recevrez un vêtement complet.

– Et nous irons ?

L'abbé se leva, et, faisant une grimace triste, à cause de l'embarras où cette conversation le mettait :

– Où vous pourrez, hélas !... Tout est plus fort que nous, mes pauvres filles... Je regrette d'avoir en vain prophétisé ce qui se passe... Sacrifiez-vous... Laissez passer la tourmente...

Il souffrait, sincèrement, de voir, devant lui, les deux femmes qui s'étaient levées, pâles comme leur guimpe. Sœur Justine hésita un moment, puis elle se décida à ne pas insister, et balbutia :

– Adieu, monsieur le supérieur, nous n'oublierons pas vos bontés... Nous nous recommandons à vos prières.

Elles s'inclinèrent avec déférence, et repassèrent la porte.

Au tournant de la rue, sœur Danielle, sans s'arrêter, dit :

– *Passio Domini nostri Jesu Christi...*

Sa parole était ferme, tremblante d'énergie et d'indignation. La religieuse regardait le quai, les maisons, la ville, et en eux elle voyait le monde, auquel elle venait d'être rejetée et ramenée violemment, contre lequel elle protestait de toute la force de sa volonté, parce qu'il était le trouble, l'impureté, le blasphème, l'orgueil de la parure, le contraire de la paix. Elle sentait en elle la révolte de la vierge, de la femme, de la paysanne de race énergique, et elle dominait tout, sauf l'émotion de ses nerfs qui chassaient le sang de sa belle figure de médaille romaine, et l'amassaient dans son cœur angoissé. Sœur Justine pensait déjà aux mesures qu'elle devait prendre. Il y avait longtemps qu'elle avait jugé les hommes, et pardonné d'avance ce qu'ils lui feraient subir d'injustices et d'affronts. Là, dans la rue, dès le premier pas, elle avait pris une résolution, elle en méditait d'autres. Et le seul signe auquel on eût pu reconnaître son émotion, c'était la vigueur inusitée de son allure. La vieille religieuse allait grand train, délibérément, les yeux à vingt pas en avant, comme un soldat.

– Où allons-nous ? demanda sœur Danielle.

– Mais, chercher conseil ! dit la supérieure, avec cette sorte de rire bref qui enveloppait son autorité et la rendait bon enfant. Ce n'est pas un conseil que nous avons reçu là !

– C'est la fin de l'Institut, murmura sœur Danielle.

– Il ne faut pas que cela soit la fin des sœurs, ma chère fille.

– Et qui peut donner un conseil, ma mère ?

– Les saints : il y en a toujours, et il n'y a qu'eux.

L'autre comprit tout de suite qu'elles allaient trouver l'abbé Monechal. En effet, arrivée à l'extrémité de la place Bellecour, sœur Justine tourna à gauche, et continua de marcher jusqu'au pied des hauteurs de la Croix-Rousse.

L'abbé Monechal habitait une de ces rues sur-habitées du quartier des Terreaux, qui renferment, derrière des façades plates, enfumées, léprosées par la pluie et par l'ombre, les magasins et les bureaux de nombreux marchands et fabricants de soie.

Entre deux de ces comptoirs, au-dessus desquels logent des ménages de commis et d'ouvriers, dans un immeuble banal, indéfiniment réparé, cloisonné et resali au cours des temps, il avait fait choix d'un rez-de-chaussée qui eût convenu à une famille de miséreux. Le logement convenait au prêtre ami des pauvres et tout dévoué à leur service. On montait trois marches ; la porte n'avait pas de sonnette, et on entrait dans une pièce à peine meublée, aux murs revêtus de plâtre, qui ouvrait elle-même sur une seconde pièce, plus petite, sans porte, où l'abbé, le soir, disposait lui-même un lit de camp, dissimulé dans un placard. Il recevait là, tous les matins et une partie de l'après-midi, la clientèle énorme de la misère, de la faim, de la plainte, de la rouerie, du vice et souvent de la vertu qui s'ignore et qu'on ne sait comment soulager. On attendait dans ce qu'il appelait le salon, et, à son tour, chacun allait quêter le prêtre, ancien « soyeux » devenu missionnaire libre, et déjà aux trois quarts ruiné par cette cause exceptionnelle et superbe de ruine : la charité.

Sœur Justine et sœur Danielle n'eurent pas besoin d'attendre : il n'y avait personne dans le « salon ».

Quand elles furent dans la seconde pièce, elles virent, au-dessus de la table de bois blanc, l'échine ployée, courbée, affalée de l'abbé qui dormait. Sur les deux bras croisés et formant giron, le front était caché, et l'on n'apercevait, en arrivant, que deux manches de soutane, un occiput large, sans tonsure, aux cheveux drus, blancs, coupés ras, et un dos voûté que la respiration soulevait en mesure. Les deux religieuses, par respect, s'arrêtèrent à trois pas de la table, sans rien dire. D'autres eussent fait un peu de bruit. Sans s'être consultées, elles remuèrent ensemble les lèvres, priant tout bas pour l'homme las de ce lourd fardeau de la vie d'œuvres, plus las qu'elles-mêmes, et tout seul. L'épreuve de la solitude leur paraissait déjà plus rude. Mais il y a de mystérieuses cloches, dans les âmes ardentes. La partie de l'âme qui ne dort jamais, le veilleur du navire à l'ancre, éveilla l'équipage. Le prêtre releva la tête, regarda devant lui, passa la main sur ses paupières, et dit, sans embarras :

– Pardon, mes sœurs, cela m'arrive quelquefois : je vieillis.

Sa mémoire ne lui rappelait pas encore qui étaient ses visiteuses.

Le nom lui revint. Une petite inclination de la tête en témoigna.

– Sœur Justine, je crois, et sœur Danielle ?... Oui, asseyez-vous donc... Vous venez me recommander quelqu'un, mes bonnes filles ?

Elles demeurèrent debout, les mains rentrées dans leurs manches. Elles se ressemblaient presque, en ce moment, leurs deux visages étant pétris par la même idée souveraine et douloureuse. On eût dit, à leur attitude, qu'elles comparaissaient devant le tribunal de Dieu.

– Nous avons un grand malheur, dit sœur Justine, et nous venons à vous pour savoir que faire.

Elle commença de raconter les événements des derniers jours. L'abbé Monechal écoutait, les yeux demi-clos et attentifs, les mains posées à plat sur la table. Son front découvert, bossue, ridé, son gros nez ferme du haut, souple au bout et dévié à gauche, sa mâchoire large et en relief, ses joues creusées là où les dents manquaient, ses lèvres fanées, tombantes aux angles, marquées du pli de la pitié, disaient à la fois la vigueur et la fatigue de cet homme, qui n'était pas encore un vieil homme, mais dont l'esprit, le cœur, les mains, les lèvres, avaient beaucoup travaillé pour l'amour si rare des autres hommes.

En écoutant sœur Justine, l'abbé pensait : « Encore les pauvres qui vont souffrir ! Comme l'impiété les déteste, ces amis de Jésus-Christ ! C'est contre eux que tout se fait. »

Et comme c'étaient là des pensées habituelles pour lui, ses traits ne changèrent pas.

Mais quand la supérieure en fut venue à dire : « Nous sortons de chez monsieur le chanoine Le Suet, il nous a dit que la maison mère ne pouvait plus nous recevoir, et qu'il fallait quitter l'habit, et rentrer dans le monde... »

– Rentrer dans le monde ! s'écria l'abbé.

Ses yeux s'ouvrirent tout grands, et il y parut une force qui n'a pas d'âge, une lumière nette, bleu foncé, en faisceau droit, comme le regard des phares, qui va chercher au loin ceux qui se perdent.

– Rentrer dans le monde ! Ah ! mes pauvres, que j'en souffre avec vous ! Votre communauté agonise, et vos ennemis s'en réjouissent, quand vos amis ne le voient pas encore ! Des âmes parfaites ! Des saintes ! Vous en aviez parmi vous ! C'était l'œuvre d'un siècle et de la grâce quotidienne. Combien faudra-t-il de temps pour qu'elle se reconstitue, la source des saints ? Et combien, pour que les saints s'affadissent ? Car c'est vite dit : rentrez dans le monde ! Mais vous n'y avez jamais vécu, en somme ! Vous n'êtes pas faites pour lui ! Vous n'avez pas fait de noviciat pour cette vie-là ! Vous n'êtes pas appelées, vous n'êtes pas préparées ! Ah ! mes filles, mes pauvres filles !...

Elles baissaient la tête.

– Oui, je crains pour plusieurs, continua-t-il. Les fleurs délicates sont les plus vite roussies. Il y aura des âmes ruinées. Et parmi celles qui résisteront, combien peu ne seront pas abaissées !

Il vit que sœur Danielle pleurait, et il leva ses épaules lasses.

– Excusez-moi, ce n'est pas bien, à moi, de vous faire pleurer ; ce n'est pas mon rôle. Ce que je viens de vous dire ne sera, j'espère, pas vrai pour vous.

– Que devons-nous faire ? répéta sœur Justine.

– Vous n'avez pas le choix. Vous serez relevées de vos vœux d'obéissance et de pauvreté ; vous vivrez dans la vie médiocre et par conséquent dangereuse... Tâchez, vous, la supérieure, d'abriter vos filles le plus possible...

– J'en ai de jeunes.

– Je le sais ; vous prierez deux fois pour les jeunes et une fois pour les vieilles. Vous prierez dans la perpétuelle contrariété de la vie. C'est une prière puissante. Il faut qu'elle le soit, pour que la somme des mérites ne diminue pas en France...

Il se leva, et marcha dans l'étroite cellule, le long de la table, la tête penchée.

– Faites attention encore, sœur Justine, que, si vous n'êtes plus supérieure, vous restez responsable.

– Oui, monsieur l'abbé.

– Vous me promettez de n'en abandonner aucune ?

– Je les aime toutes. Et pour le présent, monsieur l'abbé ?

– Pour le présent, je veux vous voir partir dignement, comme on meurt.

– C'est bien cela ! murmura sœur Danielle.

– D'abord, il faut faire une distribution des prix.

– Dire adieu à nos petites, aux mères, aux anciennes de chez nous, n'est-ce pas ? J'y pensais, interrompit sœur Justine. Ah ! que je suis contente que vous soyez d'avis...

Et, les voyant déjà toutes, elle avait repris son expression de joie robuste.

– Vous n'avez pas la force de résister, reprit l'abbé, mais il faut au moins que le droit meure bien, comme ceux qui doivent ressusciter. Vous ne vous en irez pas de vous-mêmes ; vous céderez à la violence. Il n'est pas nécessaire qu'il y ait du bruit et des coups, mais il est nécessaire qu'il y ait des témoins pour dire un jour : « Elles ne nous ont pas quittés ; on les a chassées ; elles voudront bien revenir : rappelons-les ! »

Il se tourna brusquement du côté des deux femmes :

– Vous n'avez pas le sou ?

– Pardon, monsieur l'abbé, quarante francs chacune, que monsieur l'abbé Le Suet nous a remis, de la part de la communauté. Elle ne peut pas faire plus.

L'abbé les considéra un moment, sans dire ce qu'il pensait. Puis il leva la main. Elles s'agenouillèrent toutes les deux, d'un même mouvement.

– Je vous bénis, dit le prêtre.

Elles se relevèrent, saluèrent, et, l'une derrière l'autre, quittèrent la maison et descendirent dans la rue.

Dix minutes plus tard, l'abbé Monechal sortait à son tour, et, prenant son chapeau, qui avait de longs poils ébouriffés, sauf sur le bord tout usé, rasé et meurtri par la pression des doigts, – l'abbé saluait tant de petit monde ! – il se dirigeait vers la Saône. Le vent chaud promenait dans les rues de la poussière, et dans le ciel de gros nuages, violets et lourds comme des figues mûres. L'abbé suivit le quai Saint-Vincent, au pied de la colline de la Croix-Rousse, et, parvenu à l'endroit où le fleuve est étroit entre deux rives abruptes, s'engagea dans le Cours des Chartreux, avenue qui monte en tournant, et qui sertit la hauteur.

Presque au sommet, dans une maison sévère, reste d'un vaste hôtel en partie détruit, M. Talier-Décapy habitait depuis l'époque, déjà lointaine, où il avait perdu sa femme. Il vivait seul. Il s'était retiré des affaires depuis quelques mois. Il en mourait. Avec lui allait s'éteindre un grand nom, une des gloires de l'industrie de la soie.

Laborieux, absorbé par le travail dès sa jeunesse, méditant longuement une résolution, ce qui pouvait le faire passer pour irrésolu, mais prodigieux de hardiesse et de ténacité dans l'œuvre commencée, créateur de fabriques ou de comptoirs en Perse, aux Indes, au Japon et aux États-Unis, attentif au mouvement commercial dans le monde entier, très informé et très sûr de lui-même dans ces questions qui, presque seules, l'intéressaient, il avait triplé, par son labeur, les capitaux considérables hérités de son père. Ayant vécu, en outre, pendant soixante-dix ans, sur le revenu de son revenu, il avait ajouté une fortune d'épargne à ses gains d'industrie. Le goût de la dépense lui manquait, mais il n'était pas avare. Il avait même le sentiment de la responsabilité de la richesse. Et c'est une des deux raisons qui lui avaient fait dire, un jour, cinq ans plutôt, à l'abbé Monechal : « Quand tu me verras sur le point de mourir, avertis-moi. » L'autre raison était d'ordre religieux.

L'abbé Monechal n'avait jamais douté de l'affection, ni de l'énergie morale de M. Talier-Décapy. Il montait cependant la côte avec plus de lenteur et d'essoufflement que de coutume, pensant qu'il allait rendre à son ami un service difficile et cruel.

Quand il fut devant la porte, sans se donner le temps de respirer, il sonna. Le valet de chambre dit tout de suite, avant la question :

– Oui, monsieur.

– Comment va-t-il ?

– Mal, monsieur l'abbé. Il a le cœur qui lui saute. Il se promène encore, mais il dort dans son fauteuil…

– On n'y dort jamais longtemps, hélas ! dit l'abbé, qui avait dû s'arrêter lui-même, le cou gonflé de sang, au bas de l'escalier, car il était de ceux que l'émotion détruit peu à peu.

Au second étage, le valet de chambre l'introduisit dans une vaste chambre éclairée par quatre fenêtres, deux ouvertes à l'occident, et deux au sud.

– Tiens, c'est l'abbé ! dit une voix encore ferme.

Un homme de petite taille, mince, autour duquel flottait une redingote, se leva en trois temps, en trois efforts prudents, du fauteuil placé devant une des fenêtres du sud. M. Talier-Décapy ressemblait à une ablette ; il en avait les joues plates, et l'œil vitreux ; il en avait eu la vivacité, autrefois, car quelque chose à présent domptait ses mouvements.

– Eh bien ! Monechal, dit-il après avoir pris difficilement sa respiration, tu n'es pas venu me voir depuis trois mois. Je suis cependant malade, va !

– J'ai trop de pauvres, mon ami, les riches ont des aises.

– Pas moi ! Je n'ai que la vue de Lyon. Cela, oui, je le confesse, c'est une satisfaction pour un impotent. Viens voir ?

Il s'inclina, d'une façon cérémonieuse qui contrastait avec le tutoiement, laissa l'abbé s'approcher de la fenêtre et se mettre en pleine lumière, tandis que lui-même, un peu en retrait, il considérait avec attention les yeux de son ami qui regardait la Saône et la ville toute violette sous les nuées d'orage.

L'abbé était debout. Son visage avait pris une expression recueillie et grave.

– Dans tes yeux je vois tout Lyon, l'abbé !

Le prêtre ne bougea pas.

– Je vois la Saône dans tes yeux, elle brille. Tiens, il doit y avoir des chalands, remontés par le *Scorpion,* vers Vaise ; je vois la flèche de Saint-Paul, les flèches jumelles de Saint-Nizier, le dôme de l'Hôtel-Dieu, les toits innombrables des Terreaux et de Bellecour... Comme tu es grave, l'abbé ! Que cherches-tu ?

– Je cherche à compter les églises, et les hosties qui veillent sur Lyon… Veux-tu te mettre à genoux avec moi ?

M. Talier-Décapy connaissait l'abbé depuis trop longtemps pour s'étonner ; il s'agenouilla.

Pendant une minute, on n'entendit aucun bruit dans la chambre du Cours des Chartreux. L'abbé se releva le premier, et, faisant asseoir M. Talier-Décapy, tandis que lui même il restait debout, dans la lumière, appuyé au chambranle de la fenêtre :

– Comme cela, dit-il, tu ne vas pas mieux ?

– Le médecin voudrait me le faire dire ; pour ne pas le contrarier, je le laisse m'expliquer les signes du mieux ; au fond, je me sens très malade.

– Tu as raison, dit l'abbé.

L'autre eut un éblouissement rapide, et il ferma les yeux, comme si une lumière trop forte l'avait offensé. Il accusa le coup, mais il n'eut pas un geste, pas un recul, pas une pâleur plus grande, pas un changement de voix. Seulement son regard s'attacha passionnément aux yeux de l'abbé, qui ne se détournèrent pas, et n'essayèrent point d'atténuer les mots, mais qui se troublèrent, et, tout autour des paupières, devinrent brillants. Des deux hommes en présence, il semblait que le plus atteint fût le prêtre.

– Je t'ai promis de t'avertir, dit celui-ci. Je le fais.

– Les autres m'auraient trompé jusqu'au bout, répondit l'industriel. Je te remercie. Crois-tu que ce soit long ?

– Fais comme si ça ne devait pas l'être.

Il y eut un temps de muettes communications entre les deux hommes. L'idée de la mort, celle de leur amitié, les unissaient en ce moment, et remplissaient les secondes silencieuses qu'ils vivaient. Par la fenêtre, le murmure de l'immense ville entrait, et très loin, à l'horizon, un nuage, comme un sac de grain, laissait couler sa pluie.

M. Talier-Décapy redressa, avec brusquerie, son buste appuyé au dossier du fauteuil, et, saisissant les mains de l'abbé, le fit asseoir à sa gauche.

– Mon ami, dit-il, que dois-je faire de la lourde fortune que je vais quitter ?

Il ajouta, avec mélancolie :

– Elle m'a été difficile à acquérir et à défendre, j'aimerais la bien distribuer ; je ne déshérite pas mes cousins, je veux qu'ils aient seulement le raisonnable. Il y a tant de placements utiles, quand on en est où j'en suis ! Veux-tu m'aider ?

– Non, dit nettement l'abbé. Il me reste assez pour mes œuvres. Non, si j'ai un conseil à te donner, c'est de suivre, en cela, ton cœur de Lyonnais.

– Et encore ?

– Va à travers les rues, mon ami, regarde, souviens-toi, laisse-toi toucher... Quand tu auras fait ta provision de légataires, ajoute une pauvre femme.

– Laquelle ?

– Tu sais que les sœurs de la place Saint-Pontique vont être chassées ?

– Non.

– Dans quelques jours.

– Ah ! Monechal, je suis content de quitter ce monde pour retrouver la justice !... Tu dis que je dois donner à l'une de ces femmes ?

– Oui, ce serait bien ; à la supérieure ; une petite somme ; elles sont toutes pauvres ; il ne faut pas qu'elles soient riches ; il faut que l'épreuve reste l'épreuve ; mais pas trop rude, tout de même. Promets-moi de passer chez elles ?

– Je te le promets... Tu reviendras me voir ?... Je dois avoir avec toi une conversation finale... Il faut un peu de préparation. Tu reviendras, n'est-ce pas ?

L'abbé ne se sentit pas la force de répondre. Il se leva. Les deux amis se séparèrent sans effusion, gravement, pénétrés, l'un pour l'autre, d'une admiration qui ne parut pas. Et, à peine

M. Monechal avait-il franchi la porte, que M. Talier-Décapy donna l'ordre de téléphoner pour avoir un fiacre à sa disposition.

Deux heures plus tard, épuisé de fatigue, ayant parcouru une partie de la ville, et dressé une longue liste de légataires, — œuvres et hommes, — entre lesquels il partageait sa fortune, l'industriel s'arrêtait devant la porte de l'école, sur la place Saint-Pontique.

Il avait de la peine à se tenir aussi droit que de coutume.

Ce fut sœur Justine qui le reçut, dans le petit parloir, à droite de l'entrée. Elle arriva, pressée, agile et sereine. M. Talier-Décapy ne la connaissait pas. Il s'attendait à voir une femme, inquiète ou en larmes. Et il ne put s'empêcher de le marquer.

— Est-ce que vous n'êtes pas chassée de votre école, ma sœur ?

— Hélas ! si, monsieur...

— Sera-ce bientôt ?

— Sûrement.

— C'est que je voudrais savoir quelle sera votre adresse, après l'événement... J'aurai peut-être à vous parler,... ou à vous faire remettre un petit secours... Je suppose que vous en aurez besoin ?

— Ma foi, monsieur, si vous pouviez me dire où je logerai dans huit jours, vous me feriez plaisir ! dit en riant sœur Justine... Pas une de nous ne sait ce qu'elle deviendra... Envoyez-moi, par la poste, ce que vous voudrez ; cela me suivra...

— À moins qu'on n'arrête l'argent au passage ? Ma pauvre sœur, laissez-moi vous dire que vous n'êtes pas forte en affaires !

— En effet, monsieur, mais aussi, ce n'est guère ma vocation de me défendre.

M. Talier-Décapy se borna à prendre par écrit le nom de famille de sœur Justine, et, rentré chez lui, il ajouta ces lignes à une longue suite d'autres legs : « Mes héritiers feront en sorte de retrouver madame Marie Mathis, en religion sœur Justine, supérieure de l'école de la place Saint-Pontique, et lui feront parvenir la somme de trois mille francs, dont elle disposera, pour le bien de ses sœurs dispersées. »

Il ne se doutait pas qu'il venait, indirectement, de secourir cette petite Pascale, la fille du maître canut qu'il avait si longtemps fait travailler, et qui était mort en tissant une robe de cour, pour le couronnement du roi d'Angleterre.

Le soir du même jour, et dans ce même parloir où elles étaient venues se réfugier, à cause du violent orage qui rendait impossible l'habituelle récréation dans la cour ou sous le préau, les cinq religieuses se retrouvaient réunies. Elles avaient pris des chaises et s'étaient assises, formant un petit cercle, près de la fenêtre, dans la pénombre subitement rompue par les éclairs. Chaque fois que la cellule s'illuminait, avant que la grisaille de la nuit fût retombée sur les murs, on voyait une ou deux mains qui se levaient, et qui signaient un front et une poitrine voilés de blanc. La supérieure, tournant le dos à la rue, racontait les deux visites qu'elle avait faites, l'après-midi. Elle disait la fin de tout espoir de vie commune, l'obligation, pour chacune des pauvres femmes présentes, de rentrer dans le monde qu'elles avaient quitté depuis cinq ans, depuis dix ans, depuis vingt ans ou plus, et de chercher l'asile, la protection, le pain qui manquaient tout à coup. Et, à mesure qu'elle parlait, les mains promptes au geste divin se levaient moins fréquemment.

Personne ne bougeait plus, quand sœur Justine acheva son récit.

Personne ne lui répondit, ni ne l'interrogea. Les gouttes de pluie, fouettantes comme la grêle, faisaient sonner les vitres. Après un silence, la supérieure demanda :

– Vous allez écrire tout de suite, mes filles, et vous prierez vos familles de vous recueillir, en attendant que j'aie trouvé une place, pour une ou deux peut-être, dans une école. Mais il faudra un peu de temps.

Sœur Danielle et sœur Edwige baissèrent la tête, pour dire qu'elles obéiraient.

– Je n'ai plus du tout de famille, dit sœur Léonide.

– Moi, dit sœur Pascale, je n'ai qu'une cousine, et loin d'ici.

– Je voulais vous parler de cela, justement, répondit sœur Justine.

Restez, pendant que les autres iront faire leurs lettres.

La supérieure et sœur Pascale demeurèrent seules, l'une en face de l'autre. Ce qui survivait de jour, ce qui se levait de clarté d'étoiles, entre les nuages divisés, baignait le visage et le haut du voile de sœur Pascale. Ses mains étaient dans l'ombre, jointes sur ses genoux. Ses lèvres s'entr'ouvraient, à cause de l'émotion qui la rendait haletante.

– Ma petite sœur Pascale, dit la vieille femme, c'est pour vous que mon inquiétude est la plus grande. Vous êtes si jeune !

Elle pensait tristement : « Et si jolie ! »

– Vous n'avez plus que de lointains parents, à Nîmes, n'est-ce pas ? Oui ; mais, avant de vous confier à eux, vous, mon trésor le plus fragile, je veux savoir... Sont-ils de bonnes gens, serez-vous en sûreté près d'eux, si je vous laisse aller ?

– Où voulez-vous que j'aille, ma mère, si ce n'est pas chez eux ? Je n'ai pas de métier.

Elle avait rougi. En apprenant, tout à l'heure, que la dispersion était décidée, dans le plus vif de son chagrin, au milieu de ses sœurs atterrées, elle avait senti surgir et grandir en elle cette pensée de Nîmes ; elle avait revu, en une seconde, la maison des Prayou, la colline de Montauri, la ville prochaine, et revécu les jours où on l'avait comblée d'amitiés et de gâteries. Et comme sa jeunesse aussitôt, à peine la porte ouverte au rêve, avait frissonné, Pascale, habituée à discerner les mouvements de l'esprit, était avertie qu'il y avait là un attrait de plaisir et, par conséquent, pour elle, un danger. Elle y cédait déjà, en répondant évasivement.

– Je sais bien, reprit sœur Justine, que vous n'avez pas de métier, et que, de toutes mes filles, vous êtes celle qui a le plus grand besoin de se reposer. La poitrine est faible. En attendant que je puisse vous replacer dans une école, – si je le puis, – ce serait parfait, pour vous, de vivre à la campagne, et dans le Midi. Mais, avant toute chose, dites-moi que l'âme n'en souffrira pas ?

Sœur Pascale ne regardait plus les yeux de sœur Justine, attentifs dans l'ombre et inquiets ; elle regardait, par la haute vitre de la fenêtre, les nuages en fuite, qui voilaient puis laissaient derrière eux les étoiles. Et elle dit, ne voulant pas se déjuger, mais troublée d'être prise pour juge de sa propre vie :

– Je ne le crois pas dangereux pour moi... Il saura qui je suis... Peut-être même est-il marié... Quant à ma tante Prayou, elle s'était montrée comme une mère...

La pluie tombait moins fort. Les ruisseaux faisaient un bruit de cascades sur la place déserte.

– Alors, vous écrirez à Nîmes, dit sœur Justine.

Et les deux femmes se levèrent.

Dès le lendemain, qui était le 20 juin, et un vendredi, les sœurs connurent le jour qui serait le dernier de leur petite communauté, et la manière dont on procéderait envers elles. Ursule Magre avait renseigné la police. On pouvait, avec un peu de diplomatie, éviter l'ennui d'un déploiement de force contre des femmes, ce spectacle des portes brisées à coups de hache, des perquisitions dans les cellules crochetées, ce bruit, ces protestations, toute cette apparence de vol à main armée, avec laquelle on risque d'indisposer les foules. Il suffirait de reparler habilement de la maison mère. Un commissaire vint tout exprès trouver la supérieure. C'était un homme d'aspect bon et jovial, qu'à distance on devinait familier et qui l'était, en effet. Il le prit sur ce ton, d'abord, avec sœur Justine, qui le recevait debout, dans le corridor, à quelques pas de la porte. « Ma pauvre dame, dit-il, mon métier n'est pas toujours drôle... – Le mien ne l'est jamais, interrompit sœur Justine. Vous venez pour m'expulser ? – Non, madame, remettez-vous, et causons sans nous fâcher, si c'est possible. Je viens vous notifier le décret de fermeture de l'école et l'ordre de quitter l'immeuble. – Qui est à nous. – Cela ne me regarde pas. Il faut le quitter. Je ne suis pas un méchant homme. Je veux bien prendre votre jour, mais à condition qu'il n'y ait pas d'esclandre, pas de manifestation... Vous avez dans vos mains le sort... – Je sais... – Alors, entendons-nous ? » Humiliée, les mains pendantes et croisées sur sa robe, surveillant ses paroles pour ne pas compromettre cette maison de Clermont où la race des saintes pourrait peut-être se former encore, mais ne baissant point les yeux, et n'avilissant pas sa défaite par le ton de la prière ou de la peur, sœur Justine exposa ses résolutions très réfléchies à l'homme de la police. Elle voulait un délai de huit jours, pour préparer le départ de ses sœurs. Elle voulait faire la distribution des prix. Elle voulait que cette distribution eût lieu le vendredi, jour de la Passion. Elle voulait enfin qu'un agent vînt lui mettre la main au collet, comme à un malfaiteur. Après quoi elle partirait, le soir même. Elle s'engageait, d'ailleurs, à ne pas répandre le bruit de la dispersion prochaine, à ne pas révéler l'heure où les religieuses de Sainte-Hildegarde quitteraient le quartier.

L'homme discuta pour la forme, et accepta.

Il avait obtenu ce qu'il était venu chercher.

La semaine qui suivit ressembla aux dernières semaines de chaque année scolaire. Quand les maîtresses annoncèrent aux élèves que, par extraordinaire, la distribution aurait lieu le 27 juin, il y eut des étonnements. Le lendemain, les parents réclamèrent ; plusieurs menacèrent de retirer leurs enfants à cause de la trop grande longueur des vacances ; quelques-uns comprirent. Puis la rumeur parut se calmer. À l'école, on composait, on faisait passer des examens, on dressait des listes, et les sœurs se couchaient tard, afin de corriger et de classer les copies. On essayait de parler de « la fête », comme on faisait d'ordinaire. Sœur Pascale et sœur Edwige durent même préparer, par ordre de sœur Justine, des guirlandes de buis, qu'il était d'usage de suspendre autour de la salle, le jour de la distribution. Jusqu'au dernier moment, la tradition réglait la vie du couvent. Elles furent aidées, dans ce travail, par une jeune fille du quartier, de la place même, Louise Casale, repasseuse de son état, anémiée en ce moment, et incapable de reprendre le fer et de respirer l'oxyde de carbone du fourneau. Les sœurs ne l'avaient point élevée. Elle était une ancienne élève de l'école laïque, très ignorante de la religion, mais attirée par elle, mystérieusement, et qui avait cherché, depuis plusieurs mois, gentiment, les occasions de causer avec les sœurs, et de leur montrer sa claire sympathie. En rapportant du linge, un jour, puis un autre, elle avait connu, peu à peu, les cinq religieuses ; elle venait de s'offrir, ayant appris que la distribution serait prochaine, pour travailler « aux décorations ».

– Je connais un jardin, avait-elle dit avec son accent de Méridionale, où il y a trop de buis. Le jardinier est de mes amis... Oh ! vous entendez : un simple ami. On a beau avoir été élevée à la laïque, on est quand même une honnête fille !

– Tu en as les yeux, va, la Louise, avait répondu sœur Justine, et personne ne te prendra pour ce que tu n'es pas. Veux-tu la preuve ? Je vais te prêter sœur Léonide une demi-journée.

Louise Casale avait battu des mains.

– Pas plus ; vous irez couper le buis, et vous trouverez bien quelque autre ami qui nous l'apportera ?

– Oui, oui ! ça m'amusera, puisque je ne peux pas travailler !

Elle avait fait amener à l'école une charrette à bras toute pleine de feuillages, et maintenant, dans la grande salle, nue comme les autres, – salle de réunion générale, salle de récréation quand il pleuvait, salle de spectacle, une fois par an, le mardi gras, où les petites jouaient une comédie, – trois femmes, debout et ayant entre elles un gros tas de verdure qui sentait la garrigue chaude, liaient des brindilles de buis sur des cordes tendues. Elles portaient chacune une provision de feuillages dans le pli de leur robe relevée. C'étaient sœur Edwige, sœur Pascale et Louise Casale. Celle-ci, grande, brune, élancée, large d'épaules et à laquelle manquait seulement, pour s'épanouir en beauté, la richesse du sang, ne souffrait que de son métier, sûrement. Ses joues maigres et d'une pâleur bleue, son nez étroit, portaient, comme des colonnes trop minces, ce front blanc, et ces yeux démesurés de longueur et enveloppés d'ombre.

C'était la veille de la distribution. On se hâtait. Louise Casale, et les autres, de distance en distance, sur les guirlandes de buis, fixaient une rose en papier, de celles qui avaient servi à dix décorations semblables, et n'étaient fleurs que de bien loin.

– J'en ai vingt mètres au moins, dit Louise. Encore deux mètres, et j'aurai fini. Quelle heure est-il ?

– Cinq heures et demie, dit sœur Pascale. Moi, j'ai les doigts verts. Heureusement nous ne posons les guirlandes que demain matin.

Elle ajouta d'une voix changée :

– Ce sera joli, n'est-ce pas ?

Elle ne reçut pas de réponse. On entendit, mêlé au bruit des buis froissés, le roulement des camions dans les rues voisines. Puis Louise Casale reprit, résolument et à voix basse :

– Sœur Pascale, je vous en prie,... dites-moi,... mais ne me trompez pas !

– Que voulez-vous que je vous dise ?

– Eh bien ! n'est-ce pas que vous partez ? Qu'il y a quelque chose ? Qu'on vous chasse ? N'est-ce pas que j'ai deviné ?

Elles étaient l'une près de l'autre, comme deux tisserandes au bout de leur câble. Elles avaient cessé de travailler. Sœur Edwige elle-même fut atteinte par ces mots. Elle ne se détourna pas. Mais ses doigts cessèrent de serrer les brins de buis sur l'axe de la guirlande.

Sœur Pascale ne pouvait rien dire. Mais elle pouvait regarder cette enfant que le hasard, et je ne sais quoi de plus, rapprochait d'elle en cette heure suprême. Et c'est ce qu'elle fit. Et à peine leurs yeux s'étaient-ils rencontrés, qu'elles se tendirent les bras l'une à l'autre et qu'elles se pressèrent, cœur contre cœur, en pleurant. Désespérante amitié ! Étrangères la veille, venues de si loin l'une vers l'autre, elles se seraient aimées, elles allaient se quitter.

– Excusez-moi, sœur Pascale, dit Louise en se séparant de la religieuse : cela me fait tant de peine ! Vous me plaisiez tant !

Sœur Pascale avait repris, dans le pli de sa robe, quelques brins de feuillage ; mais elle ne voyait plus, sans doute, la guirlande, malgré le jour doré qui emplissait l'appartement, car ses mains ne faisaient plus que lisser machinalement les rameaux, comme si ç'avaient été des plumes frisées qu'elle caressait pour les remettre en forme. Sous sa guimpe, sa poitrine se soulevait. Sœur Pascale penchait la tête. Louise Casale, plus grande, se pencha aussi, et dit, approchant ses lèvres du voile noir :

– Je ne suis pas dévote comme vous, mais j'aimais à venir chez vous... Il m'est passé des idées par l'esprit... Il y a seulement six mois, je ne vous connaissais pas, et j'en disais du mal, des sœurs, oui, je ne m'en gênais pas... À présent, quand je pense à me marier,... vous y avez pensé, aussi vous, avant d'être sœur ?

– Oui, dit Pascale en redressant la tête : comme nous toutes.

– Je voudrais, quelquefois, pas toujours, un mariage qu'on ne regrette jamais...

– Ce n'est pas facile.

– Vous ne comprenez pas : un mariage comme le vôtre, qu'on ne regrette pas au fond de sa vraie âme...

– Oh ! ma petite, dit Pascale, en quel moment vous me dites cela !

La repasseuse leva les épaules. Un rire triste siffla dans ses dents.

– Oui, n'est-ce pas ?... Ce sont des bêtises que j'aurais dû garder pour moi. C'est bien fini, allez... Quand vous serez parties, je serai pareille aux autres.

Sœur Edwige s'était détournée. Une grosse personne, roulant sur ses jambes, entrait.

– Allons, mes enfants, dans deux minutes vous arrêterez les guirlandes... Ce sera la récréation... Je ne te chasse pas, Louise !... Qu'as-tu, avec ton air de tragédie ?

Louise jetait à terre le buis qu'elle avait serré dans sa robe.

– Que je m'en vais ! Adieu, les sœurs !

– Est-ce qu'elle sait ? demanda sœur Justine.

– Oui, répondit sœur Edwige.

La supérieure cria, dans le corridor, espérant que la voix rattraperait la visiteuse et son secret :

– Ne dis rien, Louise, par amitié pour nous ! Une réponse incertaine arriva, le long des murs, et, rompue par les échos, ne put être comprise.

– Venez en récréation, mes enfants, ordonna la supérieure.

Sœur Edwige et sœur Pascale lâchèrent ensemble la guirlande qu'elles venaient de nouer, et ensemble elles dirent :

– C'est la dernière récréation !

Et comme sœur Justine avait déjà pris le chemin de la terrasse, elles la suivirent, se retrouvèrent l'une près de l'autre, sortirent en se donnant la main, ce qu'elles ne faisaient jamais, et marchèrent ainsi, sans se parler, jusqu'au bout de l'allée cimentée où attendaient les trois autres religieuses.

Elles se rangèrent encore trois d'un côté, deux de l'autre, se faisant vis-à-vis. Les deux c'étaient Edwige et Pascale. Mais elles ne restèrent pas sous le toit du préau, et descendirent dans la cour. C'était la loi de leur vie et leur vocation qui les appelaient là. Comme les amants qui reviennent aux choses et aux sites témoins de leurs amours et refont, dans les traces anciennes, le chemin qu'ils firent une fois, elles avaient besoin de passer leur dernière heure de liberté là où avaient vécu, toutes à la fois et de leur vie pleine, les enfants auxquelles elles s'étaient dévouées, les raisons de leur sacrifice, et les causes innocentes de toutes leurs souffrances. En sortant de là, elles savaient que, tout à l'heure, elles iraient à l'église, et que, ce soir, il n'y aurait pas de veillée générale, à cause des derniers préparatifs pour le lendemain.

Le soleil, très incliné, dorait toute la poussière de l'air, et il n'y avait pas un atome, pas un débris informe qui ne devînt de la lumière dès qu'il était soulevé au-dessus du sol. Le quartier travaillait, suait, souffrait, et achevait son jour d'été semblable aux autres jours d'été. Tous les ouvriers étaient à leur poste, les employés à leur bureau, les patrons devant leur téléphone ou leur table de travail, donnant des ordres. Cependant une perte immense se préparait pour eux tous : cinq femmes faisaient, dans cette cour, leur dernière promenade avant de quitter le quartier, et la ville. Elles parties, c'étaient d'innombrables existences moralement appauvries, modifiées, méconnaissables, privées de l'éducation, de l'influence, de l'exemple qui les eût faites bonnes ou meilleures. Une richesse, à laquelle beaucoup s'intéressaient moins qu'à l'autre, finissait. Une douleur que peu de personnes pouvaient plaindre groupait et troublait, malgré l'habitude qu'elles avaient de se vaincre, cinq créatures supérieures au monde.

Sœur Léonide elle-même était là, ayant laissé s'éteindre son fourneau, qu'elle ne rallumerait plus. Toutes elles avaient l'âme débordante d'émotion ; mais, pour ne pas accroître la peine des autres, chacune tâchait de contenir la sienne ; sœur Justine, les traits plus tirés que de coutume, essayait de conserver cette allure enjouée et ce ton de mère résolue qui lui donnaient tant d'ascendant sur son royaume de quatre religieuses et de mille pauvresses ; sœur Danielle, crucifiée au silence, attachée par sa volonté à cette croix plus dure aujourd'hui, et donc plus méritoire, s'exerçait à réprimer les cris d'indignation et de révolte qui emplissaient de tumulte son cœur, et, sur ses lèvres droites, elle réussissait à ne mettre que des mots calmes, et un sourire héroïque et joli, comme un ruban à la garde de l'épée ; sœur Edwige avait perdu de sa sérénité, et on eût dit qu'elle avait vieilli, et que, dans la nuit, au coin de ses deux yeux mauves, sur ses joues délicates, les rides s'étaient formées, légères encore ; sœur Léonide, alerte, avait gardé son air de tous les jours ; son gros oignon de nickel, retenu par un cordon, dépassait de presque toute sa hauteur la poche ouverte à la ceinture, et elle le consultait, comme si son office de réglementaire eût été sa plus importante préoccupation ; sœur Pascale pleurait, dès qu'elle regardait une de ses compagnes. Demain, sœur Danielle et sœur Edwige partiraient pour rentrer dans la famille ancienne, loin d'ici et loin l'une de l'autre ; demain, sœur Léonide irait rejoindre le village où, à la dernière heure, on lui avait offert le poste d'adjointe dans une école libre ; demain, elle-même, la Lyonnaise, elle quitterait Lyon pour Nîmes, où l'attendait sa tante Prayou.

Les cinq femmes se promenaient dans la cour, allant d'un mur à l'autre.

– Mes filles, dit sœur Justine, vous devez penser, comme moi, à toutes les générations de petites que nous avons connues ici ; ont-elles joué là où nous sommes !

Les cinq maîtresses marchaient dans la poussière piétinée par les « petites », et l'une regardait ce sable, où les empreintes de pieds d'enfants étaient innombrables ; l'autre, les vitres des classes ; l'autre, une troupe de moineaux, maîtres de la cour toutes les fois que les élèves n'étaient pas en récréation, et qui s'étonnaient, alignés et pépiant. Elles pensaient toutes aux filles d'ouvriers pour lesquelles tous ces matériaux avaient été employés, les pierres dressées en murs, les ardoises posées sur les toits, la terre nivelée, leur vie à elles dépensée, presque entière, à moitié, ou un peu moins. Les voix, les regards, les mots doux et profonds, les confidences reçues, les mensonges réparés, les ardeurs dont on tremble, celles qui réjouissent, toutes les enfances qui avaient passé là ressuscitaient.

– Il faudra prier pour elles, chaque jour que vous vivrez... Ce sera votre présence muette et éternelle ici... Promettez-le !

Il n'y eut que des signes de tête. Sœur Justine tenait en sa puissance les larmes et la faiblesse de ces quatre femmes plus jeunes qui marchaient à côté d'elle. Et comme son sang de soldat la poussait aux commandements ou aux ménagements, selon les heures, comme un vrai chef, elle comprit qu'il n'y avait point, en ses filles, de danger d'oubli, mais plutôt qu'il fallait les protéger contre l'attendrissement, contre leur amour douloureux pour « leurs » enfants.

– Demain, dit-elle aussitôt, réveil à cinq heures moins cinq, sœur Léonide. Nous commencerons par la messe, comme il convient, un jour d'épreuves... Puis, vous irez clouer les guirlandes. Il faut que les enfants gardent le souvenir d'un peu de joie autour de nous, puisqu'il sera si difficile d'en montrer, ce jour-là, sur nos visages. À neuf heures moins dix, vous placez les parents et les enfants ; vous, sœur Pascale, les petites ; vous, sœur Edwige, les parents...

– Et nous quitterons l'école ?

– Je vous le dirai.

– Par quelle rue ?... Serons-nous ensemble ? Où nous mènerez-vous, notre mère ?

Toutes sortes de questions sur le lendemain abondaient sur les lèvres des sœurs.

Le soleil s'inclina tout à fait ; sœur Léonide tira entièrement sa montre, à deux reprises, de peur que le soir ne la surprît en défaut ; les questions cessèrent : une même pensée, qui n'avait jamais été loin, envahit ces âmes qui n'avaient pas tout souffert. C'était la minute brève où il fallait se dire le véritable adieu. Demain personne ne devrait pleurer. On le pouvait ce soir, si on était faible. Les cinq femmes s'étaient arrêtées, dans l'angle de la cour, à l'orient. Elles s'étaient rapprochées en cercle. À peine si, des fenêtres d'une maison faisant suite à l'école, là-bas, on aurait pu voir le groupe de robes bleues et de voiles noirs dans le carré pelé de la cour. Et puis qu'importait ? La supérieure dit, en ouvrant les bras :

– Venez, mes chères filles, que je vous embrasse... Puis, si vous avez quelque recommandation à vous faire, les unes aux autres, profitez du peu de temps qui reste...

Elle ouvrit les bras. Les quatre religieuses, l'une après l'autre, par rang d'ancienneté, vinrent recevoir le baiser de paix. Sœur Justine les embrassait sur les deux joues, fortement, puis, avec l'ongle du pouce, traçait une petite croix sur leur front. Cela signifiait tout : sa tendresse humaine et religieuse. Quand elle eut serré dans ses bras la dernière de ses filles qui était Pascale, elle la retint, et lui dit, ne pouvant en dire plus long, car les sanglots l'étouffaient :

– Oh ! très chère ! très chère !

Aussitôt après, elle se détourna, suivie de la réglementaire, que le devoir ramenait une dernière fois vers sa cloche.

Les trois autres demeurèrent. La sage, la prudente sœur Danielle prit par le bras la plus jeune des sœurs, cette Pascale qui faisait pitié, et, l'accompagnant quelques pas, l'emmenant du côté de l'école :

– Je vous aimais tendrement... Je continuerai en priant... Je ne vous l'aurais pas dit, si nous n'étions pas à la fin de la vie commune... Adieu, petite Pascale... Gardez-vous à Dieu.

Elle pressa, de la main, avec force, le bras de sœur Pascale, à laquelle les larmes faisaient du bien, et qui disait : « Moi aussi... j'avais une admiration ;... je n'entendrai jamais votre nom sans être fortifiée dans ma faiblesse ;... je ne penserai jamais à vous sans me sentir meilleure, à cause de l'exemple... »

Mais déjà la haute silhouette mince s'écartait, la femme mortifiée s'arrachait à l'émotion inutile, et regagnait la solitude, laissant la jeune sœur au milieu de la cour. Et une autre avait pris sa place près de sœur Pascale, une qui avait beaucoup de mal à ne pas éclater en sanglots, une moins vaillante, une qui n'avait cessé de témoigner, depuis deux ans et demi, son amitié de préférence à sœur Pascale.

– Si nous ne sommes pas trop pauvres, si je puis vous appeler près de moi, je le ferai, disait sœur Edwige.

– Vous êtes inquiète à cause de moi ?

– Oh ! oui, dit la voix prenante de sœur Edwige.

– Ne vous inquiétez pas. Je serai bien où je serai,... je l'espère...

– Pas comme ici.

– Où serai-je comme ici ?... Je souffre bien... Le repos de mon âme, en entrant à Sainte-Hildegarde, c'était de penser : « C'est pour toujours ! » Et maintenant ! maintenant !...

La cloche sonna la dernière rentrée. Deux femmes jeunes, lentes, courbées sur leur peine, traversèrent, à quelques mètres l'une de l'autre, sans plus se parler, la cour, où leurs pas effaçaient encore des pas d'enfants.

Quand la nuit fut venue, celle qui, depuis vingt-cinq ans, avait la charge de diriger cette maison d'école, sœurs, élèves, anciennes, clientèle d'occasion, retirée dans sa chambre, une mansarde de domestique meublée d'un lit de fer, de deux chaises et d'une table de bois noir ; celle qui à soixante ans, allait quitter, sans doute pour n'y pas revenir, ce domicile de son long sacrifice, avant d'enlever les épingles de son voile, se tint debout, devant le crucifix de plâtre bronzé pendu au mur, et s'interrogea, les yeux levés.

« Ai-je laissé s'affadir, chez nous, la règle de notre ordre ? diminué la prière ? augmenté le loisir ? enfreint sans nécessité le silence du soir ou du matin ?... Non, je ne crois pas l'avoir fait.

» Ai-je tenu mon âme égale entre mes filles et entre mes enfants ? Mon Dieu, je me souviens des mortes que j'ai aimées, des vivantes que j'aime. Et j'ai été portée, assurément, par une sympathie vers plusieurs ; mais là où elle n'était pas, vous avez mis la charité, et, vous aidant ma faiblesse, je ne crois pas avoir été injuste dans le partage de moi-même. J'ai eu le dégoût de la fréquente hypocrisie, de la saleté, de l'odeur, de l'insistance de la misère : il en a peu paru au dehors.

» Ai-je défendu les vierges réfugiées ici, confiées à ma garde et à celle de leur maternité adoptive ? Il y a bien sœur Léonide, qui court la ville, et sœur Danielle, qui m'accompagne souvent chez les pauvres, mais elles passeraient dans le feu sans s'y roussir. Les autres n'ont eu du monde que le vent qui souffle sous les portes. Je le vois à leurs yeux qui sont clairs, et à leur gaieté qui est plus jeune que chacune d'elles. Même sœur Danielle est gaie ; si elle se prive de l'être en paroles, vous savez qu'elle achète ainsi la joie des heures silencieuses. Même Pascale, qui n'est forte que parce qu'elle s'appuie, est restée bien libre d'esprit, et bien heureuse, je crois, parmi nous, jusqu'à ces derniers jours. Il y a plusieurs de mes filles qui ont sûrement encore leur âme de baptême. Moi, je suis vieille, je n'ai jamais eu peur des mots, même gros, et vous m'avez donné cette grâce d'oublier très vite, en pensant au remède, le mal qu'il faut que je voie. Mes filles ont eu la protection de nos murs, du grand travail, de la fatigue des enfants, de la règle, de la prière, celle de ma présence, et de la Vôtre avant tout.

» Peut-être ai-je manqué, en quelque chose, à mon devoir d'institutrice ? J'ai eu la vanité trop vive des examens ; j'ai cherché, en y croyant trop, les certificats, les belles pages d'écriture, les analyses sans faute, les lectures sans arrêt ; mes petites ont pu croire, parfois, que c'était là le principal. Et le principal c'était Vous. C'est Vous qui leur manquez, dans leur ménage, et dans leurs peines, et dans leur mort... Non, je ne l'ai pas assez fait voir, que j'étais, avant tout, maîtresse de divin, professeur de l'énergie et de la joie qui viennent de Vous. Mes petites ont si grand besoin de votre aide ! Elles meurent si tôt, à leur deuxième enfant, trop souvent ; elles n'apprennent plus rien qui les relève et les fortifie, quand elles sortent d'ici ; elles ont tant de bonne volonté, tant d'honneur mystérieux dans leurs pauvres veines pâles, tant de goût caché pour Vous qu'elles aperçoivent parfois, qu'elles reconnaissent alors avec adoration, comme quelqu'un de la famille ancienne, qui sait tout ce qu'on a souffert, et ce qu'il aurait fallu pour qu'on fût tout à fait bien !... Je ne sais ce que je vais devenir. Si je dois enseigner encore, j'aurai moins de vanité de nos succès humains, et plus d'intelligence de la vraie détresse de mon quartier nouveau. Je Vous demande pardon... C'est si difficile de ne jamais nous aimer ! Je ferai mieux. »

Elle s'interrompit et dit :

« Vingt-cinq ans... Je croyais que je mourrais ici... Vous ne voulez pas. Je viens d'examiner le passé... Je ne découvre qu'un peu trop d'humanité en moi... Mon Dieu n'a pas été offensé ; ce n'est qu'une épreuve : j'accepte. »

Quelques minutes avant neuf heures, sœur Pascale et sœur Edwige, montées dans des échelles, un marteau à la main, et tenant des clous de réserve entre leurs lèvres, accrochaient, clouaient les guirlandes de buis, rectifiaient la courbe des arcs, repiquaient, dans le feuillage, des roses tombées à terre. Le dernier coup de marteau donné, elles descendirent. Trois petites d'une douzaine d'années, – deux chèvres tristes et une grosse fille joufflue, – qui les aidaient, allèrent ouvrir la porte de la salle, puis, en suivant le corridor, celle de la maison d'école. Aussitôt on entendit un grand bruit de pas, des glissades, des heurts, des voix criant, grondant, appelant : « Ne poussez pas ! – Amélie ? Où est-elle donc ? Tu déchires ta robe ! – Bonjour... Oh ! là là, est-on pressé ! ça me serre !... – Eh bien ! il y en a de la guirlande ! – Et du joli buis !... En a fallu de la patience ! – Et les prix, ils sont beaux !... En auras-tu, toi, Marie ? – Peut-être pas de gros ? – Va à ta place, là-bas, tiens, la sœur Pascale qui te fait signe. » Sœur Pascale se trouvait à droite de l'estrade, à droite des prix rouge, bleu et or, rangés dans des tiroirs de commode, et posés sur des tables de toilette. Les grandes se mettraient à gauche, sur des bancs parallèles à ceux des petites. On entrait, on se groupait par familles, par sympathies, toutes causantes, sur les chaises que les sœurs avaient placées en lignes, et qui offrirent bientôt le spectacle d'arabesques compliquées. Les mères, les grandes sœurs, des grand'mères, des tantes, des voisines, quelques hommes, malgré cette date du vendredi, remplissaient la salle rapidement, le milieu d'abord, puis les premiers rangs, puis le fond, toujours grouillant, houleux et disputant. Les enfants se séparaient des groupes familiaux, dès la porte d'entrée, et l'on entendait les baisers. Les premières couraient dans les allées ménagées le long des murs ; les dernières se faufilaient : « Pardon, madame. – Ah ! c'est toi, Joséphine. Bonne chance ! » Mais, dans le nombre des curieux et des indifférents, il y avait des groupes attentifs, qui observaient, et qu'une rumeur, répandue dans le quartier depuis l'avant-veille, inquiétait. « Il paraît qu'il va se passer quelque chose... Avez-vous entendu dire que l'école va être fermée ?... – Non... Ça en serait un malheur ! – Regardez donc sœur Pascale... – Où donc ? – Au fond à droite, au milieu des petites... Elle rougit... Qui est-ce qui lui parle ? La petite Burel ? – Non, Aurélie

Dubrugeot. Elle lui apporte un cadeau ? Oui, qu'est-ce que c'est ?... Un coussin ? – Non, ça s'ouvre ! Une valise. Dites donc, mère Chupin, c'est donc vrai, ce qu'on a dit, que les sœurs vont partir ? – Mais non, mon bonhomme, ils disent ça pour monter le monde contre le gouvernement. – Pourtant, elle a l'air tout triste, la sœur Pascale ! – Pauvre petite sœur Pascale, en voilà une qui a le cœur doux, comme une cerise confite, père Goubaud ! – Tenez, elle met la malle dans le coin, avec un tapis dessus... Aurélie pleure. – Que voulez-vous ? Mon avis, à moi, c'est qu'elles ne s'en vont pas, nos sœurs. Pourquoi les renverrait-on ? »

Goubaud restait dur de visage, soulevé au-dessus de sa chaise, les sourcils rapprochés, la main gauche tordant sa longue barbe noire mêlée de poils gris. Il regardait obstinément le coin à droite, où, dans les plis mouvants de trente petites blondes ou brunes qui l'entouraient, sœur Pascale se débattait, essayant de mettre de l'ordre, de s'arracher à leurs mains, qui prenaient les siennes et les baisaient : « Ne partez pas ! Ne partez pas ! Sœur, petite sœur ! » Les yeux dorés, les yeux tendres de sœur Pascale se mouillaient. Aurélie, de la part de ses parents, avait apporté une petite valise, carton recouvert de toile, qui ne servait guère chez les Thiolouse. Une autre, une pâlotte de six ans, qui avait un œil mort, et l'autre œil beau comme le bleu du ciel, s'approchait, les deux mains formant le nid, et cachant un objet précieux. Et elle criait, plus haut que ses compagnes : « Ma sœur Pascale ! Prenez : je l'ai apporté pour vous. Je l'ai pris sur la cheminée. » Sœur Pascale tendait la main. La petite, radieuse, y posait avec hâte un coquillage à lèvres roses, armé d'épines flamboyantes. « C'est pour vous, parce que je vous aime. » Elle aussi, elle croyait au départ. On avait dû en parler chez elle. D'autres riaient. Le père Goubaud disait à son entourage : « On va savoir, peut-être. Voilà la sœur supérieure... Elle n'a pas l'air triste. – Jamais. Avec elle, ça ne dit rien, l'air. Elle est forte. – Oui, mais pas de ne rien faire, répondait la voisine sans comprendre ; ce n'est pas de la graisse, c'est de l'âge, père Goubaud. » Celle qui parlait avait soixante ans, elle était plate comme une planche, et ressemblait à une belette habillée de noir. « N'y a pas de curé sur l'estrade, et je n'ai jamais vu ça. »

Il n'y avait pas de curé, en effet. Sœur Justine, d'un effort puissant, se hissa sur le plancher, élevé d'un pied, qui formait l'estrade. On toussa ; les chaises furent remuées. Sœur Danielle, pâle comme la Justice qui entrerait parmi les hommes, entra la dernière et, droite, le long du mur, s'assit, tandis que la supérieure, à demi cachée par la table et les tiroirs pleins de livres, levait le bras pour parler ; que sœur Pascale se débattait et tâchait de renvoyer à leurs bancs les petites pendues à ses bras et aux plis de sa robe, et que sœur Edwige, souple, mélancolique, et dame, malgré elle, sortant du milieu de la foule qu'elle avait contribué à tasser également partout, s'avançait pour se placer à gauche de l'estrade, et tirait de sa poche un cahier de papier, couvert d'une belle écriture en ronde : le palmarès à un seul exemplaire. Sœur Léonide devait être occupée à clouer des caisses, ou à fermer des portes : on ne la voyait point.

– Je veux expliquer aux parents, dit sœur Justine, dont la voix de commandement fit taire les conversations, sauf sur les bancs de droite, que nous n'avons pas avancé la distribution de notre plein gré... Elle ne sera pas solennelle, comme d'habitude... Il n'y aura pas de chansons... Nous regrettons beaucoup de vous remettre si tôt vos enfants ; on nous l'a demandé, à cause des circonstances...

– Vous allez être expulsées, dites-le donc !

Un murmure de voix s'éleva, des aiguës, des graves, des irritées, des conciliantes :

« Taisez-vous, Goubaud ! – Elles ne s'en vont pas ! – Mais si !

– Écoutez la sœur ! – Est-il mal élevé tout de même ! »

Sœur Justine domina le tumulte, en criant :

– Pas de tapage ! Tous ceux qui sont nos amis écouteront en silence la lecture du palmarès, et puis s'en retourneront chez eux. Pour nous, j'ai conscience que nous vous avons servis de notre mieux.

« Oui, ma sœur, c'est la vérité ! – Alors vous vous en allez ? – Mais non ! – T'as rien compris ! Silence ! »

Des enfants pleuraient tout haut.

Une fois encore la supérieure éleva la voix :

– Lisez le palmarès, ma sœur Edwige.

On eût dit qu'ils se taisaient, tous et toutes, pour entendre une musique. Et c'était la voix de sœur Edwige appelant leurs noms. Et ils se taisaient encore parce que les lauréates se levaient, trois, quatre, six à la fois, allaient chercher un volume, une couronne de papier vert, et, perçant la foule, à droite, à gauche, jusqu'au milieu, jusqu'au fond de la salle, creusaient des sillages de gaieté, de souvenirs, d'amour, d'orgueil qui bruissaient longtemps derrière elles.

Et cela dura jusque vers onze heures et demie. Alors, le bruit assourdissant des pas et des voix s'éleva de nouveau, dans l'air lourd et saturé de l'odeur de misère. Ils partaient. Le quartier avait fait sa dernière visite à l'école. Il s'éloignait, il rassemblait ses enfants, et, sans doute, il n'oubliait pas les maîtresses, mais la hâte de rentrer, le travail, le besoin de respirer mieux, l'attrait de la rue, l'attrait du cabaret, le simple exemple des autres qui se dirigeaient vers la porte, tous ces pauvres motifs, ajoutés à la timidité, à l'absence complète d'initiative, chez beaucoup d'assistants, rendaient minime le nombre des parents qui remontaient vers le haut de la salle, vers l'estrade où quelques élèves plus affectueuses, ou plus fières de leur succès, ou plus misérables et abandonnées, formaient autour de quatre religieuses, massées sur l'estrade, un groupe diminuant. « Au revoir, ma sœur Justine ! Au revoir, ma sœur Danielle, ma sœur Edwige, ma sœur Pascale ! » Les religieuses se penchaient plus ou moins, baisaient des fronts d'enfants, serraient la main des mères, répondaient des mots vagues aux questions embarrassantes. Et bientôt, elles furent seules sur l'estrade. Par lassitude, par besoin d'appuyer leurs épaules et leurs têtes lasses, elles s'étaient reculées jusqu'au mur, et elles étaient là, immobiles, les mains jointes, désormais délivrées de la contrainte du sourire, et elles regardaient ces nuques, ces dos d'hommes et de femmes, serrés en lignes, sur toute la longueur de la pièce, et qui s'éloignaient à jamais. C'était leur bien qui s'en allait, leur richesse, leurs obligés, ceux qui avaient eu faim et soif, ceux qui avaient pleuré. Elles reconnaissaient encore, dans le lointain, quelques mères, quelques enfants, au mouvement du cou, à des vêtements qui ne changeaient pas avec les saisons. Elles les nommaient dans leur cœur. Elles goûtaient chacune, avec effroi, la cruauté des reconnaissances humaines ; elles pensaient à ce qu'il avait fallu de souffrance, de patience, et d'élan, et d'oubli, et envers combien d'enfants, pour acheter le baiser, ou le regard attendri, ou la pensée amie d'un seul de ceux qui disparaissaient, par paquets de trois ou quatre, dans le corridor, et qui ne reviendraient plus. Sous leurs yeux leur œuvre s'effondrait.

Une caresse légère tira Pascale de cette vision du passé. Le long de l'estrade, une élève était restée, la toute jeune qui n'avait pas de parents, et dont l'œil droit était mort. Personne ne lui ayant fait signe « viens-t'en ! » elle s'était cachée là, tout près de celles qui avaient été bonnes, et, les devinant malheureuses, les voyant immobiles, pour leur rendre le regard et la vie, timidement, du bout des doigts, elle caressait la main pendante de sœur Pascale.

– C'est Marie, dit sœur Pascale. Si je pouvais l'emporter avec moi !

Elles sortaient de leur songe. L'enfant passa dans leurs bras, et s'en alla toute seule, la dernière, sabotant, et se retournant pour faire signe : « Je vous vois encore ! » Puis la porte retomba, fermant la salle des fêtes.

– L'heure est venue, ou elle va venir bientôt, dit sœur Justine.

Les sœurs écoutaient déjà, croyant que le policier exécuteur des hautes œuvres allait sonner. Sœur Danielle, que l'émotion troublait, courut même, à l'étonnement de ses compagnes, jusque dans le parloir dont la fenêtre ouvrait sur la place, revint, et dit :

– Il n'y a presque plus personne devant l'école. Ils sont allés dîner...

Les religieuses, n'ayant plus d'enfants, plus d'école, plus d'habitude à suivre, hésitaient, et se demandaient comment employer l'heure ou les deux heures qu'elles avaient encore à passer chez elles. Tout le devoir était rempli. Le dernier mot de Danielle leur rappela qu'elles n'avaient pris, depuis le matin, qu'un peu de café, et sœur Justine demanda :

– Nous n'avons pas de quoi déjeuner en ville ; reste-t-il des provisions, ma sœur Léonide ? Où êtes-vous donc, sœur Léonide ?

La tourière apparut.

– Notre mère, il reste encore une demi-bouteille de vin, de l'eau et du pain.

– Nous ferons donc notre dernier déjeuner ici, répondit sœur Justine.

Et elle fit le geste qu'elle faisait si souvent, ouvrant à demi les bras pour rassembler ses filles et les pousser en avant. Déjà sœur Léonide avait quitté la salle, pour « mettre le couvert », là-bas, dans le petit réfectoire qui faisait suite à la salle longue où mangeaient, nourries par la charité de ces pauvresses, pendant les mois d'hiver, et souvent même pendant les mois d'été, les enfants très misérables, ou qui demeuraient trop loin de l'école.

Les sœurs, autour de la table ronde, mangèrent une tranche de pain, et burent un doigt de vin.

Elles avaient retrouvé leur liberté d'esprit. Elles causaient, sans faire allusion à ce qui allait venir. Pour elles, le drame était fini ; du moins elles le croyaient, puisqu'elles avaient accepté et souffert la séparation d'avec « nos filles et les mères de nos filles ».

Quand elles eurent achevé, elles restèrent assises autour de la table, sauf sœur Léonide, qui se mit à desservir.

Et presque aussitôt, on sonna à la porte d'entrée. Sœur Justine devint très pâle, et commanda :

– Allons !

Rapidement, elle se leva, suivit le couloir, et, se raidissant, d'un geste ferme, elle ouvrit la porte de son école et de sa maison.

Deux hommes saluèrent, l'un en levant son chapeau melon, en s'inclinant un peu, avec l'évident désir d'être correct, l'autre d'un signe de sa tête bilieuse et chafouine. C'étaient le commissaire de police et son greffier.

Sœur Justine se recula de deux pas.

– Vous me permettez d'entrer ? demanda le gros homme, serré dans sa redingote.

Et il s'avança, sans attendre la réponse, l'épaule droite en avant, à cause de la largeur de son buste. Il ne se souciait pas de s'expliquer sur le seuil, et d'ameuter les passants autour des groupes déjà formés sur la place. Le secrétaire se glissa derrière lui, et ferma la porte presque entièrement.

– Vous êtes ici chez deux de mes sœurs de Clermont-Ferrand, dit la supérieure. Vous venez prendre leur bien.

– Je vous l'ai dit, ça ne me regarde pas.

– Je proteste en leur nom, monsieur.

– Pas longuement, n'est-ce pas ? dit le faux bourgeois, qui n'en était pas à sa première opération.

Sœur Justine fit signe de la main : « Taisez-vous » !

– Oh ! dit-elle plus fortement, je ne vous ferai pas de discours, allez ! Mais je vous dis, pour que vous le répétiez, que vous commettez trois injustices : en détruisant mon école, qui est celle des pauvres et des chrétiens ; en prenant notre bien, et en nous chassant de notre domicile, comme vous allez le faire. Expulsez-moi, maintenant.

Le policier eut une moue de déplaisir.

– J'aimerais mieux que vous ne m'obligiez pas à ce simulacre de violence.

– J'y tiens. Je ne cède qu'à elle.

– Comme vous voudrez. Sœur Justine détourna la tête.

– Êtes-vous là, mes sœurs ?... Où est encore sœur Léonide ?... Mais venez donc !

La voix résonna dans les couloirs. Et sœur Léonide accourut, confuse, haletante, entr'ouvrant sa bouche édentée, et rabaissant, de la main, son voile qu'elle avait dû relever.

– Qu'est-ce que vous faisiez ?

– Ma mère, je balayais la place.

Elle se mit au dernier rang, avec sœur Pascale.

Sœur Justine regarda le policier.

– Faites votre métier.

La main de l'homme se posa, avec une certaine timidité, sur le voile noir qui couvrait l'épaule et le haut du bras de sœur Justine, et, à la suite de la supérieure, que le commissaire précédait, les quatre sœurs apparurent sur le perron, et descendirent les marches.

Un groupe d'élèves et de parents, qui avaient un soupçon plus ferme que les autres, étaient restés à cinquante mètres de là, près du mur de l'église. Ils n'étaient guère qu'une trentaine. L'arrivée du commissaire de police avait fait s'arrêter, en outre, devant l'école, des passants et des errants. Quand on vit les sœurs, il y eut un saisissement, chez tous ces spectateurs, dont aucun n'attendait exactement ce tableau, ni à cette minute. Un cri de femme s'éleva :

– Vivent les sœurs !

Puis tout ce qui vivait sur la place s'approcha, d'un mouvement rapide. On vit des agents au coin des rues, à droite, à gauche, en avant.

– Ôtez la main ! commanda sœur Justine.

Le commissaire obéit à l'ordre, et lâcha la religieuse, puis remonta les marches.

On entourait déjà les sœurs ; les abords de la maison noircissaient à vue d'œil.

Le gros homme, entendant un coup de sifflet, cria, du haut du perron :

– Que personne ne manifeste ! Je fais arrêter le premier qui manifeste ! Et vous, les nonnes, défilez-vous, et vite !

Il rentra, ferma la porte, et vint se poster dans la porterie de sœur Léonide, derrière le rideau qui s'agita. Mais ni sœur Léonide ni les autres ne le virent. Une rumeur enveloppait le groupe des cinq femmes aux robes bleues ; on se pressait autour d'elles ; on cherchait leurs mains, on disait : « Venez chez nous ! Venez avec nous ! » Sœur Justine écartait son monde de ses deux bras : « Laissez passer, mes bons amis ! » Une voix cria : « Vive la liberté ! » Elle n'eut pas d'écho, comme si tous ces pauvres avaient ignoré ce que c'était. Les agents bousculèrent les femmes, et injurièrent celle qui venait de crier. « Merci, Louise Casale, merci, ma petite ! » dit sœur Justine qui l'avait reconnue. Elle continua de foncer dans les remous d'une foule mêlée. Des hommes, à droite, autour d'un arbre, hurlaient : « Hou ! hou ! à bas la calotte ! » Sœur Justine avançait toujours. Derrière elle, dans le sillage, marchait sœur Danielle, les yeux à hauteur d'homme, les bras croisés, frémissante aux cris dont le nombre et le bruit grossissaient ; puis sœur Edwige, rouge, confuse de cette exposition en public, les yeux baissés, retirant ses mains que des petites de l'école baisaient en pleurant ; puis sœur Pascale, souriant à des amis, énervée, apeurée, et à côté d'elle, lui tenant le bras, sœur Léonide, aussi calme que si elle allait « faire son marché », dans la cohue des halles.

Le petit groupe avait traversé la place. Les agents, voyant que le cortège allait s'engager dans le large cours qui mène à la gare, et que la démonstration pouvait devenir une manifestation, se jetèrent sur la grappe de femmes et d'enfants qui enveloppaient les expulsées, et l'émiettèrent. Puis, un brigadier, s'adressant à sœur Justine :

— Trois seulement par le cours Charlemagne ! cria-t-il. Les deux autres par ici ! Vous vous retrouverez plus tard !

En même temps, il poussait sœur Pascale et sa compagne la tourière dans la direction des quais de la Saône.

Ce fut la fin des protestations. Quelques femmes, deux ou trois enfants, franchirent la barrière des agents, et rejoignirent les trois religieuses qui remontaient le cours vers Perrache ; quelques lointains amis crièrent : « Vivent les chères sœurs ! » Des insultes leur répondirent. Puis le calme apparent se rétablit. La « loi » avait triomphé. Quelques pauvres pleuraient seuls, en regagnant leur logement.

Les deux tronçons de la « communauté » se réunissaient, une demi-heure plus tard devant la porte d'un vieil hôtel de la rue de la Charité.

— Madame Borménat ? Quel est l'étage ? demanda sœur Justine.

— Deuxième, pardine ! répondit, sans attendre, sœur Léonide.

Après la seconde volée d'escalier, les voyageuses s'arrêtèrent, et, des profondeurs d'un vaste appartement, on entendit venir le pas d'une domestique. Celle-ci était évidemment prévenue.

– Entrez, mes pauvres chères sœurs... Madame va venir à l'instant.

Elle poussait, en parlant, une porte de chêne ciré, haute, tournant sur des gonds de cuivre, et qui ouvrait, ainsi que trois autres du même style, sur le vestibule. Les sœurs pénétrèrent dans une longue salle parquetée, lambrissée de chêne. Une quinzaine de chaises carrées, recouvertes d'un tissu de crin, étaient disposées, à distance égale, le long des murs ; et deux fenêtres, étroites, prenant jour sur une cour, laissaient couler sur le parquet deux longues traînées de lumière, qui se relevaient le long des murs et coupaient l'atmosphère blonde et brumeuse de la pièce. C'était l'ancienne salle à manger de l'appartement. Les sœurs s'étaient avancées jusqu'au milieu, et s'y tenaient debout. Elles auraient pu se croire dans un couvent riche, dans cette demeure de vieux Lyonnais. Par l'autre extrémité, une femme âgée entra, de moyenne taille, mince, myope, et qui ressemblait étonnamment aux têtes de cire représentant les vieilles dames et exposées aux vitrines des coiffeurs : bandeaux soufflés, blancs et lisses, visage petit, très peu ridé, encore parcouru, ça et là, par le sang demeuré jeune, et un sourire égal, avec peu de vie dans des yeux très luisants. Elle fit une révérence.

– Bonjour, mes pauvres sœurs ! Vous venez au vestiaire des sécularisées ? N'avez-vous pas été trop brutalement jetées hors de chez vous ?

– Non, madame, dit sœur Justine, mais la vie est brisée, quand même. C'est là la violence.

– Le martyre, mes sœurs.

– Une espèce.

– Voyons les tailles, dit, sans transition, madame Bormé-nat...

Et, désignant sœur Danielle, puis les autres religieuses :

– Une grande, quatre moyennes... Sœur Pascale, je crois, celle-ci ?... Oui... Ma pauvre petite sœur, vous devez avoir la taille mince... J'ai justement là le costume de deuil d'une jeune fille de nos amies...

Elle semblait faire l'article pour une maison de modes. Vivement, sans bruit, avec une adresse de femme autrefois du monde, madame Borménat avait ouvert deux placards dissimulés derrière les panneaux de boiseries, et transformés en penderies profondes, d'où s'échappait un nuage d'odeur de naphtaline ; elle avait pris et disposé, sur les chaises les plus proches, cinq robes, cinq corsages, cinq manteaux noirs, qui rappelaient les modes des trois dernières années, bien qu'on eût essayé de retoucher les manches des manteaux et les cols.

Aucune des cinq religieuses n'avait commencé à se dévêtir. Elles considéraient ces vêtements « de monde », jetés sur les chaises, le long des boiseries, et elles pensaient toutes à la cérémonie, si émouvante, de leur vêture ; à ce jour autrefois attendu, où elles avaient pris la livrée de leur vocation, ces vêtements purs, dont chacun est un symbole, figure une grâce, et appelle une prière liturgique. Elles attendaient maintenant, sans le dire, l'ordre de quitter le vêtement béni. Un regard de sœur Justine, un signe du menton indiquant les places, distribua les quatre femmes devant les chaises, et l'on vit, à la pâleur des visages, que l'ordre était dur à suivre. Puis les mains se levèrent, pour détacher les voiles et les coiffes, pour dégrafer les robes de bure, qui tombèrent d'une pièce sur le parquet. Il n'y eut plus, à la place des cinq religieuses que beaucoup de passants, dans la rue, saluaient d'une inclination de tête, ou d'une pensée de haine, que cinq femmes vêtues d'une chemise montante, d'un jupon de laine grise, et dont les cheveux, blancs, châtains ou blonds, coupés au bas de la nuque comme ceux des pages d'autrefois, se répandaient en cloche autour de la tête, jeune ou vieille. La domestique, rappelée par sa maîtresse, et qui avait déjà l'habitude de ce service, s'empressa avec madame Borménat, autour des « sécularisées », allant de l'une à l'autre, essayant une robe, un corsage, faisant un point, lâchant une couture, déplaçant un crochet, et, après un quart d'heure, la lamentable transformation était accomplie. Avec des épingles et des rubans noirs, on avait relevé les cheveux tant bien que mal, puis on les avait cachés sous les formes défraîchies de chapeaux de deuil, ou de demi-deuil. Sœur Justine, les épaules couvertes d'un manteau demi-long, malgré la saison, considérait ses filles, qui venaient, une à une, se placer devant le miroir, entre les deux fenêtres : sœur Danielle, navrée, semblable à une veuve qui vient de perdre son époux ; sœur Edwige, intimidée, humiliée, triste ; sœur Léonide disant :

– Je suis joliment laide en monde ! J'ai l'air d'une marchande à la toilette... C'est peut-être simplement que je n'avais pas l'habitude de me regarder dans une glace.

Et elle se mit à rire.

Sœur Pascale se laissait coiffer par la domestique, tandis que madame Borménat tâchait de rassembler et de nouer les rares cheveux de la supérieure. Celle-ci, qui se taisait, assaillie par trop d'émotions successives qu'elle ne voulait pas dire, arrêta son regard sur la chevelure mutilée, mais admirable encore, de la fille du vieil Adolphe Mouvand. Vit-elle, repoussée, dressée en chignon, lustrée par le vent et le soleil, cette paille dorée et ardente ? Trouva-t-elle trop jolie, en ce moment même, dans son costume de demoiselle, cette enfant qu'elle aimait ? Sœur Pascale souriait affectueusement en la regardant. Elle lui disait, évidemment : « Voyez en quel état ils ont mis votre fille ! Je n'ai pas l'air aussi navré que sœur Danielle, mais c'est moi qui ai le cœur le plus désemparé, moi, la créature faible dont vous étiez toutes, et vous surtout, le soutien. » Sœur Justine, qui était séparée d'elle par le groupe des sœurs déjà habillées et coiffées, n'avait-elle plus sa force ordinaire pour résister à la morsure douloureuse de ce sourire ? Elle échappa aux mains de son habilleuse, et, une de ses mèches dressée au-dessus de son crâne et attachée avec un cordon noir, une autre tombant sur l'oreille droite, elle vint, les traits tirés, jusqu'à la jeune fille.

– Ma petite sœur, dit-elle très bas, gardez cette pauvre robe le plus longtemps possible...

Sœur Justine devait s'avancer plus profondément dans la région des rêves douloureux, car elle ajouta :

– Pourquoi ai-je consenti à me séparer de vous... ? Allons, mon enfant, venez mettre votre chapeau, nous sommes les dernières.

Il y avait encore deux chapeaux sur la console, à côté du miroir, un de paille noire, orné d'une couronne de petites pâquerettes artificielles, très flétries et retombant sur leurs tiges, et une capote de tulle ruche, poussiéreuse et lourde.

– Tenez, dit-elle, ma sœur Pascale, prenez celui-ci.

Elle désignait la capote de deuil. Sœur Pascale prit ce paquet noir.

– Vous n'allez pas vous mettre des pâquerettes sur la tête, madame ? dit madame Borménat. Ce serait ridicule.

– Moins que vous ne pensez, dit sœur Justine.

Et elle piqua, sur ses cheveux blancs, la forme de paille noire garnie de vieilles fleurs pendantes.

Elle eût été ridicule, en effet, pour d'autres ; elle le serait dans la rue. Que lui importait ? Elle reprit son humeur ferme, sa parole toute simple et sans embarras, pour remercier l'intendante du vestiaire des laïcisées. La vieille dame salua, sourit avec réserve et compassion, et elle regarda descendre, dans la spirale de pierre de l'escalier, les cinq femmes dépoétisées, et qui n'avaient plus, pour se défendre contre le monde, ce voile, cette bure, ce rosaire qui disent que c'est une chair pénitente et vouée à Dieu qui passe. Deux d'entre elles emportaient, roulée dans une enveloppe de toile, leur robe, leur voile et leur coiffe de filles de Sainte-Hildegarde : sœur Danielle et sœur Léonide. Les autres, trop incertaines de leur destinée, avaient confié, à la garde de l'œuvre, ces reliques de leur vie d'élection et de leur passé heureux.

Elles sortirent. Elles ne se parlaient plus l'une à l'autre.

N'ayant plus de maison, elles se rendirent à la gare, et demandèrent la salle d'attente des voyageurs de troisième classe. Le coin du fond, près de la baie vitrée, était libre. Elles s'y installèrent, trois sur une banquette, deux sur une autre, aussi rapprochées que possible et se faisant presque vis-à-vis. La supérieure était assise entre sœur Pascale et sœur Léonide. Elle avait en face d'elle sœur Danielle et sœur Edwige. Que de fois elles s'étaient promenées formant ainsi deux groupes, à un pas de distance, dans la cour de la chère école ! En ce temps-là, si proche d'elles encore, elles pouvaient causer. À présent elles n'en avaient plus la force. Elles n'étaient plus que des êtres déprimés, aux yeux rougis par les larmes, si malheureuses que leur affection même leur défendait de parler. D'ailleurs, aucune ne put même en former la pensée. Dès qu'elle se vit entourée de ses filles, la vieille Alsacienne dit :

– Mes bien-aimées, il faut que la communauté finisse dans ce qui était le grand acte, et le lien, et le bien de notre vie commune, dans ce qui sera la force de chacune de nous, séparée des autres. Nous allons réciter le rosaire. La prière ne cessera que quand je resterai seule.

Elles cherchèrent et trouvèrent avec difficulté, dans leurs poches de robes laïques, leur rosaire. Et le *Pater,* puis les *Ave* formèrent, entre les cinq femmes en deuil, un murmure à peine perceptible, que traversait, sans l'interrompre, tantôt le sifflet d'une locomotive, le roulement d'un train, tantôt le claquement des portes, le pas précipité des voyageurs traversant la salle. *Ave Maria, gratia plena...* Personne ne s'occupait de ces voyageuses mal fagotées, si pauvres, immobiles, penchées sans doute pour écouter le récit d'une mort. Les voyageurs les prenaient pour une famille en deuil. Et ils ne se trompaient pas... *Benedicta tu in mulieribus...* C'était sœur Danielle qui disait la première partie de la prière, et les autres sœurs répondaient... Quelquefois, l'une d'elles portait la main à ses yeux, les cachait une minute, et pleurait en silence, puis reprenait sa partie dans le concert des dernières supplications, des derniers vœux exprimés devant celles qui en étaient l'objet. De temps à autre, un employé apparaissait à l'entrée de la salle, du côté du quai, et jetait le nom des villes vers lesquelles un train allait partir... Les sœurs frémissaient toutes, et les mots se ralentissaient sur leurs lèvres. Mais ce n'était pas l'heure encore... Les noms fatals, Mâcon, Marseille, Ambérieu, n'avaient pas été prononcés. Il y avait encore un peu de temps. L'homme se retirait, ne sachant pas qu'il était, pour ces femmes, comme le bourreau qui appelait dans les prisons, sous la Terreur, les condamnés, un à un. Il s'éloignait, et la prière continuait. Sœur Pascale récita le second chapelet, et sa voix lasse, sourde, avait un accent si tragique, que, par affection et par pitié, toutes celles qui étaient là se sentirent portées à son secours, et offrirent pour elle, qui était si désolée, la grâce de leur prière. *Ora pro nobis, peccatoribus, nunc et in horâ mortis nostrœ...* Dans la salle trépidante, poussiéreuse, bruyante, les cinq sœurs de Sainte-Hildegarde disaient adieu à la prière en commun... Un employé cria : « Direction de Mâcon en voiture ! » Et deux des cinq femmes se levèrent, celles qui étaient assises en face de la supérieure, sœur Danielle et sœur Edwige. Un instant elles se demandèrent si la prière allait s'interrompre ; mais sœur Justine ayant repris, avec intention : *Sancta Maria, mater Dei,* elles comprirent que l'adieu ne serait d'aucune manière plus digne de leur état, et, s'inclinant vers les trois sœurs qui demeuraient assises, elles les laissèrent achever seules *l'Ave Maria* commencé. Un autre *Ave* succéda à celui-là. Pascale avait fermé complètement les yeux, depuis que, devant elle, elle n'avait plus ni sœur Edwige, ni sœur Danielle. Quelques minutes s'écoulèrent, et ce fut son tour de partir, et elle se leva, et s'inclina, et sortit en sanglotant. Derrière elle, deux voix psalmodiaient encore, dans la désolation de deux âmes, la prière à la Vierge. Et ce fut le tour, alors, de sœur Léonide, qui prenait le train dans la direction du Bugey et de Genève. La vieille supérieure la salua de la tête, acheva seule *l'Ave* commencé, puis resta comme anéantie, sur la banquette, pendant que les trains s'éloignaient, emmenant ses compagnes dans l'immense inconnu.

QUATRIÈME PARTIE

LES EXPIANTES

JUSTINE

L'âpre vent d'automne soufflait sur les glacis des fortifications, et sur les champs de blé gelés, et sur la ville, manufactures tassées contre des forts, maisons qui écoutent les sifflets des usines ou les sonneries de clairon. Le soir tombait, et il faisait sombre déjà à l'intérieur des maisons. Cependant quelques minutes plus tôt, au-dessus du lion sculpté dans le roc, une dernière lueur de couchant illuminait, du côté de la France, la citadelle de Belfort. Dans l'office d'un hôtel sans style et sans jardin, mais largement et solidement bâti, que louait le commandant de Roinnet, un vieux domestique familial, – un legs du père, – achevait de préparer l'argenterie que tout à l'heure il disposerait sur la table. Par-dessus son habit noir, il avait noué son tablier, et, tout en inspectant, d'un œil sévère, les cuillers, les fourchettes et les couteaux disposés sur une console, il se penchait vers un petit groom en veste courte, tête blonde et rasée, qui l'écoutait avec tremblement. Dans un angle, une ordonnance, en manches de chemise et gilet jaune, fier de sa taille fine et de ses moustaches, dressait des fruits dans des compotiers, et riait, afin de vexer l'ancien, chaque fois que celui-ci donnait un conseil à l'apprenti valet de chambre.

– Tu comprends, disait le bonhomme, vingt-cinq personnes, c'est un grand dîner ; monsieur le baron reçoit ses supérieurs : il faudra mettre des gants, et ne pas les quitter.

– Oui, monsieur Francis.

– Aujourd'hui et d'ici longtemps tu ne passeras pas les plats, c'est entendu ; il faut une habitude ; tu enlèveras les assiettes ; mais, pour plus tard, regarde-moi faire.

– Oui, monsieur Francis.

– C'est qu'il est ferme, monsieur le baron...

– Oh ! là là ! ferme, interrompait l'ordonnance ; ferme, le commandant ! Il a peur de tout !... Même de nous...

– Pas de moi, dit le vieux tranquillement. Laisse-moi parler au petit... Tu n'es pas chargé de lui.

La porte donnant sur le palier s'ouvrit. L'ordonnance se détourna.

– Tiens, voilà l'Allemande à présent ! Ne laissez donc pas la porte ouverte ! Vous me faites geler.

La femme qui entrait eut l'air de ne pas entendre ; elle soufflait, et dénouait le fichu dont elle avait enveloppé, par-dessus son chapeau noir, sa tête congestionnée par le froid. Mais, derrière elle, un jeune homme extrêmement mince et extrêmement pâle était entré. La nervosité dont il souffrait se traduisit par une grimace de tous les muscles du visage. Il répondit avec violence :

– Taisez-vous, Moriot ! Ne l'insultez pas ! Elle est dix fois plus Française que vous ! Jamais, je vous l'ordonne, jamais !... Ou bien je préviens le commandant !

Le soldat s'était remis à tapoter une couche de mousse qui devait garnir le fond d'un compotier. Il se tut ; mais un mouvement de sourcils et le sourire gouailleur qui ne quitta pas ses moustaches, montrèrent le peu de cas qu'il faisait des menaces du jeune homme. Celui-ci, saisi par ce qu'on appelait chez lui « une crise d'asthme », s'était jeté sur le bras de la vieille femme, qu'il serrait violemment, et ayant toussé trois ou quatre fois, d'une toux sèche, il demeura hagard, hypnotisé par l'appréhension d'un mal qu'il sentait imminent et horrible, les paupières dilatées, la bouche ouverte et ne buvant plus l'air, la poitrine battant à vide. La vieille femme, habituée, lui soutint la tête, doucement, entre ses deux mains, disant : « Allons, mon petit Guy, ce n'est rien, cela va passer, calmez-vous ! » Et, en effet, cela passa. Un peu d'air entra en sifflant dans la poitrine ; la peur quitta les yeux ; les paupières s'allongèrent ; les lèvres se rapprochèrent, un pâle sourire remercia : « Je suis mieux, c'est fini ; attendez encore ». En face, la porte du billard fut poussée au même moment, et, dans la demi-clarté de lumières éloignées, la silhouette d'une femme s'encadra, élégante, penchée, jeune encore de ligne et de mouvements.

– C'est vous, madame Justine ? C'est toi, Guy ? J'étais inquiète. Pourquoi si tard ? demanda madame de Roinnet.

Elle ne voulait pas dire que son inquiétude venait d'autre chose que du retard ; qu'elle avait entendu la toux, qu'elle était accourue.

– Où avez-vous été vous promener ? reprit-elle.

– Sur le glacis du fort des Barres, comme d'habitude, répondit la vieille femme. Il faisait presque chaud, il y avait du soleil, et puis, tout à coup, le vent d'est s'est levé, nous sommes revenus vite, peut-être trop vite.

Madame de Roinnet ne prêtait aucune attention à la réponse. Question, réponse, attitude, tout faisait partie de la tragédie maternelle que chacun tâchait de jouer de son mieux. Elle vit que son fils se tenait seul à présent, au milieu de l'office, entre la promeneuse et le maître d'hôtel ; qu'il respirait ; qu'il souffrait encore ; qu'il hésitait à s'approcher d'elle, à cause de ce sifflement des bronches qui persistait.

– Tu feras bien de monter dans ta chambre, Guy, et de te chauffer... Va, mon ami... Venez, vous, madame Justine, j'ai à vous parler.

Les deux femmes se retrouvèrent à l'extrémité de la salle de billard, l'une en toilette décolletée, soie mauve et guipure, l'autre vêtue de noir, sans élégance et sans archaïsme, comme les vieilles dames de fortune modeste, qui ne sont jamais ni tout près, ni très loin de la mode.

– Madame Justine, dit madame de Roinnet, penchant sur son épaule sa jolie tête de blonde grisonnante, – bandeaux ondulés, joues encore fermes et jeunesse des yeux bleus, – madame Justine, je n'ai pas fait mettre le couvert de Guy à la grande table, ce soir.

Elle sous-entendait : « ni le vôtre non plus ». Madame Justine comprit, et, faisant une moue triste :

– Il en aura un peu de chagrin, le pauvre enfant ! Il me disait, tout à l'heure, qu'il se réjouissait... Pour moi, ça m'est parfaitement indifférent, madame. Même, je préfère... Où dînerons-nous ?

– L'office est impossible. Dans la lingerie ?... Seulement, pour le service ?... Francis ne peut pas quitter la table, l'ordonnance non plus. Mathilde...

– Ce n'est que cela, madame ? Vous n'avez personne pour nous servir ?

– Mais... non.

– Je me servirai moi-même, et je servirai monsieur Guy... Nous avions l'habitude, au couvent... Je dînais tous les jours avec notre cuisinière. Et je l'aimais bien. C'était sœur Léonide...

Madame de Roinnet releva la tête, et regarda fixement les bougies d'une applique. On eût dit qu'elle voulait sécher, à leur flamme, une larme qui était montée à ses paupières, et qui ne coula pas.

– Je vous remercie, dit-elle, de m'aider comme vous faites... La vie est souvent si difficile !...

Et, reprenant sa tournée d'inspection, saisissant à pleine main la traîne de sa robe, redressant et cambrant sa taille de jeune fille, elle passa dans la salle à manger. Madame Justine était déjà sortie par l'autre porte.

À la même heure, au café du cercle militaire, un officier de race évidente, nerveux, serré dans son dolman, et dont la tête ronde, aux cheveux soufflés sur les tempes, les yeux gris, le nez courbé, les lèvres sèches, les joues sans un atome de graisse, rappelaient des masques de guerriers italiens, ciselés au pommeau d'une épée, se levait de la place où il venait de parcourir les journaux du soir, et traversait la salle. Arrivé à quelques pas de la porte, sur un signe, il tourna vivement à gauche, s'approcha d'une table où un autre officier supérieur était assis, et, saluant :

– Mon colonel ?

Celui auquel il s'adressait continua d'enfoncer, avec une cuiller, la tranche de citron qui nageait à la surface d'un verre de grog. C'était un homme de haute taille également, aux traits plus droits et plus épais, aux yeux noirs qui regardaient fixement et appuyaient tous les mots qu'il disait, mais qui ne parlaient jamais seuls ni autrement que les lèvres : un autre type d'officier, brave certainement, plus fermé.

– Je serai enchanté de me retrouver tout à l'heure chez vous, monsieur.

– Mon colonel !

– Madame la baronne de Roinnet est en bonne santé, je suppose. Je l'ai aperçue cet après-midi. Et votre fils ?

Le commandant fit un geste évasif.

– Oh ! lui !

– À propos, je voulais vous demander : est-ce que vous avez toujours, chez vous, cette personne,... cette...

– Promeneuse ? mon colonel. Elle est promeneuse. Vous voulez parler de madame Justine ?

– Précisément. C'est une ancienne religieuse, m'a-t-on dit ?

Une petite secousse nerveuse agitant tout le corps, un mouvement de la tête qui se rejette en arrière, comme touchée au fleuret, et le commandant répond :

– Oui, mon colonel.

– Une ancienne supérieure ?

– Laïcisée.

– Évidemment. Et elle instruit vos enfants ?

– Non, mon colonel ; j'ai eu l'honneur de vous le dire, elle promène Guy, dont la santé laisse beaucoup à désirer ; madame de Roinnet lui confie quelquefois la petite...

– Et elle l'instruit en la promenant, cela va de soi...

Le commandant avait rougi. Tous les muscles de son visage s'étaient raidis, et dessinaient plus étroitement le masque légendaire des Roinnet.

– Si je savais qu'elle les instruisît, mon colonel...

Il s'arrêta. Il sentit qu'il était sur une pente ; qu'il allait désavouer sa femme, sa foi cachée, son propre exemple, sa race. Tous les Roinnet du passé lui soufflèrent à l'oreille : « Que vas-tu dire là ? »

Il se ressaisit, et dit :

– Si elle les instruisait, mon colonel,... je vous le dirais.

– C'est bien, monsieur. D'ailleurs, si je vous en parle, c'est dans votre intérêt. Vous êtes ambitieux, très justement. Vous devez être averti de ce qui pourrait vous nuire.

Les deux officiers se saluèrent.

En rentrant chez lui, dix minutes plus tard, M. de Roinnet croisa sa femme qui traversait le vestibule.

– Je voudrais vous demander une chose, Marie ?

– Quoi ? Je suis très pressée.

– J'espère que vous n'avez pas fait mettre, à la grande table, le couvert de madame Justine ? Il y a des différences d'éducation, de situation, de tenue, qui ne permettent guère...

Il déjeunait et dînait quotidiennement à la même table que l'ancienne supérieure de l'école. Madame de Roinnet le laissa continuer :

– Elle-même se trouverait gênée, s'il en était autrement.

Madame de Roinnet eut un sourire vague, qui jugeait bien des choses.

– Je n'ai pas voulu imposer à Guy la fatigue d'un grand dîner, répondit-elle. Il ne paraîtra pas, ni madame Justine non plus. Tout est arrangé : ne craignez rien.

Madame Justine, dans la maison, n'était que tolérée, et elle ne l'ignorait pas. Des faits nombreux, des mots, des silences le lui avaient appris, dès les premières semaines de son arrivée, qui datait du milieu d'août. Après trois semaines, passées à Lyon, en sollicitations vaines, elle avait dû renoncer à diriger une des écoles que les Catholiques cherchaient à relever sur les ruines des écoles détruites. On la trouvait trop vieille. Les places, d'ailleurs, étaient bien moins nombreuses que ne l'étaient les religieuses chassées des écoles ou des communautés, et cherchant à vivre. Des cinq femmes qui avaient habité ensemble la maison de la place Saint-Pontique, à Lyon, une seule était redevenue éducatrice : la tourière, sœur Léonide. La supérieure, ayant dépensé les quarante francs qui formaient toute sa retraite de sœur de Sainte-Hildegarde, avait accepté le poste de « gouvernante et dame de compagnie » chez madame de Roinnet. En réalité, elle était promeneuse et garde-malade. Son rôle, – elle ne le jugeait ni indigne d'elle, ni trop assujettissant, – consistait à sortir, dès qu'il faisait beau, avec l'adolescent incurablement atteint par la phtisie, être douloureux corps et âme, qu'il fallait à la fois soigner et consoler. Causer peu avec lui et cependant le distraire ; varier les promenades ; éviter les rencontres qui obligent à parler et qui provoquent la toux ; savoir s'arrêter à temps et choisir le banc le moins exposé au vent ; pressentir la minute où il faudra repartir ; ne pas oublier le plaid, ni les caoutchoucs ; ne jamais laisser voir l'inquiétude, ni même la trop vive pitié quand la crise éclatait ; ne pas craindre la contagion ; faire croire au condamné qu'il verra le printemps, puis l'été, puis l'année suivante, et d'autres, et d'autres : le programme était trop chargé, semblait-il, pour qu'une autre qu'une mère pût le remplir. Madame de Roinnet avait essayé, mais elle avait une tendresse trop inquiète, elle était trop peu maîtresse de son chagrin, de ses larmes, de ses joies subites, et trop prisonnière aussi de ses obligations mondaines : elle se devait au monde, à la carrière, à l'avancement de M. de Roinnet, à sa fille que les médecins conseillaient de ne pas laisser constamment auprès de Guy. Après elle, dix domestiques avaient renoncé, successivement, à cette tâche difficile et épuisante, qui occupait non seulement le temps de la promenade, mais tout le jour, et, souvent bien des heures de veille. On avait appelé madame Justine.

Elle résistait à la fatigue ; elle avait la patience et l'autorité qu'il fallait ; elle réussissait à se faire aimer de cet enfant ombrageux et aigri, elle y réussissait même trop bien, car elle devenait l'irremplaçable, l'unique ressource, et le malade s'inquiétait et s'exaspérait, dès qu'il savait que madame Justine était sortie, qu'elle ne répondrait pas à son appel, en cas de crise, et qu'il serait « seul », comme il disait cruellement. Le chef, la femme de chambre, ne manquaient pas une occasion de faire sentir, à madame Justine, la situation intermédiaire et fausse qu'avait, dans la maison, cette vieille femme, supérieure par l'esprit, moyenne par la culture, tout à fait du peuple par l'éducation première, et qui n'était pas une dame, et qu'on devait appeler madame, et qui disait simplement « monsieur » à celui qu'ils appelaient « monsieur le baron ». L'ordonnance, soldat peu sûr, serviteur peu scrupuleux, et qui se défiait de la clairvoyance de la promeneuse, répandait le bruit absurde, mais qui rencontrait des crédulités dans les casernes, que le commandant confiait ses enfants à une espionne allemande. Madame de Roinnet la défendait sans doute, et plusieurs fois déjà elle avait dû s'opposer au renvoi de l'ancienne religieuse, depuis que l'on disait, dans le monde militaire de Belfort : « Vous savez, cette Justine qui est chez les Roinnet : eh bien, c'est une sécularisée, une sœur de Sainte-Hildegarde. » Mais elle luttait contre tant d'autres lâchetés ; elle était si profondément atteinte par la claire vue du mal qui ne lâcherait pas l'enfant, et par le perpétuel souci d'une fortune compromise, qu'elle n'eût pas été de force à protéger, contre un renvoi, la garde-malade de son fils. Le seul défenseur véritable de madame Justine, c'était Guy. Presque chaque jour, dans les réunions de famille, au salon, ou à table, Guy se levait subitement. Il étouffait. Son visage s'angoissait, sa poitrine se levait, ses doigts s'écartaient au bout de ses bras tendus. L'enfant était près de défaillir. Le père se détournait, ne pouvant supporter ce spectacle, ou bien il sortait en faisant claquer les portes, ou bien, saisi lui-même d'une espèce de crise nerveuse et d'une sorte de colère de désespoir, il criait de sa voix de commandement : « Encore ! Tu sais bien que je ne veux pas ! Arrête-toi tout de suite ! Ou va-t'en ! » La mère accourait. L'enfant cherchait madame Justine, et, dès qu'elle paraissait, il se jetait vers elle, il appuyait sa tête en sueur contre la robe noire, et la toux, qu'il avait essayé de vaincre, le secouait, tandis qu'il s'éloignait, soutenu, guidé, fermant les yeux. M. de Roinnet, à mesure que les semaines s'écoulaient, comprenait mieux qu'il lui serait impossible de remplacer madame Justine, que la santé de Guy permettait de moins en moins d'y songer, que l'enfant ne supporterait pas cette séparation. Et cela encore l'irritait, comme un obstacle que sa propre raison et son amour paternel mettaient à son ambition.

Madame Justine eût vécu tranquille parmi ces contradictions, si les soucis ne lui fussent venus d'ailleurs. Dans les moments de loisir, incertains et courts, que lui laissait le malade, retirée dans la petite chambre où elle habitait, elle écrivait à « ses filles », elle souffrait de leurs traverses et de leurs difficultés, et sa pensée, plusieurs fois par jour, visitait les quatre coins de France où vivaient, si loin l'une de l'autre, et dans des conditions différentes, celles qui lui manquaient toutes : ma sœur Danielle, ma sœur Edwige, ma sœur Léonide, ma sœur Pascale. Cette dernière seule l'inquiétait. Aux premières lettres, en août et en septembre, Pascale avait répondu brièvement. Elle était bien accueillie à Nîmes ; on la traitait avec une affection dont elle était touchée et gênée, disait-elle, car on lui donnait peu de travail à faire à la maison, et trop souvent, la sachant souffrante, Jules Prayou, pour la distraire, essayait de l'emmener dans les parties de promenade, aux courses de taureaux, au théâtre même. Elle résistait, le plus souvent, ne voulant pas être une occasion de dépenses excessives, pour des parents qui n'étaient pas aussi riches qu'elle l'avait cru, et qui dépensaient pour elle sans compter. « Croiriez-vous, notre mère, avait-elle écrit, qu'à la foire de Beaucaire, qui est le 22 juillet, Jules a déboursé, pour moi qui n'ai pas un sou vaillant, plus de trente francs, voyages, cadeaux, plaisirs, et que je n'ai pu l'en empêcher ! Plus récemment, à Arles, il a fait de même. Personne dans la ville ne sait ce que j'ai été autrefois. On croit que je me soigne, et je me soigne en effet. Le grand chaud, et plus encore le repos, commencent à guérir ma poitrine. Il paraît que la peau de mes joues a bruni, mais, malgré le soleil, mes cheveux repoussent aussi blonds qu'avant. Je suis un peu regardée, à cause d'eux sans doute, et bien des idées me reviennent, que je ne connaissais plus à l'école, où il n'y avait pas même un miroir pour nous cinq. Priez pour moi. Ce qui est le plus faible, ce n'est pas ma poitrine que je soigne, c'est le cœur qui est dedans, et que vous ne soignez plus. » Sœur Justine avait recommandé la prudence, et même la défiance. Elle s'était montrée plus affectueuse encore que de coutume dans ses réponses. Mais la dernière lettre de Pascale était de la fin de septembre. Depuis lors, aucune nouvelle n'était venue de Nîmes. On était au 15 octobre : pas un mot de réponse. Madame Danielle, madame Edwige écrivaient : « Elle ne nous répond pas plus qu'à vous. »

Que devenait cette enfant si lointaine ? C'était là une angoisse qu'on ne pouvait dire. Elle assaillait madame Justine dans les longs silences des promenades sur le glacis ou sur les routes. L'esprit de l'ancienne supérieure s'emplissait de regrets et de projets. Ils ne lui laissaient pas plus de trêve que jadis les enfants et les pauvres du quartier lyonnais ; mais, comme eux, ils la rappelaient au sentiment de sa charge. Quelquefois, en effet, quand elle voyait, devant elle, ces campagnes nues, aux larges ondulations fuyant vers la frontière, le souvenir du pays natal lui revenait, dans la marée du vent qui passait le détroit. « À quelques lieues d'ici, j'ai encore des parents. Ils me recevraient. Ils me l'ont écrit. J'ai ma sœur, la femme du vigneron, qui a un clos fameux, près de Saint-Léonard ; j'ai mon frère qui habite dans son bien, aux portes de Colmar, où j'ai été élevée. Pour rentrer je n'aurais qu'une demande à faire au Kreisdirector ; ils me l'ont dit, et je n'aurais plus qu'à vieillir et à mourir en paix... » Elle n'achevait jamais cette pensée ; elle ne l'approuvait jamais. Une voix se levait contre, une voix sûre d'être écoutée : »Tu resteras dans l'épreuve de France, parce qu'elle est tienne, et que tes filles y sont restées. »

LÉONIDE

L'hiver était fini pour les habitants des plaines, et les blés, déjà drus, tentaient, pour le nid futur, les perdrix en amour. Mais la neige couvrait encore les montagnes. Elle mollissait l'après-midi, dans la haute région du Bugey où vivait à présent l'ancienne tourière de l'école de Lyon, puis la nuit tombait, le vent coulait par-dessus le col des Traînes, et la terre gelait de nouveau, sous son tapis blanc en maint endroit piétiné et troué. Le village, exposé au sud-ouest, était bâti sur une pente rapide, au-dessous d'une forêt de sapins que les paysans pillaient, dont la foudre étêtait les arbres, et qu'achevaient de ruiner les torrents. Mais la forêt ne touchait le village que de sa pointe inférieure, et partout ailleurs, c'étaient des prés ravinés et rocheux, des éboulis minés par l'eau, qui, dans leurs plis déserts, enveloppaient les maisons. Tout en bas, dans la vallée, des champs formaient le creux, tout entourés de clôtures d'épines, pareils de loin à des dominos bordés de gris. Et la distance était si grande, de cette campagne des semailles jusqu'aux cimes, que le cri des toucheurs de bœufs, en arrivant là-haut, y troublait moins le silence que le vol d'une sauterelle.

Là, dans une école libre nouvellement construite, Léonide était venue s'installer comme adjointe, dès le mois de juillet précédent. Une dame riche, qui avait donné le terrain pour l'école et qui supportait, à elle seule, la moitié des frais d'entretien, dont les habitants de la montagne payaient le reste, avait fait venir, de Lyon à Bourg-en-Bresse, la cuisinière tourière, et, après avoir causé un quart d'heure avec elle :

– Ma petite sœur, vous me plaisez.

– Tant mieux, madame.

– Je vous engage.

– Ah ! si vous aviez connu ma sœur Pascale, c'est elle que vous auriez engagée,... ou ma sœur Edwige, ou...

– Non, non, c'est vous, je n'ai pas de regrets. Vous logerez dans une chambre au nord, par exemple ?

– Ça m'est égal.

– Les gens du pays ne sont pas dévots.

– Tout Lyon non plus.

– Je ne vous vois qu'un défaut, ma petite sœur.

– Vous comptez mal, madame.

– C'est que vous n'avez plus de dents, et ce n'est pas joli...

Léonide s'était mise à rire de bon cœur.

– Je vais en acheter, madame ! Dans quinze jours j'en aurai trente-deux !

Elle s'était fait faire un dentier, en effet, avant de quitter Bourg-en-Bresse, et elle était montée au village, non pas plus jolie assurément, mais plus jeune qu'elle n'était à Lyon. « Vous ne me reconnaîtriez pas, écrivait-elle à madame Justine, si vous me rencontriez dans les lacets de la route, avec mes galoches, ma belle jupe neuve, mon chapeau de paille et toutes mes dents : mais, comme je ne pourrais pas m'empêcher de vous sauter au cou, alors vous me reconnaîtriez. » L'ardente petite institutrice était bien loin du quartier et des ouvriers de Saint-Pontique. Elle courait, parlait, catéchisait bravement, comme autrefois, mais sans réussir de même. Tout l'été, tout l'automne, tout l'hiver, dans la neige ou dans la boue, aux heures libres et aux jours de congé, elle avait monté et descendu les sentiers, pour rendre visite « aux parents » et aux autres. Les autres étaient hostiles, les parents n'avaient pas la bonhomie gouailleuse ni la promptitude d'émotion des faubouriens qu'elle avait connus et aimés. C'était une population travaillée par l'envie, mise en défiance contre le dévouement même, à cause de toutes les contrefaçons qu'elle en voyait, intelligente et d'esprit vif pour acheter ou vendre, mais comme fermée à tout l'éternel. On eût dit que la partie la meilleure ne se composait que d'indifférence remuée et de très ancienne foi chancelante. « Comme ils ont dû être abandonnés par leurs curés dans les temps anciens ! pensait Léonide. C'est à peine s'ils regardent en l'air avant de mourir ! Je ne suis pas toujours bien reçue. Mais ils ne me résisteront pas indéfiniment ; je prendrai le grand moyen avec eux : je veux les aimer ; je les aime ! » Elle avait tant couru, et par des temps si durs, qu'au commencement du mois de mars, elle était tombée gravement malade, atteinte aux deux poumons par une fluxion de poitrine. Sa robuste constitution avait résisté. Madame Léonide, très pâle, immobile, était assise dans un fauteuil de paille, enveloppée de laine noire, les pieds posés sur une chaufferette, près de la cheminée de la grande chambre du premier, au dessus de la classe. Les enfants étaient partis. Le soir mettait sa cendre grise sur les quatre murs blancs. Il n'y avait que les rideaux de cretonne rouge du lit qui fussent tout à fait sombres. On entendait le sabotement d'un homme sur la place, et, dans la chambre, le tic tac enfiévré d'un réveil qui servait d'horloge à la maison. Une femme monta l'escalier, et entra.

– Bonjour, Léonide, comment êtes-vous ce soir ?

Du milieu des châles et des capelines qui l'enveloppaient, la malade répondit :

– De mieux en mieux.

La voix était faible, mais les yeux brillaient, vifs dans le crépuscule. Léonide, avec la joie reconnaissante des enfermés qui reçoivent une visite, regardait la directrice de l'école, une jeune fille élégante et mince, au long visage d'un rose égal, aux yeux myopes et bridés par l'effort, et qui arrivait, les mains enfoncées dans les poches d'un tablier bleu à bretelles, et s'asseyait de l'autre côté de la cheminée.

Les petites ont encore demandé de vos nouvelles, reprit la directrice. Vous voyez qu'elles ne vous oublient pas. Moi, je venais voir si vous voulez vous recoucher. Voulez-vous que je vous aide ?

– Non, merci, laissez-moi dans le noir, comme à présent, encore une heure.

– C'est que le froid est vif, dehors.

– Le dedans c'est tout, voyez-vous, répondit Léonide en écartant ses châles et en sortant le menton ; je me sens revivre. Savez-vous ce que je pensais, ici, pendant que j'étais seule ? Je pensais d'abord que j'avais bien failli m'en aller chez nous...

Voyant l'étonnement de sa compagne, elle eut un sourire lent à se développer comme un long geste, et elle leva le doigt vers le toit.

– Je veux dire là-haut, reprit-elle. Mais le danger est passé. C'est remis à une autre fois. Je pensais aussi à la vie que j'ai menée pendant dix ans, au milieu de mes sœurs... Je vous ennuie en vous parlant de ça ?

– Mais non, mais non, dit mollement la jeune fille.

Et elle tendit ses mains longues et noueuses vers le feu, avec le soupir des patiences déjà lasses.

– Je vous garantis que je ne perdais pas mon temps ! Vous me reprochiez de me donner trop de mal ici, mais, là-bas aussi, j'étais toujours sur pied : porterie, balayage, cuisine, laveries, j'étais chargée de beaucoup de travail, bonne à tout faire dans une communauté, mais, comprenez-moi bien, elles me traitaient quand même comme leur sœur...

– Oui.

– C'est une amitié meilleure que celle du monde...

– Autre, en tout cas...

– Vous avez raison.

– Plus triste !

– Comment, triste ? mais nous étions toutes de belle humeur. Je le suis encore... Tristes, ma sœur Justine ! ma sœur Edwige ! ma sœur Pascale !... Vous pensez sérieusement ce que vous dites ?

– Mais oui. Je ne comprends pas qu'on puisse vivre heureuse dans un endroit dont on ne peut pas sortir à toute heure, quand il vous plaît.

Un rire de tout l'être, un rire populaire auquel manquait seulement l'ampleur de la vie, étonna la directrice et toutes les choses qui l'entouraient.

– Êtes-vous heureuse, ici, vous, mademoiselle ? demanda madame Léonide.

– Mais oui, moyennement.

– Et pourtant, vous ne pouvez pas sortir du village, avec votre peur de la neige, votre classe à faire, et moi malade !

Un silence long, comme la distance qui séparait les deux esprits, suivit cette plaisanterie. Puis la directrice se leva, remit les mains dans les poches de son tablier bleu à pois blancs, et dit :

– Je vais faire mon dîner et le vôtre ; dans une demi-heure je viendrai vous aider à vous coucher.

Léonide resta seule. Malgré l'épaisseur de ses châles, elle eut l'impression que le froid du dehors, qui saisissait la terre, les arbres, les herbes, traversait le toit et les murs, et se glissait en elle. Elle appuya ses épaules et sa tête contre le dossier du fauteuil, et, dans l'épuisement de ses forces physiques, avec la netteté d'un esprit presque dégagé de son corps, elle mesura la profondeur de sa solitude. Pendant la période de début, au soir des courses dans la montagne, des visites aux hameaux et aux granges, elle s'endormait de lassitude, sans voir du lendemain autre chose que la tâche qui restait à faire. En ce moment, elle jugeait l'inutilité, apparente du moins, de son effort. Dans ces maisons invisibles pour elle, muettes dans le noir et dans le froid qui rôdaient de compagnie, avait-elle une amie ? une seule personne qui comprît pourquoi elle était venue, pourquoi elle resterait là, pourquoi elle ne songerait ni à changer, ni à se marier, ni à se plaindre ? non, pas même cette honnête jeune fille qui dirigeait l'école, et qui avait surtout besoin de gagner et le désir d'échapper, par le mariage ou l'avancement, aux rigueurs d'un internement à huit cents mètres d'altitude. Toutes les portes étaient closes, tous les cœurs fermés. Le réveille-matin battait la charge des secondes qui se précipitaient, vides dans l'éternité. Par l'unique fenêtre, en face, sans y attacher sa pensée, mais recevant quand même l'influence de leur image, la malade apercevait des cimes de sapins étagées et pressées, sur lesquelles roulaient en se déchirant les volutes de brume montant de la vallée. Cependant rien ne se troublait en elle. Immobile, paisible, les yeux fixés sur ce carré de la fenêtre, où la terre ne tenait qu'une petite place d'angle, les lèvres essayant de sourire, elle répétait : « J'accepte l'insuccès, l'abandon, la maladie, tant que vous voudrez, pour le salut de mes sœurs et surtout de la petite. »

Elle avait appris, vaguement, que sœur Justine avait des inquiétudes au sujet de Pascale. On ne lui avait rien raconté. À quoi bon ? Elle n'avait jamais été du « conseil » de la communauté. Et qu'aurait-elle pu faire ? Mais dans les lettres, courtes et vives, de madame Justine, elle avait deviné une tristesse. Et c'est pourquoi, à cette heure désenchantée et déserte, n'ayant de force que pour une seule pensée, elle disait, dans la paix, en accueillant l'épreuve : « J'accepte l'insuccès, tant que vous voudrez, pour le salut de mes sœurs et surtout de la petite. »

La nuit formidable enveloppait la montagne, la forêt, le village et, dans une maison qu'un sapin eût couverte de son ombre, il y avait un être chétif, qui traitait avec Dieu pour le rachat d'une âme en détresse.

EDWIGE

L'été printanier, la saison déjà chaude où tout n'est pas encore poussé, où les feuilles sont humides et renvoient de la lumière, l'été de la fin de mai faisait trembler l'air doux au-dessus de la Loire. Dans un renflement de la vallée, à droite du fleuve, et presque au milieu des terres d'alluvion, une maison de garde-barrière levait sa façade étroite. Elle était construite à quelques mètres du remblai du chemin de fer de Paris à Nantes, au bord d'une route qui descendait des collines du nord, traversait des champs et des prairies, coupait à angle droit la voie ferrée, et qui, un peu plus loin, passait la Loire sur les arches d'un pont. Des voitures de paysans ou de marchands, quelques automobiles visitant les châteaux de la Loire, se présentaient, à toute heure de jour ou de nuit, pour franchir le passage à niveau. Il fallait sortir de la maison et ouvrir les barrières ; il fallait aussi se trouver devant la porte, au passage des trains. Le métier n'était pas fatigant ; il ne demandait qu'une grande exactitude, un sommeil léger, pour entendre, la nuit, l'appel des voituriers ou la corne des automobiles, et l'ignorance de la peur, ou une certaine fermeté de caractère. Car le poste de guetteur de routes était loin de toute habitation, la vallée comptant peu de fermes dans ces terres basses, à cause de la crainte des grandes eaux. Il était trois heures de l'après-midi. Une vieille femme chétivement vêtue et bien coiffée, avec des bandeaux ondulés sur les tempes, était accroupie près d'une plate-bande, à quelques pas de la maison, le long des rails. Elle arrachait les mauvaises herbes poussées dans le sable. Ses mouvements étaient d'une extrême lenteur. On pouvait juger qu'ils excédaient néanmoins ses forces, car la femme n'avait pas sarclé la largeur de ses deux mains, qu'elle s'arrêtait et se reposait, en regardant les quatre rubans d'acier qui filaient, droits, luisants, séparés de moins en moins, jusqu'à l'horizon où ils se fondaient comme des fils tendus sur un métier et serrés par un bout. Les champs, aux deux côtés de la voie, remuaient lentement leur poil nouveau dans la lumière. Entre des peupliers, à d'énormes distances, des grèves étincelaient : un peu d'eau et de sable qui étaient comme de l'argent et de l'or.

La femme se remettait au travail, puis s'interrompait de nouveau, et interrogeait du regard la ligne dont elle avait la garde. À trois heures et demie, elle appela :

– Voilà le 717 !

Rien ne répondit, pendant plusieurs minutes, à son appel, et elle s'était penchée de nouveau vers la planche de pois, quand une femme beaucoup plus jeune ouvrit la porte de la maison, et se tint debout, dans la lumière.

C'était Edwige. Elle était encore plus jolie que du temps qu'elle habitait l'école de la place Saint-Pontique, parce que l'on pouvait voir ses cheveux châtains, et qu'il y avait, dans ses yeux bleus, le reflet d'un plus large ciel. Mais son regard et son sourire de miséricorde ne rencontraient plus guère qu'une vieille femme indifférente, des blés, des herbes et des saules. Elle était vêtue d'un corsage clair et d'une jupe noire, comme beaucoup d'ouvrières de campagne ; elle avait jeté sur sa tête, pour se garantir du soleil, une cape de batiste blanche, de fabrication anglaise, un reste de l'ancienne aisance, du temps du père. Quand le train, qui était un train de marchandises, s'engagea dans la partie de la voie que bordait la saulaie voisine de la maison, elle leva le drapeau roulé qu'elle portait à la main. Pendant deux minutes, le sol trembla ; les saules eurent leurs feuilles retroussées ; dix pies vécurent en l'air ; des grognements de bétail enfermé, des grincements de ferraille et de planches, effarèrent, dans le couvert des moissons proches, toute la faune invisible ; puis la dernière voiture dépassa la route, et diminua, cahotante, sur les rails, tandis qu'une pluie de sable retombait sur le remblai, les légumes et les cinq groseilliers du potager.

La sarcleuse aux bandeaux ondulés ne s'était pas détournée. Edwige regarda de ce côté, puis vers l'est où, très loin, l'eau des grèves portait le globe du soleil. Elle avait toujours cet air d'aimer répandu dans tout son être. Elle rentra.

Dans la salle carrelée et claire, elle rapprocha de la table la chaise qu'elle avait écartée tout à l'heure, s'assit, et, sur la toile cirée, reprit le bas de laine noire qu'elle tricotait. Les aiguilles se croisèrent, silencieuses. La campagne, au dehors, était muette. Près du coude que la jeune fille appuyait sur la table, un livre d'heures était ouvert, un livre relié et usé. Edwige se penchait au-dessus quelquefois, lisait sans interrompre son travail, et méditait.

C'est dans cette maison qu'elle habitait avec sa mère. Celle-ci, veuve depuis quelques années d'un chef de station de la compagnie, aurait pu prétendre à tenir une bibliothèque dans une gare. « J'y ai droit, disait-elle, je demande mon droit. » C'était une personne susceptible et contentieuse. Mais les places vacantes étaient rares, et les « droits » antérieurs au sien ne l'étaient pas. Après avoir miséré, seule d'abord, puis avec sa fille chassée de l'école, dans un village du Blaisois, elle avait fini par accepter, au commencement de l'hiver, un poste de garde-barrière. Elle ne s'y serait pas déplu, si la pensée de la déchéance ne l'avait pas hantée. Comme elle était très rhumatisante, et que le médecin lui avait recommandé d'éviter les refroidissements, elle confiait à sa fille, presque toujours, le soin d'ouvrir la barrière et de présenter le drapeau au passage des trains, se bornant à veiller et à dire, de jour ou de nuit : « Il est l'heure », ou bien : « Il y a du monde aux barrières. » Elle avait l'oreille fine, et dormait peu.

Edwige, désormais, pour un temps indéterminé, se sentait obligée de vivre là, puisque c'est elle qui faisait vivre l'autre. Elle y consentait, de toute sa volonté exercée au sacrifice et forte jusqu'au sourire. Elle était de ces veuves qui se taisent. Jamais un mot sur les séparations anciennes. On ne la surprenait point en larmes. Toute sa tendresse semblait aller au jour présent et y trouver la réponse qui suffit. Cependant, deux douleurs quotidiennes s'ajoutaient à la grande peine profonde qui ne finirait point, et l'une était du matin, et l'autre du soir. Le matin, en s'éveillant, elle entendait, à travers les prés, sonner les cloches, et, la plupart du temps, elle, la consacrée, elle, l'assoiffée d'amour divin, elle ne pouvait se rendre à l'église, qui était distante de trois kilomètres. Le soir, une autre épreuve, cruelle, déchirante, l'attendait. Et la mère ne pouvait se douter ni de l'une, ni de l'autre.

L'heure approchait, justement. Plusieurs fois, sur le cadran de la pendule plate pendue au mur, Edwige avait regardé l'aiguille des minutes : quatre heures, quatre heures cinq, quatre heures dix, et, à chaque fois, elle avait interrogé, d'un coup d'œil inquiet, la route, qu'on apercevait à droite, jaune entre deux bourrelets d'herbe.

Quelques minutes encore, et la voix de la mère s'éleva du jardin :

– Edwige ! vite, les voilà ! Dépêche-toi ! L'express est en vue !

La jeune fille sortit en hâte, tête nue, et courut aux barrières. Elle ne souriait plus. Son visage n'était plus rose ni tendre, mais pâle et contracté. Elle aurait voulu ne pas venir, ne pas être là.

Ce qu'il y avait ? Il y avait trente écoliers, des garçons et des filles, qui revenaient de l'école, et accouraient, pour traverser la voie, et qui criaient :

– Mademoiselle ! Bonjour, mademoiselle ! Vite, mademoiselle !

Les garçons levaient leur béret ou leur casquette ; les petites filles levaient leurs mains, les doigts écartés ; quelques-uns jetaient en l'air leur cartable ; toutes les mines éveillées, tout le luisant des yeux, toutes les lèvres tendues piaillaient :

– Ouvrez, mademoiselle !

Elle ouvrit. Au galop, les enfants passèrent sur les rails, deux ou trois toutes petites trottant à l'arrière, entraînées par une sœur grande. Et derrière eux, les barrières furent fermées. Pas un ne resta près d'Edwige.

Ils continuaient leur chemin ; ils s'éloignèrent ; ils ne furent bientôt plus, sur la route amincie, qu'une chose indistincte, et qui flotte, comme un troupeau de moutons avec de la poussière au-dessus.

Edwige, le cœur battant, penchée, souffrant le martyre de l'inutile amour, suivait du regard les enfants de l'école.

En voyant disparaître, chaque soir, ceux qu'elle aimait, elle pensait à Lyon, puis à Nîmes, puis à Dieu.

DANIELLE

L'aube se lève, et il fait chaud déjà. Sur toutes les pentes exposées au midi des hautes collines de la Corrèze, les herbes, les buissons, les bois lourds de rosée, commencent à fumer. C'est l'heure où les bêtes vont à la pâture. À mi-côte, plus près d'Uzerche que de Brive, une ferme s'éveille. Elle est longue, vieille, bâtie à l'endroit où les champs de maïs, d'avoine et de pommes de terre, succèdent à la forêt des châtaigniers et l'entament avec leurs pointes. Plus bas, il y a des trèfles, des prairies, un torrent, puis, de l'autre côté, une semblable colline qui se relève, vêtue d'herbe d'abord, puis de moissons, puis de grands arbres, et couronnée de roches nues. La vallée est profonde, et le bruit des eaux qui courent n'atteint pas les sommets. Devant là ferme, dans le soleil, un homme encore jeune attelle un cheval à une carriole ; sa femme l'aide à charger, derrière le siège, une demi-douzaine de petits cochons de lait ; puis, tous les deux, ils se hissent dans la voiture.

– Au revoir, le père ! Ne nous espérez pas avant la nuit !

Les mots, en patois limousin, chantés sur un ton aigu, frappaient encore les vitres et le toit en ardoises d'Allayac, que déjà les voyageurs avaient pris le chemin qui tourne derrière la ferme et descend en lacets.

Une porte s'ouvrit, tout au bout de la maison, à gauche, et une vache sortit, tendant son mufle à l'odeur d'herbe mouillée qui passait, une vache couleur de froment clair, puis une autre, puis une autre encore. Quand les sept bêtes du troupeau furent dehors, la vachère apparut sur le seuil. Elle était vêtue comme une pauvresse et chaussée de sabots, mais, sous la coiffe limousine, aux deux ailes roulées, son visage avait gardé sa beauté religieuse, son reflet de la vie intérieure. Elle tenait à la main, et laissait traîner sur le sol une baguette de frêne, qui avait des feuilles au bout. Quand elle leva les yeux, ils regardèrent au-dessus de la colline d'en face.

– Ah ! c'est toi, Danielle ! C'est pas trop tôt ! De mon temps les vachères montaient là-haut avant le soleil.

– Les vaches ne voulaient pas se laisser traire, répondit Danielle.

Elle ajouta, à demi détournée vers la maison :

– Bonjour, grand-père ! Avez-vous dormi cette nuit ?

– Tu sais bien que non. Je ne dors jamais bien. Quelle idée de me demander ça tous les matins ?

Celui qui parlait ainsi était un vieillard dont on n'apercevait, dans l'ouverture d'une fenêtre étroite et haute, que la tête coiffée d'un bonnet de coton bleu, le cou et le haut du buste, tout velu entre les bords déboutonnés de la chemise et du gilet. La figure sèche, rasée, creusée, où ne vivaient que deux yeux durs dans des paupières saignantes, exprimait une rancune méditée et haineuse.

Il reprit :

– Mes enfants sont partis, tous deux. Tu les as vus !

– Ils descendent la côte.

– Eh oui ! ça ne te fait rien, à toi, de rester seule ! Mais moi je ne suis pas de même !

– Pauvre grand-père !

– Ne dis pas : pauvre grand-père ! C'est toi qui me prives de
tout ! C'est parce que tu es revenue de ton couvent, que je suis
délaissé, à présent ! Je suis dans la maison comme un harnais de
rebut, qu'on ne regarde seulement pas !

– Est-ce que je ne vous soigne pas ?

– Quand tu n'étais pas là, ton frère avait encore de
l'attention pour moi. Il m'emmenait dans les foires. J'allais boire
avec lui. Il n'emmenait pas ma bru. Maintenant qu'il peut carrio-
ler sa femme à la ville, il faut que je reste ! Dis donc le contraire ?

Elle se taisait.

– Quand tu n'étais pas là, la maison vivait mieux.

– Hélas ! je le veux bien !

– Il me donnait de l'argent pour mon tabac... Il me rapportait, des fois, un chapeau ou une veste... À présent, plus rien... Je
ne sais quand il remplacera mes sabots qui sont usés... Il me dit :
« Faut que je nourrisse Danielle. » Et moi, je te dis : « Il ne fallait
pas revenir ! »

– Où aller ?

– Fallait trouver une place !

– On ne m'a rien proposé.

– Fallait te marier !

– Grand-père !

– Fallait pas revenir, pour nous priver tous.

– C'est vous qui m'avez rappelée.

– C'est le tort qu'on a eu ! On croyait que tu rapporterais au
moins l'argent.

– Quel argent ?

– Les trois cents francs de hardes que je t'avais donnés
quand tu es partie de chez nous...

Elle se remit à marcher hâtivement.

– Adieu, grand-père ! Mes vaches sont déjà loin !... Adieu !

Les reproches du vieux la suivirent un moment. Puis le silence l'enveloppa. Elle montait une sorte d'avenue, entrée architecturale de forêt, large voie piétinée par les gens et les bêtes, bordée de châtaigniers, et qui, barrée à deux cents mètres de la ferme par d'autres grands vieux arbres, avait l'air d'une nef aux voûtes rompues, menant à des chapelles encore toutes pleines d'ombre. Danielle s'avançait dans la piste du milieu, forme élancée et nette, et sobre de mouvement. Elle songeait. Le jour était tout levé. Les vaches, couleur de blé, allaient devant, et ridaient leurs flancs attaqués par les mouches, ou les fouettaient à coups de queue. Elles se mirent en file pour pénétrer sous bois. Puis elles disparurent, refoulant avec leur poitrail les fougères nouvelles, et cachées par les branches qui retombaient derrière elles et luisaient, immobiles.

Quelle maison différente de l'ancienne, Danielle avait retrouvée ! Le père ni la mère n'étaient plus là, depuis de longues années. Le grand-père avait vieilli à tel point que sa petite-fille ne le reconnaissait qu'avec peine. Usé, incapable de travail, aigri par l'insomnie et plus encore par le regret d'avoir, de son vivant, partagé tout son bien entre ses deux enfants, – le père de Pierre qui dirigeait la ferme, et l'oncle Jacques établi à trois lieues de là, dans la vallée, – il ne cessait de récriminer contre sa vie recluse, dépendante et gênée. Peu écouté par son petit-fils, et par la femme de celui-ci, qui ne le craignaient plus, il avait en Danielle une victime résignée. Il l'accablait de ses reproches. Il aurait voulu la faire partir, afin de retrouver les petites douceurs, les menus cadeaux que ses enfants lui refusaient, à présent, sous prétexte que Danielle coûtait cher. Et tantôt il l'accusait de négligence et de mollesse, bien qu'elle fût la première levée et la dernière couchée tous les jours, tantôt il se plaignait d'être privé de tout à cause d'elle. Il ne pouvait plus la voir sans qu'une espèce d'irritation maladive s'emparât de lui, et le fît déraisonner à moitié. Rien ne l'apaisait, ni les protestations, ni la patience, ni les attentions multipliées de Danielle. Il se sentait même soutenu, hypocritement, par le jeune ménage, par les maîtres actuels de la ferme, qui avaient bien voulu recevoir, pour quelques semaines, la religieuse sans asile, mais qui trouvaient que la générosité durait trop, qui redoutaient, surtout, que Danielle ne vînt un jour leur dire : « Rendez-moi la part d'héritage à laquelle j'ai renoncé, parce que j'étais religieuse ; je reprends ma place ancienne dans la maison, et je reprends mes droits. » Crainte chimérique, mais qui ne quittait pas l'esprit calculateur de Pierre et de sa femme.

Danielle ne répondait rien. Elle acceptait d'être soupçonnée, méconnue, injuriée, dans sa propre maison. Elle ne s'étonnait même pas, ayant souffert, pour entrer au couvent, d'autres violences, en sens contraire de celles qu'elle souffrait à présent. Là comme à l'école de la place Saint-Pontique, elle était la silencieuse, la mortifiée qui saisit comme un bien l'épreuve quotidienne. Elle attendait l'heure, si l'heure devait venir jamais, où elle pourrait reprendre, dans un poste de maîtresse adjointe, comme sœur Léonide, une part de sa vocation, tout le reste étant mort avec la vie en commun.

Depuis la séparation, Danielle avait reçu, de l'ancienne supérieure, plus de lettres qu'aucune autre des maîtresses de l'école. Elle était demeurée la confidente, la conseillère aussi ; elle savait, presque aussi bien que sœur Justine le savait elle-même, ce qui advenait à sœur Léonide, à sœur Edwige, à sœur Pascale, comme elle les nommait encore. Ces lettres que le facteur, irrégulièrement, apportait à la ferme, étaient pour Danielle l'événement, l'espoir, la consolation, et la cause également des plus profondes douleurs qu'elle eût jamais ressenties. Car, au milieu des souvenirs, des mots de tendresse et des récits qui la rassuraient sur le sort des compagnes exilées à Belfort, dans les montagnes de l'Ain et dans la vallée de la Loire, il y avait, d'ordinaire, un passage sur celle qui habitait Nîmes. Et Danielle, tremblante depuis toujours pour cette âme très aimée, avait senti grandir chaque fois son inquiétude, puis sa peine, puis son ardente volonté d'être victime et d'expier. Oh ! les cruelles lettres, qu'elle serrait dans un petit coffret de bois, qu'elle cachait sous la paillasse du mauvais lit qu'elle occupait, lit de bouvier suspendu dans l'étable, accroché à une cloison de planches, au-dessus de la croupe des bœufs, des vaches et des chevaux ! Les cruelles lettres dont elle savait par cœur des phrases et des phrases, et qu'elle méditait avec tant de compassion, qu'il ne lui restait plus de larmes ni d'apitoiement pour elle-même ! Quelle forte amitié l'agitait ! Quel violent désir d'arracher au ciel le salut de Pascale ! En ce moment surtout, depuis la lettre de la veille ! Et combien de fois, dans les clairières des sommets où elle gardait ses vaches, dans les solitudes brûlées par le soleil ou fouettées par la pluie ou le vent, Danielle avait prié, offrant sa vie à Dieu, pour cette sœur lointaine et qu'elle ne verrait plus !

12 août 1902.

« ... Que vous dirais-je à présent de notre plus jeune sœur ? Je voudrais pouvoir vous rassurer sur le compte de celle que nous aimons toutes. Je ne le puis. J'ai reçu d'elle, voilà cinq jours, une lettre trop mondaine de ton pour ne pas être inquiétante. Pascale se loue, trop et trop fréquemment, de la manière dont on la traite dans sa famille de Nîmes. Il est évident qu'on la flatte, qu'on la gâte, qu'on l'amuse, et qu'on se sert, pour l'entraîner, pour lui faire accepter tant de distractions peu convenables pour son état, de cette sensibilité excessive que nous tâchions de combattre en elle. Elle se sent déjà liée par la reconnaissance envers ces gens qui l'ont recueillie. Mais que les motifs sont déplacés ! Vous allez la reconnaître. Elle m'écrit : « Ne vous fâchez pas, notre mère. Surtout ne me grondez pas. Je n'ai pas le droit de refuser, quand je vois qu'en refusant je leur ferais de la peine. Ils sont si bons pour moi ! Et cependant, à bien des signes, j'ai vu déjà qu'ils ne sont pas si riches que je le croyais. La robe que je porte, – celle du vestiaire des expulsées, était trop chaude, – c'est eux qui ont voulu l'acheter pour moi. Et de même, tout ce qui me sert, je le tiens d'eux. Ma tante ne résiste guère aux volontés de son fils, quand il dit : – J'ai organisé une partie de promenade, et vous en êtes, maman... Comment pourrais-je faire autrement que de suivre ? Ils ne me demandent presque pas de travail, ils me trouvent encore malade. Je n'ai pas engraissé, en effet, malgré le repos. Je tousse toujours un peu le matin. Si j'étais sûre que vous êtes contente de moi, que vous ne me désapprouvez pas, tout au moins, je serais presque tranquille d'esprit. Car l'être tout à fait, cela dépendait de vous, et je ne vous ai plus ! »

» Ces lignes de notre Pascale suffiront pour vous faire partager mes inquiétudes, ma chère sœur Danielle. Je ne connais pas le milieu où elle vit, mais je suis sûre maintenant qu'il est, pour elle, détestable. Et que de choses je devine qu'elle ne me dit pas, qu'elle me dira, j'espère, car je viens de le lui demander. Personne, ici, ne peut savoir mon angoisse, personne peut-être ne la comprendrait. Mon poitrinaire, que je promène, me dit quelquefois : « À quoi pensez-vous ? » J'ai envie de crier : « À mes quatre enfants, qui sont toutes quatre loin de moi ! » Adieu ! adieu ! »

» *P.-S.* – M. Talier-Décapy est mort. Ce brave homme, avec lequel je n'ai causé qu'une fois dans ma vie, m'a fait un legs. Je l'ai appris par une lettre d'un notaire, qui met à ma disposition trois mille francs. Si vous étiez en trop grande misère, prévenez-moi. »

18 octobre.

« Croiriez-vous que je n'ai plus de nouvelles de Pascale, depuis la fin de septembre. Je suis terriblement inquiète. Est-elle plus malade ? Je n'ose pas formuler d'autres suppositions. Je lui ai adressé depuis lors deux lettres, la seconde très pressante, toutes deux très affectueuses. Aucune réponse. J'ai écrit, malgré certaine répugnance, à la veuve Prayou. Elle ne m'a pas répondu. Je ne puis rester dans le doute. Je suis malheureuse. Conseillez-moi à votre tour. Voici ce que j'ai fait. Vous souvenez-vous que nous avons eu, parmi les amies de notre école, Louise Casale, dont la famille était originaire des environs de Nîmes, une anémiée qui avait passé par la laïque, et qui venait chez nous, avec son cœur un peu prévenu, mais tout jeune et tout pur ? J'ai demandé à Louise Casale : « Renseigne-moi ! Trouve, dans ton pays, une parente, une amie discrète, qui me rassure ou qui me fasse de la peine, mais qui me dise ce qu'est devenue mon enfant ! » Et j'attends encore. Et je me repens, et je m'accuse, et je pleure, parce que j'ai permis trop légèrement, dans un jour de trouble, à cette pauvre petite Pascale de quitter mon ombre. J'aurais dû la mener avec moi, coûte que coûte, dans la misère, au froid, au travail dur, à la mort, mais je l'aurais sauvée. Où est-elle ? Priez pour nous deux ! »

3 novembre.

« Ah ! ma sœur Danielle, il faut que je revienne à vous ! Je suis désemparée ! Celle que nous aimons ! celle qui n'avait contre elle que la faiblesse de son cœur ! celle qui était accourue vers nous ! celle que nous ne pouvons plus protéger ! Je rougis de vous le dire ; je ne peux tracer les mots ; pourtant j'y suis obligée. Oh ! ma sœur Danielle, elle s'est laissé tromper ; elle a cru l'aimer ; elle est tombée d'auprès de Dieu ! Je ne puis plus douter. J'ai tout appris, hier, par une parente de la petite Casale, une veuve Rioul, qui habite Montauri. C'est une des voisines ; elle ignorait le passé de notre enfant ; mais elle a vu comment ils l'ont attirée, – c'était si facile, elle venait si vite aux mots tendres ! – en lui témoignant une affection que Pascale a cru d'abord inno-

144/190

cente ; comment ils l'ont flattée, amusée, liée aussi par leurs attentions et leurs cadeaux, jusqu'à ce qu'elle fût à leur merci. Ils ont été complices l'un de l'autre, ces deux Prayou, gens tarés et redoutés. La mère n'est pas seulement incapable de résister aux pires volontés de son fils ; elle a fait un calcul affreux ; elle a été une fausse protection ; elle a permis à la tentation de se développer toute ; elle savait que, dans cette enfant qu'elle laissait corrompre, elle aurait bientôt une servante à laquelle tout chemin de retour serait fermé et qu'elle ne paierait pas... Pascale tombée, sœur Danielle ! Pascale presque sainte, livrée aux bêtes ! Combien elle va souffrir ! Et combien plus que celles qui n'étaient point appelées ! J'ai cru, toute la journée, l'entendre crier au secours ! Est-ce vrai, est-ce vrai ? »

8 novembre.

« Vous me dites : « Mais allez donc à elle ! Parlez-lui ! Arrachez-la ? » Croyez-vous donc que je n'y ai pas pensé tout de suite ! Est-ce que je serais une mère, si je n'y avais pas pensé ? La veuve Rioul a déjà essayé, timidement, d'interroger Pascale et de la ramener, et elle a été repoussée. Mais elle n'est pas moi. Dès que j'ai connu l'affreuse nouvelle, voilà six jours, j'ai voulu prendre le train. J'ai couru jusqu'à la chambre de madame de Roinnet, pour demander la permission de partir. Je ne pouvais expliquer mes raisons, vous le devinez ! Elle l'a pris nerveusement. Elle m'a dit : « Si vous nous quittez, même pour un jour, je ne réponds plus de rien. Voilà trois mois que vous êtes ici, et vous me demandez déjà un congé ! M. de Roinnet va en profiter pour vous remercier, et que deviendrai-je sans vous ?... » J'allais dire : « Je pars quand même ! » Guy est entré, brusquement. Il écoutait. À la nouvelle que j'allais le quitter, il a eu une crise terrible. J'ai été obligée de briser là l'entretien, pour m'occuper de mon malade. Puis j'ai été consulter. On m'a répondu : « Vous abandonnez un devoir de charité certain, pour une œuvre sûrement condamnée à l'insuccès. L'heure où l'on vous entendra n'est pas la première. Si elle doit venir, les sanglots l'annonceront, et les cris. Attendez. »

» Et j'attends, mais comment vivre dans ce tourment ! Je ne pense plus ici ; je ne suis plus à moi ; je ne suis plus même à vous : je me sens toute à elle qui est indigne ! »

22 novembre.

« J'ai reçu une nouvelle lettre de Nîmes ; hélas ! pas de Pascale. Mais, d'abord, pardonnez-moi : j'ai dit un mot trop dur. Indigne, oui, elle l'est. Mais, n'est-ce pas, vous avez déjà songé à toutes les causes qui ont amené sa faute et qui diminuent son péché ? Elle ne s'est pas jetée dans le mal ; on l'y a précipitée : des lois iniques l'ont mise à la rue, l'ont ramenée de force aux dangers qu'elle avait fuis ; elle a été le pauvre gibier que les chiens et les valets de chiens obligent à sortir du bois, et rabattent vers les chasseurs. Elle est coupable ; mais le Juge qu'on n'abuse pas, qui punira-t-il le plus, d'elle ou des autres ? Moi, je vous le dis, ce seront les autres. Vous vous souvenez : elle était crédule de cœur, émue de tout, reconnaissante ou troublée pour un regard, et ces Prayou l'ont prise d'abord par cette faiblesse ; elle était sans mère, et elle à pu croire qu'elle retrouverait en eux une famille ; elle m'avait demandé la permission de vivre à Nîmes, et, pendant un temps, elle a pu se dire : « J'obéis ». Sa fragilité a fait le reste. La pauvre Pascale avait à se défendre, d'ailleurs, contre un homme rompu à ces manèges autour des femmes, assez joli garçon, paraît-il, rusé, cruel sous des dehors câlins, et qui parlait cent fois mieux qu'un Lyonnais. Elle était toute jeune aussi, et ils habitaient sous le même toit.

» Je ne vous répète pas les détails qu'on m'a racontés. Je n'en ai pas la force. Et puis vous les connaissez. C'est l'histoire de tant de milliers d'autres. C'est la séduction commune et lamentable, avec ses prétextes honnêtes, avec ses troubles diffus, avec ses défaites momentanées, ses reprises et sa domination. Je ne vous apprendrais rien, à vous qui avez visité, avec moi, toute la misère des rues. L'affreuse chose, c'est de penser qu'il s'agit de Pascale, et qu'il n'y a point de remède, en ce moment ! »

Dimanche, 18 janvier 1903.

« Il paraît qu'elle parle à peine, qu'elle est sombre et irritable, elle qui était de la joie vivante. Personne ne sait, dans le quartier de Montauri, quelle créature bénie elle a été. Prayou s'est bien gardé de le révéler. Le scandale eût été trop grand, car c'est un de ceux que la foi obscurcie des incrédules ou des indifférents ne pardonne pas. On me dit aussi que Pascale est surveillée de près, qu'elle ne sort presque plus de sa maison, et que le temps des promenades, des cadeaux et des parties de plaisir est depuis longtemps fini. »

Février.

« Le cercle se rétrécit de plus en plus autour de notre pauvre enfant. Prayou l'a déjà délaissée pour d'autres femmes. Elle est la servante de la mère, celle qui fait toute la besogne lourde de la maison, et qu'on paie en mépris, et qui use sa force en se taisant. Pas une larme, pas une confidence à ses voisins. Ah ! si elle pouvait parler et appeler ! Ne souffre-t-elle pas assez pour crier au secours ? Ou plutôt, ne souffre-t-elle pas trop pour penser encore à cela ? Qui me dira ? »

Vendredi, 27 mars 1903.

« Les voisins racontent qu'elle est souvent injuriée et battue par le misérable qui l'a séduite. Mais l'heure ne vient pas. Cette veuve Rioul, voilà quatre jours, rencontrant Pascale dans la rue, lui a dit : « Vous avez l'air malade ? – Quand ce serait ? Qui cela regarde-t-il ? – Mais ceux qui vous veulent du bien, moi, par exemple, et sœur Justine... » L'autre a pâli encore, et elle a tourné la tête en répondant : « Je ne sais pas ce que vous voulez dire. »

D'autres fragments de lettres, pendant le printemps et au début de l'été, n'avaient apporté à Danielle que l'expression renouvelée de cette douleur vaine.

Puis, tout à coup, en cette fin de juillet, une lettre désespérée était venue de Belfort. La veille même de ce matin qui se levait, puissant et pur, sur les forêts de Corrèze, Danielle avait reçu dix lignes écrites en toute hâte par sœur Justine et qui disaient :

« Je prends le train pour Nîmes ; je voudrais être rendue : mon enfant ne m'a pas appelée, mais je sais qu'elle a pleuré, qu'on l'a réduite, par la force, aux dernières hontes, qu'elle n'est plus qu'une esclave et qu'une chose. Et je veux la libérer ! D'ici deux jours, n'ayez de pensée et de prière que pour nous deux.

» JUSTINE »

Dans la forêt, derrière ses bêtes, Danielle continue de monter. Elle n'a pas besoin de faire effort pour se souvenir de la recommandation de sœur Justine. Aucune pensée ne la suit dans les solitudes où elle marche, si ce n'est celle du drame qui se passe loin d'elle, en ce moment, pour le salut ou la perte d'une âme aimée. La pente devient abrupte ; le sentier tourne parmi des pierres éboulées ; les arbres s'écartent, et ne nouent plus leurs branches, et les plus vieux ont la tête fracassée par les orages. Danielle, se sentant seule avec Dieu, dans l'encens du matin, s'en va, le regard en haut et les bras étendus, priant comme Jeanne de Domrémy, comme Germaine, comme Geneviève. Son amour se répand en supplications. Et parfois, entre deux châtaigniers géants, une crête de roche, exposée au midi, apparaît flamboyante, pareille à un autel.

CINQUIÈME PARTIE

PASCALE

Il était neuf heures. La nuit était chaude, et plus chaude encore la nappe de vapeur et de poussière, éclairée en dessous par les becs de gaz, et qui flottait au-dessus de Nîmes. Le sol restituait le soleil du jour, et l'odeur des égouts, des caves, des chambres, des ruisseaux, du fumier écrasé par les roues, des écorces de melon jetées devant les portes, tout l'encens de la ville montait. À la même heure, sur les Collines, sur les pentes des garrigues, les touffes de lavande et de mélisse, les feuilles mourantes de soif et pendantes des lauriers, des romarins, des genévriers, livraient leur parfum à la brise soufflant de l'ouest. Mais la brise n'avait pas assez de force pour balayer l'énorme colonne de miasmes, de débris, de puanteur humide qui se dégageait des rues, des places, des cours, des toits longtemps chauffés. Elle y jetait seulement un peu d'air pur. Et ceux qui respiraient cet air disaient : « Il fait bon sortir. »

Les habitants de Nîmes, ceux que l'été n'avait pas chassés, se promenaient, buvaient dans les cafés, les buvettes, les débits, les hôtels, faisaient le tour des fontaines, s'épongeaient le front, et, partout où l'on pouvait s'asseoir, s'asseyaient. En haut du large cours de la République, qui aboutit au jardin de la Fontaine, les promeneurs, ouvriers ou petits bourgeois du quartier, soulevaient une épaisse poussière, et marchaient les pieds traînants, la tête levée et contente. On riait. Des filles se croyaient jolies, quelques-unes l'étaient. Des plaisanteries, des intrigues d'amour, des médisances occupaient les esprits qu'aucune idée n'alourdissait, et on eût compté les visages graves ou seulement sérieux. On respirait. Beaucoup d'enfants « prenaient le frais » avec les parents. Des soldats flânaient ou regagnaient la caserne. En haut du cours, au-dessus du bois de pins, la Tour Magne se dressait, comme un phare éteint et vague dans la nuit.

Une femme, immobile, près de la ligne de micocouliers qui entoure le terre-plein, et appuyée contre la colonne d'un bec de gaz, attendait. L'ombre de la plate-forme de la lanterne l'enveloppait et vacillait autour d'elle. Cela lui faisait comme une guérite. La femme ne sortait pas de là, et le métier qu'elle faisait se devinait à sa jeunesse non moins qu'à sa persistante volonté de demeurer à cette place, les bras croisés, le dos tourné à la foule qui se promenait. Elle savait qu'on viendrait l'y chercher. Dans cette foule, un seul groupe semblait l'intéresser. Elle regardait, de temps en temps, du coin de l'œil et sans tourner la tête, un homme jeune, mince, bien vêtu, coiffé d'un chapeau de paille et qu'accompagnaient un autre homme plus jeune, long buste aux jambes de basset, et deux femmes du bas peuple de Nîmes. L'homme passait et repassait dans la lumière, et ses yeux se plissaient pour apercevoir et surveiller, dans la demi-ombre, la mince créature qui se tenait dressée contre le réverbère. Il ne cessait pas de parler, d'ailleurs, ni de rire. Quelquefois, les yeux de l'une et de l'autre se rencontraient et leur dialogue, muet et rapide, ramenait à l'immobilité la femme qui avait peur.

C'était le troisième soir qu'elle venait là, et à cette place. Elle était la chose, l'exploitée, celle qui n'a pas le droit de se plaindre. Elle attendait, par ordre, exposée au mépris, aux plaisanteries des passants, et, ce qui était pire, à leur convoitise, n'ayant pas de nom, pas de volonté, pas de choix, pas d'aide. Quand la lumière de la flamme tombait sur elle par hasard, on pouvait deviner qu'elle avait de beaux cheveux blonds, mais courts, et formant en arrière un petit chignon plat.

Un homme, assis sur un banc, à quatre pas, la regardait. Il se leva et elle le vit, et elle se recula, d'un mouvement lent, essayant de se cacher de l'autre côté de la colonne de fonte. L'homme approchait d'un pas mal assuré, le buste courbé en avant, les bras écartés, comme ceux qui, au jeu de colin-maillard, tâtent l'espace pour saisir quelqu'un. Il était vêtu d'étoffe brune, pantalon large, veste longue, et coiffé d'un chapeau à bords rabattus, bouvier sans doute ou gardeur de moutons des Cévennes, descendu avec son troupeau jusqu'au grand marché de Nîmes. Sa face carrée, bestiale, encadrée de deux favoris courts, riait d'un rire fixe, et, entre ses joues couleur de terre, montrait la pointe de ses dents jeunes. Il venait, et la pauvre fille aurait voulu s'échapper, mais elle avait peur de celui qui se promenait dans la foule, et qu'elle sentait toujours voisin.

Elle s'était encore reculée ; elle était sortie de l'ombre et entrée dans la lumière crue du bec de gaz ; on voyait qu'elle était jolie, délicate, honteuse, et craintive. Elle avait mis ses mains dans les poches de son tablier à carreaux mauves, afin qu'il ne les prît pas, lui qui était tout près. La poussière, le bruit, l'indifférence ou la basse curiosité de plusieurs centaines de promeneurs, enveloppaient ce drame de l'extrême misère, celle de la honte qui n'est pas consentie.

L'homme qui tâtait l'ombre, ayant touché la colonne de fonte s'y appuya d'une main, se redressa, énorme, et, de l'autre main, lancée en avant, saisit la jeune femme et l'attira contre lui pour l'embrasser. Elle se débattit, elle poussa un cri, en détournant la tête. Et il y eut des rires, dans les groupes, parce que cette fille refusait de se laisser embrasser. Quelqu'un cria : « Tiens bon ! » Un agent de police, de loin, observait la scène avec l'indulgence de l'habitude. Un homme ivre, une fille rudoyée, c'était normal. D'ailleurs, il n'eut pas besoin d'intervenir. D'un groupe de promeneurs qui s'était arrêté, l'homme au chapeau de paille et à l'épingle de cravate bleue se détacha, et, rapidement, s'étant avancé derrière la jeune femme :

– Allons, dit-il à voix basse et sifflante, emmène-le, faut-il que je m'en mêle !

Avec une expression de terreur et de supplication, elle regarda celui qui parlait. Elle se rapprochait de lui, par saccades, luttant faiblement contre le bouvier qui la tenait par les poignets, et la forçait à reculer.

– Ah ! tu ne veux pas obéir ! reprit le promeneur, qui avait tiré sa montre et, la faisant tourner, enroulait la chaîne autour de son doigt ;... nous réglerons ça à la maison !... Emmène-le, je te le répète, et vite !

Elle allait se trouver prisonnière entre les deux hommes. Tout à coup, par une brusque secousse, elle parvint à dégager ses poignets, plia la taille, se redressa et partit dans la direction du Cadereau.

Quelques bravos l'approuvèrent. Mais le bouvier la rattrapa au bout de vingt pas, la prit par le bras, et on les vit tourner ensemble, à l'angle d'une des rues du quartier ouvrier, à gauche du cours de la République.

L'homme à l'épingle bleue qui s'était, lui aussi, mis à courir, revint sur ses pas, et l'une des femmes qui l'attendaient, regardant la créature réduite par la peur et dont on pouvait entrevoir encore, près de disparaître, la tête basse et le tablier flottant, dit avec dédain :

– Il y a de la brouille dans le ménage !

L'homme fronça les sourcils, et répondit :

– Depuis quelques jours. Mais ça ne durera pas ! J'ai le moyen de me faire obéir.

Et il frappa, l'une contre l'autre, ses mains pliées et formant le poing.

La nuit chaude, fouillant les pierres et la poussière pour en boire la dernière eau, continuait de peser, et les petites gens de se promener sur les boulevards et dans les rues, espérant un souffle frais, qui venait rarement.

Cinq heures du matin. La porte qui fait communiquer la maison des Prayou, en arrière, avec le terrain vague, s'ouvre, et une femme se penche ; elle s'appuie au mur comme si la fraîcheur du matin la faisait défaillir ; elle aspire quelques gorgées d'air, précipitamment ; elle regarde le temps, puis rentre, laissant la porte ouverte.

Le matin est d'une limpidité parfaite. Il n'y a plus de vent du tout, et la journée sera étouffante. Il faut se hâter de sortir. La femme revient ; elle a encore la même jupe grise qu'elle portait la veille, le même corsage d'étoffe bleue à semis de grappes blanches ; seulement elle a jeté sur ses épaules, à cause de l'heure matinale et qui devrait être fraîche, un châle de laine qu'elle ne croise pas, et qui retombe, en avant, sur la poitrine, et du bout de sa frange touche la ceinture. Elle est pâle et amaigrie ; son visage n'exprime aucun contentement de la beauté du matin ; ses yeux restent tristes. Elle soulève et pousse devant elle une brouette chargée d'un énorme paquet de linge qu'enveloppe un drap. Et, pendant qu'elle sort des brancards de sa brouette, pour fermer sa porte, elle inspecte les fenêtres des maisons voisines de la sienne, sur la pente de Montauri.

Car toutes ces femmes qui habitent là, ces locataires des Prayou, qui ont dépendu d'elle autrefois et qui la saluaient bas, la Rioul, la Lantosque, la Cabeirol et les autres, qui demeurent plus haut ou plus bas dans la rue de Montauri, leurs maris, ou frères, ou amants, et ces Mayol, l'homme, la femme ; la sœur, qui sont logés de l'autre côté de la rue, juste en face de la maison des Prayou, tous, comme ils doivent rire d'elle à présent ! Que de choses ils savent, sur le compte de Pascale ! Comme ils l'ont vue descendre et tomber, depuis des mois, elle dont plusieurs femmes étaient jalouses au début ! Ils doivent avoir entendu ses cris, cette nuit, quand Jules Prayou est rentré, à deux heures, et qu'il l'a battue ; quand il l'a poursuivie dans l'escalier ; quand elle a ouvert la fenêtre et appelé au secours ! Ils doivent la guetter ce matin. Derrière quelle fenêtre et quelle vitre sont-ils cachés ? Encore cette veuve Rioul, qui va faire des ménages en ville, peut poser pour la vertu : elle est vieille. Mais cette Lantosque, la femme du tailleur qui loge dans la même maison que la Rioul, on a parlé d'elle souvent ; elle a, dans le regard, tous les feuilletons qu'elle lit à longues journées ! Et les Cabeirol, le petit employé de tramway et sa femme, qui ont loué la maison de gauche, qu'est-ce qu'ils ont à dire ? Des gens qui paient mal, qui n'ont pas donné un sou depuis six mois !... Ils devraient se taire au moins, et ne pas montrer leur mépris ! Ah ! si elle avait quelqu'un pour la protéger !... La protéger ?... Hélas !... il faudrait être aimée... Personne n'aime plus Pascale Mouvand, surtout celui qui l'a perdue.

Et il faut vivre là.

La jeune femme reprend son fardeau, traverse l'extrémité du terrain vague, et gagne la rue de Montauri, qu'elle descend jusqu'au torrent. Les voisins n'ont pas encore ouvert leurs volets. Il n'y a qu'un maraîcher qui arrose son jardin. Au delà du pont, sur le quai, bien peu de boutiques sont ouvertes : quelques débits, quelques épiceries dont les clients sont tous des campagnards. Personne encore dans le lavoir qui est là, à droite, au tournant du pont. Pas une laveuse de Nîmes n'est encore au travail. Tant mieux ! Elle pose à côté d'elle le paquet de linge, relève ses manches, dénoue le drap, et s'agenouille à la première des places ménagées le long du bassin plein d'eau, tout près du robinet dont elle augmente le débit. Une femme passe sur la route, dans une petite carriole, un « jardiniero », où sautent en mesure, au trot du cheval, les arrosoirs de fer-blanc, pleins de lait. Elle n'a fait attention ni au long lavoir au toit de tuile, ni à l'unique laveuse qui lève le battoir sur les torchons de la veuve Prayou.

Une longue traînée de poussière retombe derrière la voiture. Pascale trempe le linge, l'essore, le frappe ; mais elle ne peut travailler longtemps et, toutes les cinq minutes, de souffrance et de lassitude elle s'arrête, et ferme les yeux, et elle reste là, comme évanouie, assise sur ses talons, les bras à plat sur le mur de ciment du bassin, et les doigts touchant le courant de l'eau. Le soleil commence à chauffer les tuiles du lavoir. L'ombre des maisons sur le quai diminue et blêmit.

Il ne reste plus rien qu'une apparence, en vérité, de cette Pascale qui arrivait, il y a treize mois, dans la banlieue de Nîmes, espérant y retrouver quelque chose de l'abri où elle avait vécu. Sa crédulité, son imprudence, un souvenir chantant de sa jeunesse l'avaient amenée chez ces parents misérables. Et, tout de suite, avec une habileté entière, on avait commencé de la corrompre. Que de complices s'étaient unis contre elle ! L'éloignement de l'exemple de ses compagnes ; l'absence de cette règle qui guidait sa volonté et l'exerçait, de sorte que chaque minute était une élection nouvelle et donnait à la maîtrise sur soi un accroissement de pouvoir ; la subite privation de l'amitié tendre, intelligente et pure des sœurs, et le chagrin qu'elle en éprouvait ; tout cela servait les desseins de Jules Prayou. Il s'était montré, d'abord, prévenant et réservé ; il avait su la plaindre et garder le secret de ce passé qu'elle voulait regretter seule et jalousement, comme un amour déçu ; il l'avait défendue contre les préjugés de ce milieu populaire, qui ne s'ouvre pas plus aisément que les autres à l'étrangère, et il l'avait comblée de cadeaux. Pascale s'était montrée confiante. Peu à peu il l'avait séduite. L'erreur n'avait pas duré : mais elle était sans retour. Au lendemain de sa faute, le sentiment de l'irréparable avait saisi Pascale. Il s'était mêlé aux premiers remords ; il les avait rendus vains et tournés en désespoir ; à présent, il la dominait toute. Elle s'était répété, tant et tant de fois : « Comment ai-je pu tomber si bas ! Malheureuse Pascale, plus malheureuse que d'autres ! Avoir été ce que j'ai été, et être ce que je suis ! Avoir eu la mère que j'ai eue, et mon père, et ensuite le voisinage et l'exemple des saintes ! Avoir été la bénie, l'entourée, la respectée, et ne plus oser même soutenir le regard de celles des femmes de Montauri qui me rappellent mon passé : des pures, des préservées des vaillantes ! Avoir été choisie, et trahir ainsi ! Comme je connaissais ma faiblesse, hélas ! Ma vocation n'était que de la crainte de moi-même, où Celui que je n'ai plus le droit de nommer avait mêlé un peu d'amour pour lui. Et tout est fini ! Le seul avenir que je voulais est fermé ! Même si les temps devenaient meilleurs, si les couvents se rouvraient, plus de place pour la créature indigne que je suis ! Qui donc voudrait reprendre, pour enseigner les enfants, et leur apprendre à résister aux tentations, celle qui est tombée ? Je suis celle que rien ne peut relever. Je suis damnée, damnée, damnée ! »

Bien vite aussi, elle avait deviné l'abominable machination dont elle avait été victime ; elle avait aperçu la corruption foncière de ce Prayou, sa vie de débauche et d'expédients, sa brutalité. Elle avait compris qu'il ne l'avait jamais aimée, et qu'on avait travaillé de concert à pervertir Pascale. La veuve Prayou avait maintenant une domestique gratuite, à laquelle elle laissait tout le travail de la maison ; et lui, il avait acquis sur une femme jeune, jolie, et privée de tout appui, une domination qu'il comptait exploiter, à son heure, jusqu'aux dernières conséquences. Ruiné depuis longtemps, il entendait que cette fille, qu'il avait perdue, tombât encore plus bas et devînt une ressource. Elle résistait. Cette vie était si affreuse que Pascale, dans les premiers mois de l'année, avait voulu se tuer, mais le courage lui avait manqué. Elle avait peur de la souffrance et de la mort, à présent que l'âme ne commandait plus, et que le péché la tenait. Elle avait voulu s'enfuir aussi, mais Jules Prayou avait pris ses mesures, depuis longtemps, pour qu'elle ne pût s'échapper.

De tout ce qu'elle faisait et disait, il était averti. Pascale se sentait enveloppée, de plus en plus, dans un réseau de surveillances, de trahisons, de jalousies presque sans nombre. Son maître était un être redoutable et redouté. Cet homme, sans argent avouable, sans considération et sans métier, avait des complicités partout. Il tenait le quartier, non seulement le groupe des maisons de Montauri, mais celui de l'abattoir et du marché aux bestiaux. Sans qu'il fût mêlé ouvertement aux luttes politiques, plusieurs politiciens le ménageaient, à cause de sa faconde, et de l'influence qu'il avait dans des milieux spéciaux. On disait : « Il ne faut pas avoir Prayou contre soi. » Et les périodes électorales lui donnaient des rentes. Les agents chargés de la police, et qui avaient formelle mission de le surveiller, avaient fini par entrer en arrangement et en combinaisons avec ce bandit, que l'opinion désignait comme capable de tout, et qu'on ne parvenait pas à convaincre d'un délit déterminé. Ils acceptaient d'entrer, avec ou sans lui, dans l'un ou l'autre des cafés borgnes où il régnait, d'y prendre une consommation et de partir sans payer. Jules Prayou les aidait quelquefois en leur fournissant des indications. Il achetait ainsi un relâchement de surveillance, une myopie accidentelle de certains employés subalternes. Les fraudeurs d'alcool se servaient volontiers de son expérience, de sa connaissance parfaite du pays et des hommes ; les braconniers se débarrassaient chez lui du lièvre ou des perdrix tirés en temps prohibé ; les propriétaires de mazets, dont les oliviers étaient trop souvent visités par les maraudeurs, en novembre, savaient que, moyennant une juste rétribution, un mot d'ordre serait transmis qui leur épargnerait l'ennui de perdre toute la récolte. Quand ce grand jeune homme, aux yeux veloutés et dédaigneux et à la mâchoire avançante de bête fauve, passait dans les quartiers voisins de Montauri, une foule de gens le saluaient d'un coup de chapeau ou d'un signe de la main. Il répondait d'un mot ou d'un mouvement de paupière, selon l'importance des cas. Les femmes le regardaient. Les marchands de journaux descendaient du trottoir où il marchait ; les bohémiens de la cour de la Consolation, tribu fermée pour d'autres, l'accueillaient ; les musiciens ambulants et les mendiants de tout ordre, vrais ou faux, le considéraient. Et tout ce monde, plus ou moins, le renseignait. On lui disait : « J'ai vu votre bonne amie au jardin de la Fontaine ; je l'ai vue dans le chemin de Saint-Césaire. » D'ailleurs, Pascale ne sortait jamais qu'avec autorisation, et pour un temps d'avance limité.

Elle était bien devenue l'esclave, à la fois révoltée et apeurée. Ses forces avaient décliné, au point que les voisines disaient : « Avec cette mine-là, elle n'ira pas loin. » Elle ne pouvait plus voir Prayou sans être prise d'un tremblement nerveux, qui durait des heures. Elle toussait ; elle avait la fièvre souvent ; elle souffrait toujours en quelqu'un de ses membres, et l'usure de son sang, dans ses veines douloureuses, l'avait laissée à la fin sans défense contre la volonté de son maître. Mais le mal était surtout dans l'âme, que le passé torturait et désespérait. Pascale les repoussait, ces souvenirs, dix fois, vingt fois, cent fois, et ils revenaient toujours. Avec l'aube et avec le crépuscule, avec les midis qui sonnaient aux clochers, et à toute heure du jour, pour un moment de silence et de vide que naguère la paix aurait rempli, pour un visage ou un son de voix qui en rappelait vaguement d'autres, des images surgissaient en elle, impétueusement : « Réveil... C'est sœur Léontine qui sonne... Angélus... Maintenant, nous descendions à l'église... C'était la méditation... Le soleil décline, les petites nous laissaient seules... Edwige bien aimée ! Danielle ! Et vous qui étiez mon appui, sœur Justine !... Quelle horreur ! Quelle profanation ! Quelle honte devant vous ! Je ne veux plus vous voir ! Écartez-vous de mon abîme, vous qui êtes les élues ! » Et tout avait sombré dans ce désespoir, l'ancienne liberté d'esprit, l'ancienne gaieté, l'éclat même de ces yeux d'or que leur jeunesse semblait avoir quittés ; tout, excepté un amour encore vivant : celui des enfants qui ne l'approchaient plus, et dont elle regrettait le bonjour, les baisers, le regard confiant, et ce sourire qu'elle gagnait si vite autrefois...

Oh ! quel poids de chagrin il lui faut soulever, pour se remettre au travail ! Et pourquoi travailler encore ? Et pour qui ?

Voilà encore un jour revenu !... La matinée est commencée ; toutes les boutiques sont ouvertes ; les filets et les claies qui protègent contre les mouches pendent devant les portes. Pascale, avec effort, se redresse, et se penche sur le linge abandonné dans la cuve de pierre. Une forme noire, une haute silhouette d'ombre, venant du côté du pont, éteint le soleil et passe sur la route ; c'est la veuve Rioul, avec ses airs de dame pauvre qui a connu la fortune. Elle part de bonne heure, pour aller faire deux ménages en ville, et elle a coutume d'entendre la messe à l'église Saint-Paul. Elle n'a pas vu Pascale : en tout cas, elle dépasse le lavoir sans regarder à droite ; elle s'en va, le bas de sa jupe noire déjà tout blanc de poussière... Depuis le jour – il y a des mois – où elle s'est permis de dire à Pascale, tout nouvellement arrivée dans ce quartier et dans cette maison des Prayou : « Vous êtes bien jeune, mademoiselle, prenez garde, on parle déjà de vous, » elle n'a plus guère adressé la parole à Pascale, qui l'avait si mal reçue. Le battoir s'abat sur le linge. La vieille femme traverse le terrain nu qui s'étend en face du lavoir, et s'enfonce dans les rues de la ville. Les cigales augmentent de nombre et de bruit. La laveuse a déboutonné le col de son corsage bleu. Des voix descendent de Montauri. Elles sont jeunes, et Pascale les reconnaît ; elle nomme déjà dans son esprit, avant qu'elles aient passé le pont, Marie Lantosque, une locataire aussi, et la femme du jardinier, la Mayol, qui demeure juste devant la porte de la veuve Prayou, et la sœur de la Mayol, une jeune fille qui va se marier. Les trois femmes débouchent du pont de Montauri, et elles n'ont pas plutôt dépassé le mur qui protège les laveuses, qu'elles tournent la tête sans s'arrêter.

– Bonjour, madamo Pascaù ! Bonjour ! Bonjour ! Coumo vai faire caù, dinc uno ouro ! (Comme il va faire chaud, dans une heure !)

Elles rient, elles vont vite, et Pascale les suit des yeux, un instant, en foulant son linge de ses deux mains lasses. « Elles me saluent, songe-t-elle, elles ne voudraient pas me mépriser tout haut. Mais, tout bas, que pensent-elles ? La Lantosque avait un air de se moquer. »

Et Pascale souffre d'imaginer les conversations secrètes des trois femmes qui s'éloignent, pressées et droites comme trois doigts fins. Elle est tellement incapable de se dominer, qu'elle s'en prend aux choses qu'elle lave. Elle frappe plus vite, elle roule et tord son linge avec irritation. La colère lui tient lieu de force, pour un temps. Finir, finir, ne plus être là ;... c'est son rêve, comme tout à l'heure, son rêve était de quitter la maison. Pendant que Pascale travaille ainsi et s'épuise, une enfant, une clarté, une joie est entrée dans le lavoir. C'est la petite Delphine Cabeirol, qu'on appelle Finette, la fille de la locataire des Prayou, une enfant de dix ans, vive, sautillante comme une bergeronnette, sombre de cheveux et qui a de si longs yeux, verts comme une olive et étonnés de tout. Pourquoi est-elle entrée par l'autre extrémité du lavoir ? Qui sait ? Pour danser quelques pas de plus, dans le soleil qu'elle aime. Elle est arrivée en sautant jusqu'au milieu du couloir où les femmes se placent pour laver ; elle retient, d'une main, un petit paquet posé sur sa tête ; puis, subitement, elle s'est arrêtée, apercevant la voisine, la « propriétaire » de la rue de Montauri, « celle à qui tu ne dois pas parler », dit la maman. Et Delphine, qui évite le plus qu'elle peut madame Pascale, est tout interdite de se trouver là, vis-à-vis d'elle, sans l'avoir prévu, et toute seule. Elle s'est donc baissée très bas, et elle dénoue sans bruit, sans geste brusque, le paquet dont elle était chargée. Madame Pascale bat si fort son linge qu'elle ne remarquera peut-être pas la présence de Delphine. Mais non, la petite a été vue, et le battoir s'arrête de frapper le linge. Et les yeux qui savent être si doux la considèrent avec une tendresse qui ressemble à celle de la mère. Madame Pascale a retiré de l'eau ses mains ; elle les laisse pendre sur son tablier mouillé ; elle est à genoux et à moitié détournée vers l'enfant, et elle ne sourit pas comme font les femmes qui veulent que les enfants les embrassent, mais elle attire aussi, et elle appelle avec sa tristesse. Ni elle, ni Delphine ne bougent plus. Les moustiques font plus de bruit qu'elles deux. On dirait que madame Pascale a peur d'effaroucher Delphine et de la faire fuir. Et c'est Delphine qui parle la première, quand elle voit que les larmes sont tout près des yeux qui la contemplent. Elle a dénoué le paquet et mis en pile sur le bord du bassin, à quelques pas de madame Pascale, quelques mouchoirs, une chemise, des bas et un jupon d'enfant, avec un gros morceau de savon de Marseille. Elle est moins Nîmoise que Provençale. Elle se sert de la jolie formule d'autrefois :

– Salù, madamo Pascaù e la compagno... Porte iço, per ma mera, que tan ben vai veni lava. (Bonjour, madame Pascale et la compagnie, j'apporte cela pour ma mère, qui va aussi venir laver.)

Elle fait un signe de sa petite tête pâle, qui se relève vite, comme une touche d'ivoire, et elle veut s'en aller.

– Dis-moi, Delphine, tu as donc la permission de me parler, ce matin ?

– Non, dit la petite ingénument et par-dessus son épaule.

– Alors, c'est parce que tu vois que j'ai de la peine, que tu me dis bonjour ?

Delphine eut un mouvement de paupières qui disait oui.

– Je l'ai deviné, vois-tu ; je connais bien les petites filles ; oh ! très bien... Tu as raison de croire que j'ai de la peine. J'en ai beaucoup.

Les grands yeux couleur d'olive se voilèrent.

– Tout le monde est méchant avec moi... Veux-tu être bonne, toi, petite Delphine ?

L'enfant, embarrassée, tordit l'une dans l'autre ses mains et, sans ouvrir ses lèvres, elle répondit par son regard, qui disait : « Que voulez-vous de moi ? J'ai le cœur gros parce que vous souffrez, sans que je comprenne bien ;... mais que voulez-vous de moi ? Si c'est quelque chose que je puisse faire sans trop désobéir ? Je désobéirai bien un peu pour vous ? »

– Je ne te demande pas de venir m'embrasser, petite Delphine, non, je ne voudrais pas... Donne-moi ta main seulement ; cela me fera tant de bien !... Je n'ai personne qui m'aime.

La petite sourit. Toute sa joie lui revint. Ce n'était que cela ? Donner la main ? Delphine savait que les toutes mères et toutes les voisines, d'ailleurs, aiment à caresser les enfants. Elle s'avança, les mains à plat dans l'air et tendues comme pour les faire baiser. Mais, avant qu'elle eût touché celles de Pascale, elle s'arrêta court, écouta, sauta sur ses pieds de chèvre, et s'enfuit :

– Maman qui arrive ! La voilà ! la voilà !

En trois bonds, elle eut traversé le couloir ; elle passa par la brèche qui est au bout du bassin, repassa sur la route ensoleillée devant Pascale, et tourna brusquement, pour prendre le pont de Montauri.

Pascale entendit quelques mots rapides, en patois, échangés entre Delphine qui se défendait et la mère qui grondait, puis, par la porte qui ouvre près du pont, la Cabeirol entra. Un froncement de sourcil exprima tout de suite le sentiment de cette Cabeirol, quand elle aperçut Pascale agenouillée dans le lavoir. Elle eut soin de reculer d'une place les hardes déposées sur le bord du bassin, pour n'être pas tout auprès de cette créature. Elle dit cependant, comme les autres : « Bonjour, madame Pascale », mais très vite et du bout des lèvres, si bien que l'autre, qui s'était penchée de nouveau en avant, ne l'entendit pas. C'était une Provençale de la petite espèce, maigre, décidée, vibrante. Elle se sentait au-dessus de Pascale, étant mariée, elle, et mère. Elle désapprouvait cette vie de désordre et de dépense des Prayou, – on les croyait riches encore dans Montauri, – sentiment tout humain, d'ailleurs, et qui n'était nullement inspiré par la dévotion. Mais, en même temps, elle était contrainte de ne point montrer ce qu'elle pensait, étant la locataire des Prayou, locataire en retard le plus souvent. Oh ! il y a longtemps qu'elle aurait quitté la maison, si les années n'avaient pas été si dures pour Cabeirol ! Il faudrait quand même en venir là prochainement, à cause de Delphine qui grandissait, qui comprendrait, futée comme elle l'était, et avancée pour son âge. En attendant une bonne année, de l'avancement dans les tramways, on aurait aimé des voisins de meilleure tenue, et un logement moins mal famé.

La Cabeirol s'agenouilla à la place qu'elle avait choisie, et se mit à savonner, frotter, tordre son linge, comme faisait sa voisine Pascale.

Celle-ci, irritée du refus de l'enfant, n'avait pas eu l'air de s'apercevoir de la présence de la Cabeirol. Elle avait seulement rangé sa jupe, d'un mouvement vif, mais sans regarder même celle qui entrait. Fallait-il que cette Cabeirol la méprisât, pour avoir défendu à une enfant de dix ans de lui parler ! Quelle cruauté ! Pourquoi cette femme insultait-elle une autre femme ? Elle était heureuse : elle aurait dû avoir plus de pitié ! « Si elle pouvait voir autre chose que ma vie, pensait Pascale, voir mon cœur, et le dégoût infini, et l'abandon de tout, de tout, de tout ! Bah ! qu'est-ce que je pense là ? Si elle savait qui je suis, elle aurait encore plus d'horreur de moi, et elle me mettrait la tête dans l'eau qui court, pour me noyer !... »

Les deux femmes travaillaient. Le soleil, reflété par la poussière de la route et par l'eau du lavoir, éclairait en dessous leurs visages qu'une usure différente altérait. La Cabeirol était ridée, desséchée par la misère, fanée par trente ans de vie rude et mal nourrie. Pascale était atteinte, et il y avait une transparence inquiétante dans ses joues pâles, dans le tissu de ses oreilles qui eussent pu appartenir à une statue d'albâtre, et dans ses maigres mains, si chétives quand elle les levait, ruisselantes, au milieu de l'ardente réverbération de l'eau et de la route.

Quelques traîneurs passaient devant le lavoir ; on entendait le murmure de la ville et les cris des enfants que les mères rappelaient vers l'ombre.

Le battoir de Pascale se ralentit ; elle toussa, d'une toux sèche, et, comme si la force de son corps se fût épuisée, tout à coup, demeura renversée en arrière sur ses talons, la poitrine tendue, les narines dilatées et bleuies, les yeux fixés en avant, par une angoisse. Puis, elle appuya son épaule contre le mur du lavoir, à gauche. La Cabeirol acheva de tordre la chemise de Delphine, parce qu'il est convenu qu'on ne doit pas observer ceux qui souffrent, quand ils ne sont pas des parents, à l'heure où ils grimacent de souffrance ; puis, de côté, après quelques instants, elle regarda Pascale, qui essayait de nouveau de se remettre au travail et de rassembler le linge lavé pour l'étendre et le faire sécher. Elle la vit si haletante que la pitié, la vraie, la fit parler. Elle était une créature d'impulsion, et ne pouvait voir souffrir, au delà d'un certain degré, ceux mêmes qu'elle n'aimait pas.

– Oh ! dit-elle, vous êtes malade, madame Pascale ?

Pascale répondit durement :

– Qu'est-ce que cela peut vous faire ? Malade ou non, il faut aller.

Le mouvement de sensibilité de la Cabeirol résista à cette mauvaise réponse, et elle dit :

– Je pourrais vous aider à étendre. J'ai si peu à faire, moi, ce matin. Voyez ! j'ai fini.

Elle montrait son paquet de linge frais, haut d'une coudée.

– Je ne suis pas habituée à être aidée, dit Pascale. Mais si vous avez du temps à perdre, faites ce que vous voudrez.

La Cabeirol se leva aussitôt, et, sans rien dire, se mit à empiler les chemises, les mouchoirs, les jupons, les serviettes lavées par Pascale. Celle-ci, stupéfaite plutôt que touchée, la laissait faire, et cherchait quel intérêt pouvait avoir la Cabeirol à agir de la sorte. Elle demeurait immobile, occupée de sa seule souffrance, et de la peine qu'elle avait à respirer.

Ce mutisme énerva la Cabeirol qui dit enfin, passant près de Pascale :

– Ce n'est pas tout de même une raison, parce qu'on est malheureuse, pour traiter le monde comme des chiens.

– Malheureuse ? dit Pascale en la regardant. Qu'en savez-vous ?

– Eh ! oui, croyez-vous que ça ne se devine pas ? Une jeunesse comme vous, ça devrait être heureux !

Pascale secoua la tête, et garda la même physionomie dure, mais elle écouta. C'était la première fois qu'on la plaignait, depuis qu'elle était entrée dans la maison de Jules Prayou... Quatre laveuses de profession, vieilles femmes de Nîmes, parlant haut, pénétrèrent en ce moment dans le lavoir, et commencèrent à s'installer à leurs places d'habitude.

– À votre âge et avec votre mine encore, continua la Cabeirol, qui s'approcha tout près de Pascale agenouillée et lui parla tout bas, mettant sa petite tête brune et vivante à la hauteur de la tête blonde abandonnée de Pascale, est-ce que vous devriez vous laisser traiter comme on vous traite ?

– Vous avez entendu, cette nuit ?

– Non.

– D'autres nuits ?

– Peut-être. Il vous a battue ?...

– Oui.

– Et puis ce n'est pas beau, ce qu'il vous oblige à faire... On n'est pas dévotes, ni vous ni moi, et je sais bien que chacun est maître de son corps : mais pourtant, si vous étiez mariée, on vous traiterait mieux !

Pascale fit un geste d'horreur.

– Avec lui ou avec un autre, madame Pascale ; je ne dis pas avec lui, si vous ne l'aimez pas !... Ne vous fâchez pas. Croyez-moi, vous trouveriez facilement des remplaçants... Moi qui vous parle...

Pascale lui prit le bras, et, devenue livide :

– Non, dit-elle, ni avec lui, ni avec d'autres.

– Seriez-vous donc déjà mariée ?

– Non.

– Alors ?

Pascale se redressa avec effort, ramassa un monceau de linge, et dit :

– Alors ne vous occupez pas de moi ; je ne peux pas m'ôter mon mal ; je l'ai voulu, et les peines qu'on a voulues, on les souffre et on en meurt, voilà... Tenez, aidez-moi à étendre mon linge, je veux bien. C'est tout ce que vous pouvez faire pour moi.

La Provençale se leva aussitôt, et dit, comme se parlant à elle-même :

– C'est moi qui filerais, si Cabeirol levait seulement la main sur moi !

Elles étaient debout, toutes les deux maintenant, et prenant l'une et l'autre une brassée de linge blanc, elles sortirent par la porte toute voisine, et, sur le sommet arrondi du mur bas qui borde le Cadereau, sur le parapet du pont qui se prolonge au delà des arches et s'ouvre sur la route, elles étendaient les mouchoirs, les chemises, les bas. Le soleil était si ardent, que la chaux des murs et les cailloux au fond du torrent avaient l'air de flamber. La poussière se levait par endroits, et montait sans qu'on sentît le moindre souffle de vent. On eût dit qu'une ivresse éclatante l'emportait dans le ciel. Les bêtes de lumière criaient de joie, les cigales, les mouches, les moucherons innombrables au bord du Cadereau. Onze heures étaient sonnées depuis longtemps. Des enfants remontaient de la ville vers Montauri, et des ouvriers, et des femmes lasses, les traits tirés par la longue station debout dans l'atelier.

Or, en ce moment, et en sens contraire, une femme, une étrangère venait. Elle descendait la rue de Montauri. C'était une femme empaquetée dans une robe défraîchie de laine noire, lourde et qui lui avait donné terriblement chaud. Malgré la température et malgré la sueur qui coulait sur son visage, elle portait une voilette. En arrivant devant le pont, elle rencontra la Cabeirol qui revenait à vide vers le lavoir, les bras ballants.

– Voulez-vous me donner un renseignement, ma chère dame ?

– Pour vous servir, dit la maigriote, en cherchant à voir à travers la voilette.

– Vous connaissez peut-être une femme qui s'appelle Pascale Mouvand ?

– Mouvand ? je ne sais pas : on dirait plutôt ici Pascale Prayou, répondit en riant la Cabeirol.

L'autre ne rit point, et répondit :

– C'est elle que je cherche. Je viens de la maison qu'elle habite, là-bas. On m'a répondu qu'elle était au lavoir. Est-ce vrai ?

– La voilà, dit la Cabeirol en montrant du doigt le lavoir ; parmi les femmes, là, celle qui se baisse pour prendre du linge... Voulez-vous que je l'appelle ?

– Oh ! non, non, attendez !

La Cabeirol fut étonnée de l'émotion que des mots si simples avaient produite sur la nouvelle venue. Celle-ci mit la main sur sa poitrine, tout près du cou, comme si elle ne pouvait respirer. Elle tâchait en même temps de discerner la femme qu'on lui montrait, à moins de vingt mètres, dans le lavoir. Mais elle secoua la tête.

– Mes yeux sont mauvais aujourd'hui... Je ne la vois pas... Dites-lui que c'est une de ses amies qui la demande... Je vais l'attendre ici, à la sortie du pont, derrière la porte du lavoir...

Devant elle, en ligne droite, elle gagna le réduit formé par le parapet du Cadereau, par celui du pont qui s'ouvrait en calice sur la route, et par le mur du lavoir, tandis que la Cabeirol se dirigeait, en diagonale, vers l'autre extrémité de la petite construction.

Il s'écoula deux minutes à peine. Les battoirs frappaient le linge ; les laveuses bavardaient ; l'eau du bassin, fouaillée en tous sens, ajoutait son bruit clair au bruit confus des mots. Derrière la porte et y faisant face, debout dans le grand soleil, la vieille femme en deuil attendait ; elle n'écoutait rien, elle n'avait qu'une pensée dans l'esprit, qu'un souvenir, qu'un nom, qu'une image, qu'un appel, et tout se traduisait dans la prière habituelle qui remuait ses lèvres : *Ave Maria.* Elle n'alla pas jusqu'au bout. Celle qu'elle attendait sortit brusquement, et repoussa la porte. Alors, à deux pas d'elle, apercevant la vieille femme que la voilette ne cachait plus, la reconnaissant, elle poussa un cri comme un enfant saisi de peur ; ses yeux s'agrandirent ; ils s'emplirent d'angoisse ; elle se rejeta contre la muraille, les mains écartées et à plat sur la chaux. « Vous ! vous ici ! » tandis que la vieille amie la regardait avec un amour infini, et l'appelait de l'ancien nom, tout bas, bien bas :

– Ma sœur Pascale ?

Et la vieille femme s'approchait, toute tremblante, et elle tendait déjà les bras. Mais Pascale la repoussa et cacha sa tête dans ses mains.

– Non ! n'approchez pas de moi ! Allez-vous-en ! allez-vous-en !

– Pascale, je sais que tu souffres, je veux t'emmener.

– Non ! ne me parlez pas ! Allez-vous-en ! Vous ne savez pas qui je suis !

– Je le sais. Tu es ma Pascale.

– Une autre... Je suis une autre... Vous ne pouvez plus me reprendre, je suis une maudite... Allez-vous-en !

Elle appuyait, et meurtrissait contre le mur son visage et ses bras nus.

Sœur Justine lui toucha l'épaule.

– Je veux que tu viennes, au nom du Miséricordieux qui m'envoie.

– Non !

– Je t'emmènerai de force !

– Non !

Pascale, pour échapper, prit son élan vers la route. Mais la vieille femme la saisit au passage, à bras-le-corps. Elle l'attira violemment contre sa poitrine ; elle l'y maintint, et quand elle sentit, sur son épaule, que la nuque blonde de Pascale ne se débattait plus, et demeurait immobile et penchée :

– Pascale, toutes nos sœurs ont prié pour toi. Sœur Danielle a souffert.

Elle s'arrêta un instant, pour écouter s'il y aurait une réponse, et elle entendit des mots à moitié bus par ses vêtements, mais plus durs à entendre que des cris, et plus perçants :

– Je ne peux pas être sauvée !

– Pascale, sœur Léonide travaille pour toi.

Pascale ne répondit pas, mais elle essaya de s'arracher aux bras maternels. Et désespérée, luttant et parlant à la fois, la mère dit encore, toute courbée :

– Ta sœur Edwige endure le martyre pour toi ; elle l'offre pour toi ; c'est elle qui m'a suppliée de venir ; ne lui résiste pas, ma sœur Pascale, mon enfant, laisse-toi sauver !

Et Pascale, à demi cachée sous le manteau de la vieille sœur, cessa de se débattre.

– Emmenez-moi, murmura-t-elle.

Sœur Edwige avait passé. Les absentes étaient là. Pascale leva la tête, et, reprenant conscience de la vie, comme si elle sortait d'un songe, porta les mains à ses cheveux tout ébouriffés et décoiffés, et, en même temps, elle regardait entre ses doigts s'il y avait des témoins de la scène. Il y en avait : des ouvriers, des boutiquiers et marchands du quai, des laveuses sorties du lavoir et qui observaient avec curiosité ces deux femmes, dont une inconnue et étrangère, paraissant se disputer, puis tombant dans les bras l'une de l'autre.

– Oh ! dit Pascale, comme ce sera difficile ; tout mon linge qui est là, et la Cabeirol qui va me demander où je vais, et les autres...

Elle rabattait les manches de son corsage, sans savoir pourquoi. Sœur Justine rajustait aussi son vieux manteau.

– Viens, ma petite !

Les deux femmes, sortirent de l'abri du lavoir et du pont, et s'engagèrent sur la route. Sœur Justine avait passé sous son bras le bras de Pascale. Pascale pleurait, et elle aurait voulu boire ces larmes, avant qu'elles eussent coulé, car les groupes se rapprochaient, les dernières laveuses quittaient le lavoir, on entendait les mêmes mots, adroite, à gauche, en avant : « Qu'est-ce qu'elle a ? Pourquoi s'en va-t-elle ? Qu'est-ce que c'est que cette vieille ? »

– Plus vite, disait celle-ci.

Elles avaient traversé la route, et les groupes s'étaient ouverts sur leur passage ; elles mettaient le pied sur le trottoir qui borde, de l'autre côté, le terrain non bâti, lorsque Pascale, entendant quelqu'un qui courait derrière elle, se détourna, pâlit affreusement et cria :

– C'est lui ! Nous sommes perdues ; sauvez-vous, notre mère, sauvez-vous !

L'ancienne appellation avait jailli de son cœur. Sœur Justine s'était déjà détournée, elle avait mis Pascale derrière elle.

– N'avancez pas ! n'avancez pas ! Il vous tuerait !

Jules Prayou, d'un signe, en maître qu'il était à manier le populaire, rassemblait déjà la rue autour des fugitives. On accourait. On devinait un spectacle auquel il conviait. Lui, il avait son air insolent, son regard dur et faussement calme. Mais sa mâchoire, et ses lèvres, et le poil frisé de son menton s'agitaient de colère. Il s'avança, la tête haute, droit sur Pascale, et, sans même s'occuper de la vieille qui la protégeait :

– À la maison ! commanda-t-il. Ah ! tu te sauvais ? Eh bien, tu vas voir ! À la maison, tu entends !

Il étendait le bras. Sœur Justine se jeta devant lui, et, levant sa grosse face de lutteuse sans peur :

– Rentrez vous-même ! dit-elle.

– Parce que ?

– Parce que c'est moi qui l'emmène !

Prayou la toisa.

– Vous, la vieille ? Qui êtes-vous ?

– Sa mère.

– Ce n'est pas vrai, elle n'a plus de mère.

– Je lui en sers. Et toi, qui es-tu donc ?

– Son amant.

– Eh bien ! prends-en une autre. Celle-là veut te quitter ! Et je l'emmène !

– Voleuse de femmes ! Je t'en empêcherai ! cria l'homme.

– Allez chercher la police ! cria sœur Justine. À moi les braves gens !

Des têtes se penchèrent aux fenêtres. Un groupe de terrassiers, qui déjeunaient dans un garni, sortirent en hâte, mâchant du pain, et les paupières bridées par le jour. Ils virent une pauvre femme, embarrassée dans ses vêtements, essoufflée, rouge, qui essayait de tenir à distance ce grand Prayou, roi du quartier ; ils virent celui-ci, d'un revers de main, l'écarter et saisir, par les deux bras, près des épaules, Pascale toute blanche de frayeur et qui renversait la tête en arrière pour être plus loin de lui. On prenait parti pour les deux femmes, timidement.

— Ne lui faites pas de mal, voyons, monsieur Prayou... Laissez la vieille s'expliquer... Ne serrez pas l'autre comme ça. Elle va se trouver mal... Elle est libre, tout de même !

— Ah ! elle est libre ! Qui a dit cela ? cria Prayou, en se détournant et sans lâcher Pascale...

La foule l'écoutait. On cherchait à comprendre. La vieille femme, séparée de Pascale, tenue en respect par un groupe d'hommes et de femmes, tâchait en vain de rejoindre son enfant.

— Voyez, vous autres, cette vieille voleuse qui s'est introduite chez moi, qui est venue jusqu'au lavoir chercher cette fille, qui lui a parlé contre moi !... Va chercher la police, je ne demande pas mieux... Pascale dira qu'elle veut rester avec moi. N'est-ce pas, Pascale ?

Il entrait ses doigts entre les muscles des bras de Pascale. Elle se renversait en arrière, avec un air d'épouvante, mais elle ne disait rien.

La foule grommelait plus fort : « Laissez-la !... laissez-la ! »

— N'est-ce pas que tu veux rester ? répéta l'homme en se penchant au-dessus de la tête convulsée de Pascale. Une fille qui est ma parente, que j'ai recueillie chez moi, qui n'avait plus le sou, et que j'ai fait vivre... N'est-ce pas que tu veux revenir avec moi ?

Les pauvres lèvres pâles s'entr'ouvrirent, et dirent :

— Non ! Je veux aller avec sœur Justine ! Un cri lui répondit :

— Ah ! la pauvre, écoutez-la donc !

La vieille sœur Justine se débattait. La foule s'animait et se partageait : « Il a raison... Non ! non ! » Les femmes criaient. Des hommes montraient le poing. Alors, Prayou, se redressant de toute sa taille, voyant le danger, cria plus haut que tous :

– Je vais tout vous dire, pour que vous jugiez... Celle-là est une vieille nonne décloîtrée, – et il montrait Justine, – et cette Pascale en est une autre ; c'est une bonne sœur que le gouvernement a jetée dehors et que la vieille voudrait ramener dans son couvent... Mais son couvent, à présent, c'est chez moi, mes amis, et je l'emporte !

Il se baissa, saisit Pascale par les genoux et par la taille, et l'enlevant comme un pain de froment, il l'emporta évanouie.

La foule s'ouvrit devant lui, et se referma autour de sœur Justine.

– Faites son affaire à celle-là ! cria-t-il en se détournant.

Suivi de quelques femmes seulement, il marchait vite vers Montauri, passait le pont, et montait vers sa maison.

En arrière, sur la route, il pouvait entendre les clameurs des gens du quartier, ameutés, qui rudoyaient la vieille dame en deuil, l'appelant voleuse et défroquée, et qui la poussaient de force vers le centre de la ville, beaucoup la croyant indigne comme l'autre, et d'autres obéissant à des souvenirs de réunions publiques, et insultant, dans l'étrangère, son passé religieux.

Jules Prayou alla droit à la maison de la rue de Montauri, poussa la porte, traversa le corridor, les pieds et les jupes de Pascale éraflant le mur de gauche.

– Qu'apportes-tu là ?... Pascale ? Elle a eu un accident ?... Qu'est-ce que c'est ?

La veuve Prayou, accourue au bruit, criait encore que son fils était déjà à l'extrémité de la cour, et entrait chez lui, dans le logement qui donnait sur le terrain vague et sur la campagne. Il était épuisé. Il heurta du pied le sommet du perron de deux marches, et faillit tomber. Et, rendu plus furieux, se sentant sans témoin, il leva au bout de ses bras le corps ployé de la jeune femme, et la jeta, de toute la force de son élan, contre le mur de l'escalier qui montait à droite. La tête et la poitrine heurtèrent le mur, puis le corps s'abattit sur l'angle des planches de sapin, et se tassa sur les premières marches, les pieds touchant le carreau.

Elle n'avait poussé aucun cri, rien qu'un gémissement long, qui s'apaisait et qui finit. Elle ne bougeait plus. Elle avait le visage dans l'ombre, tourné vers le mur. Un filet de sang s'échappait de la bouche. Prayou regardait. Il se pencha, et dit, se détournant, à sa mère qui accourait :

– Eh bien ! quoi ! C'est un accident ; elle a voulu monter, et elle est tombée.

– Tu l'y as aidée, canaille !

– Quand ça serait !... Elle se sauvait de chez nous, sais-tu ?... Mais je l'ai rattrapée... Je ne suis pas fâché qu'on voie ce qu'il en coûte, quand on me provoque... Tu vas laisser la porte de chez moi ouverte, tu entends, les deux portes... Et puis, ne te mêle pas de défendre cette fille-là, tu sais, petite mère !

Il regardait de côté, avec ce plissement des yeux semblable au rire peu sûr des bêtes, et il tournait dans ses mains et frottait son chapeau qu'il venait de ramasser.

– La vieille nonne peut aller chercher la police, ajouta-t-il, répondant à une préoccupation personnelle. Je m'en moque... La police ne les a pas séparées pour les remettre maintenant ensemble...

– Tu l'as tapée dur, tout de même, Prayou ! hasarda la veuve, dont l'œil droit était complètement fermé par l'émotion. Elle ne remue pas !

– La canaille ! Elle se sauvait ! Une femme qui mange depuis un an à la maison !

– Comme elle est blanche, dis donc !

– Quand elle aura payé ce qu'elle me doit, je la laisserai aller ! Pas avant.

– Dis donc, Prayou, si elle ne se réveillait plus !

– Fais pas du sentiment, la vieille, dit l'homme en la poussant brutalement ; et viens dehors, j'ai à te parler.

Dehors, dans la cour, dans l'ombre étroite que projetait le logement, il donna ses ordres à la vieille femme, qui était devenue subitement « raisonnable », et qui répondait : « Oui, mon Prayou, je veillerai ; j'irai ; je ferai attention. » Quand il la quitta, il eut soin de redescendre sans se presser la rue de Montauri, afin qu'on reconnût, à son air, qu'il n'avait peur de personne, et qu'il s'éloignait tranquillement, allant où il lui plaisait, roi du quartier plus qu'auparavant.

Il franchit le pont du Cadereau, et pénétra dans la ville. Aussitôt, tout le voisinage courut chez lui : les hommes, les femmes, les enfants, tout Montauri qui le guettait. Ils l'avaient vu emporter Pascale. Qu'était-elle devenue ? L'avait-il tuée ? On voulait la voir. « Moi, j'y vais ! – Moi aussi ! Dépêchez-vous ! – Il est allé chercher la police ! – Mais non ! le médecin ! »

Ils tâchèrent d'entrer par la porte de la Prayou, qui les renvoyait, et alors, faisant le tour, ils entraient par le terrain vague et par la porte demeurée ouverte à l'extrémité de la cour. Ils avaient des figures de colère, et une autre passion que la curiosité les jetait ainsi vers le logement des Prayou. La Cabeirol, comme une petite Grecque furieuse, arriva la première dans la pièce du bas où gisait Pascale ; puis la Lantosque, ayant encore à la main la cuiller à tremper la soupe ; puis la Mayol, puis deux autres femmes, vieilles, dont une béquillait. Il n'y avait, dans cette salle, qu'une table et une malle le long d'un mur, ce corps immobile, incliné sur les marches de l'escalier, et les femmes qui regardaient, rassemblées dans l'angle en face.

– Oh ! venez donc voir, la Lantosque, et vous, la Mayol... Dirait-on pas qu'elle saigne ?... Oui... Il y a du sang, bien sûr. Elle est blessée.

– Il faut la relever, pauvre femme !

– La relever, la Mayol, la relever ! Vous la plaignez !

– Bien sûr ! tenez, on dirait qu'elle remue... Est-elle blanche, sa main ! On jurerait de l'eau de savon.

– Eh bien ! avancez donc toute seule ! Ce n'est pas moi qui la relèverai, pour sûr ! Une sœur défroquée, ça me dégoûte ! Je n'y toucherai pas !

– Ni moi ! Ni moi ! dirent des hommes et des femmes qui arrivaient. Elle n'a que ce qu'elle mérite !

– C'est une gueuse ! – Et la voix de fausset de la Cabeirol éclata, stridente dans la salle où, maintenant, quinze personnes se pressaient, et se déplaçaient à gauche et à droite, mais sans vouloir approcher du corps : – Une gueuse ! Et ça faisait sa dame !... Quand je pense que tout à l'heure encore, au lavoir, je l'aidais à étendre son linge !... Ah ! tu peux saigner maintenant, tu peux crever, on sait que tu es la dernière des dernières, on ne te plaindra pas !... Tu entends tout ce qu'on dit, va, je le sais bien... Tu fais semblant de ne pas comprendre, et tu comprends tout... C'est moi, la Cabeirol, et je dis que tu es une gueuse !

– Une honte pour Montauri ! cria tragiquement l'ouvrier tailleur interrompu dans son dîner.

Et cet avorton, qui payait mal et qui saluait bas « madame Pascale », fendit les rangs des femmes, et, s'avançant jusqu'au pied de l'escalier, tendit son poing, et l'approcha de la pauvre figure blême, posée à plat sur l'angle d'une marche.

– C'est plus à toi que je paierai mon terme, n'aie pas peur !

Alors toute la troupe qui emplissait la chambre s'avança, comme si l'injure de l'homme eût été un signal. Le bas de l'escalier fut enveloppé par les voisins de Pascale. Ils parlaient tous, les uns pour l'insulter, les autres pour dire simplement : « Laissez-la ; ne la tourmentez pas », mais sans la défendre. Plusieurs soulevaient le bras de la blessée et le laissaient retomber, pour voir si elle avait conscience ; d'autres la poussaient du pied ; d'autres la regardaient avec mépris et haussaient les épaules. Des jalousies, des rancunes, la pleutrerie humaine incapable de lutter contre l'exemple, expliquaient quelques-uns de ces outrages, mais les autres, presque tous, s'élevaient du fond obscur de l'âme populaire, et vengeaient la trahison d'un idéal divin. La salle était pleine encore, lorsque le bruit se répandit : « Prayou revient ! » C'était faux. Mais la foule s'écoula en une minute. Les pitiés honteuses se retirèrent les dernières, à reculons. À ce moment, une enfant sauta sur le perron, s'appuya au chambranle de la porte, avança sa tête brune ébouriffée, regarda du côté de l'escalier, et cria de sa voix fraîche :

– Saleté, va !

C'était Delphine Cabeirol, la petite du matin.

Pascale se souleva péniblement, et tourna son visage vers le jour. L'enfant s'enfuit.

Pascale se recoucha sur les marches, et elle pleura longtemps.

Le soleil déclinait, quand quelqu'un, prudemment, s'approcha. C'était la Prayou, inquiète, qui venait aux nouvelles. Elle redressa la jeune femme, et l'assit sur la marche, et la tint devant elle par les deux épaules.

– Allons, Pascale, pas de bêtises !

Mais, quand les yeux de Pascale rencontrèrent ceux de la Prayou, celle-ci eut peur, tant ils étaient pleins de souffrance et de répulsion, et elle la laissa.

– Tu ne veux pas monter dans ta chambre ?

Le visage pâle, taché de sang et de larmes, demeura rigide. Pascale la regardait seulement, avec le regard sauvage et profond des oiseaux blessés à la chasse, et elle suivait, comme eux, les mouvements de l'ennemi. La Prayou comprenait obscurément qu'elle avait devant elle quelque chose de redoutable : une créature réduite à l'extrême désespoir, qui ne demande plus pitié, qui n'a plus de révolte, mais que le malheur a fini par rendre juge, et qui condamne, sans rien dire, et qui a Dieu derrière elle. La Prayou se reculait.

– Comme ça, dit-elle, tu ne veux pas que je te touche ?... Eh bien ! je m'en vais, tu vois... Mais tu feras bien de ne pas lui résister une autre fois !... En quel état il t'a mise !... Il est encore bien en colère ! Mais aussi, pourquoi te sauvais-tu ?... Une fille qui n'a manqué de rien ici... Elle se fit doucereuse.

– Écoute, je me charge de lui parler. Veux-tu ?... Il est violent, mais quand c'est fini, c'est fini... La vieille cousine Prayou te protégera, si tu promets de ne plus recommencer.

Les lèvres saignantes murmurèrent :

– Je ne resterai pas ici !

– Où veux-tu aller ? Pas en ville, je suppose ? Tu sais qu'il a défendu...

Pascale se leva avec peine, et, s'appuyant au mur, elle le suivit, puis, quand elle fut arrivée à la porte de la cour, entendant la Prayou qui la suivait en répétant : « Où vas-tu ? Je veux savoir où tu vas ? » elle étendit le doigt vers l'angle du terrain vague, à droite, là-bas.

– Ah ! c'est là que tu vas ? dit la Prayou rassurée... Tu n'as peut-être pas reçu assez de sottises, tu en veux d'autres ? Enfin fais donc à ton idée... Moi, je rentre. Il fait chaud à en mourir, dehors.

Elle ne rentra cependant que lorsqu'elle eut vu Pascale s'arrêter à l'extrême bord de la jachère. Pascale allait lentement, dans l'étouffante chaleur, parmi les pierres, la poussière, les plaques de gazon desséché. Elle avait une main appuyée sur ses cheveux blonds, à l'endroit où la tête avait heurté les marches. Elle se dirigea, en diagonale, vers l'angle où elle serait à l'ombre, loin de la maison. Car la pâture était en contre-bas, à l'ouest et au sud, et bordée de vieux murs en pierre, à demi ruinés, qui retenaient les terres des olivettes voisines. Pascale s'assit dans l'ombre courte et chaude de cet abri. Elle ne se demandait pas ce qu'il adviendrait d'elle. Elle n'avait aucune autre idée que celle de rester à l'écart, d'aller jusqu'au bout de sa chaîne. Tous les logements s'ouvrant en arrière sur le terrain vague avaient clos leurs portes et leurs fenêtres, à cause du soleil, et Pascale éprouvait une espèce de détente, à se voir seule, séparée par cinquante mètres au moins des personnes qui l'avaient toutes fait souffrir, lorsqu'une femme, venant de la ville, entra dans le terrain vague. Pascale la reconnut tout de suite. C'était la veuve Rioul, avec ses vêtements noirs, ses cheveux blancs tirés et lissés, son air digne et tranquille, et qui tricotait le même bas noir, tandis que sa pelote de laine gonflait la poche de sa robe, sur le côté ; la veuve Rioul qui avait vu Pascale, elle aussi, et qui se dirigeait vers l'angle de la jachère.

Elle s'arrêta, debout, tout près de Pascale, et comme elle tournée vers la rue de Montauri et vers Nîmes. On eût dit une voisine obligeante venant passer une heure avec une amie. Pascale, courbée et sa main serrant ses genoux, était décidée à se taire. Mais il fallut bien répondre.

– Écoutez, madame Pascale, j'ai à vous parler...

– Vous ne me parliez plus depuis longtemps, laissez-moi donc !

– Parce que vous me l'aviez défendu... Mais je vous ai toujours aimée. C'est moi qui ai tenu sœur Justine au courant de tout ; c'est moi qui l'ai appelée ; c'est moi qui lui avais enseigné, ce matin, le chemin de Montauri ; c'est moi qui l'ai tirée des mains des misérables qui la poursuivaient... Ah ! ils n'ont pas continué longtemps, quand ils ont vu que je prenais sa défense, et que je la reconduisais, à travers les rues, du côté de la gare... Je viens de sa part. Elle vous attend à Lyon.

La veuve Rioul se pencha alors, comme si les oliviers avaient été aux aguets pour l'écouter.

– J'ai promis que vous partiriez cette nuit. Pascale remua, sans la relever, sa tête blonde.

– J'ai essayé ce matin... Je suis perdue, voyez-vous...

– Je sais qu'il a des amis partout : mais j'en ai, moi aussi ; promettez-moi de faire ce que je vous dirai ; je vous sauverai, madame Pascale.

Doucement et se sentant écoutée, la vieille Rioul exposa son plan.

Elle connaissait dans la campagne prochaine, au delà du chemin de Saint-Césaire, sur la pente qui fait face au Puech du Teil, un petit propriétaire qui vivait là toute l'année. Elle l'avait prévenu. À la nuit, elle conduirait Pascale, à travers les vergers, pour éviter les rencontres, jusqu'à la ferme de M. Cosse, car il ne fallait pas songer à prendre un train à la gare de Nîmes : Prayou savait trop bien les heures et le chemin. Pascale serait cachée, gardée, protégée à la ferme mieux que partout ailleurs. On l'attendait. Et puis, au petit jour, sous la conduite de Cosse elle se rendrait à la station de Caveirac, en pays de haute pierraille et de garrigue, ou, s'il le fallait, à quelque station plus éloignée encore.

– À quelle heure passe le train ? demanda Pascale.

La veuve Rioul vit alors que la jeune femme acceptait de fuir, et elle dit avec joie :

– Je vous remercie d'avoir confiance en moi, je vous remercie de vouloir vivre... Oh ! que vos sœurs seront contentes ! Écoutez-moi jusqu'au bout. Je vous ai déjà trop parlé, car je suis sûre que quelqu'un nous épie, soit Prayou, soit un autre pour lui. Dès que la nuit sera faite, je serai au bout de l'olivette, près du chemin de Saint-Césaire, mais de ce côté-ci, dans le mazet, où il est facile de se cacher. Je vous mènerai par les brèches. Pour le moment, il faut que vous alliez prendre un peu de nourriture...

– Chez lui ! dit Pascale avec un sursaut.

– Chez sa mère, oui...

– Je n'irai pas.

– Vous irez parce que vous avez besoin de votre force. Je ne puis pas vous faire entrer chez moi ; on se douterait de quelque chose...

– Je n'irai pas. Je ne rentrerai pas...

La veuve Rioul se courba un peu, pour la seconde fois.

– Madame Pascale, si vous acceptiez de retourner et de manger leur pain, comme un sacrifice ?...

La vieille femme reprit le chemin de la maison, appliquée en apparence à son tricot. Et le mot qu'elle venait de dire était si grand, et il avait eu tant de force autrefois sur l'âme de Pascale, qu'il retrouva encore un reste de puissance.

Le soir remplaçait le jour. Il faisait chaud dans le creux de la jachère comme dans un four dont on a retiré la braise. Rien ne luisait plus, ni là, ni en avant, aussi loin que le regard pouvait s'étendre sur la ville. Le soleil était derrière Montauri, et il n'y avait plus dans sa gloire que les pins parasols plantés sur la colline, et qui tenaient des gerbes de rayons tout plein leurs griffes. Pascale se leva.

Quand elle entra dans la cuisine, la Prayou, stupéfaite, s'arrêta d'éplucher des oignons qu'elle coupait en rondelles.

– Que viens-tu faire ?

– Donnez-moi une serviette et de l'eau ; je veux me laver.

– Ici ?

– Oui.

– Mais... je veux bien.

– Et donnez-moi aussi du pain : je suis à jeun depuis ce matin.

– Allons ! te voilà redevenue raisonnable, je le vois !

Pascale ne répondit pas. Quand elle eut fait disparaître les traces de sang, de poussière et de larmes qui tachaient son visage, et relevé ses cheveux tout dénoués par la chute, elle vint près de la fenêtre qui donnait sur la rue de Montauri, et elle se tint debout, suivant le geste de la mère Prayou qui coupait une tranche de pain. Il lui faisait horreur, ce pain qu'elle avait demandé. Elle pensait : « J'ai promis, il le faut. » Et, sans doute, la mère de Jules Prayou eut un vague sentiment que cet acte de tous les jours avait, ce jour-là, une signification particulière. Elle tendit le pain, à bout de bras, et observa Pascale qui le prenait sans mot dire, et qui, au lieu de le porter à sa bouche, laissait sa main pendre le long de son corps. Enfin, Pascale, appuyée au chambranle de la fenêtre, se détourna vers la rue et les jardins, porta à ses lèvres la tranche de pain, et mordit.

La Prayou étonnée, et voulant s'assurer de cette espèce de soumission singulière et soudaine de Pascale, avait commencé un monologue où elle mêlait, aux assurances de sollicitude pour la santé de la jeune femme, un certain nombre de questions sur le travail qu'il y aurait à faire à la maison, le lendemain, le surlendemain, dans dix jours. Pascale n'écoutait pas. Elle mangeait sans faim. Elle pensait à tout à l'heure, quand il faudrait se fier à la nuit, à cette veuve Rioul qui pouvait la trahir, au hasard des chemins, à son pauvre corps las qui pouvait à peine se tenir debout en ce moment.

Tout à coup ses épaules s'effacèrent le long de la muraille, et l'expression de terreur reparut dans ses yeux. Quelqu'un, invisible encore, montait la rue. Pascale aurait pu se cacher dans l'angle de la pièce. Par un effort d'énergie et une inspiration qui l'étonnèrent elle-même, elle resta appuyée à la fenêtre, et même elle porta à ses lèvres le reste du pain, afin que Jules Prayou la vît ainsi.

Il la vit, et il eut le sourire silencieux d'un homme qui ne doutait pas d'avoir réussi, mais qui ne croyait pas que le succès fût si complet. Il ne dit rien à Pascale, mais, cherchant du regard et apercevant dans la petite pièce sa mère, qui continuait d'apprêter le souper :

– Ne compte pas sur moi ce soir, la mère, dit-il. Il y a demain une corrida à Arles, et je pars ce soir avec mes amis.

De son geste sûr d'orateur et d'acteur, il indiquait, dans le bas de Montauri, deux hommes que la Prayou ne pouvait voir. Pascale regardait fixement au-dessus de la petite maison d'en face. Et néanmoins elle sentit peser sur elle, une seconde fois, la haine de Jules Prayou.

– C'est bien, mon garçon, dit la mère. À demain soir, alors : j'aurai soin de la petite.

L'homme se détourna et redescendit la rue. Pascale le regarda alors, et elle remarqua qu'il avait son vêtement de tous les jours, ce même complet bleu, usé et taché, qu'il portait le matin.

Au fond de la cuisine, la veuve Prayou n'avait cessé d'observer Pascale. Voyant que celle-ci, sans changer de visage, sans un mouvement, regardait Prayou s'éloigner, elle pensa : « J'avais tort de m'inquiéter, elle a mangé de notre pain devant lui. »

Elle se trompait. L'humiliation avait été volontaire, et Pascale, à cause de cela, avait commencé de s'affranchir.

Que l'ombre venait lentement ! Était-ce bien l'ombre, cette poussière de rayons, cette cendre de la lumière du jour, qui flottait dans l'espace ? Les plus petits détails des maisons de Montauri étaient visibles, et rien n'avait d'éclat, mais tout était enveloppé dans la même lueur égale et qui venait de partout. Et que de témoins encore ! Il y avait du monde dans les jardins voisins. Tout le long de la rue, des voix s'élevaient, voix de femmes et d'enfants, pointues comme des ifs. Les hommes buvaient sous les tonnelles. Plus loin, du côté de l'abattoir, on entendait par moments, interrompue par les risées du vent, la flûte sautillante d'un garçon boucher, qui s'exerçait pour faire danser les filles dans les bals publics.

Vers neuf heures, Pascale se pencha encore par la fenêtre, et elle reconnut que les oliviers plantés sur la colline, au bout de l'impasse, malgré la transparence de la nuit, ressemblaient à de grosses fumées roulées sur elles-mêmes, et au travers desquelles on ne voyait plus, comme avant, le scintillement de la terre.

– Je vais dormir, dit-elle. Et elle se leva.

La Prayou, qui sommeillait dans le fond de la pièce, lui répondit :

– Va donc vite, tu aurais dû te retirer déjà.

Pascale, malgré elle, commença à marcher sans bruit. Elle traversa la cour, et se cacha un moment dans la pièce qui servait d'entrée au logement de Prayou, puis, n'entendant aucun bruit nouveau, elle ouvrit la porte qui donnait sur le terrain vague, et se trouva seule, épouvantée de ce qu'elle allait faire, dans la nuit nacrée qui enveloppait la colline de Montauri. Il n'y avait aucun moyen de franchir à l'abri cette large bande de jachère. Après un instant d'hésitation, Pascale remonta le long des murs des jardins, et, quand elle fut à l'endroit où commençait l'espèce de terrasse qui surplombait le terrain vague, elle grimpa par un escalier qu'avaient pratiqué dans les pierres les enfants et les maraudeurs, et se trouva sous les premiers oliviers du mazet qui barrait la colline. Elle se jeta derrière le tronc d'un arbre, et se retourna pour s'assurer qu'elle n'était pas suivie. La nuit était partout paisible ; la petite flûte du boucher avait cessé de chanter ; les étoiles s'étaient multipliées. Pascale suivit la ligne d'arbres en montant d'abord, puis elle tourna à gauche. L'olivette était comme une mer bleuâtre avec d'innombrables îles toutes rondes. Pascale allait d'une île à l'autre, aussi vite qu'elle le pouvait, se dirigeant vers l'angle du domaine, là-bas où la veuve Rioul avait promis de l'attendre. Elle arriva au pied d'un mur de clôture, et, n'osant appeler, deux ou trois fois elle le suivit et revint sur ses pas, effrayée par le bruit qu'elle faisait en écrasant les feuilles sèches. Enfin, elle put mettre le pied sur la fourche d'un arbuste mort, elle posa les mains sur le sommet du mur, et, regardant de l'autre côté, elle vit toute droite, et mince comme la statue d'un saint d'église, la veuve Rioul qui attendait dans le mazet voisin.

– Venez vite, dit celle-ci. À trente pas à droite, vous trouverez la brèche.

Quand Pascale eut pris la main de la veuve Rioul, elle se sentit plus confiante. Sans bruit, cherchant l'ombre des arbres dans cet immense damier d'une autre olivette qui descendait à présent, puis d'une autre encore qui remontait vers l'ouest, les deux femmes parvinrent au sommet d'une hauteur, seconde vague de la campagne rocheuse, et qui faisait suite à celle de Montauri. Il y avait là un carrefour. Le vieux chemin de Saint-Césaire, arrivé en haut de la croupe, se séparait en deux arceaux ployés fortement, entre lesquels s'enfonçait le coin d'un bosquet touffu et dont les murs, débordés par les feuillages, n'enfermaient plus, à l'angle, que deux cyprès noirs, qui pointaient, et, seuls au-dessus de la colline, divisaient les étoiles. Lieu tout étincelant de lumière comme un coin d'Orient, lieu désert, car les environs immédiats n'étaient habités que le dimanche.

La veuve Rioul, faisant un détour et gagnant une brèche qu'elle connaissait, avança la tête hors de l'olivette, écouta, et revint chercher Pascale.

– Il n'y a pas de danger, dit-elle, venez, vous êtes sauvée : la maison est tout à côté.

Elles passèrent, en effet, sans que rien eût bougé, tournèrent à l'angle du domaine aux deux cyprès, descendirent pendant quelques mètres, et prirent un petit chemin latéral de pente assez rapide, qui les mena devant une grille de fer dépeinte et rouillée. Une sonnette pendait à gauche, accrochée à une branche d'arbre.

– C'est là, murmura la veuve Rioul, mais il ne faut pas sonner, laissez-moi ouvrir.

Elle pesa sur le bas de la grille, poussa les deux battants, et fit passer Pascale. La jeune femme se trouvait dans un domaine planté d'abord d'oliviers, comme tous les autres, et qui, au delà de la ferme construite à cinquante pas plus bas, se développait en prairie jusqu'au pied d'une autre colline appelée le Puech du Teil.

Ce fut la veuve Rioul qui heurta à la porte de la maison. Personne ne répondit. Mais, dans le grand silence de la campagne, les deux femmes, serrées l'une contre l'autre, entendirent une voix aigre de femme, qui disait en patois :

– Ah ! tu as promis ! Il ne fallait pas promettre ! Tu aurais dû me prévenir ! Je ne veux pas d'une femme comme ça chez moi ; sans compter qu'il y a peut-être du danger à la recevoir !

– Tais-toi, la Louise, je ne laisserai pas dehors notre amie la Rioul, n'est-ce pas, ni l'autre non plus.

Un pas traînant s'approcha de la porte ; le verrou fut tiré, et un vieil homme, qui faisait effort pour se tenir droit, et dont le visage régulier, cuit et recuit par soixante-dix étés du Midi, était foncé de couleur, avec deux touffes blanches de sourcils pour tout poil, se recula pour faire entrer les deux femmes. Mais celles-ci demeurèrent sur le seuil.

– Entrez, madame Pascale, dit la Rioul, je vous laisse chez de braves gens...

– Vous me laissez ?

– Il le faut.

– Non ! je vous en supplie, restez avec moi, la nuit sera si longue ! Restez ! restez ! J'ai peur !

Pascale avait jeté ses bras autour du cou de la veuve Rioul, la seule créature qui l'eût aimée dans ce passé qui s'achevait.

– Restez ! Vous partirez demain, en même temps que nous...

Elle entendit la voix amie qui murmurait à son oreille :

– Je m'en vais à cause de vous... On serait trop surpris, si on ne me voyait pas ce soir dans Montauri... On devinerait. Entrez... Laissez-moi aller... Faites encore cela pour être sauvée...

Les deux femmes s'embrassèrent, et la plus jeune entra seule. La porte se referma, et le verrou fut poussé.

– Remettez-vous, madame Pascale, dit le vieux-en la précédant ; vous êtes blanche comme une apparition... Eh quoi ! Il n'y a plus de peur à avoir... Vous êtes chez des amis, n'est-ce pas, la Louise ?... Et demain matin, au petit jour, nous ferons la course ensemble, jusqu'à la gare de Caveirac.

Pascale s'avança jusqu'au milieu de la salle qui était vaste, et éclairée par une petite lampe à pétrole placée tout au fond, sur la tablette d'une cheminée. Quelques chaises à côté d'une table, et une vieille armoire à droite, étaient les seuls meubles de la pièce. À gauche, des vêtements de travail pendaient, accrochés à des clous, pêle-mêle avec des outils, des fouets et un harnais.

– Parbleu ! quand on n'est pas mariée, on est bien libre de s'en aller, reprenait le bonhomme... C'est ma manière de voir... Remettez-vous !... Vous prendrez bien un verre de carthagène, pas vrai ?

Pascale n'osait aller plus loin. Elle sentait le mépris, la colère de la vieille femme assise en face d'elle, près de la cheminée, mais hors du rond de lumière que l'abat-jour de la lampe traçait sur le carreau. La Louise, beaucoup plus jeune que son mari, avait des yeux si noirs dans l'ombre, et si durs, et qui chassaient l'étrangère ! Mais elle n'avait rien dit. Le vieux Cosse, embarrassé, monologuait entre les deux femmes, avançait une chaise, ouvrait l'armoire et y fouillait. Il y eut un cliquetis de verres. Cosse revint vers la table, près du mur.

– De braves gens, je le répète, et qui ne vous laisseront pas dans la peine, madame Pascale !... Bondiou, il faut se faire une raison ! Dis donc, la Louise, où as-tu caché...

Il s'arrêta court, et tressauta.

Quelqu'un avait levé le loquet et poussé la porte violemment. Le verrou avait tenu bon.

En une seconde, les deux Cosse s'étaient trouvés l'un près de l'autre, debout, à l'extrémité de la salle. Pascale s'était penchée en avant, aux aguets. Il y eut un tel silence, qu'on entendit les cigales de la nuit.

– C'est lui, dit Pascale en se détournant ; ah ! mes pauvres gens, tout est fini !

La porte fut secouée de nouveau, et la voix de Prayou cria :

– Ouvrez, vieux Cosse, ou je la défonce ! Pascale est chez vous !

– N'y va pas ! souffla la fermière ; n'y va pas, Cosse ! Tu ne vas pas te faire tuer pour elle !... C'est elle qu'il demande ; c'est pas toi ! Mais allez donc, vous ! allez donc !

Pascale s'était faite toute petite, et, tremblante, elle avait les yeux, et toute l'âme, contre cette porte, où sa destinée frappait.

– On y va ! cria le vieux.

Il se dégagea de l'étreinte de sa femme, et se dirigea, en boitant, du côté où ses instruments de travail étaient pendus. Pascale le suivait des yeux. Un combat se livrait dans le profond d'elle-même, entre l'instinct de la vie, la jeunesse, et d'anciennes forces affaiblies. Le vieux la dépassa. Il saisit, contre le mur, le manche d'une bêche dont il voulait se faire une arme. Mais il n'avait pas dégagé le fer de l'amas de vêtements pendus au même clou, que Pascale se précipitait vers lui.

– Laissez, dit-elle ; c'est à moi d'aller ; il vous ferait du mal !

– Et à vous ?

– À moi, il ne peut plus en faire !

– Ouvrirez-vous ? cria la voix.

Le vieux Cosse voulut de nouveau s'avancer. Pascale lui barra le chemin, et dressée devant lui, toute blanche, elle dit :

– C'est Dieu qui veut que j'aille à votre place ! Je l'ai offensé ! Il me pardonnera !

Déjà elle avait couru à la porte, et en courant, elle avait jeté sur sa tête, sans savoir pourquoi, comme si elle pouvait avoir peur du froid de la nuit, le châle qu'elle avait apporté sur son bras. La porte s'ouvrit. Les vieux, blottis dans l'ombre, virent un carré de lueur bleue, qui était la terre de leur olivette ; ils virent un homme qui se précipitait en avant. « Ah ! te voilà, coquine ! » ils virent qu'il saisissait Pascale demeurée sur le seuil, et qu'il l'entraînait dehors ; puis ils ne virent plus que le carré de nuit bleue, et l'olivette en pente. On entendait courir Prayou et Pascale qui remontaient le chemin.

L'homme avait saisi Pascale par la taille, et l'entraînait. Elle luttait ; elle glissait ; il la portait par moments. Et ils allèrent ainsi jusqu'à la grille. Là, il lâcha Pascale.

– Explique-toi à présent, la Sœur ! Et gare à ta peau !

Elle se jeta à gauche, le long du petit mur, et se mit à courir.

– Ah ! coquine, tu veux encore échapper !

Elle essayait. Elle n'avait que la force de l'épouvante. Elle courait, sur l'extrême bord de l'étroit couloir qui menait de la ferme au chemin de Saint-Césaire, dans la pierraille qui s'écroulait, dans les touffes d'herbes et de ronces qui accrochaient sa robe. Elle n'avait qu'une espérance : atteindre le carrefour, l'endroit où il y avait, à cent mètres plus loin, de l'espace, une pente, des passants peut-être. Elle avait compris, d'instinct, que l'homme la frapperait moins aisément, si elle se tenait à sa gauche. Et elle regardait uniquement les mains de Prayou. Lui, il trottait sans se presser, au milieu du sentier ; il n'avait pas de peine à se maintenir à la hauteur de la pauvre fille qui fuyait, éperdue. Deux fois il la dépassa, les poings levés comme s'il allait se jeter sur elle. Mais elle aurait crié ; elle n'était pas à bout de souffle. Elle courait.

– Veux-tu revenir avec moi ?

– Jamais ! Jamais !

– Veux-tu revenir, ou je te crève ?

Cette fois, il n'attendit pas la réponse. Il fouilla dans ses poches. Pascale vit le geste. Elle se sentit perdue. Elle n'avait plus la force de crier. Le sentier finissait. Le chemin de Saint-Césaire le coupait à angle droit. Dans un dernier effort, Pascale tourna, près du bosquet aux deux cyprès, et arriva au carrefour de la crête. Hélas ! elle vit que la route était toute déserte. En même temps elle entendit, derrière elle, Prayou qui galopait. Il l'avait laissée passer ; il la rejoignait ; il arrivait par la gauche. Avant qu'il l'eût atteinte, elle poussa un gémissement faible. Elle leva les mains au-dessus de Nîmes lointaine :

– *Miserere mei Deus...*

Et, entre ses deux épaules, la lame du couteau s'abattit et traversa la poitrine.

Emporté par l'élan et par la violence du coup, le corps roula jusqu'au mur de l'olivette, à l'endroit où le chemin s'incline vers la ville, à dix mètres du bosquet en éperon qui sépare les routes.

Prayou bondit, arracha le couteau, laissa retomber la tête dont les yeux viraient encore dans l'orbite, puis, s'échappant par le chemin qui suit le sommet de la colline, il franchit une clôture, dévala les pentes en terrasses, et disparut dans les campagnes désolées qui commencent au delà.

Pascale était déjà morte. Elle était couchée sur le dos. Le sang de sa blessure coulait par-dessous son corps, à gros bouillons, et suivait les rigoles creusées par les orages dans la terre assoiffée. En peu d'instants, le visage était devenu aussi pâle que celui d'une statue de marbre blanc. Vous n'aviez plus vos lèvres lisses, pauvre fille ; vos yeux n'avaient plus de regard entre leurs paupières détendues, mais ils étaient encore à moitié ouverts et levés vers les étoiles. Le châle de laine, ramené sur un côté du front et sur une des joues, faisait un commencement de voile. Les deux cyprès, en arrière, veillaient comme deux cierges de cire brune.

Au petit jour, une voiture de laitier, venant de la campagne, se haussa sur la crête du chemin. Le cheval, flairant le cadavre, tourna bout pour bout. L'homme, un jeune gars, sauta sur la route pour le ramener par la bride et le faire passer. C'est alors qu'il aperçut le corps de Pascale.

Il y eut deux cris en même temps ; la sœur du laitier, sautant à terre, elle aussi, courut avec son frère vers le mur de l'olivette, et, soulevant à eux deux, rien qu'un peu, les épaules de la victime, ils virent le rouge du sang frais.

– Ah ! ne le déplace pas, à cause de la justice ! dit le jeune homme. Il ne faut pas toucher aux morts avant la justice... Je vais prévenir les autorités. Toi, Marie, tu veilleras sur elle...

Il était quatre heures du matin. La jeune fille s'assit près de la tête de la morte, un peu au-dessus, en haut de la butte. Elle avait peur. Il faisait froid. Elle se levait, parfois, croyant entendre des pas derrière les murs. Puis, elle se rassurait, et elle regardait, avec une compassion tendre, le visage si jeune, si blanc, si calme de celle qui avait le même âge qu'elle, et dont elle ne savait que le malheur. Et de regarder ce visage, et ces cheveux d'une nuance rare, il lui venait une pitié grandissante, et une espèce d'amitié que, même après la mort, Pascale avait le don d'émouvoir dans les cœurs.

La jeune fille finit par tirer son chapelet. « Même si elle n'était pas de ma religion, pensa-t-elle ; même si elle était une fille de rien, qui court le monde, qu'est-ce que cela fait ? » La première nappe de lumière coula sur la colline de Montauri et sur celles qui la suivent, et le jour toucha les mains, et le menton, et les joues de Pascale ; mais les cils dorés ne bougèrent pas, et les yeux continuèrent de chercher, de voir peut-être les étoiles effacées.

À la même heure, le procureur de la République, prévenu par le commissariat central de la mairie de Nîmes où le laitier s'était rendu, courait à la station des fiacres du boulevard Amiral Courbet, et donnait l'ordre qu'on le conduisît en hâte « sur le lieu du crime ». Des agents de police, le commissaire central, un médecin montaient déjà le chemin de Saint-Césaire. Ce fut dans cette voiture que le corps de Pascale, après les premières constatations, fut rapporté à Nîmes. On le conduisit à l'hôpital du chemin de Montpellier, là où Pascale, quelques années plus tôt, entrant dans la ville pour la première fois, avait dit : « Je ne peux voir une blessure, ou seulement y penser. » Les deux grilles furent ouvertes. Le fiacre s'arrêta dans la cour, et deux garçons de salle emportèrent le cadavre à gauche, au delà du bâtiment principal, dans un amphithéâtre bas, ancien, éclairé par un vitrage à demi démoli, et qui servait de salle de dissection.

Le bruit de l'assassinat soulevait déjà toute la ville. Les magistrats instruisaient l'affaire, et lançaient des mandats contre le fugitif. Les renseignements abondaient. Pour en avoir, de nombreux habitants du quartier de l'ouest s'efforçaient d'en donner aux journalistes, aux agents, aux cafetiers, au portier de l'hôpital : « Je l'ai connue. Nous étions du voisinage... »

À la fin de l'après-midi, tout le quartier de Montauri avait défilé devant le corps, transporté de l'amphithéâtre dans une salle toute voisine ; plusieurs avaient pleuré ; beaucoup s'étaient agenouillés ; tous, cette fois, avaient senti la pitié qui unit une seconde les vivants avec le passé des morts ; quelques-uns, secrètement, avaient regretté des paroles, des gestes, des injures adressées à celle qui avait souffert, et qui ne souffrirait plus, et qui ne pourrait plus pardonner. Deux femmes, l'une soutenant l'autre, entrèrent dans cette morgue. C'étaient la veuve Rioul et sœur Justine. Celle-ci, prévenue par télégramme, arrivait de Lyon. De la gare où elle venait de débarquer, jusqu'à l'hôpital, elle n'avait pu qu'écouter la Rioul qui lui racontait l'affreuse chose ; elle n'avait répondu que par des plaintes : « Mon enfant qui est morte ! ma petite ! ma Pascale ! » Elle était toute perdue dans sa peine, ne voyant plus, se laissant mener, n'entendant ni les bou-tiquiers voisins de l'Hôtel-Dieu, ni le portier, qui disaient : « C'est la mère, vous voyez ! » Elle tendait les bras avant d'entrer, comme elle avait fait la veille, hélas ! Mais, quand elle eut ouvert la porte de cette chambre, et qu'elle eut vu, elle s'arrêta, elle se détourna, elle appuya sa tête contre la poitrine de la femme qui la suivait. En face d'elles, le corps de Pascale était étendu sur une des trois tables de bois inclinées, disposées le long des murs. Un drap le couvrait jusqu'au-dessus de la poitrine, laissant à découvert le cou qu'elle avait si fin et le visage, à présent livide, et dénivelé dé-jà, comme le sable d'où s'est retirée la mer. Les cheveux étaient répandus en désordre. Et il n'y avait, autour de la morte, aucun cierge, aucun brin de buis bénit, aucune fleur, rien qui pût dire : « Nous l'avons aimée. » Cependant, au fond de la salle, l'espérance commune, le Christ était pendu aux bras d'une croix. Au-dessus de la table où reposait le corps de Pascale, une planche de bois noir, fixée au mur bien anciennement, portait cette inscription en lettres jaunes, à l'adresse des vivants qui entraient : « Nous avons été ce que vous êtes, vous serez un jour ce que nous sommes. » Tout cela, pénétrant à la fois dans l'âme maternelle de sœur Jus-tine, l'avait si violemment remuée, que, pendant une minute, la pauvre femme n'eut pas le courage de rouvrir les yeux. Mais elle se ressaisit vite ; elle s'avança vers le lit de son enfant ; elle se pencha, et, sur le front glacé, elle mit le baiser de paix. Puis elle s'agenouilla ; la veuve Rioul en fit autant, près des pieds de la morte. On n'entendit plus que le pas du garçon de salle, qui se promenait dans la courette voisine, et qui attendait, parce que « l'heure de fermer » était venue.

Quand sœur Justine se releva, elle fouilla dans la poche de sa robe, et en retira son grand rosaire de religieuse, puis, prenant les deux bras de la morte, les ramenant sur le drap, elle commen-ça de joindre, avec la chaîne bénite du *Pater* et de *l'Ave,* les deux mains de Pascale.

– Que faites-vous là ? dit la Rioul. Votre rosaire ! Ô ma sœur, c'est tout de même trop !...

– Puisqu'elle n'a plus le sien ! répondit l'Alsacienne.

Elle continua d'enrouler les dizaines autour des doigts qui obéissaient, et qui semblaient se plier d'eux-mêmes au geste des jours purs.

Quand elle eut fini, elle resta encore debout, longtemps, ne pouvant séparer ses yeux du visage qu'elle ne verrait plus. Et elle disait à la Rioul :

– Vous êtes comme le monde, la Rioul, vous êtes dure. Moi, je vous dis que la moitié de son péché est à ceux qui l'ont chassée de mes bras ; je vous dis qu'elle a expié sa part en acceptant la mort ; je vous dis que mon enfant était déjà revenue à Dieu, depuis qu'elle avait réentendu le nom de ma sœur Edwige.

Sœur Justine demeura deux autres jours à Nîmes, avant d'obtenir ce qu'elle voulait, renvoyée d'une administration à l'autre, sollicitant le procureur, le maire, le préfet, tous ceux qui donnent des permissions pour les morts. Elle fut tenace ; elle fut passionnée parce qu'elle aimait ; quelques bourgeois s'intéressèrent à elle, et l'aidèrent. Elle gagna sa cause : elle eut le droit de porter son enfant au cimetière des vieux canuts de Saint-Irénée et des Mouvand de la Croix-Rousse.

Le quatrième jour au soir, la grille du cimetière de Loyasse s'ouvrit, une fois de plus, devant le corbillard des pauvres. Il descendit jusqu'au delà du monument où aboutit l'avenue de sycomores, jusqu'auprès de ce fortin déclassé que les tombes pressent de toutes parts, et d'où l'on voit, au flanc de tant de collines qui s'éloignent, tant de villages qui diminuent. Il faisait encore tout clair. Quatre femmes seulement formaient le cortège de Pascale. Elles avaient revêtu, pour un jour, la robe, la guimpe et le voile de leurs vœux ; elles étaient venues en hâte, de quatre coins de la France, et toutes, rappelées par des devoirs différents, elles allaient repartir. C'étaient sœur Justine, sœur Danielle, sœur Edwige et sœur Léonide. Leur voyage, l'achat des six pieds de terre remuée autour desquels elles pleuraient, les frais des obsèques, le prix de la croix de pierre nouvellement taillée et appuyée contre une balustrade voisine, avaient épuisé le petit trésor légué par le fabricant lyonnais. Dans un instant, elles retrouveraient, avec l'éloignement, la pauvreté absolue qui maintient les séparations. Elles le savaient. Aucune d'elles, cependant, ne songeait à elle-même. Tout le souvenir de ces créatures d'élite était commandé par l'amour. Elles priaient pour la compagne dont le visage, et le regard, et les mots, et la faiblesse toujours appelant au secours, n'avaient jamais cessé de leur être présents ; elles priaient pour les petites de l'école, dispersées à présent et sûrement moins aimées, pour le quartier, les pauvres, les timides qu'elles fortifiaient jadis, les révoltés qu'elles calmaient, toute la souffrance des autres qu'elles souffraient de ne plus connaître et de ne plus consoler ; puis, ramenées vers des dates et des heures, elles priaient pour ceux qui, le voulant ou non, méchants ou faibles seulement et ignorants de la vie divine et fraternelle, avaient été la cause de tant de maux.

Le prêtre avait fini de réciter les prières, et s'était retiré ; les fossoyeurs avaient descendu le cercueil dans la fosse, et les pelletées de terre, lourdement, tombaient sur celle qui fut Pascale. Les sœurs ne s'en allaient pas. Elles se retrouvaient en communauté ; elles attendaient le signal ; elles achevaient de sauver une âme. Le jour commençait à baisser. Sur un mot de la plus vieille, elles saluèrent enfin la tombe, et quittèrent Loyasse. On les vit, étroitement groupées, suivre le chemin qui conduit à Saint-Irénée, causant à demi-voix, très vite pour dire plus de choses, et reprises un instant par la joie d'être ensemble. Elles s'arrêtèrent sur les pentes, pour regarder, une fois, la ville immense devant elles. Et ce fut fini. Arrivées près du quai, au coin d'une ruelle déserté, elles s'embrassèrent, et, sans plus pleurer, parce qu'il ne s'agissait plus que d'elles-mêmes, par deux routes différentes, puis par trois, puis par quatre, elles s'éloignèrent, obscures dans la foule, offrant encore pour la morte la douleur de cette séparation définitive.

FIN

Milton Keynes UK
Ingram Content Group UK Ltd.
UKHW031817210923
429112UK00009B/392

9 791041 835072

BIG BLUE SURF GUIDE
SPAIN

WATERSPORTS BOOKS

BIG BLUE SURF GUIDE
SPAIN
Stuart Butler

Written by   Stuart Butler
Published by   Watersports Books Limited
Editor   Phil Williams-Ellis
Editorial Assistants Chris Williams-Ellis
                      Spike Knapper
Design   Casebourne Rose Design Associates
Proof Reading   Chris Harris
Indexing   Alan Thatcher
Maps   Watersports Books Ltd

Photographic contributors
Willy Uribe, F Muñoz, Juan Fernández, Edu Bartolomé,
Mike Rose, Stuart Butler

Big Blue Surf Guides: Spain
First Editon Nov 2003
Written and compiled by Stuart Butler
Published by:
Watersports Books
1 St Mary's Gate Mews, London Road
Arundel, West Sussex BN18 9LB

Front Cover Photograph
Willy Uribe
ISBN 0-9544113-0-7
Printed in Wales by H.S.W Print
Send all correspondence to:
Watersports Books
1 St Mary's Gate Mews, London Road
Arundel, West Sussex BN18 9LB

Tel: +44(0)1903 885961
Fax: +44(0)1903 884314
Email: sales@watersportsbooks.com
Website: www.watersportsbooks.com

Although the author and Watersports Books try to make
the information as accurate as possible, we accept no
responsibility for loss, injury or inconvenience sustained by
anyone using this book.

Great sandbars can turn to rubbish overnight, hotels and
restaurants alter prices and services just as quickly. Use the
information contained in this book as a way of pointing
you in the right direction.

Help us to make the next edition of this book even better
by sending us your views, comments and suggestions.

CONTENTS

THANKS

It clearly takes more than just one person to write a guidebook like this and we'd like to thank the following people for their help and encouragement with this book. A huge amount of gratitude has to go to the staff of the many different tourist offices that went out of their way to help provide the most accurate information possible as well as in-sights that would otherwise have been beyond us. In particular we'd like to thank the girls in the Bilbao, San Sebastián, Santander, Avilés, Zarautz, Viviero and Gijón tourist offices, Marína and Gina from La Coruña turismo and the staff of the Cádiz, Santillana del Mar, Conil de la Frontera and the various Madrid tourist offices. Thanks also to the girl

in the hardware shop in Porto do Son (Galicia) for the spot on eating advice, the receptionist of the Hotel La Estación de Luanco in Luanco, Asturias, for helpful advice, the manageress of the Hostal Panchito in Malpica, Galicia, for her help with the Costa da Morte during a very sad period along that otherwise stunning coastline. A huge debt of gratitude goes to Andy at Winter Waves down in sunny Andalucía, Wes at Pure Vacations for advice on Catalunya and Marta Herias

Gomez for her in-depth knowledge of the Madrid nightlife scene. Tony Butt for writing the foreword and, along side Willy Uribe and Fernando Muñoz of Surfer Rule magazine, for providing a Meñakoz sized slice of enthusiasm and information on their respective corners of a beautiful land. Willy, Fernando and also Juan Fernández Uribe supplied the bulk of the stunning photos. Cheers to Jon Bowen of Localsurfer.co.uk for achieving website miracles and to Maarten for his unrivalled chat up line expertise (though we're yet to see him achieving anything from it) and Fernando Garcia, Nadége Cavalerie and Alexandre Gutierrez for translating them. As always thanks to C-Skins Wetsuits and Saltrock Surfwear for their continued support. And for the many people who we've almost certainly forgotten, sorry and eternal gratitude. A heartfelt thanks to the car for defying all the odds and actually making it there and back – we even overtook a few others on the way. And of course, thanks to family and friends for their help and support during the writing and research of this book. And finally muchos gracias to the Prestige and Aznar.

The author **Stuart Butler** is an English surfer and journalist. He has competed in surf contests and contributed to The World Stormrider Guide. He devotes a great deal of his time in exploring little known coastlines across the world searching for new surf spots, from the deserts of Pakistan to the jungles of Columbia. In addition to writing he produces surf travel films for television and video.

FOREWORD

One would think that the early nineties would be a relatively late stage to discover new surf in Europe. When I set off from Cornwall to Galicia in November 1992 with hardcore traveller Andy Annear and big-wave sponger Lewi Skinner, all we were expecting to do was satisfy our own curiosity. Nobody we had spoken to in the UK seemed to know about any surf further afield than Rodiles but we were sure there would be a thriving surf community west of there. It was just that we had not heard about it. We would start in Baiona, just north of the Portuguese border, and work our way around the coast. We had the whole winter.

Needless to say, with three people in a small van for several months, rain every day and nothing to do between surfs, and a van plagued with mechanical problems, it was a fairly hardcore trip. In the end, the trip only worked through strict military-like discipline and co-operation between team members.

After spending the first two months scouring the coast of Galicia with a fine-toothed comb for waves, all we found were huge closeouts on sandbars half a kilometre offshore. We endured day after day of rain, endless coffees in smoke-filled bars and conversations with crazed Galician fishermen, all of whom warned us not to go in the water along this treacherous part of coast, aptly named Costa da Morte.

One morning, we decided that Galicia was not a good place for surfing in the winter. The harsh granite topography is somewhat self-defeating as far as good surfing waves are concerned. It picks up a huge amount of swell and the waves get really big. But for that same reason, all the flat reef-making material, like limestone, was washed away millions of years ago. Almost every day throughout that winter there were waves of six, eight, ten and twelve foot, but not one good reef for them to break on. Of course, in Galicia there are many sheltered beaches facing out of the main swell and wind directions. On that trip, we somehow failed to find them among the maze of tiny side-roads and complete lack of signposts. We decided this part of the coast should be surfed in the summer, not in the winter, so we headed away east towards our eventual end-point, Mundaka.

FOLLOWING PAGES: DR. TONY BUTT. PHOTO BY WILLY URIBE.

Just before hitting Asturias we came across a rather flat section of northeast-facing coastline. The first wave we were confronted with here was a twelve-foot peak, heaving up and sucking dry on the reef, barely a stone's-throw from the road. We thought the locals would probably have special boards to surf waves like this. This was a bit beyond our capabilities, so we kept driving around the corner, where we found a much more manageable left-hander. After carefully parking the van some distance away and securing it with a multitude of padlocks, we went out. The whole time we were wondering when the locals would turn up, whether they would be friendly and civilised or whether they would be hostile and aggressive. They never came.

Bewildered, we drove into town and had lunch. On the way back we passed several spots with good potential. One in particular caught our eye – a short, right-hand peak with a bowling inside section, mechanically perfect, steep, powerful and shallow, but predictable. We ended up surfing this wave for two weeks until it went flat. The locals never turned up.

We later learned that this reef was called El Berberecho (the Cockle) because people often go out there to collect cockles. After that trip we went back whenever we could. For the next five years we had some classic sessions, all to ourselves. We wondered why it remained empty all that time. Perhaps it was because conditions change extremely quickly there – highly incongruent with the slow pace of life in this part of the world. Maybe it was because nobody thought it was any good, because there was never anybody out there, a kind of self-fulfilling prophecy. Whatever the reason, we had our own private surf spot for five years. Apparently, now, things have changed at El Berberecho. It now goes by the rather ugly name of La Machacona (the Crusher), it often gets crowded with up-and-coming locals and it appears regularly in the Spanish surfing magazines.

Moving on to Asturias, we tried applying the same strategy as we had done to Galicia. Park at every potential surf spot on the map for at least a few days and see what happens. Many places had great potential but we just didn't seem to quite get the right conditions. Often we would drive away from a spot wondering whether, if conditions had been different, that spot might have turned up some excellent waves. Asturias remained almost a complete mystery to us on that trip. We could see areas of coastline with excellent potential, and the coastal geology is good for reefs, but the proximity of the Picos de Europa makes it extremely inaccessible. Even now, Asturias remains an enigma to travellers and locals alike.

After hurrying through Cantabria our last port of call was Euskadi, the Basque country. Our mission here was not only to surf the world-renowned Mundaka, but also to get to know some of the less crowded, 'big-wave' spots we had heard so much about. We spoke to some of the locals, Jaime and Asis Fernández, and Peio Etxeberria. I told them I had already surfed Mundaka the year before, on Christmas Day, 1991. It had been perfect and (to me) very big. Apparently, that day they had paddled out at a right-hander not far from Mundaka. Here, they said, the waves were normally about twice the size of the ones at Mundaka and on certain days you could surf it at twenty foot. They had been surfing this place for ten years, but it was as if they had discovered it yesterday. They talked about it with a great humility and an almost desperate need for clues as to how to surf it. Every day was different out there, they said, a surf spot with a thousand moods. He who thinks he knows it well is a fool.

I became obsessed with that right-hander. Even now, eleven years later, I am still a long way from mastering the giant rights of Meñakoz. For me, every session out there is an adventure in itself.

Nowadays I don't travel along the north coast of Spain quite as much as I used to. They tell me I should – in Asturias a new big-wave left has just been found, and in Galicia there are reefs that hold good twelve-foot waves in the winter. I'm certain that, in years to come, people will still be finding new surf along this coast.

Tony Butt

DR TONY BUTT COMPLETED A PhD IN PHYSICAL OCEANOGRAPHY AT THE CENTRE FOR MARINE STUDIES, UNIVERSITY OF PLYMOUTH, ENGLAND. TONY IS THE CO-AUTHOR OF THE BOOK SURF SCIENCE AN INTRODUCTION TO WAVES FOR SURFING AND A REGULAR CONTRIBUTOR TO THE SURFERS PATH. HE NOW LIVES IN NORTHERN SPAIN, WHERE HE CONTINUES HIS RESEARCH ON EVERY BIG DAY AT MEÑAKOZ.

INTRODUCTION

An introduction to a country is a difficult thing to write; how can you sum up a whole country in one paragraph? Even harder than this is when you have to sum up several countries in one paragraph, and this is basically what you have to do when writing an introduction to Spain. This is such a complicated country with so many contrasting faces and characters that even the government in Madrid has had to admit that there is more than one Spain, and grant semi-autonomy to several regions, including Euskadi, Catalunya and Galicia. A surf trip through Spain can take you through shimmering modern cities as well as the unflustered corners of an older Europe. It can see you riding waves at the foot of snow-capped mountain peaks or in the semi-desert lands of the far south. You can camp out all alone on the wild beaches of the coast of death or party the night away in glamorous and fun-loving San Sebastían. Wherever you choose to go you're going to find that Spain is a land of great intensity where there's little that is soft and bland; sure the country has more than its share of problems, massive unemployment and sometimes-violent independence movements being two of the more pressing difficulties. On the whole, though, you'll find that Spain feels like a country on the move and that its people are a passionate and animated bunch who, it can sometimes seem to the passing foreigner, live life only to have a good time. After all, where else can you run in front of stampeding bulls just for a laugh? Or turn a town centre into a battleground during the world's biggest food fight? For a people with a character like this it's hardly surprising that they've taken to surfing and its easy-going, fun-loving lifestyle so enthusiastically, and the range of waves they have to ride is as varied as the country itself. In the summertime you can find hundreds of consistent beach breaks, some rarely ridden, others on packed-out city-centre beaches, but in all truth Spanish surfing doesn't really start until the tourist crowds head home at the end of the summer and the first winter swells light up some of the finest reefs and points in all of Europe. This is when the locals put on their serious heads, drag out their big boards and charge some of the heaviest big-wave spots going, as well as any number of secret and hollow reefs and beaches. The chances are that whatever it is you're looking for in a surf trip Europe's most exotic and romantic country will fulfil that need. And then, of course, there's Mundaka.

OPPOSITE: CADIZ AT SUNSET. PHOTO BY F. MUÑOZ

GENERAL INFORMATION
HISTORY

The history of Spain is a vast subject encompassing countless events over thousands of years. For most of this history there was no Spain or any of its neighbours, just the Iberian Peninsula, and so the history of Spain and its neighbours, especially Portugal, is very much interlinked.

In 1976 part of the skull of an ancestor of Homo sapiens was discovered in Andalucía; it is thought to be around a million years old and that its owner formed a meal for one of the giant hyenas that lived in the area then. However, the most impressive reminders of the very first Homo sapiens are the cave paintings dating to 12000 BC at Altamira close to Santander. The Stone Age artists that created them were a part of the Magdalenian culture living between 20000 BC and the end of the last Ice Age in about 8000 BC in northern Spain and southern France. It is these people that some claim are the direct ancestors of the Basques who today inhabit parts of

southwestern France and northern Spain. In about 6000 BC Neolithic peoples from the Middle East arrived, bringing with them revolutionary new developments in farming and pottery and the first permanent villages. It was from this period that many of the megalithic tombs found across Iberia stem. Four thousand years after the arrival of these Neolithic peoples came the use of bronze and the establishment of the first Bronze Age communities in about 2000 BC.

The next waves of invaders were the Celts, who first appeared on the peninsula in around 1000 BC, alongside various other tribes from Europe's northern and central regions. Although the Celts' heartland was northern Spain there was much interbreeding with the older Iberian inhabitants who were predominant further south; this was especially the case on the central plateaux and it was these people who became the Celt Iberians. At about the same time that this was happening Phoenician

THE ROMAN RUINS AT ANTARIFA. PHOTO BY STUART BUTLER

traders arrived in the south of Spain from the Levant area of the Middle East. They established a number of trading bases, including Cádiz, which makes this steamy southern port the oldest city in Iberia, if not Europe. The Phoenicians brought with them ivory and jewels among other things to trade for metals from the Guadalquivir valley. A Spanish equivalent of the myth of Atlantis concerns the lost kingdom of Tartessus, mentioned in the Bible and thought to have been established by the Phoenicians somewhere near the city of Huelva (another Phoenician city). Hot on the heels of the Phoenicians came the Greeks who set up rival trading bases in today's Catalunya. Empúries, near Barcelona, is the most impressive reminder of their legacy. In addition to bringing products for trade the Phoenicians and Greeks introduced domestic animals, the vine and the olive tree to the peninsula.

From about 6000 BC two other Mediterranean cultures were rapidly expanding their power: Carthage, the North African city-state originally established by the Phoenicians, and Rome. The Carthaginians were the first to establish themselves in Iberia and they quickly pushed out the Greeks and Phoenicians. Eventually conflict was inevitable between the Carthaginians and their Roman rivals. The first Punic War (264–241 BC) resulted in defeat for Carthage and the loss of the island vital to any Mediterranean power: Sicily, part of modern-day Italy. To try to redeem themselves for this defeat Carthage launched a second Punic War shortly afterwards (218–201 BC), with Hannibal marching his elephants and army across Spain and France and over the Alps into Italy. The war swept across Italy and other countries and included a Roman invasion of Iberia. Eventually Carthage's time was up and Hannibal was defeated. A new era had begun not just for Iberia, but for half the known world.

The Roman period in Spain lasted for 600 years, but the fierce resistance met by the armies of Caesar meant that it took 200 years to subdue Iberia, and even then the Romans failed, like all others before, to bring the Basques, hidden away in their mountain valleys, to heel. Despite these problems Hispania, as Iberia became known, was the most important centre of the Roman Empire after Italy, and over the years produced three emperors. Even so, Roman power and influence was always unevenly spread, at its strongest in Andalucía, southern Portugal and on the Mediterranean coast, whilst the far north and west were subjected to far less Roman influence. The Romans brought huge changes and advances to Iberia, including a road and legal system, the basis of a united language, many theatres, bridges, aqueducts, amphitheatres and temples. It is also through Roman legionnaires that Christianity first reached the peninsula in the third century. Also arriving at this time were the Jews who were to play such an important role in Spanish life until their eviction during the Inquisition over a thousand years later. The golden age for Hispania came to an end under the increasing corruption and decadence of its rulers, and more significantly, from the waves of Germanic invaders who swept across the Pyrenees from the end of the third century. Of these various invaders it was the Visigoth, with their capital in Toledo (a short way south of the modern-day capital, Madrid), who were to come the closest to controlling the whole peninsula. However, their relatively small numbers and in many respects, less advanced ways than their subjects meant that their rule was never very popular and never destined to last.

By AD 700 Visigoth Iberia was in a mess, leaving Spain wide open to the Muslim armies building up in North Africa. This event was to set Iberia off on a different path to the rest of western Europe. The Moors (a term used to describe Arab and Berber settlers from North Africa) launched their invasion in 711. The spread of the Muslims across Spain was, as everywhere they were to conquer, accomplished with lightning-speed, and within just a decade all of Iberia except a tiny area of Asturias had fallen to the Moors. Their new acquisition was called Al-Andalus and their control was to last, depending on the region, between three and seven hundred years and was at its strongest in the south. The Córdoba Caliphate, the new Moorish overlords, were in many ways the best rulers the Spaniards had had for a long time, allowing a certain amount of autonomy to many regions, and were generally tolerant of the beliefs of others, allowing Christians and Jews to continue to live and worship in peace. In addition, whilst much of Europe stagnated Al-Andalus blossomed, with huge advances in the sciences, agriculture and arts that made its capital, Córdoba, the largest, richest and most civilised city in Europe. The remains of the palaces and mosques constructed during this era are still standing in Sevilla, Córdoba and Granada today and are among the most magnificent buildings in the world. Although Muslim rule was fairly kind to its Christian subjects the rulers could be brutal in their attempts to destroy the small Christian kingdom of Asturias in the mountains of the far north. In the tenth century the Córdoban general, Al-Mansour, launched 50 raids on the Christians in just twenty years and in 977 he even destroyed Spanish Christianity's holy of holies, the cathedral of Santiago de Compostela. However, after his death, and his son's, in 1008, the Caliphate disintegrated into internal bickering and a power struggle that led eventually to civil war. By 1031 the Caliphate had broken down into a series of small kingdoms with Sevilla and Granada among the most powerful. These divisions left Moorish Spain vulnerable to the Christians and it was maybe only with the arrival of the Almoravids, the fanatical Muslim rulers of North Africa, in 1091 that Spain remained in Muslim hands. The Almoravids had originally been invited to Al-Andalus by the rulers of the Kingdom of Sevilla to help in the battle against the Christians. Once in Iberia the Almoravids found it to their liking and took over the reins of power. Just 70 years later, though, the Almohads overthrew the Almoravids in Morocco and moved on into Iberia to become the dominant power there.

From the very start of Muslim rule in Iberia the Christians had fought to retake the peninsula. Their first victory came in 727 in Asturias, and though this only gave them a tiny area of land they were to slowly and painfully build on this and by 914 much of Galicia, northern Portugal and León was back in Christian hands, though they were to suffer a short reverse during the years of Al-Mansour's rule. It wasn't until the eleventh century, though, that the reconquest really took a step upwards with the reclaiming and creation of Christian kingdoms in Navarra, Catalunya, Aragón and Castile, in addition to the kingdoms already established in Asturias, León and Portugal, which became an independent Christian kingdom in the twelfth century. Though it was a slow-process with almost as much fighting between rival Christian kingdoms as against the Moors, the Christian armies eventually took the final Muslim stronghold of Granada in 1492.

Before the reconquista was complete the kingdoms of Castile and Aragón were emerging as the strongest of the many Christian kingdoms and in 1469, a few years before the fall of Granada, the two were united with the marriage of Fernando V, heir to the Aragón throne, and Isabel I, princess of Castile. The reign of the Catholic monarchs, as the pair become known, was important for two other major events aside from the fall of Granada and the end of Moorish rule in Spain. The first began in 1480 and was one of Spanish history's darker moments. The Inquisition started in Castile before spreading across the budding nation. Its aim was to make Spain a purely Catholic country and to eliminate heresy, and its first and main victims were Spain's large Jewish population. Over the next 300 years the Inquisition was to claim the lives of around 12,000 Jews, many of whom had already been forced to convert to Christianity. In 1492 all Spanish Jews were given the choice: conversion or expulsion. Up to 100,000 converted and 200,000 left, taking with them much of the financial structure of the country, as it was the Jews who were, by and large, the best businessmen. After the defeat of the Muslims they too were given the same choice; most chose to stay and, on the surface at least, become Christians. However, a little over a hundred years later all converted Muslims were also told to leave.

The expulsion of the Jews and their finance could have bankrupted Spain if it weren't for the other major event of 1492, Christopher Columbus's departure across the Atlantic in search of a new trade route to India. He failed in this mission, but returned to a hero's welcome in Spain, having discovered the Americas, though even on his death in 1506 it was still widely thought that the landmass of the Americas was Asia. The wealth that poured out of the New World was to make Spain the richest and most powerful country in the world.

Carlos I, a Habsburg, succeeded Fernando to the throne in 1516 and five years later he was elected Emperor of the Holy Roman Empire, a title that brought with it control of parts of Italy, France and Germany as well as all of Austria and The Netherlands. When combined with all the Spanish-American possessions Spain had become the most powerful empire the world had seen since the height of Rome. Carlos spent much of his long reign outside of Spain fighting wars with European countries not under his power. Eventually war-weariness got to him and he abdicated, dividing his empire up between his son and his brother. It was Felipe, his son, who got the real prize pickings of Spain, The Netherlands and all the American possessions. It was under Felipe II that Spain blossomed, with its empire at its greatest extent and more money flowing into the country than ever before. Felipe also managed to claim the Portuguese crown and all of its own vast empire; his navy defeated Spain's long-time Mediterranean rivals the Ottoman Turks, and it was he who also moved the capital to Madrid, at the time a small and unimportant town. However, it wasn't all roses, Felipe may have had more money flowing into the royal coffers than anyone before him, but mismanagement, expensive wars and the construction of far too many magnificent churches and palaces left him bankrupt. His empire may have gained

Portugal, but he lost The Netherlands after a rebellion, and his navy may have defeated the Turks but the Armada was then destroyed by the rapidly expanding power of England.

The seventeenth century saw a series of ineffectual leaders take Spain into a downward spiral with disastrous wars against both France and The Netherlands, revolts in their Italian possessions and at home in Catalunya, and the loss of Portugal. At the same time the treasure supplies of America started drying up and so dramatically reducing revenue. When Carlos II (1665–1700) came to power he was unable to produce an heir (and also showed more interest in fruit-picking than governing). With no natural heir to the throne on his death war was inevitable. The War of the Spanish Succession (1702–13) was fought between Felipe V, who had ties to the French Bourbon rulers, and Archduke Charles of Austria, who was assisted by the British. By the end of the fighting Felipe had retained control of all of Spain except Gibraltar, which the British claimed, but had lost all territory in Belgium, Luxembourg, mainland Italy and Sardinia. For the rest of the century Spain found itself very much under the thumb of the French, but prosperity did begin to increase again, at least until the French revolution. With the beheading of the French king Louis XVI in1793 Spain went to war with the new French republic. Shortly afterwards they changed their minds and went to war as allies of France against Britain. However, this didn't stop Napoleon Bonaparte from marching his troops into Spain in 1807 and forcing Carlos IV to abdicate in favour of Napoleon's brother Joseph Bonaparte. This led to the Peninsular Wars with Spain and her allies, Britain and Portugal, fighting the French. The English Duke of Wellington eventually defeated Napoleon and Fernando VII was placed on the Spanish throne. During the course of the war Spain found itself under increasing pressure from its American colonies for independence, which by 1824 all but Puerto Rico and Cuba had gained. With them gone Spain lost almost the last of its remaining power on the world stage. A new day had begun.

The death of Fernando VII in 1833 led to civil war, the Carlist War, over the succession of the throne, which was to last six years, between Fernando's brother Don Carlos, supported by conservatives, the church and the Basques, and his daughter, Isabella, supported by liberals and the army. Isabella eventually became Isabella II, ruler of Spain. She was, though, a very ineffective monarch and was forced to abdicate after a coup in 1868. A new constitution was declared in 1876 that brought reforms over the amount of power the monarchy could exercise and with this the First Republic was born. The years leading up to the twentieth century were characterised by political bickering that eventually resulted in the army restoring the monarchy and an expanding economy, thanks to the industrialisation of the Basque country and Catalunya. All the time, though, the seeds of discontent were growing among the poverty-stricken working classes. Also at this time Spain lost its last major colonies of Puerto Rico, Cuba and the Philippines during the Spanish American War of 1898.

A new king took the throne in 1902, Alfonso XIII, though in truth he had little actual power. Again it was a time of political turmoil with 33 different governments during his 28-year reign and continuing discontent in both the industrial cities and the rural provinces. In Catalunya things reached a head in 1909 when Catalan army reservists were called up to help defend the Spanish protectorates in Morocco from that country's forces. This led to what is known as the 'Tragic Week', a week of strikes which turned to violent confrontations, and many deaths in Barcelona at the hands of government forces. The air was ripe for change and this came in the form of a military coup in 1923, placing General Primo de Rivera as head of a dictatorial government. A year after his death in 1930 municipal elections were held in which the anti-monarchists were victorious and forced the abdication of Alfonso XIII and the declaration of the Second Republic.

Like the first, the Second Republic was a turmoil of violence and bickering. Elections took place in 1936 splitting the country neatly into two with Republicans on one side and Nationalists on the other. The Nationalists, led by General Francisco Franco and supported by Germany and Italy, led an uprising against the leftist government

that developed into the Spanish Civil War of 1936–9. After the death of 350,000 people Franco emerged the victor and set to work executing Republicans and leading Spain into 35 years of dictatorship that saw the country isolated internationally and economically. During his dictatorship Franco made himself the head of the army, government and only legal political party. Any sort of regionalism was put down firmly, with the Basques in particular paying a heavy price. Franco was responsible for the death of more Spaniards than any Spanish ruler in history; among his many atrocities was the bombing and subsequent massacre of civilians in the small Basque town of Gernika. This and his general line against the Basques led to the creation of the armed Basque nationalist group ETA. Things did improve a little in the '60s, with growing bands of tourists visiting the newly created resorts on the Costas, so providing much-needed revenue, and a treaty with the US that saw a huge boost in aid money. By the '70s the Spanish economy was the fastest growing in Europe. However, this increased prosperity, and the growing westernisation that it brought made it increasingly hard for Franco to deny the population's demands for change. As these thoughts grew, Franco tried to prevent further freeing up of the system and free thought. As a result of this the prisons once again filled with political prisoners, and protests met with an ever more harsh response. Admiral Carrero Blanco had been groomed by Franco to take up the reigns of power after him, and when ETA assassinated Blanco in the street the already-hard treatment the Basques were receiving from Franco deteriorated, culminating in hundreds of arrests, tortures and finally executions, which caused worldwide outrage. Franco, now an elderly man, didn't have much time left and in November 1975, just a few months after being criticised by the world, he died. Just before his death he named his new successor as King Juan Carlos, who had in many ways been groomed for the job by the army. At first, change was only minor, but after violent demonstrations in Madrid in 1976 Juan Carlos realised that he had to change the system and began work in earnest by removing the Prime Minister Carlos Arias Navarro, a true Franco man, and replacing him with Adolfo Suárez, a lawyer and former head of Spanish TV. Much to everyone's surprise he managed to reform Spanish politics in just two years when free and fair elections took place, followed by a new constitution in 1978. The elections of 1977 saw Suárez's centrist Unión del Centro Democrático win, with the more left-wing Partido Socialista Obrero Español led by Felipe González Márquez coming second. The democratic strength of the 'New Spain' was tested in 1981 during an attempted coup

MALPICA. PHOTO BY F.MUÑOZ

LEFT:
NO-FRILLS FLYING.
FRANCO'S SPANISH-
MOROCCAN TROOPS ARE
AIRLIFTED TO THE
MAINLAND BY HITLER'S
"KONDOR LEGION" – ONE
OF THE FIRST TIMES
STRATEGIC AIR POWER
WAS USED IN WARFARE.

OPPOSITE:
GRAFFITI IN GALICIA.
PHOTO BY STUART BUTLER

by several army commanders loyal to Franco's Spain. Under the firm leadership of King Juan Carlos the attempt was put down and the popularity of the monarchy soared.

The elections of 1982 saw a landslide victory for González's PSOE party who, with González at the helm were to lead the country until 1996. During these years industry was streamlined and Spain joined the European Community (now the European Union, or EU) and this, despite rising unemployment, helped the economy grow. Spaniards became richer than ever before, a sexual revolution took place and women joined the workforce. Education improved, a national health system was created and maybe most significant was the creation of the autonomous communities that divided Spain into seventeen separate regions, each with its own government and civil servants (the degree of autonomy each region achieved varied from area to area, with the Basque country attaining the most freedom). In 1992, 500 years after one of the most important years the country had ever seen, Spain once again became the centre of world attention, hosting both the Olympics in Barcelona and the World Expo in Sevilla.

Ironically, just as these events were taking place things started to look less than rosy; unemployment hit 22.5 per cent, the economy began to stagnate and corruption and sleaze allegations hung over the government, which in the 1996 elections finally brought the government down. Replacing them was the Partido Popular headed by José María Aznar. His government have managed to get the

economy moving again and in 1999 Spain met the criteria for joining the new European currency, the euro. By 2000 Spain had the fastest-growing economy in Europe and unemployment had dropped to 15 per cent, though this is still the highest in the EU. In the elections of that year Aznar and the PP came in on top again. Aznar's two biggest challenges now are adapting to the changes that the introduction of the euro in January 2002 are bringing and the on-going problem of ETA and Basque nationalism.

THE INDEPENDENCE MOVEMENTS

The Basques, Catalans and Galicians have long considered themselves to be a little different from other Spaniards. The reasons for this are that all three have their own languages, historically they've all at some point had a period of self-rule (though for Galicia this was a thousand years ago and even then it lasted for only around eleven years), and all have suffered a suppression of their culture and identity over the course of the last hundred years. The Basques and Catalans in particular paid a heavy price at the hands of Franco, who used any number of violent policies, including the infamous bombing of Gernika, to force them to accept him as boss. Of the three, the calls for an independent Galician state are the quietest. The Galicians may not have suffered as heavily at Franco's hands as the others but they have for hundreds of years been largely ignored by the rest of the country. Communication with the rest of Spain has always been tenuous, famine common, poverty wide-

spread and until recent years help from central government has been rare. Considering this it's hardly surprising that Galicians are suspicious of other Spaniards and that nationalistic tendencies are common. In 1916 the first nationalistic political group was formed. It was silenced soon after by Primo de Rivera but reappeared again in the '30s when a vote for autonomy received a 99 per cent yes vote. Before anything could be done about putting this into effect Franco took over the reigns of power and all hopes of autonomy had to be forgotten. The years after Franco, though, have seen Galicia gain a high level of autonomy and further nationalistic cravings have so far been limited to roadside graffiti.

Catalunya's calls for an independent state have a much stronger historical basis than Galicia's. In 874 Guifré el Pelós became the first independent Count of Barcelona; by the fourteenth century Catalunya ruled Valencia, the Balearics, Corsica, Sardinia and a large part of Greece. But with the marriage of Fernando V and Isabel I in 1469 Catalunya became a part of the emerging Spanish nation, but its people have never lost their desire for independence. Finally, in 1931, Catalunya gained autonomy, but like Galicia's it was only to last a short time until Franco came to power, abolished Catalalan autonomy, banned the speaking of Catalan and used severe suppression and violence to silence any further calls for independence. It

didn't take very long after the fall of the Franco regime for Catalunya to gain its long-awaited autonomy, and though many Catalans would like to see full independence it's only a tiny minority who actually protest for this to be granted, and fortunately it has never reached the levels of madness that characterise Euskadi.

The longest war in Europe continues unabated between the Basque separatist group ETA and the Spanish government. ETA has been responsible for more than 800 deaths in around 30 years. Likewise, the Madrid government haven't exactly behaved like angels and over the last century there have been hundreds of Basque deaths at the hands of whoever was in power. It was, once again, Franco who was responsible for the worst of the killings, exemplified by the bombing of Gernika (see page 90). In fact, it was as a student resistance movement to Franco that ETA first emerged in the '60s. Today, even though Euskadi enjoys a higher level of autonomy than any other region in Spain, the die-hard Basque nationalists continue to call for nothing less than total independence. The percentage of Basques who support ETA's violent techniques is tiny, though a much higher percentage would like to see Basque independence. Some estimates put the number of active ETA fighters at as little as 30, but with the support of the disenchanted youth of the region, who frequently attack symbols of the Spanish state and spray-paint ETA's message wherever they get a chance, ETA have managed to keep intense pressure up on the Spanish government. In the late '90s there was a glimmer of hope of an end to the conflict when ETA suddenly announced an unconditional ceasefire; however, a little over a year later the bombs had returned, with ETA blaming the failure of the ceasefire on the Spanish government's refusal to discuss ETA's demands for independence. Since then a number of murders of high-profile politicians and journalists have brought widespread disapproval of ETA throughout Euskadi and the rest of Spain, and this has manifested itself in the form of huge protests. By the summer of 2002 ETA had changed its tactics to targeting Spain's lucrative tourist industry and in December 2002 police stopped a car carrying considerable quantities of explosives destined for Madrid and what is thought to have been a Christmas bombing campaign. With the Spanish government still refusing to talk to ETA it would appear that there's no end in sight to the violence.

CULTURE

All of the people who have invaded or otherwise influenced Spain have left their mark in some way or another on the character of today's country and its people. And it could also be said that the climate also plays a not insignificant part in the shaping of the Spanish psyche, the mist and rain of the northwest maybe making the people more reserved than the flamboyant and gregarious Spaniard of the warmer south. Though on the whole all Spaniards, whether from the north or south, live a colourful life of an intensity that can be completely beyond many foreigners. Despite huge changes in lifestyles over the last 30 or 40 years, Spanish society remains fairly traditional and conservative, with the family unit still the most important aspect of society. Although Franco's rule came to an end in 1975 and, for younger Spaniards especially, he is just a name from the

past, the results of his dictatorship continue to influence the way life is lived in modern Spain.

The population of Spain is around 39.8 million and the biggest city is the capital, Madrid, with around 3 million inhabitants, depending on where you stop counting. The second and third cities are Barcelona and Valencia respectively. The country has one of the lowest population growth rates in the world, just 1.2 per cent. Spain is also, like the rest of western Europe, an ageing population, with 14.8 per cent of Spaniards over 65 years of age and only 18 per cent under 15 years of age. In fact it has been estimated that the population size will begin to decrease and that by 2050 the number of Spaniards will stand at 35.4 million, 30 per cent of whom will be over 65. This is, of course, of major concern as it becomes increasingly hard for the economy to cope with such a large non-working-age population. Despite the country's huge former overseas empire there has been relatively little immigration from the former colonies. One of the biggest minorities are the Gitanos, or gypsies, thought to have come from India around 500 years ago; most are now settled, though a few do continue to live a more nomadic existence. Maybe the most visible minority are the North Africans; this is especially true in Andalucía, where, as well as a large and long-established North African population, there is a huge problem with illegal immigration. Every night boat-loads of Africans desperate for a better life risk, and sometimes lose, their lives as they make the dangerous crossing of the Strait of Gibraltar (see page 213). Spain is also home to a large number of other EU citizens, with the British and Germans being particularly fond of the warm southern sun. It has been suggested that by 2025 some 20 per cent of Spanish children will be of non-Spanish origin.

Spain is a very different place to just 50 years ago. Back then all but the upper classes lived in extreme poverty and Spain really was the Third World of western Europe. At the beginning of the '60s things began to change rapidly and Spain quickly became known as an economic miracle. This surge in the economy was largely the result of foreign investment attracted by the cheap labour available in the country at the time, remittances sent back to the motherland from Spaniards working abroad and, most importantly, the huge tourist boom of the '60s as sun-starved north Europeans fled to the newly constructed resorts of the Costas. This tourist industry remains today one of the single most important aspects of the Spanish economy. The country's 50-million-odd annual visitors bring in around €25 billion a year and help to make Spain the second-most popular holiday destination in the world after France. Traditionally, fishing and farming have long been major contributors to the Spanish economy and today they both continue to play a role far higher than in most EU nations. The Spanish fishing fleet is the largest in the EU, with Galicia and Andalucía being the biggest fishing areas. Recent EU fishing restrictions have badly affected the Spanish fishing fleet, like others throughout the EU. Farming, which is most important on the Mediterranean coast, contributes 4.5 per cent annually to Spain's GDP, with the main crops being citrus fruits, wheat, rice and wine. Spain is one of the top ten industrialised nations in the world, with 35 per cent of its GDP generated through the production of textiles, chemicals, cars and steel.

Though the boom years of the '60s are long gone the Spanish economy continues to expand and the country has also done well out of EU membership, with plenty of funds being pumped into the country, and in 2002 Spain was among the first wave of countries to join the euro currency. It's not all good news though, unemployment is still the highest in the EU, 9.1 per cent officially, though 15 per cent is a far more realistic figure, with the under-25s being the hardest hit. Also to be taken into account is that many of those with jobs are engaged in seasonal activities like the tourist industry.

A survey released in 1993 revealed that over a million people, 3.5 per cent of the population, were illiterate, primarily those over 45 years of age. This is due to Franco's keenness to keep the population uneducated, as an uneducated population is an easily controlled population. Of course, since his death all of that has been utterly reversed and education receives a massive proportion of the government's budget, whilst among the populace education is viewed with great respect by all classes of Spaniard. For example there is no Spanish equivalent of the British working-class pride in uneducation. Students remain at school until 16 and most then go on to a three-year course studying for the Bachillerato. Those then wishing to enter university must spend a year studying for the Curso de Orientación Universitana. Only after this can students move into one of the 60 universities. There are around 1.6 million university students.

It is often said that the three pillars of Spanish society are the monarchy, the army and religion. The current Spanish monarchy, headed by King Juan Carlos and his Greek wife, Queen Sofía, are on the whole very popular in Spain. This is especially true of Juan Carlos and is largely because many Spaniards feel that without his decisive action after the death of Franco and during the attempted 1981 coup Spain may not have its democracy today. However, it could also be said that many Spaniards are more pro-Juan Carlos than pro-monarchy, with 40 per cent of the population believing that the whole idea of a monarchy is outdated. Other factors that can only help the monarchy's popularity is that the family are a rela-

tively undemanding lot, costing about half as much as the British Royal Family to maintain. Also, unlike in the UK, the Spanish media in general respects the private lives of the Royal Family, and criticism is usually restrained, so making it harder for them to gain a bad name. The Royal couple's three children do, however, receive more media scrutiny than their parents, with Prince Felipe, the heir to the throne, and his search for a suitable wife being a firm favourite with the gossip columnists.

Although the importance of the military in daily Spanish life is today negligible, this is a recent development. The Spanish military has long been fond of interfering in the political life of the country and it was in February 1981 that the army gave Spanish democracy its biggest scare with a failed coup attempt. The Spanish, though, should not have been surprised by the attempted coup; the first 30 years of the twentieth century saw numerous army coups. Then, under Franco, the military took on many roles that in other countries would be purely civilian jobs. Many high-ranking military men became heads of governmental ministries, often with little idea of the workings of the ministry they were heading. He also granted many economic roles to the military, both air and port traffic control, for example, was run by the military. So with a country with such a long and bloody past that's so used to living under the rule of the generals it seems amazing that today's almost overwhelmingly pacifist Spaniards feel that the days of the army's intervention in politics is a thing of the past. Yet it's true that in the mere twenty years since the coup attempt it seems impossible to imagine Spain ever having to deal with an enforced military government again. Today the Spanish military keeps itself occupied by taking on a peacekeeping role under the UN.

The third of the so-called pillars of society is religion and maybe it's the most important of the three. After all, Spain was essentially founded on the basis of religion after the Christian reconquest of the peninsula from the Muslims. Today though, like the influence of the monarchy and the army, the power of the church is waning. In fact Spain today has no official state religion and only 40 per cent (and falling) of Spaniards ever go to church with any regularity, most of whom are from the older half of the population. Yet 85 per cent of Spaniards still call themselves Roman Catholics and the church continues to play a large part in Spanish life, though its influence has dropped off considerably since the Franco years when the church and the government were so heavily tied into each other that many aspects of Spanish life were controlled by a super-conservative and backward-looking clergy. For example, divorce and contraception were banned and a Roman Catholic religious education made compulsory, and other forms of religion, though not actually banned, were heavily suppressed. Since the end of the Franco era things have lightened up immeasurably and the connections between politics and religion have ended. Even so a third of all children continue to attend a Catholic school and most Spaniards are baptised and have church weddings. One way in which almost all of the population gets behind the church, even if it is often subconsciously, is in their enthusiasm for the great religious processions and festivals that take place all across the country.

So how does today's Spaniard live his life? As mentioned at the start of this section, the family is still the most important aspect of a Spaniard's life, and surveys have shown that 98 per cent of the population rate the family as 'very' or 'pretty' important. However, contrary to popular foreign opinion, Spaniards do not live in large extended families of several generations all under one roof, at least not by choice. Young Spaniards do remain living with their parents longer than other young Europeans, but this is largely due to high unemployment levels and unaffordable housing costs. Even house-sharing among groups of young friends is rare, as is independent cohabitation by young couples, whether married or not. In fact, a considerable percentage of 30–49-year-olds still live with their parents. At the opposite end of the generation scale, though, it is very rare for parents to live in their children's homes. And the Spaniards having large families, well, that too is a bit of a myth, as, going hand in hand with the lowest marriage rate in the EU, Spain also has the lowest birth rate and very shortly will have the smallest families. And these families are hardly as harmonious as you may think when watching them taking a Sunday afternoon stroll. It's said that 86 per cent of young women never talk to their parents about any problems they might be having. And that child abuse is the second-most frequent cause of violent death among Spanish children. Divorce in Spain has only been possible since the end of the Franco years. You could, with much effort, plenty of money and friends in high places get a divorce under his rule, but for the average person divorce was not possible. Not being able to divorce was one of the less extreme of Franco's rules. At times you could be forgiven for believing that some of his laws had actually been issued by Iranian Mullahs rather than a west European government. Under him it was forbidden by law for unmarried couples to walk hand in hand down the street until the late '50s, boxing matches were not broadcast on the news as they showed semi-naked men, and newspaper editors were forced to employ painters to draw T-shirts onto naked people and

CANDÁS, ASTURIAS. PHOTO BY JUAN FERNÁNDEZ

to reduce the size of women's breasts. Even TV documentaries showing topless tribal women found themselves falling foul of the censors and it was not until 1964 that the first bikini-clad girl appeared on Spanish cinema screens. Sexual equality was also an unknown idea; women could not have a job, open a bank account or travel long distances across the country without their husband's permission. By the late '60s all this was beginning to change and today it's hard to believe that such rules existed just a generation ago. Women have been entering the workforces in ever increasing numbers, though the sexual make-up of the workforce still has a way to go until it could be called equal, and by 1987 there were more women than men attending university. Spain's first sex shop opened in Madrid in 1977 and topless bathing began at about the same time; at first it was foreigners holidaying on the Costas, but the habit was quickly picked up by Spanish girls. Nowadays sex is everywhere in the Spanish media, and on the surface, at least, there's a real 'anything-goes' attitude. However, the church and Franco's backward-looking policies may still be playing a subconscious part in modern Spanish life. It would be fair to say that most young Spaniards prefer to be in a long-term relationship and that one night stands are rarer here than in other parts of Europe – bad luck.

Another often overlooked, but very important aspect of the way the Spanish live their lives is concerned with housing. During the '50s and '60s it has been estimated that one in seven of the population moved on a permanent basis from one part of the country to another, usually to a city. The huge areas of tower blocks on the outskirts of almost every Spanish city are the results of the building boom that followed this widespread migration. Today Spain is a land of owner-occupiers with the lowest level of house rental in the EU. This is thanks to Spain's once again Franco-influenced and very bizarre property laws, which have kept rents frozen and allowed tenants and their relatives first refusal on renewing a rental agreement for thirty-odd years. This means that even today people who rented property before the end of the '70s are paying absurdly low rents. It was estimated that at the start of the '90s, 60 per cent of tenants were paying a rent frozen since the '60s – that's less than $30 US (early '90s rate) a month. On the other hand, anyone looking to come onto the property market in more recent years will have to spend a minimum of €650 a month for the ropiest of flats in most Spanish cities. This goes a long way towards explaining why so many young Spaniards remain living with their parents, which in turn affects the attitudes of young Spaniards in many other aspects of life. It's difficult to experiment with new ways of living when you're relying on your parents for food and housing.

The Spanish passion for life makes the country an extremely colourful place for a tourist to pass through (though this same good-time attitude can make it an infuriating place to actually try and get anything done). On the whole this lifestyle is one that maybe other nationalities should take a lead from, but it isn't a lifestyle that's necessarily good for you. Along with the French and Portuguese, the Spanish drink more than any other country in the world – equivalent to around 12 litres of pure alcohol a year. Surfers will be amazed by the generosity of the measures of spirits poured in bars. Yet Spaniards are rarely visibly drunk and binge-drinking is quiet rare, well, unless its fiesta time, that is; during the Los San Fermínes fiesta in Pamplona around 3 million litres of the stuff are drunk in a week. The Spaniards also smoke more than anyone else in the EU except the Greeks; a survey showed that in 1989 the equivalent of every Spaniard over the age of 15 smoked 2,560 cigarettes a year. When it comes to food, all those thin and beautiful girls may soon become a thing of the past; young Spaniards have the highest cholesterol level in the EU, and coffee, the stronger the better, is consumed in alarming quantities.

A growing problem in Spain is drug use. The country is the gateway to Europe for Colombian coke and Moroccan hash and, as in most of western Europe, it's freely available. It's hard to come by exact figures for drug use in Spain, but it's been estimated that by 1993, 4 million Spaniards had tried coke and that the country faced one of Europe's biggest drugs problems. Though you are almost certain to encounter people openly smoking joints in bars across the land, it is illegal and as a foreigner you should not attempt to copy the locals.

There are a couple of points to remember when travelling around Spain; firstly, bear in mind that everything here takes longer than you expect, after all why do something today that can be put off until tomorrow? The Spaniards' legendary eating-and-sleeping timetable can send your body clock haywire. In the summer, especially, afternoons don't start until about 15.00, evenings 21.00, and a night out about midnight. The Spaniards are famous for taking a siesta in the afternoons. Few people actually sleep at this time, instead it's spent socialising over a long lunch. Secondly, Although few Spaniards expect foreigners to speak any Spanish, a few words can go a long way to easing your passage through the country. In general, Spaniards are far less formal in their manners than their French and Portuguese neighbours, but you should remember to greet everyone you meet with a handshake and don't be surprised when a Spaniard enters a small shop and says hello to everyone inside.

FOLLOWING PAGES: "WHERE'S THE SURF, DUDE?" PHOTO BY F. MUÑOZ.

ONE MORE WAVE

SALT ROCK SURF

INDULGE YOUR HABIT WWW . SALTROCK . COM +44 1271 815306

THE SPANISH CLICHÉS

Flamenco, sherry and bullfighting, the three great clichés of Andalucía and a godsend for the exotica-promoting tourist brochures. A visitor to one of the infamous Costas might come away with the impression that, at the least, bullfighting and flamenco are today nothing but a staged show put on for the brochure-wielding tourist. Yet in some form or another all three are an integral part of contemporary Spanish life.

Back in the '60s and '70s flamenco seemed to be a dying art, but then it was fused with other musical styles such as rock, jazz and pop. This resulted in nuevo flamenco, which has been adopted by a huge new audience and made the flamenco scene healthier today, perhaps, than it ever has been.

It's believed that the roots of flamenco were born when gypsies immigrated into Andalucía in the fifteenth century. Its traditional heart is in the steamy southern cities of Jerez de la Frontera, Cádiz and the poor Triana barrio of Sevilla, though in recent years the centre of nuevo flamenco has moved north to Madrid. In its traditional form flamenco songs are often about pain and despair and it can be a very melancholic music. It's at its best when performed live and spontaneously and the idea is that the artists tap into the mood of the audience and encourage that emotion with lyrics, music and dance all feeding off one another. Though much traditional flamenco music is heart-rending it's also a very popular form of music during joyful events like fiestas (Sevilla's Fería de Abril being a prime example) and this is when you'll hear the more up-beat flamencos.

Initially, nuevo flamenco was resisted by old-school traditionalists, but its fusion of pop, jazz and rock has captured a new, young audience and today nuevo flamenco is all over the radio, bars and clubs of young Spain, though it's yet to find much of a fan base in northern Europe.

What could go better with good, live flamenco but sherry and tapas? Sherry is a strong fortified wine that, like flamenco, has its home base in Jerez de la Frontera, in southern Andalucía. There are two main types, oloroso (sweet and dark) and fino (dry and pale). Sherry gets its unique flavour from a combination of climate, soil and the special ageing process that takes between three and seven years. Just before bottling, a small amount of brandy is added to increase the alcohol content to 16–18 per cent and to stop any further fermentation. It's this process from which the term 'fortified wine' derives. A fino sherry is the perfect accompaniment to many Andalucían tapas.

An enjoyable (and if you're lucky, free drunken) afternoon can be spent touring the sherry houses of Jerez de la Frontera. Ask in the tourist offices of Cádiz and Jerez for further details.

There can be no more powerful an image of Spain than that of a hot afternoon in a bullring, and equally there can be no more powerful a passion- and emotion-charger than the bullfight. Aficionados will tell you that a bullfight is an art form symbolising death, bravery and performance, and indeed reports of corridas (bullfights) are found not on the sports pages of newspapers but in the arts sections. Many Spaniards hate bullfighting as much as most foreigners, but after football it's the second passion of the nation and if you're in Spain through the bullfight season then you'll find it hard to avoid seeing it on, at the least, a TV in a bar. The origins of bullfighting stem way back to the days of the Etruscans and after them the Romans took 'bull'fighting to a new level. The gladiatorial games were as popular in the provinces as in Rome. Yet it was only in Iberia that it hung on in some form after the fall of the Roman Empire. It wasn't until the eighteenth century that Spanish bullfighting took roughly today's form.

Bullfighting is an integral part of many Spanish fiestas and this could be partially the reason for its enduring popularity. It is beyond the scope of this book to provide a detailed rundown of the history and culture of the corrida and a rundown of the events that take place in the ring. If you're interested a good place to start is www.mundo-taurino.org. There are a couple of forms of corrida practised in Spain and further variations found in Portugal, southern France and Latin America. In Spain itself, there are fights with the matador (killer) mounted on a horse (the oldest form, originating once again in Andalucía) and the better-known version where the matador fights without a horse. The corrida has several stages to it, each performed by different members of the matador's team and with the aim of gradually tiring the bull and weakening it before the final act takes place – the kill. It's this

VICTOR MENDEZ – MATADOR. PHOTO BY WILLY URIBE.

part of the fight that is the most crucial and where a good fight is separated from a bad. In a good corrida the matador conducts what could almost be described as a dance with the bull as he performs a series of passes. The more artistic, flowing and risky his passes and the closer he works to the bull the better. When the matador feels it's time to move in for the actual kill he must make it as quick, clean and elegant as possible. If the fight is a good one the matador might be rewarded with an ear from the bull, occasionally two and very rarely, if it has been an exceptional fight, the tail as well.

The corrida season runs from the spring to early autumn, with the best fights taking place in Madrid during the Fiesta de San Isidro in mid-May. Sevilla's Fería de Abril is another good bet, as is Bilbao and the notoriously tough audience of the August fiesta. And finally, for sheer atmosphere, the fights held in Pamplona during San Fermín are hard to beat, though experts will tell you that a Pamplona fight is not a good one to make your first.

SURF HISTORY AND CULTURE

ABOVE: JESÚS FIOCHI – THE FIRST SPANISH SURFER. PHOTO BY WILLY URIBE.

Surfing arrived in Spain from France in the early '60s after Jesús Fiochi picked up a board from one of the new board factories springing up over the border and went for his first Spanish waves in Cantabria on Playa Sardinero, in the heart of Santander. It didn't take long for other people to notice what he was up to and pretty soon Jesús found himself sharing the line-ups with a group of people who'd made the journey to France to pick up boards. From this small group word spread and soon afterwards people were riding waves in Euskadi and Asturias. It took until 1969 for surfing to spread its wings over to Galicia, with the first surfers coming from Vigo, but within a year surfing had spread up to La Coruña. The first locally made boards appeared in 1969, shaped by José Merodio under the name of MB Surfboards. Things took off more seriously in the '70s when, after moving to Euskadi and teaming up with Iñigo and Carlos Beraza, José created Santa Marína Surfboards, which gave a real focus to the budding Spanish surf scene and allowed many more people to get hold of boards cheaply and easily. All this time the exploration of new spots continued in earnest and more travelling foreign surfers arrived in the country, bringing with them fresh ideas from the rest of the surfing world.

By the mid-'70s the Spanish surfing population had expanded to several hundred and the focus of the community became Euskadi. Pukas surfboards, later to become the best-known surfboard brand in Spain, was formed in this period and as the '70s turned into the '80s surfing reached the Mediterranean and Atlantic Andalucía, surf fashion hit the streets, the first dedicated surf shops began to spring up across the country, Tres 60, the first Spanish surf magazine, was born and the first international professional contests began to take place. It was also in the '80s that bodyboarding first appeared in Spain, and it took off with a vengeance through the '90s. Things have now calmed down a little on the bodyboarding front, but with many excellent bodyboarding waves and some international-standard riders it remains a strong aspect of Spanish surf culture. Nowadays there are two Spanish surf magazines, Tres 60 and Surfer Rule, and many locally born and based surf industries. Spanish surfers and bodyboarders have access to a varied contest calendar and are among the most successful internationally of European surfers. The World Qualifying Series (WQS) has a number of stops in Spain and with the recent ruling that makes all of the former European Professional Surfing Association contests count towards WQS points, Spanish surfers' international standing is only likely to increase. The main contest event of the year, though, is the World Championship Tour event that takes place each September/October in Mundaka and is a crucial stop in the race for the world title. With Spain's increasing prosperity and leisure time it would be fair to say that Spanish surfing is going to become an ever more powerful force in European and world surfing circles.

OPPOSITE: ENEKO. PHOTO BY F. MUÑOZ.

CLIMATE AND WEATHER PATTERNS

PHOTO BY
STUART
BUTLER

Spain can be divided into three broadly different climatic zones, the wet and relatively cool Atlantic-influenced north and west, the hot and dry Mediterranean south and east and the continental type of climate of freezing winters and baking summers found on the central meseta (plateau). Of course, things aren't quite as simple as that, and in between these three extremes can be found numerous local variations. Spain's most northwesterly region is Galicia, and its position jutting out into the Atlantic means that it catches the brunt of the rain and wind from the Atlantic depressions that pass close by. Summers here, as on the rest of the north coast, can be very pleasant with long periods of settled weather and much more bearable temperatures than the deep south; on the other hand, winters can be extremely wet though it remains quite mild. In general, the further east along the north coast you head the drier and less windy things become, until, that is, you reach the Basque country. The greenness of the hills and mountains here should give you a good clue as to the prevailing weather; average rainfall here is about the same as the west coast of Ireland. Towards the end of the summer and early autumn much of the north coast is susceptible to massive thunderstorms, usually occurring in the early evening and quite often clearing away by lunchtime the following day. Enough snow coats both the Pyrenees and the Picos de Europa in the winter to support a healthy local skiing industry and though it's very rare to see snow on the coast, it isn't unheard of. The coastal Spanish–French border region has a bit of a distinct microclimate with winter temperatures often matching Barcelona over on the Mediterranean coast, and almost anywhere on the northern coastal strip will have a few days each winter with temperatures in the low 20s. Spain's Mediterranean coastline has a much more predictable climate. Summers are uniformly hot and dry, often too hot; people die from the heat every year in Sevilla. The winters are mild and much drier and sunnier than on the north coast, and some parts of Mediterranean Andalucía and Murcia hardly have a winter at all, whilst on some of the mountains (sierras) it's possible to ski. Andalucía's Atlantic coast has a slightly fresher climate with more rain than on the Mediterranean side of the Strait of Gibraltar, but the real difference here is the noticeably colder water and the strong and frequent winds caused by the merging of colder Atlantic waters with the Mediterranean, and the funnelling effect of the Strait of Gibraltar. This wind has made Atlantic Andalucía one of the world's best wind-surfing locations and has also helped to prevent the shoreline being turned into another Costa del Sol. Further north on the Mediterranean coast, many visitors make the mistake of expecting pleasantly warm and sunny winter weather around Barcelona. Certainly the city and the rest of Catalunya have a lot of these days, but don't be surprised to find it overcast and cooler than you expected. The climate of Madrid and the rest of the central plateau can best be summed up by the word 'extreme'; winters can be cold in anyone's language whilst summers can see the thermometers topping 30 degrees for days on end.

The charts on the right show the average year-round temperatures and rainfall figures for Madrid, Barcelona, La Coruña and Santander. Remember that these are just averages.

Temperatures can soar in all areas in the summer and become quite uncomfortable, especially in the Mediterranean south, which should be avoided at this time. In the winter you will need some warm and water-proof clothing, especially in the north where the amount of rainfall can be quite amazing. Wherever you are, expect occasional thunderstorms. For much of the country the best times to visit are spring and autumn. The north coast is probably at its best in October when temperatures are pleasant and the swell is near constant with generally good wind patterns. August can also be a rewarding time up here; the swell won't be as consistent or powerful but the weather is almost guaranteed to be good and the fiestas are in full swing. Spring can be an unpredictable time on the north coast, some Aprils are excellent but in others it can rain all the time and the swell can be inconsistent and onshore. In the heart of winter you'll encounter numerous giant swells. This is the time to catch all those epic secret spots and Mundaka can break for days on end. At this time crowds will be fairly minimal everywhere. The Mediterranean coast is a winter-only surf destination and even then conditions can't be taken for granted. The best months seem to be November and March. Temperatures on the Mediterranean coast at this time don't exactly allow sunbathing, but they're certainly very pleasant. Andalucía's Atlantic coast is best between October and April, when swells are frequent and the weather generally very nice, although the winds can be quite cold.

WIND

Generalising about the wind patterns in Spain is tricky, but again the country can be divided into three broad zones: the north coast, the Mediterranean and Atlantic Andalucía. Wind patterns on the north coast are best described as variable. The summer, with its settled weather patterns, generally produces light winds, predominantly with a pattern of offshore mornings and onshore afternoons. When the wind does blow it's likely to be from the northwest, the worst direction as, when combined with the usually small swells of this time of year, it means that all of the exposed spots will be onshore. Galicia, with its colder water, is subject to strong summer northwest sea breezes that can pick up long before lunch and blow any west-facing spots to tatters. In the winter the wind can come from any direction and in Galicia especially it can be very windy. If the influence of a low pressure catches north Spain the wind will usually start blowing from the south, which is offshore at many spots,

WEATHER STATISTICS

MADRID

	AVERAGE TEMPERATURES (DEG C/DEG F)		
	MIN	MAX	AVERAGE RAINFALL (MM)
JANUARY	2/36	9/48	39
FEBRUARY	2/36	11/52	34
MARCH	5/41	15/59	43
APRIL	7/45	18/64	48
MAY	10/50	21/70	47
JUNE	15/59	27/81	27
JULY	17/63	31/88	11
AUGUST	17/63	30/86	15
SEPTEMBER	14/57	25/77	32
OCTOBER	10/50	19/66	53
NOVEMBER	5/41	13/55	47
DECEMBER	2/36	9/48	48

BARCELONA

	AVERAGE TEMPERATURES (DEG C/DEG F)		
	MIN	MAX	AVERAGE RAINFALL (MM)
JANUARY	6/43	13/55	31
FEBRUARY	7/45	14/57	39
MARCH	9/48	16/61	48
APRIL	11/52	18/64	43
MAY	14/57	21/70	54
JUNE	18/64	25/77	37
JULY	21/70	28/82	27
AUGUST	21/70	28/82	49
SEPTEMBER	19/66	25/77	76
OCTOBER	15/59	21/70	86
NOVEMBER	11/52	16/61	52
DECEMBER	8/46	13/55	45

LA CORUÑA

	AVERAGE TEMPERATURES (DEG C/DEG F)		
	MIN	MAX	AVERAGE RAINFALL (MM)
JANUARY	7/45	13/55	118
FEBRUARY	7/45	13/55	80
MARCH	8/46	15/59	92
APRIL	9/48	16/61	67
MAY	11/52	18/64	54
JUNE	13/55	20/68	45
JULY	15/59	22/73	28
AUGUST	15/59	23/73	46
SEPTEMBER	14/57	22/73	61
OCTOBER	12/54	19/66	87
NOVEMBER	9/48	15/59	124
DECEMBER	8/46	13/55	135

SANTANDER

	AVERAGE TEMPERATURES (DEG C/DEG F)		
	MIN	MAX	AVERAGE RAINFALL (MM)
JANUARY	7/45	12/54	119
FEBRUARY	7/45	12/54	88
MARCH	8/46	14/57	78
APRIL	10/50	15/59	83
MAY	11/52	17/63	89
JUNE	14/57	20/68	63
JULY	16/61	22/73	54
AUGUST	16/61	22/73	84
SEPTEMBER	15/59	21/70	114
OCTOBER	12/54	18/64	133
NOVEMBER	10/50	15/59	125
DECEMBER	8/46	13/55	159

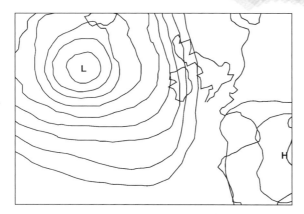

WEATHER PATTERNS - NORTHERN SPAIN.

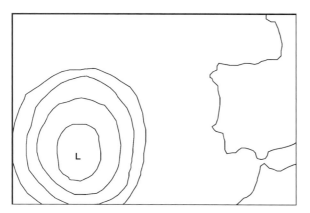

WEATHER PATTERNS - ANDALUCIA.

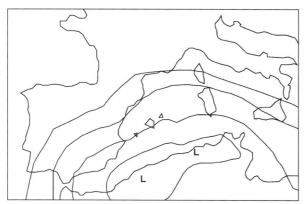

WEATHER PATTERNS - THE MEDITERRANEAN.

slowly turning more northwest as the low tracks past. One advantage of the winter is that the frequent big swells open up many more possibilities of beaches to surf, so that even in a northwesterly it can often be possible to find somewhere sheltered from the wind but still pulling in the swell. Some winters can be very unsettled and windy, whilst others can pass by with very few lows and their subsequent winds hitting the country. If a high does establish itself over Spain in the winter you can rely on all-day offshores, nice weather and, if you're lucky, solid, long-distance swells turning everywhere on. At other times these highs can bring freezing winds off the mountains; this is common when a blocking high moves across the whole of the North Atlantic, often staying for a couple of weeks, meaning little hope of surf. If this happens you're probably better off heading to the ski slopes or even taking a look at the Mediterranean, as a blocking winter high in the Atlantic sometimes seems to produce strong east winds in the Mediterranean, which means waves.

Summers in the Mediterranean are characterised by very light sea breezes, which only rarely have enough strength to produce waves – not a good time to be here. Winter sees much more activity in the Med, with frequent low pressures crossing the Iberian Peninsula and moving into the Mediterranean basin. Normally these bring southwest winds that slowly turn more northerly. Unfortunately much of Spain's Mediterranean coast relies on strong northeast through to south winds, which aren't as common.

Andalucía's Atlantic coast has its own unique wind patterns, which have made it one of the world's prime windsurfing destinations. Summertime sees a predominant west wind called the Poniente that will blow most spots to shreds; however, with little swell at this time it isn't such a problem. In the winter the wind blows primarily from the east and is called the Levante. This wind is good news, as it means all-day offshores. Though these winds are set to a fairly predictable pattern it's not unusual to get the Poniente blowing in the winter and the Levante in the summer. Keep in mind that both of these winds can be uncomfortably strong, especially the closer you get to Tarifa and the Strait of Gibraltar, and they can make lounging around on the beach no fun at all. These winds are caused by the warm Mediterranean waters mixing with the cooler Atlantic and by the funnelling effect of the Strait of Gibraltar. The Levante tends to be stronger and more consistent than the Poniente, but don't underestimate the strength of either of them. Tarifa has the highest suicide rate in Spain and it has been suggested that this is due to the wind turning people a little crazy!

On the Atlantic north coast a 4/3mm wetsuit and

maybe boots is sufficient for the winter, whilst in the summer a shorty or even just board shorts will be fine. On Andalucía's Atlantic coast you'll need a 3/2mm wetsuit through the winter, possibly with a vest and boots for the coldest days. In the summer board shorts or a light shorty should be fine; however, remember that the strong winds can make it feel colder than it really is. In the Mediterranean a 3/2mm wetsuit and boots will be ample for the winter, and board shorts for the summer.

SWELL PATTERNS

The north coast is much more consistent than the rest of Spain, as it gets hit by the brunt of the swells generated by deep lows racing between northeast America and Scandinavia. In general these swells come from the northwest, which is pretty much perfect for north Spain, and as the low moves closer to the UK the swell starts to become more northerly, and unlike in Portugal or France, where a straight north swell isn't great news, Spain will continue to pump. In the winter, lows tend to come across the Atlantic much lower down, which results in more westerly swells, and at such times Spain will usually be smaller than France or Portugal. South or southwest swells don't register on the north coast anywhere except western Galicia. In fact, Galicia, with its long coastline wrapping through from the northeast to the southwest, has one of the biggest swell catchment windows in all of mainland Europe. West and south swells tend to be more common in the winter. They are usually very fast-moving, and with the lows generating them commonly passing very close to Spain, they are often accompanied by strong southwest winds. The further away from Spain a low is, the more organised the resulting swell is likely to be.

The beaches of Atlantic Andalucía also work at their best on northwest swells, but they have to be really big to wrap around Portugal's Cabo St Vincent, and so are only really a wintertime occurrence. Another common winter occurrence is south through to west swells produced by lows lying directly to the southwest or west of southern Spain. These will send swells onto this coast that the north coast doesn't even get a sniff of.

Unfortunately, due to the often-close proximity of these lows to Spain, they frequently bring with them strong onshore winds.

The Mediterranean is another ball game entirely and here you will be riding usually choppy, short-lived windswells rather than the clean and orderly groundswells of the Atlantic. The lows that produce these swells are, though, very much intertwined with Atlantic lows that cross over the Iberian Peninsula and enter the Mediterranean basin. In the winter this is a common occurrence and on the whole Mediterranean surf deserves more respect than it currently gets. Unfortunately for Mediterranean Spain, though, with its primarily southeast-facing aspect, most of these lows and the consequent swells are heading east towards Italy. If these lows bring a strong enough west wind with them you can often find a few waves, especially up in Catalunya. A better scenario, though, is when a strong south or east wind blows across the western Mediterranean, which can kick up surf, albeit it onshore, of up to 2m (6ft). With numerous beaches and reefs facing in a range of directions a big enough swell can turn on spots that face a little away from the wind, and consequently the waves can be quite good. All of these are winter-only scenarios. You may get the occasional small swell in the summer but you'd have to be lucky.

The three examples opposite show the ideal weather charts for the north coast, Atlantic Andalucía and the Mediterranean.

WEATHER FORECASTS AND SWELL REPORTS

Spain has many excellent sources of weather and swell information. The weather forecasts on the TV channel TVE 1 are detailed and usually show a weather map. The most convenient one is at around 22.00. The best newspaper is El País. A good website for webcam images and swell forecasts is the Spain-based big-wave surfer and oceanographer Dr Tony Butt's site, www.geocities.com/swellforecast. Otherwise, our very own site, www.oceansurfpublications.co.uk has links to weather charts and surf forecast sites.

WATER TEMPERATURES

Like almost everything to do with Spain, water temperatures vary widely from region to region. The following table should give you an idea of what to expect.

JAN	MAR	MAY	JUL (deg C/deg F)	SEP	NOV	
Bilbao	11/52	13/55	15/59	19/66	18/64	14/57
La Coruña	12/54	13/55	14/57	18/64	17/63	14/57
Cádiz	14/57	15/59	17/63	20/68	20/68	17/63
Barcelona	13/55	15/59	18/64	24/75	22/73	17/63

SURF ETIQUETTE

Never forget that you're here to have fun and make friends, not enemies! Think about how you like to be treated by surfers visiting your local spot and act accordingly. In the waves, know your place in the pecking order and observe the wave priority rules – dropping in or snaking a local is the fastest way to make yourself public enemy number one. No matter how polite you are, you can still expect to lose a few waves to the local crew. Don't get stressed about it, just concentrate on your surfing and you'll soon find that you get the waves you want.

Most surfers obey these water rules, but don't forget them once on dry land. Loud, drunken behaviour in a quiet village isn't going to go down well, nor is throwing rubbish around or leaving a mess behind when you move on. Learn something about the local customs, manners and culture and show respect for them; if no one else is walking around town bare-chested and swigging from a can of beer, then you shouldn't. Make the effort of trying to speak some Spanish; people like it, no matter how bad your attempt, and remember to greet everyone properly with a handshake and a smile. Most importantly, remember that just because something is different, it doesn't mean that it's wrong. Get into the café culture, enjoy the local food and drink, sit around in a town square, visit a local festival and basically go with the flow. Do these things and follow these simple rules and you can't fail to have a good time.

THE ENVIRONMENT

Compared to some west European countries Spain has a relatively low population density, little industrialisation and a traditionally low-key agricultural system, which, though obviously not leaving the Spanish environment untouched, hasn't destroyed it to the same extent as other countries. Environmental issues were a long way down the list of priorities for much of the twentieth century, but by the '80s the Spanish were waking up to the dangers of ignoring environmental problems, and today the country has strict pollution laws and over 400 protected sites, including one of the most important wetlands in Europe, the Donaña National Park in Andalucía, though this was severely damaged by a spill of heavy metals and acid further upriver in 1998, thus highlighting the fact

ABOVE: OBEY THE RULES. YOU'RE HERE TO HAVE FUN AND MAKE FRIENDS. PHOTO BY F. MUÑOZ

OPPOSITE: SURF GIRLS. PHOTO BY F. MUÑOZ

RIGHT: DECEMBER 2002. PRESTIGE. PHOTO BY WILLY URIBE.

LEFT: AND THE POLLUTION OF THE OCEANS GOES ON. PRESTIGE 2002. PHOTO BY STUART BUTLER.

that even areas with the highest level of protection are not safe from the hands of pollution. Spain may base its vitally important tourist industry primarily on its beaches, but by the way they are sometimes treated you wouldn't know this. Its Mediterranean resorts have subjected the local environment to destruction on a massive scale; during the '60s hotels and entire resorts were thrown together in an almost haphazard manner, with whole areas of coastline being utterly altered and poorly treated sewage dumped straight into the sea. Nowadays things are changing, as stricter building regulations have been enforced and tourists find the idea of swimming in their own sewage less and less attractive, though unfortunately the sewage systems of many of these resorts are still

unable to fully cope with the sheer number of summertime visitors. Another localised danger to the marine environment is from industry; the worst places for this are areas of Euskadi, particularly around Bilbao and Asturias, with the industrial plants around Avilés being the main offenders here. Again, as many of these industries die or are cleaned up things have improved; in fact, even that dirtiest of Spanish rivers, the Nervión, which flows through Bilbao, is now home to fish for the first time in years. Euskadi also came very close to having to suffer the dangers of a nuclear plant, just a few kilometres from Mundaka. The project was first started in 1972 under Franco and construction of the plant continued after the return to democracy, despite almost the entire Basque population being against the project. It wasn't until ETA became involved and started bombing the work in progress and killing the directors of the project that the government gave up and the project was finally abandoned for good in the early '90s.

Other threats to the coastal environment include overfishing, a Europe-wide problem, and though the answer seems easy, for governments to actually bite the bullet and deal with the problem is anything but. Today Spanish coastal waters have been pretty effectively fished out. A problem for Spain and France equally is the floating 'island' of rubbish drifting around the bottom corner of the Bay of Biscay. The island is caused by currents in this part of the Atlantic, which drag all the rubbish into this corner and prevent it from leaving again. It can become so big that it turns into a shipping hazard and has to be regularly cleaned up. Galicia has been subjected to three devastating oil spills in 25 years, the latest of which has spread its toxic sludge over far more than just Galicia's beautiful coastline. A fair number of Spanish beaches have one of the EU's coveted Blue Flags. This is an award given to a beach when it reaches a certain level of cleanliness. This will then be much promoted by the local tourist board, and people are fooled into thinking that the beach they are surfing or swimming on is clean. In reality nothing could usually be further from the truth and a Blue Flag award is, in terms of guaranteeing the cleanliness of a beach's water, worth little more than the paper it is written on. A Blue Flag award only looks for certain pollutants tested by government agencies on a given day rather than through the year as a whole. This means that though the water may be nice and inviting on a calm summer day with a light offshore wind, a winter day with a solid swell running is likely to be a different matter altogether. Take a Blue Flag award with a pinch of salt!

Away from the marine environment, it's the lack of water that's one of the biggest environmental worries for the country. Long droughts struck in the '50s and '60s, and despite the large number of reservoirs constructed in the past twenty years, which left more of Spain covered by reservoirs than any other country in the world, drought hit again in the early '90s. It seems likely that drought will become an ever more frequent problem and the government cannot keep on building reservoirs. It is, of course, the southern half of the country that is most susceptible to water shortages.

In recent years a number of environmental pressure groups have been established to bring attention to environmental problems in Spain. These include Spanish branches of Greenpeace and Worldwide Fund for Nature, as well as many smaller local organisations. In 1988 the France-based Surfrider Foundation Europe opened a branch in Spain. It has now been operational for more than four years, but unfortunately it seems to have inherited some of its French cousins' ineffectiveness when compared to its counterparts in the US and the UK. Though as a counterbalance to the EU-wide Blue Flag scheme (see above), the Black Flag scheme, in which beach towns failing to meet certain, much higher and more realistic levels of cleanliness are awarded a black flag, has to be commended as an effective way, when well published, of embarrassing local councils into tidying up their act.

OIL AND PRESTIGE

As this book entered the final stages of research, on the 19th November 2002 the Prestige oil tanker sank just over 200km (120 miles) off the coast of Galicia carrying 77,000 tonnes of heavy oil. Within a week, a huge oil slick had blanketed Galicia's Costa da Morte and by January 2003 over 22,000 tonnes of oil had leaked out of the tanker and contaminated an area from the Portuguese border, right along the north coast of Spain and up to the mouth of the Gironde River in France. This is the third time in 25 years that Galicia has suffered a major oil spill, but the Prestige is by far the biggest, and yet it could have been avoided. When the Prestige first ran into difficulties it was in Spanish waters, but rather than tow the boat into port, unload the cargo there and repair the boat, the Spanish authorities decided to tow it further out into a stormy sea and to international waters, so as, it can only be assumed, to relieve themselves of the problem. It was in all respects a bizarre thing to do and is a move that has been widely condemned by environmentalists, fishermen and the affected communities. The Prestige promptly sank to a depth of 3,000m (9,000ft), where it was hoped the remaining oil would solidify and be unable to leak out. It didn't. A French submarine was brought in to try and plug the holes from which 120 tonnes of oil was leaking every day. By February, the submarine had successfully blocked eight of the holes and reduced the flow of oil.

AUGUST 2003 UPDATE

At the time of going to print, the vast majority of Spanish and French beaches had reopened for the summer season and it is now possible to surf throughout Spain as well as over the border in France. Portugal remains unaffected. However, just because most of these beaches are open it doesn't mean that they are entirely clean. After onshore storms, oil continues to be washed up on some exposed beaches. The clean up operations are on-going, although now on a much reduced scale. Asturias and Cantabria beaches are the cleanest. Local economies are desperate for visitors to come and, of course, spend their euros and wherever you go, you will be welcomed and warmly received.

LEFT: THE CLEAN-UP. PRESTIGE, DECEMBER 2002. PHOTO BY STUART BUTLER.

Surfers Against Sewage campaign for clean, safe recreational waters, free from sewage effluents, toxic chemicals and nuclear waste. Using a solution based argument of viable and sustainable alternatives, SAS highlight the inherent flaws in current practises, attitudes and legislation, challenging industry, legislators and politicians to end their 'pump and dump' policies.

For more information visit www.sas.org.uk or phone 0845 458 3001

Ad designed by A. Hughes

LANGUAGE

Spanish, or Castilian, as it should more accurately be called, is the most widely spoken of Spain's several languages and it is also the first language of millions of people across South and Central America, the Philippines and some areas of Africa and the USA. Of the other official Spanish languages, Catalan (spoken around the northeast Mediterranean) and Gaaother official language, is unrelated to any other European language. However, wherever you go in Spain you will find that Castilian is widely spoken.

Any efforts to try to speak Spanish will be warmly received and encouraged. It doesn't matter if you make mistakes, it's the attempt that's appreciated and you'll find that it's repaid many times over.

EVERYDAY PHRASES

Hello	**Hola**
Goodbye	**Adiós**
How are you?	**¿Qué tal?**
Yes	**Sí**
No	**No**
Please	**Por favor**
Thank you	**Gracias**
I'd like…	**Quisiera …**

I speak a little Spanish
Hablo un poco de Español
Do you understand?
¿Me entiendes?
Do you speak English/French?
¿Habla Inglés/Francés?
How much is it?
¿Cuánto cuesta?
Can you help me please?
¿Puede usted ayudarme, por favor?
Could I use your telephone please?
¿Podría utilizar su teléfono, por

ACCOMMODATION

Campsite	**El camping**
Youth Hostel	**Albergue Juvenil**
Guesthouse	**Pensíon**
Hotel	**Hotel**

Do you have any rooms available?
¿Tiene habitaciones libres?

SURFING TERMS

waves	**olas**
sandbank	**el banco de la arena**
reef	**arrecife**
low tide	**la marea baja**
high tide	**la marea alta**
offshore wind	**viento terral**
surfboard	**plancha de surf**
coast	**costa**
left	**izquierda**
right	**derecha**

NUMBERS

0	**cero**	16	**dieciséis**
1	**un/**	17	**diecisiete**
	uno/una	18	**dieciocho**
2	**dos**	19	**diecinueve**
3	**tres**	20	**veinte**
4	**cuatro**	21	**veintiùn/**
5	**cinco**		**veintiuno/**
6	**seis**		**veintiuna**
7	**siete**	30	**treinta**
8	**ocho**	40	**cuarenta**
9	**nueve**	50	**cincuenta**
10	**diez**	60	**sesenta**
11	**once**	70	**setenta**
12	**doce**	80	**ochenta**
13	**trece**	90	**noventa**
14	**catorce**	100	**cien, ciento**
15	**quince**		

200	**doscientos/as**
1.000	**mil**

THE ESSENTIALS

Hi, do you come here often?
Hola, vienes por aquí a menudo?

Are you sure you're over sixteen?
¿Seguro que tienes dieciséis años?

Have another vodka.
Tomemos otro vodka.

Kiss me.
Bésame.

That was great.
Estuvo de puta madre.

Yes, but I think I'm pregnant now.
Si pero creo que estoy embarazada.

Oh, shit, right OK, well I'm afraid I have to go now.
Mierda me cago, me temo que tengo que irme.

Shall we go somewhere a little quieter to get to know each other better?
Y si vamos a un sitio mas tranquilo para conocernos major el uno al otro?

Your natural beauty lights up the room.
Tu belleza natural ilumina la habitacion.

I've got a red bicycle, do you want to come for a ride on it? (Author's note: a Dutch friend insists that this is very effective!)
Tengo una bicicleta roja, quieres venir a dar una vuelta?

I'm very rich. (Author's note: they can deny it until they're blue in the face, but we all know that this is really what works on girls.)
Soy muy rico.

Would you like to come to the art gallery with me?
Quieres venir a la galleria de arte conmigo?

Your place or mine?
¿En tu casa o en la mia?

I love you.
Te quiero

Will you marry me?
¿Te casarias conmigo?

When I look into your eyes I see a universe of beauty.
Cuando te miro a los ojos veo todo un universo de belleza.

If all the flowers in the world died I wouldn't care because I'd be happy to just look at you.
Si murieran todas las flores del mundo no me importaria porque seria feliz solamente mirandote a ti.

I've been trying to work out what's missing from my life and now I know.
He tratado de averiguar que es lo que falta en mi vida y ahora lo se.

Don't you think that I'd go well with your shirt? **No crees que tu camisa me sienta bien**

THE NECESSITIES

white coffee	**café con leche**
espresso	**café solo**
black coffee	**(café) americano**
tea (with milk)	**té (con leche)**
cocoa	**cacao**
fruit juice	**zumo de fruta**
mineral water	**agua mineral**
beer (small)	**caña (de cerveza)**
beer (draught)	**cerveza de barril**
red wine	**vino tinto**
cider	**sidra**
white wine	**vino blanco**
sparkling wine	**cava, champán**
sherry	**jerez**
sangria	**sangría**
rum and coke	**cuba libre**
gin (and tonic)	**ginebra (agua tonica)**
brandy	**coñac**

GENERAL TRAVEL INFORMATION

VISAS AND OTHER PAPERWORK

Citizens of EU countries, Norway and Iceland do not need a visa to visit Spain for any length of time, although if you're planning on living in Spain on a more permanent basis (more than three months) then you'll have to register yourself as a resident within one month of arrival. Citizens of the US, Canada, Australia and New Zealand can enter visa-free for up to 90 days, South Africans do need visas to enter Spain and when possible should apply for them before arriving in Europe. For citizens of non-EU countries, Norway and Iceland looking at staying for longer than 90 days then you will have to obtain a residence card and visa from your home country and it isn't going to be easy. If you're a citizen of a country that does require a tourist visa for Spain then you are most likely to be issued a Schengen visa, which entitles you to travel around all of Spain's neighbouring countries and a range of other EU countries on the same visa.

SPANISH EMBASSIES ABROAD

AUSTRALIA: 15 Arkana St, Yarralumla, Canberra, ACT 2600 *(tel 02733555)*

FRANCE: 22 Avenue Marceau, 75008, Paris, Cedex 08 *(tel 0144431800)*

GERMANY: Sch Losstr 4, 53115 Bonn (tel 030217094)

IRELAND: 17a Merlyn Park, Ballsbridge, Dublin 4 *(tel 012691640)*

ITALY: Palacio Borghese, Largo Fontanella di Borghese 19, 00186, Rome *(tel 6878264)*

THE NETHERLANDS: Lange Voorhout 50, 2514, The Hague *(tel 0703643814)*

NEW ZEALAND: (Consulate only, embassy in Australia): Mancan House, Cnr of Manchester St and Cambridge Ice, PO box 13637, Armagh, Christchurch *(tel 3660244)*

PORTUGAL: R. Salitre 1, Lisbon, 1296 *(tel 013472381)*

SOUTH AFRICA: 169 Pine Street, Arcadia, Pretoria, 0083 *(tel 0213443875)*

UK: 39 Chesham Place, London, SW1X 8SB *(tel 02075898989)*

USA: 2375 Pennsylvania Ave NW, Washington DC, 20037 *(tel 2024520100)*

The Schengen Agreement has abolished passport controls on all Spain's land borders, though you may occasionally be stopped and asked for some form of ID and so it is best to carry your passport with you. The border crossing point where this is most likely to happen is the main coastal one between the Spanish and French Basque regions.

Aside from a passport/identity card and, where applicable, a visa, you need little other paperwork for a trip to Spain. A driving licence is obviously an essential if you have your own transport or intend to hire a car. Most western nationalities will only need their home licence, but to play it safe then get an international licence from your national motoring organisation. Old UK-style green paper licences are, technically, anyway, no longer valid in Spain and you should get one of the newer credit-card-style licences.

Other useful cards and paperwork are the International Student Identity Card, Youth Hostel card, Youth card and a Camping Card International. Make sure that you have photocopies of all your important papers, kept safely away from the originals.

MONEY

On 1st January 2002 the euro replaced the peseta as the new currency of Spain and ten other European countries. The advantages of this are going to be felt most strongly by surfers on a longer European trip, as all the countries on the western seaboard except the UK (which is likely to have a referendum about joining) will also be using the euro. This means that you will no longer have to change money at every border and lose out to unfavourable commissions and exchange rates.

The euro is divided into 100 cents and will come in denominations of 1, 2, 5, 10, 20 and 50 cents, €1 and €2 coins and €5, €10, €20, €50, €100, €200 and €500 notes.

EXCHANGE RATES
EUROS

Australian Dollar	1.74
New Zealand Dollar	2.10
UK Pound	0.62
US Dollar	0.89

COSTS

Although not as cheap as a few years ago, Spain is still a fairly good-value destination by west European standards. Sleeping and travelling in your own van and cooking for yourself can see you spending very little. Moving up the scale of luxury a little and staying in campsites or cheap hotels and eating in basic restaurants will see you getting by on about €30/40 a day, maybe less if you're travelling in a group. For mid-range travel expect to spend around €60/80 a day. Where you go and when makes a big difference, Santander in the summer is far more expensive than a remote village on the Galician coast in winter. With the introduction of the euro at the beginning of January 2002 prices are likely to continue to rise.

CHANGING AND CARRYING MONEY

By far the easiest way of carrying and accessing your money is through a Visa or MasterCard debit or credit card. Every town has at least one ATM (cashpoint) from which you'll be able to access money using your pin number. Exchange rates are usually better than for cash or traveller's cheques. If at all possible carry two different cards in separate places; that way if one is lost or stolen then you can still get hold of your money. Remember also to bring your card's emergency phone number with you in case it's lost or stolen. Sometimes Spanish cashpoints will spit your card out with a message along the lines of 'Incorrect pin number', 'Insufficient funds' or 'Contact your bank for further details'; this isn't something to get overly worried about (as long as you do have money available!); it's caused by communications errors with your home bank. By trying later or in a different machine you will probalbly have more luck.

Traveller's cheques are the more traditional way of carrying money when abroad, but their days are numbered and with high commission rates and the hassles and time involved in changing them it's not really worth bothering.

Carrying all your money in cash is not a good idea. If it gets stolen then it's gone forever.

Banks are open from 09.00 to 14.00 on weekdays and 09.00 –13.00 on Saturdays (in the summer many banks don't open on Saturday mornings). Outside normal banking hours you can change money in bigger cities and popular beach resorts at private exchange booths called cambios. The rate they offer is not as good as at banks.

ACCOMMODATION

From sleeping rough in the back of a van to a night of luxury in a converted castle, Spain offers the full range of accommodation options. Aside from during the high season in the most popular resorts and cities you'll rarely have a problem finding a place to stay for the night. Though prices are no longer as cheap as in the past you can still find good-value double rooms outside the big cities and popular beach resorts in the summer for €25 a night

FREE-CAMPING

A large percentage of surfers travelling around Spain are doing so in their own vans as part of a much larger Europe surf trip. This is obviously the cheapest way to go, as you can just park up in front of an empty peak and set a bed up in the back of the van. Each summer to autumn hundreds of surfers travel along the north coast of Spain, often on their way to the wintering grounds of Portugal or Morocco, forming impromptu communities in quiet beachside car parks. This is a great lifestyle and one that for the most part is tolerated by the local police. The rules on whether or not free-camping is actually legal are a little vague, but it seems that if you are away from built-up areas, outside national parks and popular tourist beaches (you can often get away with it even here if you are discreet) and not on private property, then it's tolerated, but you should be prepared to have the police turn up at any time of the night and move you on. Maybe the best area for free-camping is along the remote west coast of Galicia, where it's common to have a beach all to yourself even in the middle of August. Another region that plays host to a sizeable community of foreign surfers (and windsurfers) in the winter is the stretch between Tarifa and Conil de la Frontera, in Andalucía. In most other rural areas of the country you'll find little objection to free-campers as long as you keep the area clean and aren't loud, drunk and disrespectful to local people.

CAMPSITES`

Camping is immensely popular with the Spanish and there are numerous campsites to cater to their needs. Almost every beach town has at least one campsite, although many of them are closed in the winter, especially in the north of the country. Prices vary from region to region and according to the time of year. A pitch on a site close to a popular beach in the Basque country in August will cost you much more than one in Galicia in the winter. Official campsites are graded according to their facilities and standards, from one to three stars, and in addition to these official sites you can often find basic unlisted places that are usually the cheapest and quietest options. If you're going to be spending much of your time camping, get a copy of *Guia de Campings*, a very useful guidebook to every official campsite in the country. It costs €6 and is available from many bigger bookshops. On most campsites you have to pay per tent, vehicle and person, with each person averaging around €2.50–€3.00. Remember that you should never leave boards and wetsuits lying around unattended.

PRIVATE ROOMS

In many of the big tourist cities (San Sebastián , Bilbao, Santander, etc) and some of the more popular beach resorts (Zarautz, San Vicente de la Barquera, etc) you'll find numerous private rooms for rent. Sometimes the local tourist offices keep lists of these rooms; at other times you'll be approached on the street by people (usually old women) offering you a room. Otherwise, keep an eye out for signs above bars or in apartment windows reading *'Camas'* (beds) or *'Habitaciones'* (rooms). These are almost always the cheapest accommodation options apart from camping, and in the low season in rural areas prices for a double can fall as low as €18. We've noted in the text which towns have lots of private rooms to rent.

YOUTH HOSTELS

Spain's youth-hostel network is rarely worth bothering with, as most of the hostels are inconveniently located with little price difference between them and a private room or cheap pensión. The most surfer-friendly hostels are covered in the main text.

FONDAS, PENSÍONES AND HOSTALES

These three, alongside private rooms, form the most common type of hotel-style accommodation for surfers. The differences between *fondas*, *pensíones* and *hostales* can be a little confusing, but generally *fondas* (indicated by a blue sign with a letter F) and *casas de huéspedes* (CH) are the cheapest and are usually little different to a one-star hostal or pensión. *Pensíones* (P) and *hostales* (H) are graded from one to three stars, with three-star hostales offering similar-quality accommodation to mid-range hotels. In many of these breakfast is included in the price, but you'll rarely be told about it. Similar, and the most common, are *hostal-residencias* (HsR), which never offer food. High-season prices start from about €30 for a basic double in a quiet beach village, whilst a three-star hostal in San Sebastián in August is anything but cheap. In towns and cities with few tourists you might find that budget accommodation is limited or even non-existent and that the cheapest option will be a three-star hotel.

HOTELS AND PARADORES

Graded from one to five stars, Spain has hundreds of hotels, with many at the bottom end of the scale being little better than a top-end hostal or pensión, but more expensive. At the top of the price scale are the luxury chain hotels and paradores, which are often located in converted castles or palaces. If you're planning on staying at the better hotels then it's always worth trying to pre-book through a travel agency at home, as it's often cheaper as part of a package. Package holidays including hotel accommodation to much of the Mediterranean coast can be amazingly cheap if bought at the last minute in the winter.

Throughout the guide we have used a code system to indicate the price of accommodation. These symbols represent the cheapest double-room prices in high season. Prices for campsites have not been included. We have chosen to use a code system rather than exact prices as this information will stay current for longer. With the recent introduction of the euro you can expect some confusion and a slight change in prices, but remember that a cheap hotel will always be a cheap hotel unless the management do a total overhaul of the place.

(**1**) = Under €15
(**2**) = €15 – €22
(**3**) = €22 – €30
(**4**) = €30 – €38
(**5**) = €38 – €45
(**6**) = €45 – €60
(**7**) = €60 – €90
(**8**) = €90+

FOOD AND DRINK

ABOVE; A TYPICAL RESTAURANT SIGN. PHOTO BY MIKE ROSE.

The Spanish are renowned for their devotion to food and drink and equally for their strange mealtimes. You may well find yourself learning to eat all over again here. The whole ritual behind eating in Spain is far more complex than in northern Europe and though the huge lunches followed by a siesta are becoming more of a thing of the past, eating and drinking are still very much inter-twined with the rest of the day's activities. Although many surfers will be catering for themselves it would be a rare person indeed who didn't occasionally fall prey to the delights of, at the least, a round of early evening tapas and a glass of wine. When trying to get a grasp of Spanish eating habits the essential element to remember is that the Spanish love to eat all day. Breakfast tends to be a small affair consisting of a big coffee and a sweetened version of a French pastry or, for the brave, chocolate con churros, fingers of fried dough dipped into hot

chocolate that in the Basque regions especially, is almost impossibly thick. If you make it out to Pamplona during San Fermín (see ENTERTAINMENT on page 55) then this is the only breakfast to consider. The main meal of the day is lunch, a huge affair consisting of at least three courses and plenty of wine. It's not at all unusual to see a business's entire staff sat around a table eating and drinking their way through a good part of the afternoon, whilst on a Sunday lunchtime it can seem as if every Spanish family gets together and goes out into the coun-tryside somewhere for lunch. For the best value (though not necessarily the best food) look out for places serving cheap set menus and full of local workers. After work, people meet up in a bar with friends for a round of tapas, the little bite-sized portions of titbits that grace almost every bar-top in the land. One of the best things about tapas is that you get a good opportunity to experiment;

you don't have to know the name of anything, just point and it'll be handed to you on a little plate. Do try and keep a record of what you've had, as it'll all be added up when you leave and you'll be charged then. Every region has its specialities and it would be easy to fill a book explaining what everything is. In the south you'll find that eggs form a staple, and in the north it's seafood. The quality also varies from region to region but it's in and around San Sebastián that tapas (called pintxos in the Basque country) reach their climax. Spaniards tend to spend only a short time in each bar, just long enough to gulp down the bar's speciality before moving on to the next place. A couple of tapas are usually enough to tide you over until the evening meal, which can be served as late as 23.00, although 21.00 is more common. This is a much lighter affair than lunch and in some places, especially in the Basque country, it can be an effort to find anywhere open serving cheap sit-down meals in the evening.

So now to the most important question – what to eat and where? Spain is one of Europe's biggest countries and the regional variations found throughout the country are reflected in the wide variety of regional food. It's safe to say, though, that all along both coasts, seafood is the star attraction, and remote Galicia is regarded as one of the best seafood destinations in the world. The scallops that are scooped out of the rias (drowned valleys) and served up with simple sauces are only the most famous of a huge range of seafood whose highlights also include lobster and empanadas (a pie stuffed with eels or better still, lamprey) and octopus, which is such a staple Gallego dish that it has its own special cooks, and even a fiesta devoted to it along with barnacles, the collecting of which is somewhat hazardous because of waves washing people off the rocks. Galicia also produces the best of Spain's cheeses and veal. The traditional Galician dessert is the almond tart called Tarta de Santiago and any Galician meal should be topped off with a glass of aguadiente, the local firewater. Further east the quality of the fish brought out of the depths can't quite match Galicia's (though it's still about as good as it gets). Throw in a Basque chef, though, and the results are certain to be out of this world. The Basques are considered the best cooks in Spain (as well as over the border in France) and the best eaters. Their seafood highlights are found in the San Sebastián tapas, or for something more substantial try txitxardin (elvers in garlic sauce), which nowadays, because of a scarcity of elvers, can often be a manufactured substitute. Ttoro is the Basque version of the filling fish stews that

are so common all over southern Europe, but naturally the Basques say that their recipe is the best. Chipirones en su tinta is squid cooked in its own ink and though it may look like tar it's actually very good. The Basques like to keep their sauces as simple as possible, but two essential ingredients of almost any meal are garlic and the little fiery red peppers that are often seen drying out on long strings hanging from the walls of houses. The most famous of all Spanish meals is paella, a mess of rice, shell-fish, chicken and spices. It originates from Valencia, on the Mediterranean coast, but is now available in almost every region, though still at its best in its homeland. Ideally it should be prepared fresh and over a wood fire, not simply scooped out of a big vat; most of the time you'll have to give a restaurant advance notice and order for a minimum of two. Cádiz, in Andalucía is, contrary to popular British opinion, the real home of fried fish and here, unlike in much of the UK, it's still served to take away in small conical paper funnels.

Most of the bigger cities have a couple of vegetarian restaurants, but out in the sticks vegetarians might find themselves eating lots of sandwiches and omelettes.

Wine (vino) accompanies every meal and is almost always extremely cheap as well as very good. tinto is red, blanco white and rosado rosé. For the cheapest (but still very drinkable) wine in a restaurant, ask for vino de la casa, which will usually be a locally produced wine. The wines most widely available throughout the country include Rioja and Valdepeñas, but others worth looking out for are Galicia's Ribeíro, Catalunya's Bach, Txacoli of the Basque country (which has to be poured from a height to get the best out of it) and the jerez (sherry) of Andalucía, which in itself comes in a confusing range of forms, but always forms the perfect tapas accompaniment. Sangría is the drink most immediately associated with Spain, thanks to its prevalence in tourist bars and at fiestas across the country. In the north you might also come across Kalimotxo, a potent mixture of red wine and coke. Beer (cerveza) fans will find plenty of opportunities to quench their thirst; San Miguel is the most common, but you'll find plenty of local brews that are always worth trying. One unexpected drink that you'll come across all over the north of the country is cider (sidra), Asturias seems to function on nothing but sidra.

OPPOSITE: A WELCOMING SIGN – THE TAPAS BAR ENTRANCE. PHOTO BY F. MUÑOZ.

It's a bit of an acquired taste, but after, say, five minutes you should be having no trouble with it. The ritual that accompanies a glass of sidra is important; the barman or waiter should hold the bottle over his head and pour it into the glass held at his hip. Quite often after the first glass has been poured you'll be left to fend for yourself with the remainder of the bottle. Sidrerías can be found in almost every Asturian and Basque town and are a great place to go for a gut-busting meal and drinking session. This tends to be an especially popular way for northern Spanish families to spend Sunday afternoons. Spain has dozens of spirits and liqueurs, and the local varieties are always cheaper than the international brand names, but whichever you choose, measures are certain to be alarmingly generous. Spanish brandy is another drink that you can't go wrong with; the best stuff comes from Andalucía. Many monasteries brew their own liqueurs that, if for nothing but the experimental value, are worth keeping an eye out for. If you're in the Basque country try Izarra, a deadly concoction of spices and herbs.

Non-alcoholic drinks include the full range of soft drinks and good fruit juices. Horchata is a milky creation using almonds that's widely available from street stalls in the summer. Spaniards love coffee; sometimes there are campaigns to try and persuade people to drink less of the stuff, but it's a message that seems to be falling on deaf ears. Needless to say, Spanish coffee is extremely strong and usually served black (café solo), café cortado is with a drop of milk and café con leche is with lots of hot milk. For a large coffee ask for a doble or grande. There are also plenty of times when it's mixed with alcohol. Tea (Té) is not as popular and is always served black, unless you specifically ask for milk and even then don't expect anything like a cup of English tea. Hot chocolate, as already mentioned, is incredibly thick and strong and only really drunk in the morning. Water everywhere is safe to drink from taps, but it doesn't prevent huge sales of the bottled stuff.

BELOW: THE FISH MARKET IN BARCELONA IS A TYPICAL SCENE ALL OVER SPAIN, HIGHLIGHTING THE SPANISH LOVE OF SEAFOOD.
PHOTO BY MIKE ROSE

ENTERTAINMENT

ABOVE: CARNAVAL – BERANJO.
PHOTO BY WILLY URIBE.

Maybe no one else in Europe knows how to have a good time quite like the Spanish do, and a night out in one of the big cities or at a colourful village fiesta is likely to provide you with some of the most memorable (or not, as the case may be!) moments of your trip. Bars play a huge part in daily Spanish life; they are open almost around the clock and come in all sizes and varieties, from a rustic village affair with local wine straight from the barrel, a pinball machine in the corner and a TV showing the football, to fashionable and expensive designer bars standing next to elegant turn-of-the-century establishments whose counters overflow with tasty tapas. The club scene is equally varied; at its worst you'll find no shortage of cheesy small-town discos, but the cities have much more to offer, including lots of Latin-American clubs, jazz, blues, rock, hip-hop and even flamenco clubs, although the last are often very tacky, tourist-orientated affairs. Another thing you're likely to come across is

peñas, which are private bars or clubs but usually the liveliest places during the fiestas. Many bars transform during the course of the day and the night; in the mornings you'll find people stopping by for coffee and a pastry on the way to work and at lunchtime many of these same people will eat in one of the numerous bars that serve excellent-value set lunches. Things get quieter until after work, when any sensible person stops by for a drink and some tapas, then, after a late dinner at home or in a restaurant, people return to the bars shortly before midnight. Many bars finally close between 02.00 and 04.00, but that doesn't mean the end of your night, as this is when the clubs begin to get busy. When they close at around 06.00 those with the stamina move on to the post-club bars that play mellow sounds to prepare you for the day ahead, which begins, not surprisingly, with breakfast in another bar and so the process repeats itself. Indeed it would be perfectly possible to go on a surf trip to Spain and never leave the bar!

Towns and cities renowned for their nightlife that surfers are likely to come into contact with include San Sebastián, which is widely regarded as having some of the best nightlife in the country and whose La Parte Vieja quarter houses more bars per square metre than anywhere else in the world! Santander may at first seem a little staid but its nightlife is as good as anywhere. Out in Galicia, both La Coruña and Pontevedra have lively centres, as does Gijón, in Asturias. Down in Andalucía's deep south, gritty old Cadiz can be relied on but it pales next to Sevilla, a short way inland and well worth the detour. On the Mediterranean coast you have a choice between the brash and much maligned resorts of the Costas and the more Spanish nighttime flavours of Valencia and, of course, Barcelona. Finally, if you're passing through, Madrid has a nightlife scene that is impossible for even Barcelona to beat.

If you think it's hard keeping up with the Spaniards on a normal Saturday night, just wait till you encounter your first fiesta. Many were banned during the Franco years, but they were never forgotten and today literally thousands of them take place across the country, with almost every village, town and city having its day or week of celebration. Most of these fiestas are based around a patron saint or date of local significance and often include colourful religious processions, noisy fireworks, fancy costumes and non-stop drinking, dancing and eating. Although the elements of a fiesta are much the same throughout the country, the details vary from region to region. In Andalucía everything's Flamenco-based; in the Basque country bulls are the centrepiece; Galicia looks towards the sea and enjoys big religious processions, and in Valencia, Moors and Christians battle it out. Fiestas take place throughout the year, but it's in the summer that they really hit their stride. Some are well known and worth travelling a long way for and others are more low-key village affairs. Any, though, would be a highlight of your trip. Some of the best ones that you really should try and attend are listed below.

JANUARY

15th SAN MAURO VILANOVA DE AROUSA (Galicia). Big local fiesta.
19th–20th LA TAMBURRADA SAN SEBASTIÁN (Euskadi). One of the biggest and, thanks to the incessant drumming, one of the noisiest fiestas of the year.
22nd SAN VICENTE DE LA BARQUERA'S FIESTA (Cantabria).

FEBRUARY

CARNAVAL (dates change each year). An important event throughout Spain, but it's in the south that things get really messy. Cádiz's carnival (Andalucía) is regarded as one of the best in the country and Águilas (Murcia) and Sitges (Catalunya) both have good ones. In Euskadi both San Sebastían and Bilbao are good, but Tolosa takes the centre stage. Further west, in Asturias, Avilés is home to one of the messiest carnival celebrations in the whole country and Gijón and Oviedo aren't that far behind.

MARCH

15th–19th LAS FELLAS DE SAN JOSÉ VALENCIA CITY (Mediterranean coast). The idea at this, one of the best parties of the year, seems to be to make as much noise as possible. Huge firework displays.

APRIL

SEMANA SANTA (dates change). This is celebrated in some form in most places in Spain. Colourful processions take place on Good Friday in Bilbao and Fuenterrabía (Euskadi). Easter and Easter Monday sees a big fiesta in Avilés (Asturias). If you're in the south of the country then don't miss Sevilla's SEMANA SANTA events and the world-famous processions that take place here. Two weeks after this Sevilla plays host to the huge FERÍA DE ABRIL, a week-long event comprising of Flamenco music, bullfights, processions and huge quantities of food and drink that is maybe even messier than the Semana Santa festivities. For both these events book accommodation well in advance and expect to pay well over the odds for it. Don't worry, it's worth it.

First Sunday after Easter LA FOLIA SAN VICENTE DE LA BARQUERA (Cantabria). Nighttime procession of a statue of the Virgin.

MAY

PENTECOST (seven weeks after Easter) ROMERIA DEL ROCÍA EL ROCÍO (Andalucía). Horse-drawn processions, flamenco and ample sherry.

Spread over a week around the 15th SAN ISIDRO MADRID, the capital has its big event with bullfighting being the centrepiece, but the whole city parties hard.

Falling at the end of May or early June, CORPUS CHRISTI sparks off a four-day wave of festivities across the nation.

JUNE

21st–24th SAN JUAN Bonfires and fiestas in Laredo (Cantabria). Basque sports and a romería (pilgrimage) out to Izaro island, Bermeo (Euskadi). Midsummer's day is celebrated throughout the Basque country with bonfires. On the Mediterranean coast San Juan de Alicante (Valencia) has a smaller version of Valencia's Las Fallas de San José.

26th FIESTA DE SAN PELAYO ZARAUTZ (Euskadi). This lively beach town goes wild.

30th FIESTA OF SAN MARCIAL IRÚN (Euskadi). El Coso Blanco Castro-Urdiales (Cantabria), Conil (Andalucía)

JULY
7th–14th SAN FERMÍN PAMPLONA (Navarra). This most famous of Spanish fiestas draws people from across the world and is one of the biggest street parties you're ever likely to attend. It is, of course, best known for the running of the bulls, but many people spend a week here without even seeing a bull. If you're anywhere within northeast Spain or southwest France then put on your red and white clothes and get yourself to Pamplona. Remember that accommodation has to be booked up months in advance for vastly inflated prices; most people just sleep on the street. (*See page 46*).

15th COMILLAS (Cantabria). This small town is packed out with people leaving the San Fermín festival in Pamplona. Avilés (Asturias) has yet another festival.

24th–25th SANTIAGO DE COMPOSTELA (Galicia). The holy city lets its hair down for Galicia's biggest festival.

29th FIESTA DE SAN PEDRO MUNDAKA (Euskadi). Just in case you need another reason to come here.

End of the month VIRGEN DEL MAR ALMERÍA (Andalucía). The city's biggest event.

AUGUST
First Sunday ASTURIAS DAY GIJÓN (Asturias). Folklore-based celebrations – the Saturday night is a good one.

5th–10th VIRGEN BLANCA VITORIA (Euskadi). It's an hour or so inland but is one of the country's best fiestas.

13th–21st FERÍA DE MÁLAGA MÁLAGA (Andalucía). One of Andalucía's best.

15th INTERNATIONAL FIREWORKS FESTIVAL SAN SEBASTIÁN (Euskadi). An incredible firework display leads into a heavy night.

15th–16th ASSUMPTION OF THE VIRGIN AND SAN ROQUE SADA (Galicia), Gernika (Euskadi), Llanes (Asturias).

Saturday after the 15th ASTE NAGUSIA BILBAO (Euskadi). Bilbao has its week-long fiesta.

21st–28th GUADALQUIVIR FESTIVAL AND HORSE RACES Sanlúcar de Barrameda (Andalucía). Bullfights, beach horse races and flamenco.

Last week FESTA MAJOR SITGES (Catalunya) Festival for the town's patron saint.

Last Wednesday LA TOMATINA BUÑOL (Valencia). The biggest food fight in the world. This tomato extravaganza is now one of the best-known Spanish fiestas.

SEPTEMBER
2nd FIESTA DE SAN ANTOLÍN LEKEITIO (Euskadi). A gruesome centrepiece of this fiesta is the contest to pull the head off a live goose.

19th AMERICAS DAY OVIEDO (Asturias). Big Latin-American celebrations.

22nd–25th FESTA DE LA MERCÈ BARCELONA (Catalunya). The city's biggest and craziest fiesta. Not to be missed.

OCTOBER
7th SAINTS' DAY LA CORUÑA (Galicia).

NOVEMBER
11th FIESTA DE SAN MARTÍN BUEU (Galicia).

DECEMBER
Christmas Generally a big event everywhere, but Pamplona (Navarra) is one of the better places.

New Year's Eve Again, everywhere has big parties on this night, but Madrid has the best of the lot.

This list is by no means exhaustive, containing only the bigger events and ones that surfers are likely to be close to; this of course means that more emphasis has been placed on the events taking place on the north coast. Whenever and wherever you go in Spain you're likely to stumble across some kind of celebration. Bear in mind that most of these festivals have flexible dates that change each year, so always check the exact date for that year in advance with the regional tourist office.

at about €12 for seats in direct sunlight. For more information on bullfighting look on the website www.mundo-taurino.org. In the north of the country you're likely to come across the encierro, or bull run, through the streets of a town in mid-fiesta. The most famous of these is obviously Los San Fermínes, in Pamplona in early July. In an encierro the bull or bulls clearly have the upper hand as they chase a group of (usually) very drunk people through the streets. Anyone can join in, but bull runs are dangerous and injuries (or worse) through goring and trampling are common. Throughout Spain you'll find little opposition to bullfighting.

Bullfighting can be an incredibly exciting spectacle but the atmosphere in a bullring can never possibly compare to the excitement and tension of a major football match. When a big match is on life grinds to a halt and it can seem as if the entire male population has stopped work and piled into the bars to watch the game on TV. The two biggest teams are Real Madrid and FC Barcelona, who have shared the majority of titles between them for years. Recently though, they've been getting a run for their money from Atlético Bilbao, Deportivo La Coruña, Valencia FC and Real Sociedad. Spain is a good place to go and watch a match; the atmosphere is good, tickets are fairly easy to get for all but the biggest games, and with prices starting at about €12 it's not too expensive. Many bars show the big games live on TV and some, especially in the south, show the major English games.

LOS SAN FERMÍNES

Whatever else you do or don't know about the Basque country you certainly know about Los San Fermínes. It has been called the biggest party on the planet and the million people who flock into Pamplona from the nights of 6th to 14th July each year are unlikely to disagree. The San Fermín festival is, of course, best known for the encierro, or running of the bulls. This is when a group of angry bulls with a combined weight of several tonnes are let loose into crowds of drunken locals and tourists. The results are, somewhat predictably, carnage and every year people are seriously injured and occasionally killed. There is, though, a little (but only a very little) order to the chaos. The bulls run each morning from the 7th to the 13th at 08.00 along a set course through the slippery

Other, less alcohol-dependent entertainment options include Santander's (Cantabria) month-long music festival in July and San Sebastián's (Euskadi) International Jazz Festival for the last ten days of July. San Sebastián also hosts an international film festival in the middle of September. It's the most important in the country, and surf films occasionally make it onto the programme. The Spanish love going to the cinema, and in addition to the standard indoor cinemas you can often find summer-only outdoor cinemas. Entrance fees are cheap.

One form of entertainment that gets everyone's passion boiling is bullfighting, or *Los Toros*, as the Spanish refer to it. Love it or hate it, there's no denying that it's a cruel sport, but it's one that is still immensely popular in Spain, frequently forming the basis of many of the country's numerous fiestas. To many Spaniards the bullfight is not a sport but an art, indeed the bull critiques in the newspapers are found in the arts section and not the sports pages. The art of the fight comes in the interaction between man and animal and the rigid ceremony that accompanies the fight. The bullfight season runs from March to October and even if you are completely opposed to watching a fight you may find it hard to avoid, as alongside football it seems to dominate the televisions of bars across the country. Watching a fight on TV first may help you make up your mind whether or not you'd like to go and watch a corrida (bullfight) for yourself. If you do go, then try and choose a fight in a big city with star matadors as this is likely to result in the cleanest and most artistic fight. For all-out atmosphere the fights held in Madrid, Sevilla and Pamplona during their respective fiestas are the ones to go for. Tickets for these fights sell quickly but you can normally buy them from touts for inflated prices just before the fight begins. Tickets start and winding streets of the old town, from the coralillos de Santo Domingo (the paddocks) to the bullring. If you want to see this you will need to arrive early enough to get a good vantage point – 06.00 isn't too early. If you want to take part in the encierro yourself, and be warned that it is dangerous and not really recommended, then you have to be at the starting point of Plaza Santo Domingo at least half an hour before the start, which gives you plenty of time to let the nerves build up! At 08.00 a rocket is fired to indicate the start of the encierro and as the last bull leaves the paddock another rocket goes off, the cheers go up from the crowd and everyone races towards the bullring. It may all be over almost as soon as it starts but there can be few things to get the adrenaline going quite like your first encierro. The most dangerous times are when a bull becomes separated from the rest of the pack and starts charging at anything, or when a human pile-up occurs. Don't get caught in a doorway by a bull and avoid running on wet days when the cobbles become very slippery and people and bulls are falling all over the place. Technically, women are forbidden from running, but plenty do it – though keep away from officials just before the start as they may try and prevent you from running.

Of course, there is much more to San Fermín than just the encierro. The opening of the fiesta takes place in front of the town hall at midday on the 6th when a city councillor shouts out to the assembled masses, 'People of Pamplona! Long live San Fermín!' whereupon countless bottles of champagne burst open to the sounds of the cheering crowd. Over the course of the next week parades of giants take place, a semi-riot called the Riau Riau when everyone tries to prevent the members of the Corporación de San Fermín from reaching the chapel of San Fermín; bullfights take place at 18.30 each afternoon with the bulls from that morning's encierro, as well as religious services, fireworks, concerts and the drinking of 3 million litres of alcohol. Finally the whole crazy thing comes to a halt at midnight on the 14th with a solemn candlelit ceremony in front of the town hall.

If you're planning on attending the fiesta, bear in mind that accommodation is booked up months in advance for vastly inflated prices. Do what everyone else does and just sleep in the streets or at the free campsite down by the

ABOVE: AN ESTABLISHMENT YOU MIGHT NEED IN AN EMERGENCY. A HAIRDRESSERS' SIGN IN SANTIAGO. PHOTO BY STUART BUTLER.

river. Carry the absolute minimum with you, pickpocketing is rife, as are car break-ins. Valuables can be left in lockers at the bus station or, better still, leave them in another town and come in on one of the special buses that almost every large town or city in north Spain and southwest France puts on for the event.

COMMUNICATIONS AND INFORMATION

POST

Post offices in the cities are open Monday to Friday from around 08.30 to 20.30 and 09.00–13.30 on Saturday mornings. Post offices in the smaller villages often keep much shorter hours. The postal service is efficient, with cards and letters taking less than a week to most European destinations and about ten days to North America. Stamps are sold in post offices and at most tobacconists.

TELEPHONE

There are card- and coin-operated public phones everywhere and these are the easiest places to call from, but be warned that most public phones don't accept euros. Phone cards are available from most newsagents. You'll often find pay phones in bars and cafés, but these are more expensive than phone boxes. The bigger cities also have telephone offices, which are useful if you want to make a call in privacy, and are the only place from which to make reverse charge, or collect, calls.

The international country code for Spain is 34.

INTERNET

Many Spanish towns have public Internet access from either one of the fast-growing number of cybercafés or some computer shops. Prices vary considerably from a low of €2 an hour in the big cities to €6 in popular beach resorts and quiet villages. The location of many cybercafés can be found in the text.

Some useful Internet addresses to help you plan your trip include:

www.tourspain.es Spanish tourist board site containing a wealth of useful information from hotels to festivals.
www.paisvascoturismo.net The Basque country's tourist board website.
www.turismo.cantabria.org Cantabrian tourist board website.
www.infoasturias.com Asturian tourist board website.
www.turgalicia.es Galician tourist board website.
www.Andalucía.org Andalucían tourist board website.
www.madrid.org/turismo Madrid tourist board website.
www.catalunyaturismo.com Catalunya tourist board website.
www.murciaturistica.es Murcia tourist board website.
www.comunitat-valenciana.com Valencia tourist board website.

POLICE, THEFT AND OTHER DANGERS

Most people have a trouble-free trip to Spain and violent crime against tourists is very rare, but this doesn't mean that you don't have to keep your wits about you. As anywhere, tourists are a favourite target of thieves, and car crime is a problem. If you are robbed, don't put up a fight; hand over your things and get away as soon as you can. Busy public transport attracts pickpockets and you should never leave anything of value visible in a parked car. If you're camping, be especially careful and never ever leave boards and wetsuits unattended; you'll be amazed at how quickly they can vanish from right under your nose. The emergency number for police, ambulance and fire is 112. If you do have anything stolen and want to make an insurance claim, you must report it to the police and obtain a police report.

If it's you who's in trouble with the law then you can expect little help from your embassy, although they will provide you with a lawyer and advice on the Spanish legal system. All embassies are notoriously unsympathetic to drugs charges. Remember that when you are in Spain you are subject to the laws of the land. Spanish drug laws are slightly confusing. It used to be that possessing a small amount of cannabis for personal use was decriminalised; this is no longer the case and it is now illegal to possess or deal in any sort of drug and the penalties can be severe.

INSURANCE AND MEDICAL HELP

A good travel insurance policy that covers you for medical emergencies is a must, but before you hand over your money be sure to check that it covers you for 'dangerous activities' such as surfing. If you do need medical treatment you'll usually have to pay up front and then reclaim through your insurance company later, even if your policy states otherwise. Remember to keep a record of all receipts. EU citizens are entitled to a certain amount of free emergency medical treatment with an E111 form (available from post offices in your country of residence). If you only have a minor problem then go to a chemist (farmacia) for advice. Every town will have at least one open 24 hours a day. If your problem is more serious you will need a doctor's clinic or a hospital; details of these are included in the text. Most doctors and pharmacists speak either English or French.

GENERAL INFORMATION

MAPS

It's surprisingly hard to find a good countrywide map of Spain that includes much in the way of beaches. The best bet is to buy one once you get to Spain; Editorial Almax are good ones to look out for. You can buy decent regional maps from many bookshops and petrol stations. Outside Spain the Michelin maps are about the best. Most tourist offices are happy to hand out free, detailed regional and town maps.

TIME

Like France, Spain runs on GMT + 1 hour in the winter and GMT + 2 hours in the summer, which puts it an hour ahead of the UK and Portugal year-round.

ELECTRICITY

Plugs are of the standard European two-pin type and the electrical current is 220V, 50Hz.

BUSINESS HOURS

Most shops are open from 09.30 to 13.30 and then from 16.30 to 20.00, and are closed all day on Sundays, public holidays and Saturday afternoons. Shopping centres keep much longer opening hours, often 10am to 10pm. Banks are open from 09.00 to 14.00 on weekdays and from 09.00 to 13.00 on Saturdays. Post offices are open from 08.30 to 20.30 on weekdays and from 09.00 to 13.30 on Saturdays, although smaller village offices have shorter opening hours.

PUBLIC HOLIDAYS

New Year's Day 1st January
Good Friday March/April
Easter Monday March/April
Labour Day 1st May
Assumption 15th August
National Day 12th October
All Saints' Day 1st November
Constitution Day 6th December
Feast of the Immaculate Conception 8th December
Christmas Day 25th December

GETTING TO SPAIN

Most surfers arrive in Spain by flying either into Bilbao, Madrid, one of the Mediterranean resorts, or into Biarritz on the French side of the Basque country border. Others come in overland in their own vehicles from France or Portugal, whilst Britain-based surfers can make use of the ferries from Plymouth or Portsmouth to Santander and Bilbao. Still others use trains or buses to get from their home country to Spain, but the extra time, inconvenience and little if any cost-savings make this option far less worthwhile unless you want to stop a lot on the way to Spain. Bear in mind that the information in this section is likely to change, as airlines, buses and trains add new routes or drop others on a regular basis and the prices can change daily or even hourly.

AIR

Spain's national airline is Iberia and it has connections to/from most west European countries and the USA. Likewise, the national carriers of most of these countries also serve Spain. The main airports are in Madrid, which sees the bulk of the scheduled flights, and the Mediterranean resorts and cities, which take the majority of the charter flights, although Barcelona also sees many scheduled flights. Bilbao receives significantly fewer flights and is more expensive to fly to. When buying air tickets it's rarely worth going to the carrier direct, unless they happen to have a special offer on, as the price they quote you will be the full set fare. Instead, go to a discount travel agency (bucket shops in the UK), who are likely to be able to offer you the same seat with the same airline for a fraction of the full-fare price. Scheduled tickets like these are usually accommodating if you have to change them after you've paid. In recent years, though, even discount agencies are being given a run for their money by the growing band of 'no-frills' airlines who cut out the travel agency middle man by selling directly to the public over the Internet, though these seats tend to be impossible to change once paid for, and during very busy periods they can become as expensive as a scheduled flight. The third flight option is on a charter flight; these are planes whose seats are pre-booked by a holiday company for their customers and any unsold seats are advertised through normal high-street travel agents (as opposed to discount agencies), the Internet (look on the websites of the holiday companies), in some newspapers and in Britain on Ceefax and Teletext. Sometimes whole holidays are sold off this way, although these are often to Mediterranean resorts not renowned for their surf. Whatever type of flight you choose remember to check their policy on surfboards, as some airlines charge excess for them.

FLYING FROM THE UK

The main choice of airlines to Spain from the UK is with British Airways or Iberia for direct scheduled flights. If you are prepared to transfer in London and Madrid then you can fly from almost any regional British airport to any Spanish airport. Another scheduled option that can work out cheaper than British Airways or Iberia is with the Spanish airline Air Europa who fly from London to Madrid, their website is www.air-europa.com. A couple of recommended discount travel agencies are STA Travel (tel-020 7361 6161) and Usit Campus (tel-0870 240 1010). A cheaper alternative is to use one of the growing band of "no frills" airlines that serve Spain. Ryanair, www.ryanair.com fly to Jerez, which is ideal for those wanting to explore Atlantic Andalucía, Murcia for the central Mediterranean coast and Gerona for Barcelona. Easy Jet, www.easyjet.com are the only no frills airline to serve the north coast with regular flights from London to Bilbao, they also fly to Alicante, Barcelona, Malaga, which is a common entry point for the Cádiz area of Andalucía and Madrid. Virgin Express, www.virgin-express.com is more expensive and fly to Malaga, Barcelona and Madrid. One of the more popular ways of flying into northern Spain is with Ryanair's, www.ryanair.com flight to Biarritz, which though in France is only just over half an hours drive to San Sebastián.

FLYING FROM IRELAND

There are scheduled direct flights with Iberia to Barcelona and Madrid or indirect flights via London with Aer Lingus and British Airways. Discount agencies such as Usit Campus (tel 01 602 1600) will be able to give you the best price on these flights. A cheaper option may be to take a flight to London with one of the 'no-frills' Internet airlines such as Ryanair (www.ryanair.com) and then catch a connecting flight from there. There are plenty of direct charter flights to Spain (normally to the Mediterranean) from Ireland available through any high street travel agent.

FLYING FROM FRANCE

About the only time it would be worth flying from France to Spain is if you were in Paris or somewhere else in the north and wanted to go to the south of Spain. Iberia (www.iberia.com) fly from Paris, Bordeaux and Lyon among other places, though it isn't very cheap. Based in Nice, Air Littoral (www.airlittoral.com) fly from many French cities via Nice to Bilbao, Malaga, Barcelona, Madrid, Oviedo/Avilés and Vigo. OTU Voyages (www.otu.fr) are a good student discount travel agency with offices throughout the country that often have cheap flights to Spain.

FLYING FROM PORTUGAL

There are plenty of flights linking Portugal and Spain, though it's hard to think of a time when the average surfer would need to fly between the two neighbours. Air Europa (www.air-europa.com) fly from Lisbon to many Spanish cities via Madrid. Portugalia (www.pga.pt) fly from Lisbon, Porto and Faro to, among other places, Madrid and Bilbao.

FLYING FROM OTHER EUROPEAN COUNTRIES

Basiq Air (www.basiqair.com) have cheap flights from The Netherlands to Barcelona, Madrid and Malaga. Transavia (www.transavia.nl) also fly from The Netherlands to various Mediterranean resorts. Virgin Express (www.virgin-express.com) have frequent flights from Brussels and Rome to Barcelona, Madrid and Malaga. Connecting Germany and Spain is Lufthansa (www.lufthansa.com) who fly to Madrid and Barcelona.

BUS

The biggest Europe-wide bus company is Eurolines, who are actually a consortium of bus companies. They serve dozens of cities in Spain including Bilbao, Barcelona, Cádiz, La Coruña, Madrid, Oviedo, Santander and San Sebastián with departures from almost any large European city, although these are rarely direct and can involve numerous stops and transfers. For most purposes it's easier and sometimes cheaper to fly, as the journey from northern Europe is extremely long and tiring. If you're planning on stopping in other places on the way then they offer a good-value travel pass, but remember that surfboards can be a real headache and may not even be allowed on the bus. For further details check their website at www.eurolines.com.

TRAIN

The possibilities for rail travel into Spain from all over Europe (and even Asia) are almost inexhaustible. www.raileurope.co.uk has the necessary information on travelling from the UK; www.sncf.com is the French equivalent, www.cp.pt covers the details from Portugal, and www.bahn.de will give you the low-down from Germany. If you're planning on travelling around other European countries as well then a rail pass is the cheapest and most flexible option. For Europeans the inter-rail pass is the one to get; for non-Europeans there are a host of other options. If you're from North America then look at the rail Europe website on www.raileurope.com. With all of these you have to travel quite fast to get your money's worth out of the pass. In some countries (such as France) you have to pay extra on trains for surfboards.

FERRY

You can enter or leave Spain by ferry from both Britain and Morocco. Brittany Ferries run weekly car ferries from Plymouth in southwest England to the Cantabrian capital, Santander. The crossing, over a sometimes horribly rough Bay of Biscay, takes around 24 hours and if you're taking a car, isn't cheap. For more information see their website, www.brittany-ferries.com. P&O Ferries also connect Britain and Spain with crossings from Portsmouth in the

ABOVE: THE END OF A PERFECT DAY.
PHOTO BY STUART BUTLER.

south of England to Bilbao in Euskadi. Their website is www.posl.com. If Spain gets too cold for you in the winter then it's only a matter of a short and cheap crossing on a car ferry to Morocco to open up a world of sunny right-hand point breaks. There are ferry and high-speed hovercraft crossings from Algeciras, Malaga and Almería to Tangier and the Spanish North African possessions of Ceuta and Melilla with Trasmediterranea Ferries, www.trasmediterranea.es, most days. This company also run weekly car ferries to the Canary Islands from Cádiz. Another company, Ferrys Rápidos del Sur, ply the routes from Tarifa, Algeciras and Gibraltar to Tangier, their website is www.frs.es.

DRIVING YOUR OWN VEHICLE

This is the way that most surfers arrive in Spain, and alongside flying in and hiring a car it's about the best way, because many Spanish surf spots are inaccessible without your own transport. EU citizens need only their home driving licence, ownership and insurance details. Non-EU residents will have to get an international driving licence.

GETTING AROUND SPAIN

Once you reach Spain it pays to have your own transport. It's certainly possible to get around by public transport, but you'll spend valuable surf time sat at the bus stop.

AIR

Internal flights with Iberia or Viva are reasonable value by international standards but still expensive enough to mean that for most people air travel isn't really a worthwhile option. Certain North American and Australian tour companies offer a cheap Spain Airpass valid with Iberia. Normally you have to book your flight to Spain with the tour company and fly with Iberia.

TRAIN

RENFE, the Spanish rail service is reliable, cheap, comfortable and links most of the big coastal centres, so making train travel a quick and effective way of exploring the beaches of at least the bigger towns and, of course, for any sort of cross-country travel. There is, though, a small problem with using Spanish trains, and that is working out the extraordinary complexity of the system and what trains run where and when, and most importantly what type of train it is. There are more than a dozen types of train from the fast and luxurious to the painfully slow, and the prices vary not just with the type of train you're in, but also at what time and on what day you want to travel, and that's before you start bringing in different passes. To make matters worse everyone you ask will give you a different price, different departure time and different type of train. Finally, there are two private train lines on the north coast, FEVE, which runs from Bilbao to Santander and Oviedo, and Eusko Trenbideak, a Basque line that runs from San Sebastián to Bilbao. The best advice with rail travel is to book as far in advance as you can, especially for very long journeys, and if you'll be doing a lot of train travel get hold of a copy of the

Guia RENFE which includes timetables and prices for all trains and is available from newsagents at most stations. If you can get onto the Internet then the quickest and easiest option is to look on RENFE's website www.renfe.es If you're under 26 and will be using the trains a lot then it's worth getting hold of a tarjeta joven pass. There's also a tarjeta turista that is available to anyone not resident in Spain and offers unlimited rail travel for periods between 8 and 22 days.

BUS

Buses go to virtually every town and village in the country and can be a cheap and reliable way to get between bigger towns. If you're trying to reach a small, out of the way village you may find that there is only one bus a day or less, which isn't much good if the surf is going off and you need to be there before the tide changes. Be warned that there are many different bus companies and they don't always operate from the same terminal, so even if one company tells you that there's no bus, that doesn't mean that you can't get there. Sometimes surfboards can be a source of trouble; check before buying a ticket whether or not they'll carry your boards.

CAR

Having your own car is without any doubt the best way for a surfer to get around Spain, as it allows you to travel at your own pace and get to that secret spot hidden away at the end of a dusty dirt track. Surfers on a longer European surf trip usually bring their own vehicle (often a van). This is the cheapest way if you're away for a long time, but if you have any mechanical problems with it then you're responsible for it. If you do bring a van you can save further money by sleeping and cooking in it. Make sure you have all the necessary paperwork, a valid driving licence (EU residents can use their home licence, anyone else should get an international licence), insurance details that cover you for driving in Spain and the ownership details of the vehicle. You should also carry a warning triangle and have a sticker on the back of the car indicating its country of origin. You may also want to consider joining an international breakdown service before you leave home.

An ever-increasing number of surfers are flying into Spain and then hiring a car for the duration of their stay, and with relatively low rental prices for Europe this is well worth considering. You will find all the major rental companies and a selection of local ones represented at the airports, but it's often cheaper to take a bus or taxi into town and rent one from a local company there. The minimum age for car rental is 21 (though most companies charge more for the under-25s) and you must have had a licence for at least a year. You will need to show your driving licence and usually leave a credit card deposit. Costs can be as low as €20 a day for the smallest car with insurance and unlimited mileage. The cheapest way to get a car is with a fly-drive deal organised before you leave home at the same time that you book your flight; the most expensive is going to one of the big international companies after you arrive. Details of hire car companies are listed in the text.

ROAD RULES

Most Spanish roads are in good condition; it's only when you get well off the beaten track in Galicia or Asturias that you're likely to encounter something more akin to a mule track. Whilst Spanish drivers can't be called as polite and safe as in northern Europe they aren't as bad as stories may lead you to believe. Having said that, things do get a little hectic in and around any big city and there is no mercy shown to foreign drivers. Spain also has a very high accident rate and Andalucía's N340 road along the Costa del Sol is one of the most dangerous roads in Europe. Speed limits are 60kmph (36mph) in built up areas, 90kmph (54mph) on main roads and 120kmph (72mph) on motorways and, as in the rest of continental Europe, you drive on the right. All passengers must wear seatbelts. In theory at least, the drink-drive rules are as strict as in the rest of Europe. If you're stopped by the police for a driving offence you can expect a large on-the-spot fine. Parking laws are strict; if you park illegally in a city don't expect your car to be there when you return. One rule that often throws British and non-European drivers into confusion is the priority to the right rule – this means that vehicles approaching you from the right usually have right of way, even if they're joining your road.

DRIVING HINTS

Fuel is, for western Europe, quite cheap, although if you're from anywhere else then it will seem expensive. Most of the fast motorways (*autopista*) are expensive toll roads.

HITCH-HIKING

Hitching with a surfboard is going to be extremely slow. Your best bet is a chance of a lift with other travelling surfers. Like anywhere, hitch-hiking is not a safe way to travel.

CITY TRANSPORT

Taxis are cheap and abundant in the bigger towns and cities, and uncommon elsewhere. Several of the bigger cities have good metro (underground) systems, including Madrid, Bilbao and Barcelona. Buses are very cheap and frequent in all of the cities.

THE GUIDE

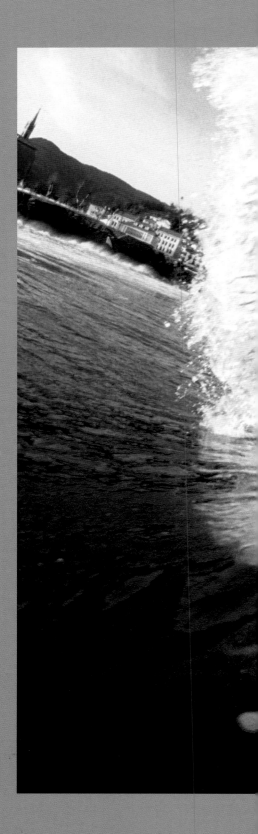

Deep in the tube.
Photo by Edu Bartolomé.com

SPANISH HIGHLIGHTS

EUSKADI
San Sebastián – A glamorous and beautiful seaside city with some of the best nightlife in Spain.

Mundaka – Simply put, it's the best wave in Europe.

Bilbao – A grimy and artistic city with a host of high quality surf close by.

CANTABRIA
Santillana del Mar to San Vicente de la Barquera – Quiet rural bliss, attractive towns, stunning backdrops and consistent beachbreaks.

Picos de Europa – Possibly the finest mountain scenery in Spain with numerous trekking options.

ASTURIAS
Rodiles – If it weren't for Mundaka this would be the most perfect wave in the country.
Gijón – Cultural diversions and the best city centre surf in Spain.

GALICIA
Costa da Morte – Wild countryside, secluded beaches and mainland Europe's most swell drenched beaches.

Santiago de Compostela – The beautiful goal of a million pilgrims.

Finisterre – A small village that's home to the end of the world and a couple of magnificent beaches.

MADRID
No matter how hard they try no other city in Europe can quite match Madrid for the sheer energy of its nightlife.

ANDALUCÍA
Cádiz – An exotic city with unforgettable carnival celebrations and fun beachbreaks.

Winter sun – The southern sun and consistent swell makes Andalucía a great winter surf destination.

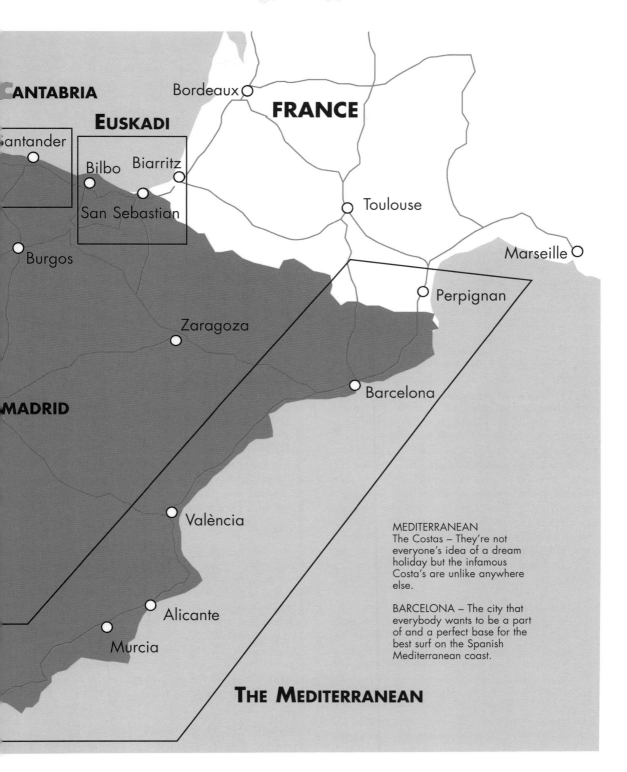

CANTABRIA

EUSKADI

Santander

Bilbo Biarritz

San Sebastian

Bordeaux

FRANCE

Toulouse

Marseille

Burgos

Perpignan

Zaragoza

Barcelona

MADRID

València

MEDITERRANEAN
The Costas – They're not
everyone's idea of a dream
holiday but the infamous
Costa's are unlike anywhere
else.

BARCELONA – The city that
everybody wants to be a part
of and a perfect base for the
best surf on the Spanish
Mediterranean coast.

Alicante

Murcia

THE MEDITERRANEAN

MADRID

Spain's capital, Madrid, lies in the very centre of the country and this position, as far as you can get from a beach with rideable waves, means that the city isn't going to sit very highly on most surfers' wish lists. So you may be wondering why we've bothered to include it in a surfing guidebook. Well, as it is the main transport hub many surfers will find themselves spending time in the city, either while flying in and out of Madrid's Barajas Airport or while crossing from one end of the country to the other in a north–south direction. Whichever of these categories you fall into you almost certainly won't regret spending some time here. The city certainly can't be described as one of Spain's more attractive urban centres and physical sites of interest are, in comparison to many of western Europe's capital cities, a little thin on the ground, but the 3-million-odd inhabitants who call Madrid home give the city a vibrancy unmatched anywhere else. And for most visitors what will be their most enduring memories of Madrid are not the museums and art galleries, however well renowned they are, but the Madrileños themselves and their intense enthusiasm for having a good time.

Madrid is a comparatively new city. Before 1561 it was a quiet provincial town, but in that year it was chosen by Felipe II as the new capital of his nation for no other reason than its location at the very heart of the country. Indeed, geographically, Madrid's positioning on a high and dry plateaux couldn't be much worse, baking hot in the summer and icy cold in the winter and with no large rivers or other natural communications features. However, despite these problems the new capital expanded rapidly, as poor peasants flocked to Madrid to seek a better life. Today's city is primarily a sprawling modern creation and except for a few corners of medieval buildings, is not the most attractive of cities, but as already mentioned, that's not what Madrid is all about.

SITES OF INTEREST

Where else to start your exploration of the city but at the Puerta del Sol (Gateway to the Sun), metro: Sol. This square is the very centre of Madrid and Spain, all distances are measured from here and many of the country's major roads radiate off over the land from this square. Today it's a chaotic crossroads ringed by cheap and not-so-cheap hotels and restaurants, many big chain shops and a constant buzz of activity whatever the time of the day or night. Most afternoons you'll find what's best-described as a temporary, moving market some-where in the square, as pirated CDs, DVDs and other goodies are touted by salespeople playing a never ending game of cat-and-mouse with the police. The whole market will be packed up and sprinting off down the street within seconds of the police being spotted.

Moving away from here you'll find Plaza Mayor, metro: Sol, a far more refined public square, a few minutes walk to the west. This is now the centre of tourist Madrid, but it's worth coming for a drink at one of the table cafés that hide under the square's fringing arches. In the past Plaza Mayor has served as a stage for theatrical and musical performances, coronations, executions, protests and bullfights.

Each different quarter, or barrio, of the city has a markedly different feel and it's worth taking the time to explore a couple of them. Lavapiés, metro: Lavapiés, is one of the more interesting; there are no specific sites as such, but the atmosphere is good and it's very much the alternative centre of Madrid, with lots of ethnic shops and bars overflowing with character. Similar is the Chueca quarter, metro: Chueca, once a run-down area full of prostitutes and drug dealers, its now been spruced up and has transformed itself into the trendy heart of town and a bit of a gay centre. This is the best place to come for a night out. Through the '80s Malasaña, metro: Novicidado, was the most happening quarter in Madrid, but like Chueca it's been cleaned up, and though its lost some of its original sparkle it remains one of the more colourful barrios, and is still the city's red light district. With its luxury apartments and gold-credit-card-only fashion houses Salamanca, metro: Rubén Darío and Serrano, is at totally the other end of the scale, interest here is limited to seeing how the other half live.

Madrid's biggest tourist-draw cards are its art galleries, the Museo del Prado, Museo Thyssen-Bornemisza and Centro de Arte Reina Sofia have, in addition to numerous smaller galleries, placed the city firmly on the European art tour.

Museo del Prado, metro: Banco de España/Atocha. The Prado museum, with its unparalleled collection of art, is probably Madrid's number-one attraction. The museum currently houses over 7,000 paintings, though only around a quarter are ever on display at any one time. There are plans to expand the museum to allow

OPPOSITE: THE PLAZA MAYOR, MADRID.
PHOTO BY STUART BUTLER.

SAUSAGES AND BULLFIGHTS, CADIZ.
PHOTO BY JUAN FERNÀNDEZ.

more of the collection to be displayed. At the moment the bulk of the collection is made up of three of Spain's best artists, Goya, El Greco and Velázquez. You can get a full rundown of exactly what's in the museum by buying one of the guidebooks at the entrance.

Museo Thyssen-Bornemisza, metro: Banco de España. Close to the Prado is the second of Madrid's big-name art galleries, the Museo Thyssen-Bornemisza. The collection on display here covers everything from medieval art to the modern age and includes top-level work by almost every artist of note. What is most remarkable about this stunning collection is that the majority of it was gathered by father and son private collectors and purchased by Spain in the early '90s.

The third and final of the must-see galleries is the Centro de Arte Reina Sofia, metro: Atocha. It's in this gallery that you'll see that most famous of Spanish paintings, Picasso's Guernica (for the story behind the painting see page 104), but in addition to this there is plenty of other top-notch twentieth-century art.

Away from the art galleries Madrid's other big tourist draw is the El Palacio Real, metro: Ópera, one of Europe's biggest royal palaces. The current Royal Family only use the palace during state occasions and for the rest of the time much of it is open to the public. Of its numerous rooms the highlights are the armoury, the throne room and, if it's open, the library.

Aside from these four 'must-sees' and a number of lesser museums Madrid has precious few other significant sights. More likely to appeal to the average travelling surfer is the street life of the city, and good places to go to really experience something of this life are the markets, parks and gardens. The most famous market in Madrid is the Sunday morning El Rastro flea market on and around Ribera de Currtidores and Calle de los Empajadores, metro: Tirso de Molina and La Latina. Most of what's on sale is, as in most touristy flea markets, total crap, but you can pick up plenty of cheap and probably knocked-off stuff, and even if you're not buying it's worth coming just to absorb the atmosphere and do a bit of people-watching. As has already been said, Madrid's biggest attraction is its social scene and after a long night out on the town there's a good chance that you won't want to do anything more than just chill out in one of the city's parks. A good place to start is the Retiro Mediodía, metro: Retiro and Atocha Renfe, the biggest park in the city centre with boating lakes, fountains, lawns and lots of shady trees. If you want some help chilling out then you'll find guys hanging around at strategic points offering you stuff to 'relax' with! An interesting oddity can be found just to the south of the park – El Ángel Caído is the world's only public statue of the devil. The Jardínes Botánicos contain tropical and cacti houses as well as gardens full of other plants from around the world. Parque del Oeste and Parque de la Montaña are two adjoining parks at the western end of the city close to Plaza de España, metro: Plaza de España, and a bizarrely out-of-place Egyptian temple.

INFORMATION

AIRLINE OFFICES
Most of the bigger international airlines fly into Madrid and maintain offices in the city. The following are just a selection; if the one you're after doesn't appear below, ask at the tourist office.
Air Europa tel 971 17 81 00.
Air France tel 901 11 22 66.
Alitalia tel 915 16 11 00.
American Airlines tel 915 97 20 68.
British Airways tel 913 76 96 66.
Emirates tel 915 59 98 97.
Iberia tel 902 40 05 00.
KLM tel 913 05 43 47.
Lufthansa tel 902 22 01 01.
Portugalia tel 902 10 01 45.
Qantas tel 915 42 15 72.
TAP Air Portugal tel 915 41 20 00.
Virgin Express tel 900 46 76 12.

AIRPORT INFORMATION
Tel 913 058 343/44

BANKS There are banks and cashpoints throughout the city. Many of the main branches can be found on and around Calle de Alcalá, metro: Sevilla, and Paseo de la Castellano, metro: Colon.

BOOKSHOPS FNAC, Calle Preciados, 28, sells foreign-language books, as does the **El Corte Inglés** shop, opposite FNAC.

BULLFIGHTS Madrid is the world bullfighting capital and if you're going to see just one fight, then this the place to do it. The bullring (**Plaza de Toro**) is on Calle Alcalá and you can buy tickets for a fight either from the ring or from **Localidades Galicia**, Plaza de Carmen, 1 (tel 915 31 27 32), though they charge a commission.

CAR HIRE It's best to pick up your rental car as you leave the city, as having a car in the city centre is a waste of time. The big rental companies and many local ones have offices at the airport or main train stations.
Auto Chamartín (tel 917 33 34 14).
  Metro: Chamartín.
Avis, Estación Atocha (tel 915 30 01 68).
  Metro: Atocha Renfe.

Autos Jet, Gran Vía, 49 (tel 915 59 90 40).
  Metro: Gran Vía.
Hertz, Estación Atocha (tel 914 68 13 18).
  Metro: Atocha Renfe.

CINEMAS Throughout the city centre (see NIGHTLIFE section below for more details of original-language films). Otherwise, if your Spanish is up to it, the **Imax Madrid** cinema complex is about the biggest cinema in town and even has a 3D screen. It's on Parque Tierno Galván. Metro: Méndez Alvaro.

CITY TOURS Madrid Vision, C/Felipe IV (tel 917 65 10 16), run daily multi-language city tours.

CHEMISTS 24-hour pharmacies in the centre can be found at C/Mayor, 59 and Goya, 89. There are numerous others throughout the centre.

DOCTORS There are many medical centres all over Madrid; the following are two of the more important and are open 24 hours a day. **La Paz**, Pº de la Castellana, 261 (tel 913 58 26 00). Metro: Begoña.
Fundación Jiménez Díaz, Avenida Reyes Católicos, 2 (tel 915 44 16 00). Metro: Metropolitano.

EMBASSIES AND CONSULATES Most countries have some kind of diplomatic representation in Madrid. If your embassy isn't listed here then the tourist office will be able to point you in the right direction.
Australia Plaza Descubridor Diego de Ordás, 3, tel 914 41 93 00.
France Salustiano Olózaga, 9, tel 914 23 89 00.
Germany Fortuny, 8, tel 915 57 90 00.
The Netherlands Avenida Comandante Franco, 32, tel 913 53 75 00.
Ireland Pº de la Castellana, 46, tel 914 36 40 93.
Italy Lagasca, 98, tel 914 23 33 00.
New Zealand Plaza de la Lealtad, 2–3, tel 915 23 02 26.
Portugal Pinar, 1, tel 917 82 49 60.
South Africa Claudio Coello, 91, tel 915 77 74 14.

United Kingdom Fernando el Santo, 19, tel 913 19 02 00.
United States Serrano, 75, tel 915 77 40 00.

FESTIVALS Life in Madrid revolves around a seemingly never ending round of fiestas. Some involve the entire city, others just a certain quarter (barrio). These are just a handful of the bigger and more important events. Carnaval takes place in the week before Lent, sometime in February or March. The **Chueca** quarter is the place to be. The Fiesta del Dos de Mayo takes place, as the name suggests on 2nd May and is focused on the **Malasaña** quarter where you'll find lots of open-air music and dancing. The middle couple of weeks of May are taken up by the city's most important fiesta, the **Fiesta de San Isidro**. Most of the bigger events take place in and around Plaza Mayor but most areas of the city get down to some serious partying. This fiesta is also a big event for bullfighting fans, as it marks the start of the season, and Madrid's bullring puts on what are frequently the best fights of the year to mark the occasion. In the second week of August the **Lavapiés** and **La Latina** quarters put on colourful local fiestas of their own. Finally, when it comes to New Year's Eve, the place to be is Madrid, and the celebrations focus on **Puerta del Sol**. The listings magazines supply a complete list of every fiesta taking place in Madrid for the up-coming month.

FOOTBALL Madrid has two main teams, Atlético de Madrid, based at Estadio Vicente Calderón and, of course, Real Madrid, one of the biggest teams in Europe, who play in the Estadio Santiago Bernabéu. Football in Madrid, as in all of Spain, is followed with religious fervour and if you get the opportunity, try and see a game. The biggest crowds are at games between the two Madrid sides, Barcelona and a big international. Tickets for any of these games are very hard to get, but you can try getting one either at the host stadium or from **Localidades Galicia**, Plaza de Carmen, 1 (tel 915 31 27 32), though they charge a commission.

HOSPITAL The main city-centre hospital is called **Fundación Jimenez Diaz**, Avenida Reyes Católicos, 2 (tel 915 44 16 00). Metro: Metropolitano.

INTERNET Internet cafés can be found all over the city. These are just a few of the bigger ones.
Bbigg, C/Alcaá, 21. Metro: Sevilla.
Cibermad, C/Atocha, 117. Metro: Atocha.
Navegaweb, Gran Vía, 30.
   Metro: Gran Vía.
Easyeverything, C/Montera, 10–12.
   Metro: Sol.
Café Comercial, Gta. De Bilbao, 7.
   Metro: Bilbao.

LANGUAGE COURSES Two of many language schools are **International House**, Zurbano, 8 (tel 913 19 72 24, www.ihmadrid.com), metro: Antón Martín; and **Acento Español**, C/Mayor, 4 (tel 915 21 36 76, e-mail acentoes@teleline.es), metro: Sol.

LAUNDRY Lavandeira Ondablu, C/León, 3. Metro: Antón Martín. This central launderette even has an Internet café attached.

LEFT LUGGAGE Excess baggage can be left at the Chamartín train station.

LISTINGS MAGAZINES There are at least five listings magazines covering Madrid available from tourist offices, many newsagents and sites of interest. En Madrid, Madrid Ocio, Vive Madrid, Lo Mejor de Madrid and Guía del Ocio. Of these the weekly Guía del Ocio is the most thorough and useful. In addition to these, all the local newspapers and the Madrid versions of many of the national papers produce weekly supplements on what's going on in the city.

PARKING There are plenty of car parks across the city. In the central areas parking spaces on the road are reserved for residents with permits or for people who've bought an ORU coupon from a newsagent. If you're prepared to risk having your car towed away, park where you want (many locals do), or find a space in a car park.

POST OFFICE Palacio de Comunicaciones. Metro: Banco de España.

POLICE C/Leganitos, 19, tel 900 15 00 00/902 10 21 12

SUPERMARKETS Probably the most useful supermarket is found in the huge **El Corte Inglés** shop on the edge of Puerta del Sol.

TELEPHONES The main telephone offices are at Gran Vía, 30. Metro: Gran Vía. There are plenty of other private phone offices.

TOURIST INFORMATION The main municipal tourist office dealing exclusively with the city is an amazingly small but unfailingly helpful office on Plaza Mayor, 3 (tel 913 66 54 77/915 88 16 36). Again very friendly is the main tourist office dealing with all of Spain on Calle Duque de Medinaceli, 2 (tel 914 29 49 51). Metro: Banco de España. Further tourist offices can be found at Estación de Chamartín, Barajas Airport (terminal 1) and Ronda de Toledo, 1, Puerta de Toledo.

ACCOMMODATION

It goes without saying that Madrid has a massive amount of accommodation in all price ranges. The following are all to be found in and around the Sol and Plaza Mayor area, which, thanks to its central location, proximity to all the sites, nightlife and ease of access on the metro to the main train stations and the airport, is for most people the best area to stay. If you do want to stay in a different area of the city then any of the tourist offices will be able to help. Most of the time you can just turn up in Madrid and find a room with little stress, but if you're arriving late or during a special event it's probably worth calling ahead. Bear in mind that many of the cheaper accommodation options listed here are on the upper floors of apartment blocks, which can be a bit of an effort if you're loaded down under surfboards. Also, few of these places will give you a key to the main door, so if you're planning on staying out late make sure you'll be able to get back in again.
   There is a campsite on the fringes of the city, **Camping Osuna**, Avenida de Logroño (tel 917 41 05 10). Metro: Canillejas. A medium-sized, quite expensive, year-round site out near the airport and just a short walk away from the metro station, which allows easy access to the city centre.
Hotel Plaza Mayor, C/Atocha, 2 (tel 913 60 06 06, www.h-plazamayor.com). Metro: Sol. A reasonable mid-range hotel as close as can be to Plaza Mayor. (7).
Hospedaje Madrid, C/Esparteros, 6 (tel 915 22 00 60, www.hostal-madrid.com). Metro: Sol. Large, clean and well-equipped rooms make this a good option at the top end of the budget scale. (7).
Hostal Tirso, Plaza Tirso de Molina, 13 (tel 913 69 34 05) Metro: Tirso de Molina. As cheap as you'll find in Madrid and quite frankly it looks it. If you're on a tight budget or just need somewhere to doss down for the night, though, then it's fine. (4).

Hostal Las Arcas, Calle Marques Viudo de Pontejos, 3 (tel 915 22 59 76). Metro: Sol. Small and basic rooms, but if you're on a tight budget they're just fine. (5).
Hostal Cruz Sol, Plaza Santa Cruz, 6 (tel 915 32 71 97, www.hostalcruzsol.com). Metro: Sol. This is one of the better bets in the Plaza Mayor area. The rooms are really big, modern, and immaculate and the whole place is efficiently run and yet still retains something of the feel of a backpackers' haunt. Highly recommended. If this is full you'll find another hostel in the same building. (7).
Hostal Tijcal, C/Zaragoza, 6 (tel 913 66 80 11, www.hostaltijcal.com). Metro: Sol. Two types of room, one with bath, one without, but whichever one you go for you're looking at one of the better deals in town. In fact, about the only downside to this place is that the bathrooms are a little small; otherwise it can't really be faulted. Great location beside Plaza Mayor. (6).
Hostal Rifer, C/Mayor, 5 (tel 915 32 31 97). Metro: Sol. This place is deservedly popular and it can be hard to get a room so try and book ahead if possible. High-quality rooms and friendly English-speaking management. A bargain for Madrid. (6).
Hostal Rodriguez, C/Mayor, 14 (tel 913 65 10 84). Metro: Sol. It might be the cheapest place in central Madrid, but it is, as you'd expect, extremely basic and the cold showers are no fun on a winter morning. (3/4).
Hostal Aguilar, Carrera de San Jerónimo, 32 (tel 914 29 59 26, www.hostalaguilar.com). Metro: Sol. A large place, so almost certain to have room. It has little character, but the rooms are good. There are several other cheap hostales in the same block. (6).
Hotel Paris, Alcalá, 2 (tel 915 21 64 91). Metro: Sol. A brilliantly positioned two-star hotel catering more to businessmen. However, it's a very good deal and if you're after something in the mid-range category then this should be ideal. (7).
Hostal Guerra, Carrera de San Jerónimo, 3 (tel 915 22 55 77, www.hostalguerra.com). Metro: Sol. Big, light and airy rooms with friendly management make this a good bet. Amusingly, if you've seen Fawlty Towers, one of the staff is called Manuel. (6).
Hostal Riesco, C/del Correo, 2 (tel 915 22 26 92). Metro: Sol. Clean and comfortable rooms with a slightly old-fashioned edge to them. Situated very close to Puerta del Sol. Good value. (5).

Hotel Palace, Plaza de las Cortes, 7 (tel 913 60 80 00). Metro: Sevilla. Well, maybe not, but if you had the cash wouldn't this be a great place to stay? Full of old-fashioned charm, politicians and film stars. (8).

EATING

The range of places to eat and drink in the city is inexhaustible. As well as cheap snacks and tapas Madrid offers the finest Spanish cuisine and the country's widest range of international restaurants. The area around Plaza Mayor and Puerta del Sol is crammed with cheap-eat options ideal for surfers travelling on a tight budget.

The following are only a tiny selection of what is on offer and, due to the sheer number of places to eat, we have focused primarily on the city's better-quality, international or more unusual restaurants as well as a smattering of cheaper places in the Sol/Plaza Mayor tourist district.

CHEAP/MODERATE

The following all fall into what would be classed as the cheap to moderate price scale, though remember that one person's cheap is another's expensive.

Tapas bars are uniformly cheap and on the whole the most enjoyable way of eating in Madrid. Although you'll find tapas bars scattered across the city, the densest concentrations occur around Sol, Plaza de Santa Ana and Huertas.

Terra Mundi, C/Lope de Vega, 32. Metro: Antón Martín. Well worth a visit for its cheap traditional Spanish cooking done to a high standard.

Museo del Jamón, C/Mayor, 7. Metro: Sol. Jamón is a Spanish necessity and this chain is a Madrid institution. More types of dried meat than you ever thought possible. Pick your jamón from one of the counters and enjoy with a glass of something. There are several branches throughout the city, all very popular. Other central branches can be found at Gran Vía, 72, metro: Gran Vía and Atocha, 54, metro: Atocha.

La Cueva de Gata, C/Moratín, 19. Metro: Antón Martín. Creative twists on Spanish staples at fair prices.

Edelweiss, Jovellanos, 6. Metro: Banco de España. For something a little different, this place dishes up decent German food.

La Finca de Susana, Arlabán, 4. Metro: Sevilla. This has to be one of the city's better places for cheap and tasty traditional Spanish food.

Taberna Maceira. Two branches, one at C/Jesus, 7, metro: Antón Martín and the other at Huertas, 66, metro: Sol. Well-priced Galician dishes that come highly recommended. The emphasis is obviously on seafood.

Cava de San Miguel is a small side street just off Plaza Mayor, metro: Sol, that is full of bars and restaurants, many of which are overpriced tourist traps. However, a couple of popular ones are **Mesón El Toro**, which is full of bullfighting memorabilia and yanks. Nearby is the cheap **Vieja Peseta**, a modern place where even the locals eat. A good place on this street for breakfast or lunch is the **Brujas Café**.

El Buscón, C/de la Victoria. Metro: Sol. Good-value tapas in a welcoming bar.

Taberna Malaspina, C/Cádiz, 9. Metro: Sol. A modern bar kitted-out in an old-fashioned style and deservedly popular for its tapas. Cheap.

Donzoko, Echegaray, 3. Metro: Sevilla. One of the most popular Japanese restaurants in town on account of its high standards and low prices.

La Oficina, C/Preciados. Metro: Sol. Busy after-work drinks-and-tapas stop.

Café la Principe, Plaza de Canalejas. Metro: Sol and Sevilla. Tasty tapas dished up in a restrained atmosphere.

Marrakech, Fundadores, 8. Metro: O'Donnell. Very tasty tajines and couscous are served up in this North African restaurant.

Café Jamacia, Plaza Puerta del Sol. Metro: Sol. Cheap breakfasts and lunches that draw in those after a boost before work and a pick-me-up afterwards.

Taj-Mahal, Belén, 12. Metro: Chueca. If you're missing your spices then this place serves up well-priced curries.

Moores, C/Felipe III. Metro: Sol. One of many Irish bars in the city, this one is just off Plaza Mayor and so attracts lots of foreigners. Serves cheap bar meals and has a curry night on Thursdays.

Café & Té, C/de Arenal. Metro: Sol. Croissants and coffee, the perfect breakfast stop.

Two vegetarian restaurants worth checking out are **Artemisa**, Tres Cruces, 4. Metro: Gran Vía, and **El Granero de La Vapiés**, C/Argumosa, 10. Metro: Lavapiés. Both have very good home cooking, with the Artemisa being slightly more expensive.

MODERATE/EXPENSIVE

For most people all of the following are likely to be a major extravagance, but if you want to try top-notch Spanish food then one of these places should fit the bill.

Zalacaím, Álvarez de Baena, 44. Metro: Rubén Darío. Loaded down under Michelin stars, this is probably Madrid's best. Yes, it's stupidly expensive and you need to book way in advance.

La Bola, C/Bola, 5. Metro: Santo Domingo and Ópera. They've been serving up traditional dishes here for well over a century, so they know what they're doing.

Moderate.

La Hoja, C/Doctor Castelo, 48. Metro: O'Donnell Cierra. At the top end of the moderate scale, but if you want the best Asturian cooking then this is the place.

El Cenador del Prado, Prado, 4. Metro: Sevilla. Superb modern Mediterranean cooking served with imaginative flair.

Botín, Chuchilleros, 17. Metro: Sol. If you believe the owners this is the oldest restaurant in the world! Expensive.

Casa Lucio, Cava Baja, 35. Metro: La Latína. Expensive, but then you might get to dine with the king, who drops in occasionally. Book ahead, closed Saturdays.

CAFÉS

The line between what are cafés, tapas bars and normal bars is usually fairly hazy in Spain; many seem to metamorphose from one to the other over the course of the day. There are, though, a few places in Madrid that fall squarely into the café category and for one reason or another shouldn't be missed.

Café Gijón, Pº de Recoletos, 21. Metro: Banco de España. Maybe the most famous café in all of Spain. While no longer exclusively the haunt of intellectuals and writers, it still retains something of that air.

Café de Oriente, Plaza de Oriente, 2. Metro: Ópera. In front of the royal palace and full of the beautiful people and wannabes.

Café El Espejo, Paseo de Recoletos, 31. Metro: Colón. The place to come to see and be seen.

Plaza Mayor is full of cafés that are good for a spot of people-watching. Definitely falling into the hazy category between bar, restaurant and café is the **Café Central**, Plaza de Ángel, 10. Metro: Sol. It has frequent live jazz, which makes it a great place for a late-night coffee.

NIGHTLIFE

When it comes to nightlife Madrid provides unparalleled and ceaselessly varied opportunities for having a good time. There's maybe no other city in Europe where people put quite so much effort into having fun, and for many people the sole reason for coming to Madrid is its nightlife.

Every quarter of the city has a different feel and attracts a different type of person. Trying to provide a full low-down on Madrid's nightlife and entertainments programme in the space we have available is impossible. Instead what you will find below is more of a summary of what's available and which area of the city you should be heading for. For an in-depth look at what's going on in the city, get a copy of one of the listings magazines mentioned in the INFORMATION part of this section.

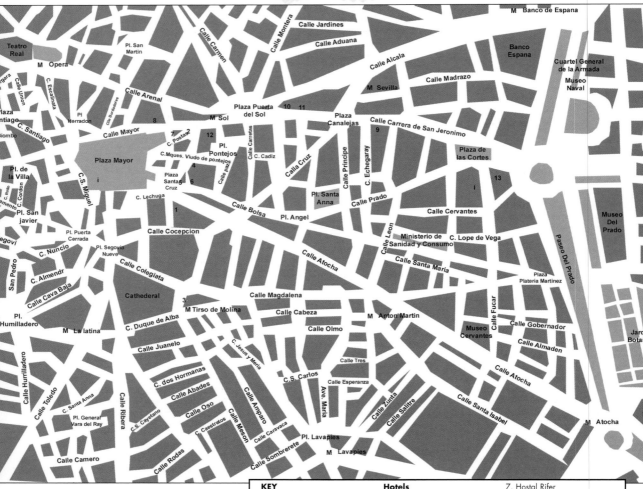

KEY
i Tourist Information
M Metro Station
T Railway Station
B Bus Station

Hotels
1. Hotel Plaza Major
2. Hospedaye Madrid
3. Hostal Tirso
4. Hostal Las Arcas
5. Hostal Cruz Sol
6. Hostal Tijcal

7. Hostal Rifer
8. Hostal Rodriguez
9. Hostal Aguilar
10. Hotel Paris
11. Hostal Guerra
12. Hostel Palace

The **Chueca quarter** (metro: Chueca) is to the north of the central Sol and Plaza Mayor areas. The area is popular with Madrid's gay community and the bars and clubs here are known as some of the liveliest and most colourful in the city. For the average surfer looking for a good time this is the place to come. There are lots of cool bars, two of the best known and certain to be a good laugh are **Acuarela** and **La Biblioteca**. On the whole, nightlife in this area of Madrid is pretty cheap. **Gran Vía** (metro: Gran Vía), close by, is similar, though not quite as busy or trendy.

A very much more alternative scene is found in the **Malasaña/Tribunal** quarters (metro: Novicidado and Tribunal), which are full of punk and grunge bars with a like-minded clientele.

The **Huertas/Plaza de Santa Ana** area is a short walk to the southeast of Sol (metro: Sol and Antón Martín) and, with its

closeness to the hotels around Sol and Plaza Mayor, is as popular with foreigners as it is Madrileños. Most of the younger locals view this area purely as a place to start the evening off. Come here for some tapas and a late-afternoon drink before moving on to the later-night options around Chueca. At weekends the bars here become impossibly busy, but Thursday night is a good night in this quarter.

Lavapiés (metro: Lavapiés). Full of authentic local atmosphere, Lavapiés, to the south of Sol, is one of the most colourful areas of the city for a night out. Traditionally this is the gitano (gypsy) quarter of the city and today it attracts a very bohemian crowd.

The rich and beautiful home in on the

bars of **Salamanca** (metro: Núñez de Balboa and Serrano). It's Madrid's trendiest quarter, full of Chanel and Yves Saint Laurent fans. It's predictably a very pretentious and extremely expensive area for a night out. Make sure you're wearing your best Armani and head for the bars of **Gabana**, **Johny Bar** and **Serrano** 41.

Another area for the fat-wallet brigade is **Avenida de Brasil/Bernabéu** (metro: Santiago Bernabéu and Cuzco).

The bars start emptying out at about 02.00–03.00 and if you're up for a bit more, then move on to one of Madrid's numerous clubs. A handful of the more popular ones are listed below.

Empire, Pº Recoletos, 16. Metro: Colón.

Primarily salsa/Latin music.

Joy Madrid, Arenal, 11. Metro: Sol.
One for the beautiful people. You almost certainly won't be allowed in, but if you do manage it and can afford to stay in, then you won't be needing your beer goggles because all those girls really are models, pop stars and TV personalities.

Kapital, C/Atocha, 125. Metro: Atocha. One of the biggest clubs in Madrid, with several different floors and a range of music.

Pachá, Barceló, 11. Metro: Tribunal. This place has been around for ever and goes in and out of fashion; currently it's in with the same sort of people who frequent Joy Madrid and is at its best during the week.

Ministry of Sound, Plaza Estación de Chamartín. Metro: Chamartín. A big-name club with an impressive list of guest DJs.

FLAMENCO

Often the best flamenco performances are those that are performed spontaneously, with the participants catching the mood of the audience perfectly, something which only really happens in hidden local bars with appreciative and knowledgeable audiences, and almost never in tourist-orientated bars. You would have to be very lucky to get an invite to such a place. However, it's still possible to get to see high-quality flamenco shows in Madrid. Two of the most reliable flamenco bars are **Casa Patas**, C/Cañizares, 10, metro: Tirso de Molina or Antón Martín, and **Las Carboneras**, Plaza Conde de Miranda, 1, metro: Sol. Both are closed on Sundays.

CINEMAS, THEATRE, LIVE MUSIC AND OTHER

Cines, as cinemas are known in Spain, are to be found all over central Madrid. Most films are dubbed into Spanish but a number of places show films in versión original. One such place is **Alphaville**, Martín de los Heros, 14 (metro: Plaza de España). Autumn is theatre season in Madrid but year-round you'll find a varied range of performances from mainstream plays touring Europe to low-key alternative plays. **Teatro Español**, Príncipe, 25 (metro: Sevilla) leans towards traditional Spanish performances, whilst the **Círculo de Bellas Artes**, Marqués de Casa Riera, 2 (metro: Banco de España) has a much more alternative flavour. Every night of the year will see some sort of live music taking pace in Madrid, including many top international artists. There are a number of different venues across the city where bands play; see the listings magazines in the INFORMATION section for details of who's playing and where. Tickets can be bought from **FNAC** on C/Preciados, 28 (metro: Sol) or Localidades Galicia, Plaza de Carmen, 1 (tel 915 31 27 32). For more highbrow

music the **Teatro Real**, Plaza Isabel II (metro: Ópera) is the city's main opera venue and the **Auditorio Nacional de Musica**, C/Principe de Vergara, 146 (metro: Cruz del Rayo) is the best classical music venue.

CITY TRANSPORT

Madrid is a large and sprawling city but much of what there is to see and do is situated in a fairly compact central area, served by a good public transport system.

METRO The metro system is fast, efficient and by the far the easiest way of getting around, though at peak times it becomes a little cramped, and travelling with surfboards can be frustrating. Services operate from around 06.00 to 01.30 and tickets for a single journey to anywhere on the metro system cost €1.10. It's also possible to buy a book of ten tickets called the METROBUS, which is valid for all travel on the metro and city buses, for €5.20 from any metro station and many newsagents. All sites of interest, hotels, restaurants and nightlife mentioned in the text have been marked with their closest metro station.

CERCANÍAS The cercanías local train system links Madrid with some of the towns in the Comunidad de Madrid (Greater Madrid). Aside from one or two day trips you might consider taking, the only route you are likely to use is between Chamartín and Atocha train stations. Note that metro or bus tickets are not valid on these trains.

BUS Buses cover the whole of the city throughout the day and night and their routes are usually posted up at the bus stops. Tickets can be bought on the bus or from newsagents. In general, tourists will find it easier to stick to the metro.

TAXI Taxis are a useful form of city centre transport if you're struggling under the weight of board bags; they're also much cheaper than in northern European capitals. You can flag one down on the street or call ahead and book with **Radio Taxi** (tel 914 47 51 80) or Tele-Taxi (tel 914 45 90 08). €5 should see you across the city centre, but be prepared to pay extra for baggage, night journeys, or trips to/from the train stations and airport (see below).

AIRPORT TRANSPORT The easiest way of travelling between the city centre and Barajas Airport is the new metro line. Take Line 4 to Mar de Cristal and change to Line 8 to the aeropuerto stop. It takes about half an hour at the most from the city centre to the airport. Bus number 89 also runs out to the airport from Plaza de Colón, metro: Colón, for €2.50, or a taxi from Puerta del

Sol will cost around €18 plus baggage.

TRAVEL PASSES As already mentioned the METROBUS is a book of ten tickets covering all metro and bus journeys in the city, and is available for €5.20 from all metro stations and many newsagents. A new pass, as yet unnamed, is due to be launched by summer 2003 that will cover city transport and many sites of interest. At the time of writing no further details were available, but tourist offices will be able to supply further information.

LONG-DISTANCE TRANSPORT

AIR You can fly to almost every big city in Spain from Madrid, as well as to major cities across the world. See AIRLINE OFFICES under the INFORMATION section on page ?? for a better idea of which airlines fly here.

BUS Madrid has a couple of long-distance bus stations. Buses leave from the **Intercambiador de Avenida de América** bus station, metro: Avenida de América, to Bilbao up to nineteen times a day at a cost of €20.92; Irún (for France), nine times and Santander and Barcelona sixteen times. If you're aiming for Galicia then up to nine buses a day leave the **Estación de Autobuses**, on C/Fernández Shaw, 1, metro: Conde de Casal, for Vigo. From the **Estación Sur de Autobuses**, C/de Méndez Álvaro, metro: Méndez Álvaro you can find eight buses a day to La Coruña in Galicia, twelve to Oviedo and fourteen to Sevilla.

TRAIN

The two main stations in Madrid are **Chamartín**, metro: Chamartín, to the north of the centre from where trains run to certain cities in the north of the country and to France and Portugal. The bigger station, **Atocha**, metro: Atocha Renfe, is a short way to the south of the centre and sees almost all of the southbound departures and quite a number of those heading north. When buying your ticket always check which station your train is leaving from. Tickets can be bought from very understaffed offices at Atocha or Chamartín stations. The following are examples of maximum number of train departures a day:

Barcelona 7	Lisbon (Portugal) 1
Bilbao 3	Malaga 7
Cádiz 3	Oviedo 3
Irún (for the French border) 4	Santander 3
La Coruña 3	Sevilla 23.

EUSKADI

For many people Euskadi (País Vasco in Castilian Spanish and the Basque country in English) is surfing in Spain and the focus of all the attention is Mundaka, the legendary left-hander at the mouth of the Gernika River. This is hardly surprising, as on its day it's the most perfect wave in the world. In the same way that there's much more to Spain than just Euskadi, there's also much more to Euskadi than just Mundaka. This is a land of quiet red and white striped villages, lush green hills and lively cities. And the waves, well, there are consistent summer beach breaks around Bilbao and San Sebastián, some of the heaviest big-wave spots in all of Europe and a stash of high-quality reef breaks, many of which are hard to find and rarely ridden. On the surface Euskadi can seem like an enviable place and more than a few visitors find themselves drawn back here year after year, but unfortunately this is one paradise that does have a darker side. It's visible in the disused and crumbling factories, the rubbish washed up onto many of the beaches and the political slogans scrawled onto the walls. Euskadi is one of the most heavily industrialised areas of Iberia and though the steel mills and shipbuilding yards have been demolished or converted into art galleries there are still areas of the coast that resemble an industrial wasteland with pollution to match. These are sides of Euskadi that are slowly being consigned to memory; unfortunately the political slogans calling for independence for the region and support for the Basque terrorist organisation, ETA, are not. Though the violence of ETA is today one of the biggest problems facing Spain (see page 16) you shouldn't let the thought of it prevent you from visiting the region as, on the whole, Euskadi is surfing in Spain.

Like all of northern Spain, in Euskadi you can get good surf at any time of the year. Whilst winter is by far the most consistent time of year to visit it can be a little bleak with frequent big onshore storms, never ending rain and cold temperatures. On the other hand you could get lucky and arrive in the middle of one of the not unusual periods of fairly warm, settled weather and killer surf. In fact the area butting up against the French border frequently experiences milder winter weather than parts of the Mediterranean coast. Summer, like everywhere, can see long flat spells, insane crowds and soaring temperatures, but it remains the most popular time to visit. Spring can be a little hit-and-miss; some years can be epic and in others the onshores never stop, though March is often a good month. By far the best time of year to come is autumn, with October being the prime month. The summer crowds have left, the surf is picking up and the air and water are still pleasantly warm.

DONOSTIA (SAN SEBASTIAN). PHOTO BY WILLY URIBE.

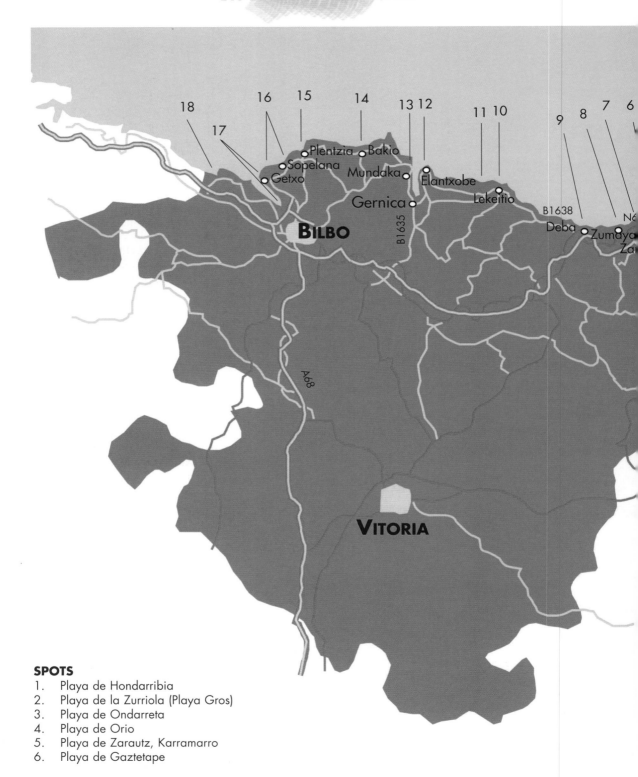

SPOTS

1. Playa de Hondarribia
2. Playa de la Zurriola (Playa Gros)
3. Playa de Ondarreta
4. Playa de Orio
5. Playa de Zarautz, Karramarro
6. Playa de Gaztetape

BIARRITZ
BAYONNE

4 3 2
1

Hondarribia
Irun

rio

A8 SAN SEBASTIÁN

FOLLOWING PAGES:"IT'S ENOUGH TO BLOW
YOUR MIND."MENAKOZ.
PHOTO BY F. MUÑOZ.

WHO ARE THE BASQUES?

Exactly who the Basques are and where they have come from is a question that has been puzzling anthropologists for years. If you believe the locals then they're the first Europeans and they live in the oldest European nation. Well, it might be that there is more than a shard of truth to this. Euskadi comprises of seven provinces, four in the northeast corner of Spain and three just over the border in southwest France. It is an area that has been inhabited since the earliest ancestors of Homo sapiens first crossed from Africa to Europe and it is from these earliest ancestors that some claim that the Basques are directly descended. Euskera, the language of the Basques, is the most important part of Basque identity; a Basque is a Euskaldun, a 'Basque-speaker' and Euskal Herria means 'the land of the Basque-speakers'. The importance of their language cannot be overestimated; it is the very soul of their identity and, not only is it one of the most difficult languages to learn, but it is also the oldest language in Europe and is related to no other language in the world. In fact, some linguists believe that Euskera has been spoken here for more than 9,000 years. However old it really is there's no doubt that it's always been a primarily oral language and it wasn't until 1545 that the first Euskera book was published. In the twentieth century the language suffered heavily under Franco's determination to unify the country, and equally the French government did their utmost to get everyone to speak nothing but French. Today there is a resurgent interest in learning the language, and though the number of Euskera-speakers is higher in Spain, the actual percentage of speakers is higher on the French side. So their language points to a very old origin for the Basques but there are other clues that also help to back up the theory about the Basques being the original Europeans. Recent studies have shown that the Basques have the highest rate of O-type blood in the world as well as the highest rate of Rh-negative blood, both of which were common to prehistoric Europeans. And their physical make-up is also uniquely interesting. They are stronger, bigger, and have larger noses and a higher forehead than the people living beside them; in fact their skulls almost perfectly match that of Cro-Magnon man. This connection with the ancient non-Indo-European peoples of the continent received a further boost recently with the discovery that the Basques have an unusually high persistence of European palaeolithic DNA in their genetic make-up. So maybe the legends are right after all, the Basques really are the last survivors of the original Europeans.

HONDARRIBIA (FUENTERRABÍA)

It's easy to bypass Hondarribia (Fuenterrabía in Castilian) in the confusion of the border crossing to/from France and though for surfers this isn't much of a disaster, unless the swell is really huge, the town is one of the nicer stop-offs on a coast full of good places to have a wander around.

THE SURF
Don't come to Playa de Hondarribia expecting to surf. It gets waves but it will take a very rare day for it to turn on properly. When it does you'll find a right peeling off the jetty that can be very good. Low tide is best with waves up to 1.5m (4ft). It's offshore on a south wind, which is handy for any big winter storms. Very rarely surfed.

SITES OF INTEREST
The web of colourful streets in the walled old town, which is entered through the fifteenth-century Puerta de Santa María, is really picturesque. On the Plaza de Armas, right in the heart of the old quarter is the Castillo de Carlos V (castle of Charles V), today it's an expensive parador. All around this old quarter are small, animated bars selling some of the best tapas in Spain. On summer evenings half of the town seems to head out to watch the sunset from Cabo Higuer, the most north-easterly point of Spain.

The Río Bidasoa is the river dividing Spain from France, and just short of its mouth is a small island, the Isla de la Conferencia (named Ile des Faisans on the French side), which has long been a traditional meeting place between the powerbrokers of both countries. In 1659 the Treaty of the Pyrenees that signalled the end of years of war between the two countries was signed on the island and it's also where the marriage between Louis XIV of France and the Spanish infanta was planned. Today the island is managed and guarded by the French from November to April and the Spanish for the other half of the year. Not that there is anything at all on the island to keep guard over.

INFORMATION

BANKS All of the banks and cashpoints are to be found on and around Plaza San Kristobal in the new town.

POST OFFICE Plaza San Kristobal.

TOURIST INFORMATION Helpful place just beside Plaza San Kristobal.

ACCOMMODATION
Hondarribia isn't one of the cheaper accommodation bases on the Basque coast; many people stay over the border in Hendaye, which can be a little cheaper.

There aren't all that many options for free-camping. If you just want to sleep in the back of your van you might be better off trying Hendaye's seafront.

The nearest campsites are **Camping Jaizkibel** (tel 943 64 16 79), a year-round three-star site a couple of kilometres to the west of town along Carretera Guadalupe towards San Sebastián. You will need your own transport or to be willing to put in a bit of a walk, as there is no public transport out to it. Otherwise, there is the slightly cheaper Camping Faro de Higuer, right out on Higuer Bidea. There are also many more options just over the border.

Hondarribia has several top-end places to stay, including the stunning Hotel Parador Turismo (tel 943 64 55 00, e-mail hondarribia@parador.es), which is located inside the Castillo de Carlos V in the very heart of the old town. If you decide to splash out here then you'll be in good company, as over the years it has provided a bed for the night to numerous kings and queens. Very expensive. (8).

For something a little more down to earth you could try the **Hotel San Nicolas**, Plaza de Armas, 6 (tel 943 64 42 78). It has a great location in a brightly decorated building on the main old town square. The spacious en suite rooms come with TV and friendly English-speaking service. (5/6) depending on room size. Downstairs has a quiet and atmospheric bar.

Down the hill in the newer part of town is the **Hostal-Residencia Alvarez** Quintero, C/Bernat Etxepare, 2 (tel 943 64 22 99). A pleasantly kitsch place set just back from the Plaza San Kristobal. The quiet en suite rooms are a little dark, but the owner is friendly and for Hondarribia it's fairly cheap. (5/6) depending on room size.

EATING
In the old town you'll find a handful of very atmospheric places clustered around the Plaza de Armas. Hondarribia is famous for the quality of its pintxos (tapas) and the bars around this square are the best places to try them.

For something more filling, head into the new town where, along the two parallel streets of Kalea San Pedro and Kalea Zuloaga, which lead away from the Plaza San Kristobal towards the beach, you'll find dozens of similar moderate to expensive places serving excellent fish meals. It's hard to differentiate between them, but those worth watching out for include **Hermandad de Pescadores**, K/Zuloaga, 12, **Itsaspe**, K/San Pedro, 40 and **Yola Berri**, K/San Pedro, 27. This last one is a cheaper option with a good range of tapas.

TRANSPORT
San Sebastián's airport is in Hondarribia (tel 902 40 05 00) and has frequent flights to Madrid and Barcelona.

The Spanish train line begins in nearby Irún, but for most purposes it's easier to get a bus to San Sebastián first.

Buses to San Sebastián leave throughout the day from Plaza San Kristobal. For Hendaye and other points in France you need to go firstly to Irún.

A more enjoyable way of crossing the border is on one of the frequent ferries that cross the Bidasoa from Hondarribia port to Hendaye.

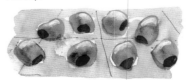

DONOSTIA (SAN SEBASTIÁN)

San Sebastián, or in it's increasingly commonly used Euskera name, Donostia, has a setting that is hard to beat and a nightlife renowned across the country. The city centre is a compact and manageable grid of elegant streets and squares hemmed in by wooded hills (from which there are great views over the city) and two of the most beautiful urban beaches in all of Europe. The city is immensely popular with holidaying Spaniards, and space on the beach, let alone accommodation, can be hard to come by during the summer. In the winter things are less hectic but at whatever time of year you visit you can be sure that there will be something interesting going on.

THE SURF
Playa de la Zurriola, previously known as Playa Gros, is the city's most consistent surf spot. This large beach is located on the eastern side of the Río Urumea, just a few minutes' walk from the city centre. This location means that it's always busy and sometimes the atmosphere can

ABOVE: A TYPICAL SUMMER SUNDAY, DONOSTIA BEACH. PHOTO BY STUART BUTLER.

become a little tense. It's a standard beach break with shifty but frequently good peaks and year-round consistency. The eastern end picks up a little more swell than the city-centre end and there is often a wedgy right breaking off the wall at the end of the beach. It's best on small to moderate swells from mid- to low tide. Offshore winds come from the south and southeast and there's also some protection from northeasterlies. The water can be very dirty.

Playa de Ondarreta is the western half of Playa de la Concha and is one of the most fashionable beaches in Spain. Playa de la Concha rarely has any surf, being sheltered by the wooded Isla Santa Clara, and so is ideal for those with young children. Playa de Ondarreta is also very sheltered and needs a huge northwest swell to get it going. There are two spots here, Pico del Tenis is the fairly average-quality beach break that doesn't hold a lot of swell and is offshore on a southwesterly. It breaks at all tides and is usually fairly quiet. Pikua is the wedgy left point break that reels off the wall below the Peine de los Vientos walkway. It needs a massive swell to break and can hold substantial waves and, like Pico de el Tenis, is offshore on a southwesterly, making it a good bet during huge winter storms. It's surfed by a small local crew, and strangers may struggle a little to snag a wave off the pack. It would be very rare to see either of these spots break in the summer. City run-off and the containing nature of the bay means that both spots have fairly dirty water.

THINGS TO SEE

San Sebastián's biggest tourist-draw cards are the beaches and street life. For memorable views out over the city and surrounding coastline, climb up to the Rio-style statue of Christ at the top of Monte Urgull or take the funicular railway up Monte Igueldo to the funfair that makes a popular Sunday afternoon outing with the locals.

The Parte Vieja is the oldest quarter of the city, but aside from an aquarium and a highly ornate cathedral there are few conventional sights. Don't miss the Plaza de la Constitución, which used to be the bullring and is now a café-lined square that occasionally hosts live music. The balconies outside each apartment were used as seating for the spectators. The Parte Vieja is the place to come for a meal, drink and a night that you'll never forget. It's also the prime hunting ground for a cheap room. The newer part of the city is known as the Centro Romántico. It also has few conventional attractions, and its neo-classical grid of shopping streets and the promenade-lined riverbanks make for an enjoyable afternoon's stroll.

INFORMATION

AIRPORT
Near Hondarribia to the east of the city about 20km (12 miles). An airport bus runs a frequent service to the city.

AIRPORT INFORMATION 902 40 05 00.

BANKS You'll find banks all over the city, but the main branches are all in the newer, central part behind Playa de la Concha.

BIKE HIRE Bici Rent Donosti, Avenida de la Zurriola, 22 (tel 943 27 92 60).

BOOKSHOPS Graphos, Corner of Kalea Mayor and Alameda del Boulevard.

CAR HIRE The main players are found in the centre of San Sebastián or at the airport in Hondarribia. **Budget** Alcalde José Elósegui, 112 (tel 943 392945). **Europcar**, Estación de Renfe (tel 943 32 23 04). **Sixt Rent A Car**, Amezketa, 4 (tel 943 44 43 29).

DOCTORS English- and French-speaking doctors can be found in the surgery on Peñaflorida Bengoetxea, on the edge of the new centre.

HOSPITAL Quite a journey out of the centre on Dr Begiristain, 114 and 115 (tel 943 00 70 00 / 943 00 60 00).

INTERNET There are plenty of places to get online in San Sebastián. In the Parte Vieja there's **Donosti-NET** on C/Embeltrán, 2 or Zarr@net, C/San Lorenzo, 6, and over in Gros is **Cyber Frudisk**, on C/Miracruz, 6.

LISTINGS MAGAZINES Donostiasia is the free monthly listings magazine covering all that's taking place in the city. It's available from the tourist office.

POLICE If you have to deal with the police then chances are you'll need the local police who can be found on Easo 41 (tel 943 45 00 00).

POST OFFICE Just behind the cathedral on Kalea Urdaneta.

SPANISH COURSES If you feel like hanging around for a while and learning some Spanish then you might want to check out the language courses offered by **Donostia Tandem**, Plaza Gipuzkoa 2–1 (tel 943 42 51 57 or e-mail tandem_don@grn.es)

TOURIST INFORMATION The helpful tourist office is very close to the Río Urumea at the end of Alameda del Boulevard on Kalea Reina Regente (tel 943 48 11 66).

ACCOMMODATION
Free-campers are unlikely to have much joy in San Sebastián. The city campsite, **Camping Igeldo**, Barrio de Igeldo (tel 943 28 04 11) is of a high quality and is very

popular. It's a bit of a hike out to it, but bus number 16 travels between it and Alameda del Boulevard.

San Sebastián has tons of hotels and pensions in every price range; even so it can still be a real effort to find anywhere in the high season and so it's best to either arrive early or book ahead. The best area to stay in and the one with the most choice is the old quarter of Parte Vieja, this will put you right in the centre of all the action and within easy walking distance of the surf at Playa Gros. The cheapest options are the private rooms rented out by locals; however, finding one of these is just a case of luck, though the tourist office might be able to help you out.

PARTE VIEJA
Pensíon Puerto, K/Puerto, 19 (tel 943 43 21 40). Basic and cheap place, but its rooms are clean and functional and it has communal bathrooms. The friendly owner will make sure that you've left by the check-out time of 11.30. (3).
Pensíon Kaia, K/Puerto, 12 (tel 943 43 13 42). Another basic but very acceptable place with clean and spacious rooms. (4).
Hotel Aldamar, K/Aldamar, 2 (tel 943 43 01 43, e-mail pension@pensionaldamar.com). This is a very nice little two-star hotel right in the heart of it all with big and airy rooms. The owner is friendly and speaks English. Internet access is available and the price includes breakfast. It is a little overpriced, though. (8).
Pensíon Goiko, K/Puerto, 6 (tel 943 43 11 14,) e-mail pensiongoiko@hotmail.com). A very small pensíon with a good central location. Basic and clean rooms with separate bathrooms and about as cheap as you'll find. (4).

Hostal La Estrella, Plaza de Sarriegi, 1 (tel 943 42 09 97). Basic rooms that do the job perfectly well. Try and get one of the rooms with views out over the square. A choice of en suite rooms or cheaper ones with shared bathrooms. (4).
Pensíon San Vicente, K/San Vicente, 7 (tel 943 42 29 77). Small rooms come with comfy beds and TV. Friendly owner. Guests can make use of the kitchen. (4).

CENTRO ROMÁNTICO
The main shopping and business centre of the city has fewer options than the Parte Vieja but is a little cheaper.
Pensíon Régil, Easo, 9 (tel 943 42 72 07). Friendly place with small rooms and within a stone's-throw of Playa de la Concha. All rooms come with TV and bathroom. (4).

GROS
You'll find few good options here, which is a shame, as Playa de la Gros is where all the surf action takes place.
Pensíon Kursaal, Peña y Goñi, 2 (tel 943 29 26 66, e-mail pkursaal@euskalnet.net). This might be the best bet in town as it's right on the beach and close to the bars of the Parte Vieja. The en suite rooms are spotless, gather lots of light and, like the rest of the building, have an air of '30s elegance to them. You can use the clanking old lifts to get upstairs with your boards. All rooms come with satellite TV and a minibar. (5).

If you're after a bit of class look no further than the five-star **María Cristina**, K/Okendo, 1 (tel 943 43 76 00, e-mail hmc@westin.com). It's known as one of Spain's best hotels and is everything you would expect of such a place. (8).

EATING
The Spanish and food come together to perfection in San Sebastián. A whole library of books have been written on the art of cooking and eating the San Sebastián way. So if you're going to eat out in just one place in Spain, make it here, and even if you don't go for the full meal option you'll never forget the sight and taste of the hundreds of tapas that seem to bulge off every bar-top in the city.

You can find a supermarket in the centre of the Parte Vieja on the corners of Kalea San Juan and Kalea Lorenza. Over in Gros you'll find one on Kalea Bérmingham.

PARTE VIEJA
Where do you begin? Almost every single address in this quarter of the city is a restaurant, or more usually, a bar, all of which

sell a mouth-watering array of tapas, or pintxos, as they're known in the city. The following are just a very few of the many we could have recommended.
Alotza Jatetxea, K/Fermin. This is a cool bar/restaurant with sawdust floors and decent cheap food.
El Caserio, K/San Jerónimo. Good value and tasty €10 menus of the day. It's a busy place at lunchtime so get there early.
Ganbera, K/San Jerónimo. A bit classier than the Caserio and a little more expensive. Good food and lots of tapas.
Casa Alcade, K/Mayor. Cheap restaurant close to the church and with plenty of bar-top tapas for those just after a snack.

On the edge of the Parte Vieja, close to the Puente de la Zurriola, which links this quarter to Gros is **Argitan**, Paseo de Salamanca, which has maybe the best ice creams in town and lots of different cakes.
Porttletas, K/Puerto. Another place with a good range of tapas and wooden ceiling rafters with hanging meats. Close to the Plaza de la Constitución.
José María, K/Fernando Calberton. A good bet for a drink and tapas.

Down by the harbour are a couple of places, but most are a little overpriced. The best one for a mid-afternoon beer or a coffee that could make you explode is **Ostertz**.

Maybe the nicest place of all to sit outside in the sun sipping on a beer and snacking on tapas is in one of the bars on Plaza de la Constitución. The numbers painted above each of the bright yellow apartments correspond to the days when the square was used as the city bullring and spectators would cram onto the balconies overlooking the action. Nothing so macabre takes place here nowadays but concerts are a regular feature on summer evenings.

Along Alameda del Boulevard you'll find another string of popular outdoor bars that are good for a bit of people-watching.

CENTRO ROMÁNTICO

You'll find plenty of options in the new centre as well, but they lack the atmosphere of the Parte Vieja.

Plaza Café, Plaza Buen Pastor. Very close to the ornate cathedral and a little pricier than many of the previous places. Serves good paella.

Barrenetxe, K/Arrasate. Come here for breakfast or to stock up on cakes and savoury pastries for lunch.

GROS

The beach suburb of Gros has a growing bar and restaurant scene which make a nice alternative to the Parte Vieja.

Casa Duran, K/Secno Esnaola. Popular with local people, an enjoyably friendly atmosphere. Serves cheap food and a gut-splitting range of tapas.

Around the edges of the Plaza de Nafarroa Behera in the heart of Gros are several cheap and busy, family-orientated cafés and restaurants.

FURTHER AFIELD

If you want to try Spanish food at its best then San Sebastián is the place to do it.

Arzak, Alto de Miracruz (tel 943 27 84 65), to the east of Gros, has been called the best restaurant in Spain. Predictably it's very expensive and you will need to book a table way in advance. Just as highly regarded is **Akelarre**, Barrio de Igueldo (tel 943 21 20 52). Here you can feast on the best Basque food you'll ever try, but again it's extremely expensive and booking ahead is essential.

NIGHTLIFE

It's said that the Parte Vieja quarter has more bars per square metre than anywhere else in the world and the Spanish regard San Sebastián's nightlife as to be almost on a par with Barcelona and Madrid. I think these two things say it all!

As well as 'normal' nights out, San Sebastián has a whole host of fiestas throughout the year, at least one of which you should try and make it to. These include St Sebastián Day on 19th and 20th January, Carnaval in February or March, July's jazz festival, the international fireworks festival for a week from 15th August, September's international film festival and finally the Santo Tomás fair on 21st December. Remember that during any of these events the already-tight accommodation will be even more heavily booked.

The two busiest streets are Kalea Mayor and Kalea 31 de Agosta, and during the warm summer nights or when a fiesta is taking place these two roads can be so busy that just walking down them is difficult. There are literally hundreds of bars in this area, most of which are small, narrow places, certain to be packed to the gills and all trying to outdo each other with the volume of their music. Unfortunately it's a little difficult for us to recommend one place over another, as no matter how many nights we spent conducting in-depth research into San Sebastián's nightlife (and we put a lot of effort into this) we always ended up too drunk to remember anything.

Most bars shut at about 03.00, after which people move on to the clubs that are most commonly found down towards Playa de Ondarreta or one of the all-night bars such as **Be Bop**, on Paseo de Salamanca. A fairly chilled-out club in the Parte Vieja is **Etxekalte**, on K/ Maim 11 which is marked by a sailing-boat sign. For something a bit more alternative try **Kandela**, Escolta Real, which up until midnight plays flamenco, salsa, jazz or classical depending on which night you visit.

TRANSPORT

San Sebastián's airport has flights to Madrid and Barcelona. It's 20km (12 miles) away in Hondarribia. Buses make the run out there a couple of times an hour.

The main long-distance train station is on the Paseo de Francia, just to the south of Gros. There are up to five trains a day for the six-hour journey to Madrid, with a price of between €30 and €40 one-way. To Bilbao (and stops on the way) or Irún and the French border you can also use the Estación de Amara, a couple of blocks south of the cathedral at the southern end of the Centro Romantico.

Buses run from the station on Plaza de Pio XII, right at the southern end of town. Several bus companies operate from this station; the most useful one is probably PESA, whose ticket office is nearby at Kalea Sancho el Sabio 33 (tel 902 10 12 10). They run services every half-hour or so to Bilbao, starting at about 06.00 and finishing around 22.00. Services to the border and onwards to Bayonne (Baiona) leave a couple of times a day.

ORIO

Leaving San Sebastián the westbound A8 motorway or the N634 will take you inland a short way before rejoining the coast in the small fishing town of Orio. It's not the most attractive of places and the river that runs past the town and into the sea is rumoured to be one of the most polluted in Spain. Despite these things the beach is a popular enough place with local families in the summer and the large campsite brings in visitors from further afield. There are also a couple of attractively crumbling streets working their way up to the top of the steep hill around which the town is built. Orio makes a cheaper base than San Sebastián.

THE SURF

There are average-quality beach peaks that are better at low tide. It needs a reasonable-sized northwest swell to get it going. Occasionally a nice sandbar forms next to the river jetty that can give a decent left. The waves are rarely busy, but thanks to the river outflow the water is none too clean. Offshore winds come from the southwest through to the southeast, but it has a little bit of protection from moderate west winds. Autumn tends to offer the most reliable conditions here. The wave is clearly visible from the motorway, from where it always looks better than it really is.

INFORMATION

There are surprisingly few facilities in town itself and you're normally better off going into Zarautz.

BANKS K/Eusko Gudanien, the main shopping road through town.

TOURIST INFORMATION The nearest official office is in Zarautz, but the campsite (see below) doubles as an unofficial source of information.

ACCOMMODATION
Orio is worth considering as a slightly cheaper and less hectic base for this stretch of coast than both San Sebastián and Zarautz, although you'll need your own transport. Outside of the main tourist season you should be able to park up in a van in the large car park behind the beach without too much of a problem.

The campsite, **Camping Playa de Orio** (tel 943 83 48 01), right beside the beach, is a small and quiet site with a position that can't be faulted. It's more popular with people in vans or with caravans than tent campers. The pitches are small, but OK.

There's another campsite, **Camping Zingira** (tel 943 13 20 79), out of town and up into the hills, it's a 3km (2-mile) journey to the beach but it has a nice rural feel to it.

The only hotel-style accommodation is the **Pension Esnal**, Aita Lertxundi, 13 (tel 943 83 00 29). It's on the main road out of town towards San Sebastián. Small rooms with separate bathrooms. Try and get a room facing away from the road, as it's likely to be very noisy. It's not the best-value place, and you're better off either camping or pushing on into Zarautz. (3).

EATING
Bar Itzala, K/Eusko Gudanien. A cool bar with loads of old men playing the Basque card game, mus.
José María Bodega, K/Aritzaga. One of the town's better options for a cheap feed.
Asador Xaxrio, K/Eusko Gudanien. This is about the best place to eat; you can get huge steaks cooked on the outdoor barbecue. Pricey.

ZARAUTZ AND GETARIA

Zarautz is an old whaling and shipbuilding town, but you'll find little to remind you of those times. Instead Zarautz is today an out-and-out resort and its 2km (1-mile)-long beach is backed by a procession of modern hotel blocks and expensive cafés that are about as close as north Spain gets to the tourist developments of the Mediterranean coast. Having said that, it's actually a nice place and the main town beach offers some of the most consistent surf in the Spanish Basque country as well as an endlessly hectic summer nightlife scene. For something a little quieter and with a more traditional Basque flavour then Getaria, a couple of kilometres along the spectacular coast road, makes a perfect alternative. In the summer you may find yourself amazed by the number of young children everywhere; we think that the reason for this is because of the unnecessarily high number of lingerie shops in town.

THE SURF

Zarautz is one of Spain's biggest surf centres, which means crowded waves and a far more visible surf scene than in many Spanish towns. On hot summer afternoons it can seem as if half of Spain is paddling out for a surf and at such times the atmosphere can become a little tense. In the late summer the Association of Surfing Professionals circus usually drops by Zarautz's WQS contest.

Playa de Zarautz is the main beach of Zarautz and is a long stretch of clean sand that on a hot summer day gets so busy that it can be hard to find a space to put a towel down. This is one of the most consistent spots in the Euskadi, turning even the smallest northwest or north swell into a rideable wave on its average-quality sandbars. It breaks at all tides, but higher tide tends to give the waves a better shape. It doesn't hold a lot of swell, 1.5m (4–5ft) is about the maximum. Offshore winds come from the southeast, and a light northeast is also OK. It's a year-round spot, but the summertime often has more of the small and glassy days that suit it better. If it's good then it will be busy. Lights along the seafront allow you to surf during the night at high tide.

The road between Zarautz and Getaria winds around and occasionally through the cliffs, past another little beach off which, in huge northwest swells, you will find a left-hand point break called Karramarro that can hold swells of up to 3m (10ft). It's best at low tide with winds from the west through to the south. If it's breaking then it will be busy, with a localism factor to contend with. It only breaks with any sort of frequency in the winter during the biggest swells. Not suitable for beginners.

Just on the western edge of Getaria village is the fun beach break of Playa de Gaztetape It's a low-tide spot that only needs a little bit of swell to get it going. Offshore on a southeast through to southwest wind. It doesn't hold a lot of swell, 1.5m (4–5ft) is about tops and it's always much quieter than Zarautz town beach.

THINGS TO SEE

Zarautz is a new and purpose-built resort town with little of real interest. Nearby Getaria, though, is one of the more attractive towns on a coastline that's overflowing with attractive towns! The old centre slopes down to a small harbour, at the end of which is a wooded island known locally as El Ratón due to its mouse-like shape. Back in the village is the church of San Salvador, where the first man to circumnavigate the earth, Juan Sebastián Elcano, is buried.

INFORMATION

BANKS All over the centre of the old town around Kalea S. Frantzisko.

CAR PARKS K/Nafarroa, near the main turismo.

CAR RENTAL
Ecuador, K/S. Frantzisko, 8 (tel 943 89 43 00).
Iberia, K/S. Frantzisko 6 (tel 943 89 43 91).

RENTAL Barrenetxea, K/Gipuzkoa, 17B.
Olaizola, K/S. Frantzisko, 19.

DOCTORS K/Araba, 16 (tel 943 00 79 99).

INTERNET Tienda Airtel, Musika Plaza, or **Beep**, K/Santa María.

POLICE K/Gipuzkoa, 32.

POST OFFICE K/Herrikobarra.

TOURIST INFORMATION The main office is on Kalea Naforroa (tel 943 83 09 90), or there is a smaller office about halfway along the beach. Both are equally helpful.

ACCOMMODATION

It would be difficult to free-camp in Zarautz, as it's all very built-up, so it's better to head further west.

There is a good campsite, **Gran Camping Zarautz**, on the cliffs above the beach to the east of town. It's very popular site so book ahead in the summer on 943 13 24 86). Lots of surfers and budget travellers. The pitches are nice with good views over the sea, but it's a bit of a walk into town.

Close to the campsite is a good Agriturismo, **Aggerre-Goikoa** (tel 943 83 32 48). To get to it, take the turn-off on the old San Sebastián road before the campsite. As is normal with Agriturismos, it's very good value for money with clean and spacious rooms. (4).

There are dozens of places to stay in the town centre, but during fiestas and for much of August, space will still be at a premium, so book ahead. The cost of accommodation in Zarautz is higher than many Basque towns. Getaria also has a couple of cheap options.

Erretegia Lagunak, K/S. Frantzisko, 10 (tel 943 83 37 01). Clean and spacious rooms on a small and central square. Nice restaurant below. Good-value rooms. (5/6).

Txiki Polit, Plaza Musika (tel 943 83 53 57). A very popular mid-range place with large and cool en suite rooms that come with a TV. The building spirals up into the sky in a funky way. Downstairs is a recommended bar and restaurant. (6).

Another cheapie is the **Hotel Norte** on Kalea Naforroa (tel 943 83 23 13). You will also find Internet access available here for non-residents.

EATING

You'll find no shortage of places to eat in Zarautz, but beware of all those tasty seafood dishes, as they ain't cheap.

There are a couple of small supermarkets in the old town, and then a larger one on the other side of the railway track, just off Kalea Mitxelena.

For tapas and atmosphere look in the bars clustered around Plaza Barren on the southern edge of the old town.

Gure Txokoa, K/Gipuzkoa. Is a good bet for seafood at not-too-exorbitant prices.

Erretegia Lagunak, K/S. Frantzisko. As well as decent rooms you can rely on a good feed. Moderate prices.

Telesforo, K/Gipuzkoa. Its local dishes and fish are recommended by many locals.

Txiki Polit, Musika Plaza. Good traditional food and a range of tapas on a busy square.

All along the seafront are lots of cafés and restaurants where you definitely pay for the view.

NIGHTLIFE

Throughout the summer the party never seems to stop in Zarautz. The bars and clubs are full to the brim with holidaying Spaniards and any night out can last till dawn. If you think things are hectic then, just wait until one of the two big fiestas. The first is held for three days in the last week of June and then the really crazy one takes place in the second week of September (check all dates with tourist offices as they change from year to year). The liveliest bars are those around the Plaza Musika and the surrounding old-town streets.

TRANSPORT

The train station is right in the centre of town on Kalea Lapurdi. There are up to 30 trains a day on summer weekdays to San Sebastián, less on weekends and holidays. To Zumaya and onwards to Bilbao there's a similar number.

Buses stop about halfway along Kalea Nafarroa, and again there are dozens of buses a day heading into San Sebastián and Zumaia. A direct bu

ZUMAYA

Zumaya at first glance isn't the most attractive place, but get beyond the industrial outskirts and you'll find a nice town, the Urola River forming the centrepiece.

THE SURF

If you follow the coastal road between Getaria and Zumaya you'll reach the small, stony and none too attractive Playa o Cala de Orrua. There are two spots here, both at the eastern end of the beach. The first wave is known simply as Orrua and is the more consistent of the two. It's a right-hander that peels down the rocky point on any moderate to big northwest swell. In prime conditions it can be a fast, hollow and almost perfect wave and on such days you can be sure that it will be busy. It's best at low tide and holds up to 2m (6ft). When the swell gets over this size the outside section of Orrua reef, known to the surf community as Roca Puta (Whore Rock) starts to wake up. This is an extremely heavy wave that holds up to 5m (15ft) of swell and is widely regarded as one of the most radical spots in Euskadi. Again low tide is best and plenty of big-wave experience is needed. Due to the extreme nature of the wave it's usually uncrowded. Offshore winds for both these waves come from the south or southeast. Autumn and winter are the times of year when you're most likely to get these waves good. Be warned that the water coming out of the Urola River, which discharges into the sea at the opposite end of the beach, is extremely dirty.

In the very centre of the town is the large, sandy Playa de Itxurun with fairly mediocre sandbars that gather lots of swell. It seems to favour rights, but most waves are just closeouts. It's a small-wave spot with different banks working at different stages of the tide. It is busy in summer, especially with beginners; but at other times of the year it will be quiet. Offshore winds come from the southeast.

INFORMATION

BANKS K/Erribera, the main old-town street.

DOCTORS There's a health centre close to the turismo on Plaza Zuloaga (tel 943 86 10 93).

POST OFFICE K/Patxita Etezarreta.

TOURIST INFORMATION Plaza Zuloaga, at the entrance to the town. Seasonal only.

ACCOMMODATION

The nearest campsites are either in Zarautz or on the road to Deba.

There's only one cheap place in town, but it's one of the best-value places in the coastal Basque country. **Bar Restaurante Tómas**, Plaza E. Gurrutxaga, 8 (tel 942 86 19 16). Really nice apartments that are a bargain if there's a group of you. Each of the light and airy apartments come with TV, a good kitchen and with room to sleep up to six people but it's more comfortable for two couples. Usually open to bargaining at quieter times of the year if there are less than four of you. (7).

There are a couple of top-end places as well, **Talaso Hotel** (tel 943 86 51 00), which is a luxury thalassotherapy hotel on Playa de Itzurun.

EATING

There's a supermarket on the road in from Zarautz, K/Patxita Etxezarreta.
Kalari Bar, Upela Plaza. Cheap and tasty set daily menus, snacks and tapas.
Lubaki, K/Basadi. It's more expensive than the Kalari, but again the food is good and prices low.

Bar Restaurante Tómas, Eusebio Gurrutxaga. Cheap place specialising in paella, squid in ink, and chicken. Popular with the locals.

Not much goes on except a big fiesta in late June. The best bars are all concentrated in the old town.

TRANSPORT

The train station is a little out of town on Kalea Estazioko, just off the road to Zarautz. There are loads of trains to San Sebastián and Bilbao.

Buses leave from the Plaza Zuloaga for Zarautz and Deba every hour or so.

BELOW: ARRASTRA, BIZUAIA. PHOTO BY WILLY URIBE.

ENEKO ACERO.
PHOTO BY
EDU BARTOLOMÉ.

DEBA

Deba was a thriving alternative resort to San Sebastián at the turn of the twentieth century, but those days are now long gone and today Deba is a quiet little backwater village with an attractive old centre surrounded by some stunning coastal scenery.

THE SURF

Deba's town beach isn't up to much, but the coastal road into town from the east offers not just some of the most spectacular coastal scenery in Euskadi but also some hidden gems. Back in town the beach break picks up a fair amount of swell, but the waves tend to close out a lot. It's best on higher tides and at less than 1.5m (4ft). Offshore on a southerly.

ABOVE: A BASQUE SECRET SPOT.
PHOTO BY STUART BUTLER.

RIGHT: LA GALEA.
PHOTO BY WILLY URIBE.

FOLLOWING PAGES: A CLASSIC MUNDAKA SWELL
WITH ONLY A FEW SURFERS OUT.
PHOTO BY WILLY URIBE.

INFORMATION

BANKS On Plaza Foruen in the old town.

POST OFFICE K/Ifar in the old town.

TOURIST INFORMATION K/Hondartza.

ACCOMMODATION
The countryside around Deba, though very rural, doesn't really offer a great deal of scope for free-camping. There is, though, a good campsite, **Camping Itxaspe** (tel 943 19 93 77), just off the Deba/Zumaia road. It's a quiet site with fairly small pitches, some of which overlook the sea.

The only accommodation in town is the **Pensíon Zumardi**, K/Marinel, 12 (tel 943 19 23 68). It is located, almost right on the beach, and can't be faulted and the rooms are clean, well lit and the management friendly. Its downside is that it's slightly overpriced. (5).

EATING
There's a small supermarket in the old town on the Plaza Foruen.
Café Oskarbi, K/Lersundi. A classy place in the centre for a coffee or beer.
Alvarez, K/Sokagi. This is a really nice place to go for a meal, with a homely atmosphere and plenty of locals. Moderate.

On the busy main street through town, Kalea Hondartza, are a string of places to eat, most of which are aiming only to catch the passing tourist trade; one of the better ones is the **Calbeton**.

Finally, closer to the beach and recommended by locals is the **Casino** on Kalea Markiegi, which offers good value for money.

TRANSPORT
The Bilbao–San Sebastián train passes through frequently and stops at the station right in the middle of town, as do buses heading both east and west.

LEKEITIO

Lekeitio is located almost halfway along the twisting coast road from Deba to Mundaka and makes a good base for those wanting to explore the potential of this beautiful stretch of coast, which, during big wintertime swells, can really turn on the goods. The town itself has an attractive old centre and a couple of nice beaches, one with surf, and one without. To the east and west of Lekeitio are many hidden waves surrounded by green and misty forests, steep cliffs and pretty fishing villages. Some of the better-known spots are listed below, others can be found if you follow your nose across the fields and the hills.

THE SURF

A short and pleasant walk or drive to the east of Lekeitio centre is Playa de Karraspio. It's definitely not the best-quality wave in the region, but the setting between Isle San Nicolás and Lekeitio town to the west and the jagged cliffs to the east are hard to beat. It's a beach break with poor-quality sandbars that are better at higher tides; occasionally you might find a fun left breaking off the side of the island. Its north-facing orientation means that it misses the bulk of most swells; it would need to be at least 1.5m (4–5ft) on the exposed beaches to get something in here. The eastern end of the beach picks up more swell, but the western end offers some shelter from west winds. It doesn't hold very much swell and tends to close out, especially when it's over 1m (3ft). Sometimes on big, high tides an interesting wedge forms on the western end of the beach that can be fun, but

don't rely on it! It's a good spot for beginners and is usually only surfed by a few friendly locals from in the town. South winds blow offshore.

Back down the coast towards Deba is the small village of Mutriku. Just outside of here, continuing along the road to Deba, is a sheltered and good-quality left reef break. It needs a big swell to get it going and as it's offshore on south winds and has a lot of shelter from westerlies, thanks to some high cliffs, it can be a good bet in big winter storms. The wave itself is a short and fast left with a good wall. It needs to be low tide and at least 1m (3ft), and it's good up to about 2m (6ft). It's really only a winter spot and is usually quiet, but there can be a bit of an atmosphere if a group of you turn up when the locals are on it. Easily visible from the road.

Drive a short distance to the west of Lekeitio and you come to the little village of Ispaster; just beyond this is a turn-off on the right that takes you through the forest for a couple of kilometres to a picnic area above the little beach of Playa de Ogeia. This is a beautiful spot with decent left and right reef breaks. The beach faces northeast and has a lot of shelter from anything but north winds, which again makes it a good bet in big winter storms. It's a low-tide spot that needs a good-sized northwest swell to start breaking. It holds about 1.5m (4–5ft). The right-hander is a fast and tubular wave, whilst the left is just as fast but not as hollow. If it's breaking then you'll probably share the wave with a small local crew. Again, it's a winter-only spot. Possibilities for camping out in a van.

INFORMATION

BANKS All the banks are clustered around San Kristobal Enparantza in the very centre of town.

CHEMISTS San Kristobal Enparantza.

DOCTORS There's a health centre on Larrotegi Auzotegia, 1 (tel 946 84 28 91).

INTERNET Halfway along Sabino Arana Uribidea.

POLICE Gamarra, 1 (tel 946 84 20 00).

POST OFFICE Eliz Atea, 10.

TOURIST INFORMATION The friendly tourist office is on the square above the harbour, Independentzia Enparantza (tel 946 84 40 17).

ACCOMMODATION

Free-camping isn't really very feasible in the high season in Lekeitio. Out of season you could try your luck on **Playa de Karraspio**. There is a campsite just off the road leading inland to Mendexa, called **Camping Leagi** (tel 946 84 23 52). Another campsite can be found back along the coastal road to Ondarroa, **Camping Endai** (tel 946 84 24 69), which is a cheaper and more basic site.

There are a couple of cheap pensions in town as well as some more pricey hotels. **Piñupe Hotela**, Avenida Pascual Abaroa Etorbidea, 10 (tel 946 84 29 84). It has a central location but the rooms aren't too good and it's overpriced. (6).
Hotel Beitia, Avenida Pascual Abaroa, 25 (tel 946 84 01 11). Light and airy rooms with lots of space, right in the town centre. It's the better of the two cheap options, but it's still not great and so you might be better

taking advantage of one of the many Agriturismos in the region (ask in the tourist office about what's currently available). (6).

Of the higher-end hotels, the three-star **Emperatriz Zita**, K/Santa Elena (tel 946 84 26 55) is the best.

EATING

Lekeitio has plenty of places to get good food for little cost. All along the harbour front are tapas bars and fish restaurants busy with locals and tourists sitting outside on summer evenings.
Jai Berri, Avenida Pascual Abaroa. A cheap place with burgers and more traditional tapas.
Mantxua, K/Beheko. Cheap menus of the day that offer value for money.
Egaña, Antiguako Ama. Slightly pricier, but worth it for the consistently good food.

For most of the year the nightlife is nothing to write home about. The bars around the harbour get quite animated in the summer and that's about the limit. However, in September Lekeitio has one of the better-known fiestas in Euskadi, thanks in no small part to the goose rodeo. This event is not for the squeamish; two opposing teams stand on opposite sides of the harbour pulling on a rope from which is suspended a goose, whilst one by one men come up underneath the goose, grab hold of it, and as the goose tries to fly away they are lifted up above the ground and hold on for as long as they can. The winner is the person who breaks the goose's neck.

TRANSPORT

The train service that runs along the Basque coast bypasses Lekeitio, so you'll have to rely on the buses, which run a regular service to San Sebastián and Gernika, where you change for Mundaka.

ELANTXOBE

Tumbling down the side of a steep cliff and sheltered from the worst of weathers, Elantxobe is maybe the most beautiful fishing village in Euskadi and, thanks to its difficult access, has been spared any real tourist exploitation. Elantxobe is a but a small fishing harbour lined by attractive old houses. Facilities are few but its proximity to the consistent beach breaks of Laga and Laida make it a worthwhile stop in small swells.

THE SURF

A few kilometres to the west of Elantxobe is consistent Playa de Laga. This and nearby Playa de Laida are the most popular spots with travelling surfers on the days when the swell is too small for Mundaka. Laga is the better of the two with good-quality beach peaks on a small to moderate northwest swell. Mid- to low tide is best; the right breaking off the rocks at the east end of the beach can be hollow and fast at mid-tide. The sandbars on the rest of the beach favour lefts, but the wave quality isn't as high. It tends to become hard work over 1–1.5m (3–5ft), but Mundaka, just around the corner, starts breaking then anyway. Most of the time it's not that busy in the water and the atmosphere is pretty mellow. South to southeast winds are offshore.

On the opposite side of the Gernika estuary from Mundaka, and with spectacular views across to that wave, is Playa de Laida, a beach that varies greatly in size depending on the stage of tide. Swell-wise it's always bigger than Mundaka and, like that wave, it's a mid- to low-tide spot. That, though, is about where the similarities end, because Laida is a slow and shifty beach break that often involves duck-diving endless lines of white water in an effort to make it to the line-up. One plus-point for it is that it's always quiet, and it even breaks with some regularity in the summer. It's a good spot for beginners, although take care of the strong rips created by the river's flow.

More of a legend than a surf spot, Izaro Island is the former home of a group of Monks (one of whom is rumoured to haunt the island), sitting a short distance offshore from Laida. A very rarely ridden right powers down the side of the island that, from the safety of dry land (or even in comparison to the Mundaka line-up), looks like a tempting challenge. However, you've got to ask yourself why, with the number of top world pros that visit Mundaka, it's so rarely ridden. And the reason is that the smooth and clean-looking right is actually at least twice the size of Mundaka, extremely shifty and finishes up on dry rocks. People have driven out to it in boats and jet-skis with the idea of towing into it, and the Mavericks crew even turned up, but so far only a very few have braved it.

INFORMATION

ACCOMMODATION

If you want to free-camp in a van then try either Laga or Laida beach car parks. Mundaka is the nearest place with a proper campsite.

There is only one place to stay here and it's one of the better mid-range places on the entire coast. **Itsasmin Ostatua**, K/Nagusia, 32 (tel 946 27 61 74, www.itsasmin.com). Set in an old and characterful building at the top of the village and with stunning views from many of the rooms. If you want a quiet and pleasant place to stay, this is it. (6).

EATING

You won't find a lot in the way of restaurants or supermarkets here. There are, though, a handful of bars on the waterfront that serve tapas and simple meals, and a couple more at the top of the village, close to the hotel.

TRANSPORT

A frequent bus service links the village with both Gernika and Bermeo. Maybe the village's most unique feature is the bus turning-circle at the top end of the village: the road is so narrow that buses don't have the room to turn around and so the road spins around for them!

MUNDAKA

At the mouth of the Ría de Gernika is the little fishing village of Mundaka. Its cool, narrow streets and the views out over the ría from the central square are all very picturesque, but that's not why you're here....

THE SURF

The jewel in the crown, Mundaka is etched into the minds of every surfer across the planet. Thurso East, Coxos, Hossegor and one or two others are all regarded as world-class European waves, but Mundaka is on a level all on its own. Almost universally touted as the best wave in Europe, it can be far more than just that. On its day Mundaka is the most perfect wave in the world.

This super-hollow, heavy and very fast left needs a solid northwest swell to come to life. If it's 2m (6ft) on the exposed beach breaks it'll normally be about 1m (3ft) here. This means that it's a very rare event in the summer, but from autumn through to spring you can normally expect at least a couple of days a week here. It holds up to about 4m (12ft) and at this size is very scary. It breaks from mid- to low tide and is at its best as the tide drops back and approaches dead-low tide. The best wind direction is from the south and the stronger it is, the better. When a strong south wind, low spring tides and a decent swell all combine you can absolutely guarantee that you're going to get barrelled, seriously barrelled. Though it may look like a perfect reef pass wave it is actually breaking on sandbars formed by the river flow and the actual wave quality varies a lot depending on the state of the sandbar. This bar is normally at its best in the autumn, as there will have been little wave action over the summer to destroy any of the good work put in by the river. Sometimes by the end of the winter the sandbar can have been almost destroyed by the constant swell activity on it. The wave is usually very long; get a good one and you can race through three tube sections. This length of ride gives it a couple of different take-off spots. The main take-off peak is pretty much reserved for the local crew and the very highest standard of visiting surfer. A lot of the time people don't make the initial tube, which means that if you're sitting further down the line on the second or even third tube sections you can battle it out for the waves that they blow.

One of the delights of Mundaka is the ease of the paddle-out. A nice big channel formed by the river flow takes you straight out to the main take-off peak without even getting your hair wet. Simply paddle out through the harbour and straight into the line-up. Once you've caught a wave you can either, depending on how far you rode it, take the long paddle back around via the river channel or paddle straight back to the line-up. If you choose the second option, don't paddle directly towards the take-off peak. If a set comes in you're going to be right in the way of everyone. Instead, aiming towards Izaro Island, paddle out diagonally and, when parallel with the line-up, paddle across to your chosen take-off spot. The ease of the Mundaka paddle-out does have the downside of allowing many people who don't have the ability to deal with a wave like this to find themselves stuck in a situation completely beyond them. Don't be pressurised into going out if you don't feel ready for it.

Another factor to take into consideration when surfing here is the crowds. You can guarantee that when the first swells of late summer/early autumn hit, every travelling surfer within three hours' drive of the place will descend on it, and to be honest, unless you're a local or top pro you're not going to get any waves and will probably just leave frustrated, though completely blown away by the show. The best time to surf it is on a weekday morning in the middle of January or February, and even then you can expect thirty-odd people in the water if it's good. Remember that when you first paddle out you'll end up right in the middle of a pack of locals. Unless your face is known you're better off paddling further down the line. Wherever you choose to sit you can expect drop-ins.

If the crowds and intensity of the wave are too much for you, wait until a couple of hours after low tide before going in, as the crowds will be thinning out and the wave beginning to mellow. Normally by three hours after low tide it's completely disappeared, although sometimes a fun little right starts to break further inside.

Winter 2001/2 was an exceptional season at Mundaka; the sandbar was as good as it gets and the swells didn't stop coming. If you were one of the lucky ones to have been there, then you'll know just how perfect this wave can become.

RIGHT: DAVID BUSTAMANTE, MUNDAKA. PHOTO BY EDU BARTOLOMÉ.

FOLLOWING PAGES: THE FABULOUS MUNDAKA. PHOTO BY WILLY URIBÉ.

INFORMATION

BANKS There are a couple of banks on the main road, Kalea Goika.

CHEMISTS K/Goika.

DOCTORS There's a health centre in nearby Bermeo. Call them on 946 88 47 00.

HOSPITAL The nearest hospital is the Hospital Psiquiátrico de Bermeo (tel 946 02 90 00) in nearby Bermeo, though most people who come unstuck at Mundaka end up in hospital in Bilbao.

INTERNET There's a solitary computer with Internet access in the **Hotel Mundaka**.

POLICE K/Lehendabari Aguirre Enparantza (tel 946 17 70 18).

POST OFFICE K/Lehendabari Aguirre Enparantza.

TOURIST INFORMATION A small but not very helpful office is close to the waterfront on Kepa Deuna (tel 946 17 72 01).

ACCOMMODATION

The hoteliers of Mundaka learned long ago that the surfers will pay to stay close to the waves, and all accommodation options in the village are overpriced throughout the year. Even so, for most people the idea of staying anywhere else is simply not an option. However, if you are on a very tight budget or simply can't be bothered with the surf scene here (which is actually minimal), then try nearby Gernika instead.

Free-camping is not possible in the village; go over the river to the beach car parks of Ladia and Laga if you want to try. The campsite in Mundaka, **Camping**

Portuondo, is a bit of an institution and almost guaranteed to be full of surfers in the spring, summer and autumn. It's open year-round, but it can be a bit of a miserable experience camping here in the winter. The site is located a short walk from the town and the surf, on the road in from Gernika, and aside from during the winter it's best to book ahead (tel 946 87 77 01, www.campingportuondo.com). The site is slightly overpriced and though the facilities are pretty good (pool, shop, restaurant) the pitches themselves are extremely cramped with people almost camping on top of one another in the height of the season. The site also has cabins to rent.

Another institution with surfers is the **Hotel Mundaka**, Florentino Larrinaga (tel 946 87 67 00, e-mail hotelmundaka@euskalnet.net). Again, it's overpriced, but the rooms are nice and clean with plenty of light. It's the cheapest of the hotel-style accommodation options in town and a much better wintertime bet than the campsite. It's very close to the waves and full of surfers. Has a bar and café attached to it. (6).

Hotel El Puerto, K/Portu, 1 (tel 946 87 67 25, e-mail hotelpuerto@euskalnet.net). A big, old building, right in the heart of all the action. The staff aren't overly friendly, but the rooms are nice and many come with great views. Fills up quickly so try and book ahead. (7).

Atalaya Hotel, K/Itxaropen, 1 (tel 946 87 68 88, e-mail reserves@hotel-atalaya-mundaka.com). Set in a beautiful old building right in the town centre, this is the classiest option in town and many of the nicely laid-out but quite small rooms have turn-of-the-century glass-fronted balconies as well as satellite TV. There's a small garden and terrace to eat on and a restaurant/bar. Again, try and book ahead outside of the winter. (7).

EATING

Finding reasonably priced good food seems to be an impossible task in Mundaka and the closest thing to a supermarket is one of the little corner shops selling only the most basic of things.

Most surfers eat and drink in one of the two bars down by the harbour on Kalea Portu. **Los Txopos** is the more popular of the two and does great-value burgers and sandwiches guaranteed to do the job after even the longest of sessions. This bar is also the focal point of Mundaka's 'nightlife'. Next-door is the bar of the **Hotel El Puerto**; it's much the same but tends to attract more general tourists than surfers. Both are good places to mix with the locals.

Asador, K/Sabino Arana. Very close to the previous two is this much more formal restaurant which serves really good fish and steak dishes at moderate prices.

You will also find a number of other bars selling tapas and pastries in among the warren of old streets.

NIGHTLIFE

Not a great deal goes on here, though in the summer the harbourside bars can get pretty animated. Nearby Gernika is a much better bet for a big night out. Mundaka has a good fiesta at the end of July (normally on 29th but check with the tourist office as dates change). Gernika has one on 15th/16th August to mark Assumption.

TRANSPORT

Buses run frequently to Bermeo, Gernika and further afield, and there are also trains to Bilbao.

THE PAINTING WITH A BLOODY PAST

As you come up towards Mundaka, a few kilometres before reaching the famous rivermouth, you'll pass through the small market town of Gernika, which, with its sacred tree and its role as the meeting place of the old Basque governments, is the traditional centre of Basque nationalism. Take a good look at the town as you drive through – it's hardly the most attractive of places, but after the events of 27th April 1937 the town found itself being put back together as quickly as possible with little regard to aesthetics. It was a market day and the town was packed with traders from the surrounding countryside. Few of them would be going home again, as it was on that morning that planes from Hitler's Condor Legion demonstrated to the world the new Nazi German concept of saturation bombing. For four hours the bombers coldly flew over the town, eventually leaving Gernika in rubble and more than 1,600 people dead. Sadly this was not Hitler's first attempt at saturation bombing; just a few days earlier the nearby town of Durango suffered a similar fate, but because there were no foreign observers the world simply didn't believe what it was being told.

So why did this happen and what does a painting have to do with it all? Throughout his rule Franco had been having a few problems with the Basques and their refusal to accept him as their master. Over the years he tried many different methods to force them into his way of thinking, but all to no avail. We can have no idea if, in 1937, when he decided to enlist the help of the Nazis to deal with the Basques, he intended the strike to be quite so violent. Certainly as soon as news leaked out of what had happened Franco denied involvement, claiming instead that the destruction was caused by communists planting bombs in the town's sewers. The reason that Gernika was chosen was almost certainly because of its symbolic value to the Basques and it was hoped that to attack Gernika would subdue them into submission. It didn't. As for Hitler, he was happy to be involved in order to keep Franco on his side and to give him some practice for some other little war he was shortly to embark on. Guernica is Picasso's famous painting of the day's events and was completed shortly after the attack. For the remainder of Franco's rule it was displayed in New York, but since 1981 has hung in Madrid. It was hoped by many Basques with the opening of Bilbao's Guggenheim Museum it would be moved to Euskadi, where it surely belongs, but so far this has not happened.

MUNDAKA. PHOTO BY F. MUÑOZ

BAKIO

For much of the year Bakio is a quiet little resort town with a reputation for its txakoli (a locally made young green wine), but in the summer it transforms itself into something more akin to a Mediterranean resort. Despite, or maybe because of this, it can be a good base for exploring this region, standing as it does around about the halfway mark between Mundaka and the beaches of Bilbao. Even in the height of summer Bakio is almost exclusively a Spanish resort and it's all the better for it.

THE SURF

Everything in Bakio focuses on the beach, which extends over 500m (1,500ft) and is backed by a lively promenade. You have two different surfing options here, the fast and sometimes tubular lefts and rights of the beach break, or the Peña Roja peak with racy right-hand tubes. It's a fairly consistent spot, best around low tide and up to around 2m (6ft). Offshore winds come from the south or southeast, but light northeast winds don't mess it up too much either. About its only problems are the sometimes-feisty crowds and the dirty water.

SITES OF INTEREST

The coastline to the east of Bakio is stunning and the best place to appreciate it from is the cliffs above the tiny island of San Juan de Gaztelugatxa, a couple of kilometres from Bakio. The island contains a hermitage and is linked to the mainland by a little bridge. On 24th June, 31st July and 29th August a procession winds its way out to the island.

INFORMATION

BANKS Bentalde is the main road through town and there is a bank and cashpoint on it, right in the very centre.

CHEMISTS Bentalde, 81.

DOCTORS Basigo, 26, tel 946 19 42 07. On the seafront.

POLICE Close to the tourist office on Bentalde, tel 656 78 86 23.

POST OFFICE Beside the small roundabout close to the beach at the Bilbao end of Bentalde.

TOURIST INFORMATION Urkizaur, 28 (a small square off Bentalde, and a bit of a walk inland from the beach), tel 946 19 33 95. The staff in the tourist office don't get a lot of custom and so are as helpful and friendly as possible.

ACCOMMODATION

The nearest campsites are either back in Mundaka or in the Bilbao suburbs of Sopelana and Gorliz. You could probably sleep in a van in the winter, in the car park just back from the beach.

For solo surfers on a tight budget there's a youth hostel a short way off the main road coming in from Bermeo and Mundaka.

Joshe Mari, Bentalde, 31 (tel 946 19 40 05). A five- to ten-minute walk back from the beach and almost opposite the tourist office. It has clean rooms in a bizarrely shaped building. (6).
Hostería del Señorío de Bizkaia, José María Cirarda, 4 (tel 946 19 47 25). A nice old building with friendly English-speaking management. The rooms are slightly disappointing, but it's still the best option in town. Also has a good restaurant. (7).

EATING

There are a couple of little supermarkets at various points along Bentalde.

For something very quick and easy, though not especially cheap or nice, try the clutch of bars and restaurants beside the beach on Plaza Urkizaur, the small square by the river at the western end of the beach. All of them cater very much to the summer hordes.

A much better, but pricier option is **Eneperi**, San Pelaio. You'll need a car to get out here as it's on the cliffs overlooking the island of San Juan de Gaztelugatxe (see SITES OF INTEREST). It's probably best saved for a treat.
Itxas-Begi, Goitisolo. Again, it's out of town, this time on the road to Plentzia. Much cheaper fish than Eneperi and a good-value day menu.

NIGHTLIFE

In the summer, check out any of the bars along the seafront, and at any other time of the year go to bed early.

TRANSPORT

There are frequent buses throughout the day (last buses around 21.00) to central Bilbao and in the other direction to Bermeo (last bus about 19.00). There are bus stops all the way along Bentalde.

FOLLOWING PAGES: SURF STOKED. MEÑAKOZ, DECEMBER. PHOTO BY EDU BARTOLOMÉ.

PLENTZIA

Plentzia is the last stop on Bilbao's metro line and though still an immensely popular beach resort with Bilbaínos, the city's influence is definitely beginning to fade by the time you get out here. What you'll find instead is a clean and attractive town with a medieval quarter that makes a nice break from the beach, and some pleasant riverside walks popular with locals on a summer evening. Playa de Gorliz, close to the centre, has no surf and so offers safe swimming.

THE SURF

Playa de Plentzia is a poor-quality beach break offering shifty closeouts. It needs a really big swell to break and so is more of a winter option. Low tide is best and southwest winds are offshore. Compared to most of the spots around Bilbao it's usually pretty quiet, but take care not to swallow any water, because it can be a little dirty.

On very small northwest swells it can be worth checking out the average left on the reef at Playa de Barrika. Don't bother if the swell is more than 1.5m (4ft) or the wind is anything but an east or northeast. For much of the autumn through to spring it will be maxed out. It's usually busy, but the atmosphere is fine. High tide only.

INFORMATION

BANKS About halfway down the main road through town, Kalea Erribera.

CHEMISTS K/Erribera.

DOCTORS There's a branch of the Red Cross on Kalea Geltoki (tel 946 77 40 55).

HOSPITAL K/Areatza, 44 (tel 946 77 02 85).

POLICE Plaza del Astillero (tel 946 77 33 10).

POST OFFICE K/Arraun.

ACCOMMODATION

The nearest campsites are in Sopelana and Getxo, a little closer to the city. Free-camping isn't really viable anywhere around here.

As it's very easy to reach Bilbao centre on the metro at any time of the day or night, and with Plentzia's proximity to the beaches, this can be a good base, especially for surfers with their own transport.

Hotel Uribe, K/Erribera, 13 (tel 946 77 44 78). It's a little overpriced, as the rooms are nothing special, but it's perfectly adequate. Try and get a room facing away from the road, as it can be very noisy. (6).

Hotel Arrarte, K/Erribera, 27 (tel 946 77 14 44). As cheap as you'll get, and the rooms are OK. (4).

Hotel Abierto/Palas, K/Erribera, 42 (tel 946 77 08 36). By far the best option in town, with great views over a busy square. Big rooms and friendly staff. Cheap. (4). Downstairs is a bar/restaurant.

EATING

Café Uriola, K/Erribera. On a little plaza is this quiet café with a few tapas and drinking locals.

Restaurant Arrarte, K/Erribera. A pricey seafood restaurant that is deservedly popular. Part of the hotel of the same name.

Bar Bate, K/Erribera. Opposite the bridge from the metro station is this small locals' bar where Basque is spoken as commonly as Spanish. Tapas, simple meals and drinks.

TRANSPORT

Far and away the easiest way of reaching central Bilbao and Sopelana is on the metro, the station is on the opposite side of the river from the town. Trains run every few minutes throughout the day and night. Plentzia is a good place to base yourself if you have a car, as the traffic is never as bad as in Bilbao itself, parking is easier and roads lead straight from here to Bakio, Mundaka and the motorway.

SOPELANA

The noisy and congested suburb of Sopelana can't be described as the most attractive of places, but the nearby beaches are, in many cases, surrounded by green and pleasant parkland, and though always packed they have some of the best waves in all of the Basque country, including the infamous Meñakoz. Sopelana should definitely be on every Spanish surf explorer's wish list.

THE SURF

The Sopelana surf zone covers quite a large area, with several kilometres between the most northerly spot, where we begin this rundown, and the most southerly, so it would be very helpful to have some form of transport.

A serious big-wave break, Meñakoz is one of the most renowned spots in Europe and is quite possibly the best big-wave spot on the continent. All this means that it's not a place for the average surfer. It doesn't begin to start breaking until at least 2m (6ft) and it has been ridden up to 7m (20ft), but its rideable limits are still a long way from being reached. Don't go out unless you're in good shape and very experienced in big waves, and remember that it's always much bigger than it looks from the cliffs. A couple of points to watch out for include the ledge on take-off and the hollow 'Los

Calvos' section which, for the brave, sometimes has tube sections, but it also has rocks. Accompanied by the very strong current, it's these rocks that are your worst enemy; if you mess up your take-off or get caught too far over when a big set comes in then you will be dragged onto the rocks, which is not good news! Many people have come to grief in this way. Due to its nature this wave never gets very busy, but most of the guys out here live only for the days when this spot turns on, and for this reason it's a pretty tight-knit scene in the water.

Check it on big northwest or straight north swells, although on north swells it's a shorter ride. It breaks throughout the tide, but mid- to low is better. Offshore winds are from the south or southeast; it's a very wind-sensitive wave.

Even if you aren't up to surfing it you won't regret coming and sitting on the cliffs and watching the show on a big day.

For a complete change of pace, take a look at Playa de Arrietara, a good-quality beach break with peaky, hollow waves close to the heart of Sopelana. A few rocks can be found on the bottom and these help to hold reliably good sandbars in place. It breaks throughout the tide but mid- to high has an excellent-quality shore break, whilst low tide gets a little rocky. Its not the most swell-exposed of spots, but it picks up most of what is on offer and is good from less than 1m (3ft) to 2–2.5m (6–8ft) on the right day. Picks up north or northwest swells and is offshore on anything from a southwest to a southeast. Lots of surfers and a bit of an atmosphere. The water can be quite dirty here and in the summer the beach is jam-packed.

Just over the headland to the south of Playa de Arrietara is the very good Playa de Barinatxe (La Salvaje). A near-perfectly formed rock platform juts out to sea here, and over the top of it rolls a long, fast right and shorter, hollower left, together known as 'La Triangular' on account of the symmetrical shape of the peak. Both the left and the right hold a good-sized swell. It breaks at all stages of the tide and is offshore on a south or southeast wind. It's one of the more reliable spots in the area and because of this gets busy, especially with longboarders, and the atmosphere can be a little competitive. There's also a beach break here that is always smaller than La Triangular, and quieter. It's a multi-peaked set-up with some hollow sections. Generally the lefts are better.

A few kilometres further towards Bilbao is Playa de Aizkorri, at whose southern end is a high-quality but very fickle left point. It needs a solid northwest swell to turn on; around 2–3m (6–10ft) is ideal with light south to southwest winds. If you do get the conditions right then you could be rewarded with a very long and hollow wave with up to three tube sections. If it was more consistent then this would be one of the biggest draw cards in the region; as it is, it is rarely busy unless word gets out that it's "firing". The water quality here really is a little suspicious.

INFORMATION

Sopelana has very few facilities except for a bank or two on the main road through town. For almost everything else you're better off going into Bilbao.

ACCOMMODATION
You can sometimes get away with sleeping in a van on one of the beaches around Sopelana, but it can't really be recommended. **Camping Sopelana** (tel 946 76 19 81), e-mail recepcion@campingsopelana.com), is a year-round site close to the waves at Meñakoz. It offers the closest camping to central Bilbao. It's not the cheapest of campsites, in fact it's often cheaper to get a budget room in central Bilbao. Also has expensive cabins for rent.

The only hotel-style accommodation in Sopelana is the **Hotel Goizalde**, Avenida Atxabizibil, 60 (tel 946 76 06 57, www.hotelgoizalde.com). The rooms are fairly basic but it's very close to the most consistent beach in Sopelana. Staff speak English and French. Book ahead in the summer. (6).

EATING
Restaurante Summun. Follow the road down to the beach and you'll pass this recommended restaurant. It has an extensive menu at affordable prices.

Most of the better places to eat are back towards Getxo a short way. One such place is the **Cervecera El Molino**, K/Prebeta Bidea, which has cheap-to-moderately priced dishes.

If you want to splash out a little then head into Getxo to the **Restaurante Carola** Puerto Viejo Algoita, where you'll find excellent fish dishes worthy of the heavy prices.

NIGHTLIFE
The Bilbao crowds flock out to Sopelana c summer days and many stay on at the beachside bars in the evening. **La Triangu** the local surf hangout and **El Sitio** and **El Peñon** are similar.

TRANSPORT
The metro runs between Sopelana and central Bilbao. The Larrabasterra station is very close to the beaches.

FOLLOWING PAGES: THE SIGHT THAT GREETS EVERY LUCKY SURFER, MEÑAKOZ. PHOTO BY EDU BARTOLOMÉ.

BILBO (BILBAO)

Bilbao, or Botxo (the hole), as it's affectionately known by its citizens, is home to over a million people and is Spain's fifth city. It expanded massively with the wealth generated from its steel mills and shipyards in the early part of the twentieth century and in many ways Bilbao, alongside Barcelona, kept the Spanish economy moving forward, even if that was painfully slowly. With the collapse of its traditional industries in the 1980s the city began to suffer heavily, and for many years it became synonymous with urban decay. Nowadays, though, thanks to an ambitious regeneration programme the city is once again on the move, but banking and commerce have largely replaced industry, and in place of the belching factories have sprung up convention centres, concert halls and swanky apartments. Dirty old Bilbao may still exist in the graffiti-covered tower blocks that ring the city, but down in the centre a new optimism pervades, symbolised by the city's pride and joy, the sparkling new Guggenheim Museum. Forget all your preconceptions. Bilbao is a cool city.

THE SURF

Central Bilbao is set in a valley a few kilometres back from the sea, but an excellent public transport system links the city to the surf breaks in and around the suburb of Getxo (metro: Algorta), or further afield but still linked to the city centre by the metro system (metro: Sopelana), Sopelana (see page 108). To the west of Bilbao is the industrial suburb of Muskiz (Cercanías: Line C2, Muskiz station). Trying to drive yourself to any of these beaches without an intimate knowledge of Bilbao's extremely complex road system can be a real nightmare and there's a good chance that you'll spend a week or so driving in circles around the city.

Getxo, a suburb to the north of the centre, spills around the mouth of the Nervión and is home to three different breaks, all of which need really big northwest swells to light up. Punta Galea is the most well known of these spots, a heavy right close to the Galea lighthouse. It's at its best between 2 and 3m (6–10ft), and though it does break when it's smaller, it's nowhere near as good and is perilously close to the rocks. When a large enough northwest swell hits you'll find a right breaking quickly down the side of the jetty with plenty of open wall for manoeuvres, and the odd tube section. It might look perfect but the reason it isn't surfed very

much is because of its difficult access and dirty water.

Further into the mouth of the river is Playa de Arrigunaga (Algorta). It gathers less swell than Punta Galea but at the same time doesn't need much to start breaking, in fact anything over 2m (6ft) will just make it shut down. It's also a much more forgiving spot than Punta Galea and so you'll always find a crowd when it's on, but the atmosphere remains friendly. It's offshore on anything from a south through to a northeasterly. Again the water is dirty.

Playa de Ereaga is almost right in the heart of Getxo and is a very high-quality wave – sometimes! Unfortunately its very sheltered position means it only breaks on the most extreme of winter swells. If some-

where like Meñakoz is 5m (15ft) or above then the chances are it will be good here. It's a peaky and powerful beach break that breaks throughout the tide but is best from mid-to-high. Low tide offers more in the way of long, walled-up rights, mid-tide gives fast and hollow lefts and high-tide has short and very hollow waves that wedge up on the beach and are excellent for bodyboarding. On the right day it can hold up to 3m (10ft) and be one of the best waves in the area – a high accolade indeed, considering the competition. Not surprisingly it gets very busy, especially with bodyboarders, who home in on the wedgy shore break section. The atmosphere, though, is normally good. It's offshore on a south or southeast wind.

ABOVE: PUENTE COLGANTE AT NIGHT. PHOTO BY WILLY URIBE.

To the west of the city and surrounded by petrol refineries is Playa de la Arena. The beach itself could be quite nice, a wide swathe of sand sheltered by high cliffs; unfortunately you can never escape the visual pollution of the refineries or, more worryingly, the invisible pollution in the line-up. Playa de la Arena has the accolade of being one of the most polluted beaches in the country and though this doesn't stop a big group of friendly locals from taking the risk of surfing it, you should really push on a bit to somewhere cleaner. Despite this pollution it is actually quite a good wave. You'll see the consistent right off the cliffs as you zoom by on the motorway. Playa de la Arena is a good bet on small, glassy summer swells up to about 1.5m (4–5ft). Offshore winds are from the south and southeast and can open out some nice little tubes. Low tide only.

SITES OF INTEREST

THE CASCO VIEJO
The old centre of Bilbao is an enjoyable place to wander around. It might not be as attractive as San Sebastián's old town, but it's lively and one of the city's main shopping districts. It's also the home of some of the best restaurants in Euskadi, numerous bars and many of the cheap accommodation options. There are a few more traditional sights here too, including the thirteenth-century Catedral de Santiago, the elegant Teatro Arriaga (opera house) and Plaza Nueva and the Museo Vasco, which contains a huge map of the surrounding countryside. Down towards the river you'll find Spain's largest covered market, the colourful Mercado de la Ribera.

THE ENSANCHE
For many years there was very little but the Casco Viejo to Bilbao, but when money began to pour into the city coffers during the industrial boom of the nineteenth century, Bilbao began to expand over the Nervión River and into the purpose-built Ensanche (extension). Today the neatly laid-out grid of streets forms the city's business and financial heart and, alongside the Casco Viejo is the other main shopping district. Also in this part of the city is the main railway station. In a few years' time the large area of disused tracks and sidings around the station will disappear under a huge commercial project that will be one of Bilbao's regeneration highlights. Two worthwhile goals in the Ensanche are the Museo Taurino, with a good range of displays from the world of bullfighting, and the Museo de Bellas Artes, which makes an interesting complement to the Guggenheim.

THE NERVIÓN AND THE PARKS
There are big changes afoot along the Nervión River. For a start the first fish in nearly a hundred years have been seen swimming upriver past the Guggenheim, and it's not just the water that's been cleaned up here – the riverbanks themselves have been completely transformed in the last few years. The rusting waste of the shipyards has gone and walkways and parks have taken their place. It's now a very popular place for Bilbaínos to come promenading on summer evenings.

Other respites from the traffic and pollution can be found in the city parks. Those closest to the centre include the formal Parque de Doña Casilda de Iturrizar, behind the Museo de Bellas Artes, the Paseo del Arenal, on the edge of the Casco Viejo, and the nearby Parque de Etxebarria. For good views over the city, head to the Plaza Funicular to the north of the Casco Viejo, where every fifteen minutes or so the Artxanda funicular will slowly carry you up the steep hill to a viewpoint that on weekends and holidays will be packed with Bilbaínos having picnics and enjoying the sun.

THE GUGGENHEIM MUSEUM
Bilbao's glimmering centrepiece has been described as 'the greatest building of our time'. Standing on the site of the city's biggest shipyard, the titanium curved walls of the Frank O. Gehry-designed Guggenheim Museum can appear almost fluid in the changing light, and for many people it's the building itself, rather than its contents, that is the main attraction. The museum rotates its display of twentieth-century art with the foundations other museums in New York, Venice and Berlin. Some of the more permanent highlights of the museum include a room with no perspective and a giant maze, but it's maybe the temporary exhibitions that bring in the biggest crowds; these range from 'The art of the motorcycle' to a collection of Armani designs. Many people find that the relevance of some of the exhibits might pass completely over their heads, such as a pile of rocks from a quarry arranged in pretty patterns on the floor, or a circular pile of cement meant to symbolise something or other. It's worth trying to plan your visit to avoid weekends and holidays. The popularity of the Guggenheim can't be overstated and the wait in the entrance queue can frequently be over an hour long. Even if you don't go inside, at least be sure to come and look at the building itself, ideally a couple of times and at different times of the day in order to see how it appears to change in different light.

ABOVE: NIGHT SHOPPING IN BILBAO. PHOTO BY WILLY URIBE.

INFORMATION

AIRPORT BUS Bus number A-3247 runs from Calle Sendeja, close to the main tourist office, every 30 minutes on weekdays and every hour at all other times.

AIRPORT INFORMATION
Tel 944 53 23 06

BANKS There are cashpoints and branches of all the big banks scattered throughout the city. The main branches, though, are found on and around Gran Vía Don Diego López de Haro. Outside banking hours you can find exchange booths at Lehendakari Aguirre, 30, or El Corte Inglés, Gran Vía, 7–9 basement.

BOOKSHOPS The bookshop at **Gran Vía, 20**, in the Ensanche, has a good range of foreign-language books.

AIRPORT BUS The bullring is on Plaza de Toros Vista Alegre and tickets are available either from a ticket booth at the ring a couple of hours before a fight or by ringing the ticket office, up to a fortnight in advance for the bigger fights, on 944 44 86 98.

CAR HIRE You won't need to rent a car until you leave Bilbao, and it might be easier to take the bus out to the airport and rent a car from one of the many offices there rather than suffer the Bilbao road system. Companies operating from Bilbao include **Avis**, **Alameda Areilza Doctor**, 34 (tel 944 27 57 60); **A.Rental**, K/Perez Galdos, 22 (tel 944 27 07 81) and **Hertz**, K/Achucarro Doctor, 10 (tel 944 15 36 77).

CHEMISTS There are farmacias everywhere in Bilbao. The nearest one to the Guggenheim is on the San José Plaza or on Plaza Miguel Unamuno, in the Casco Viejo.

CINEMAS Most films are dubbed into Spanish but Multicines at José María Escuza, 13 and the cinema inside the Museo de Bellas Artes show films in their original language.

CITY TOURS Bilbao Bus Vision (tel 944 15 36 06) run bus tours of the city a couple of times a day. Bilbao al Pilpil (tel 944 46 50 65) runs boat tours of the city four times a day in July and August and four times a week from the end of March to mid-October.

DOCTORS Any chemist will be able to advice on minor problems or point you in the direction of the nearest doctor. Otherwise go to the hospital (see below) for anything more serious. The emergency number is 112

EMBASSIES AND CONSULATES There are no full embassies in the city but there are a few consular offices.
France K/Iparraguirre, 26 (tel 944 25 51 80).
Germany K/San Vicente, 8 (tel 944 23 85 85).
Portugal K/Elcano, 7 (tel 944 35 45 40).
UK Alameda Urquijo, 2 (tel 944 15 76 00).

FESTIVALS Bilbao's biggest festival is the Aste Nagustia, a week-long binge starting on 15th August.

FOOTBALL Atlético Bilbao are rare among European football teams in that they only employ local Basque players, yet remain a dominant force in the Spanish league. As you'll quickly find, football in Spain is almost a reason for living and in Bilbao the people are so passionate about it that Atlético's stadium has been dubbed 'the Cathedral'. If you want to see a game call 944 24 08 77, but for any of the big league games you'd have to be lucky to get a ticket.

HOSPITAL The hospital is on Avenida de Montevideo.

INTERNET Nethouse, K/Villarías, 6, close to the train station, is central and has fast computers, as does **Euskalfont**, K/de Licenciado.

LANGUAGE COURSES Escuela Oficial de Idiomas, on Avenida Lehendakari Aguirre, runs Spanish courses. Either visit them in person or ask at the tourist office for more information.

LEFT LUGGAGE There are left-luggage facilities at the airport and the train station.

LISTINGS MAGAZINES The monthly Bilbao Guía covers all that's taking place in town, as does the local El Correo newspaper.

PARKING Central car parks can be found at Plaza Nueva and Plaza del Ensanche.

POLICE Police municipal, K/Luis Briñas (tel 092).

POST OFFICE Alameda de Urquijo, 19, close to the train station.

TELEPHONES K/Baroeta Aldamar, 7. Close to Plaza de España.

TOURIST INFORMATION The main city tourist office is on Paseo del Arenal (tel 944 79 57 60, www.bilbao.net), on the edge of the Casco Viejo. Another office can be found outside the Guggenheim, and another at the airport.

ACCOMMODATION

The best hunting ground for cheap accommodation is in the Casco Viejo district, close to all the sights, restaurants and bars. Bilbao's recent tourist boom has meant that accommodation can be heavily booked, so it might be worth trying to book something a day or so in advance. Failing that, the tourist information office on Paseo del Arenal will usually be able to help.

CAMPING

There are no campsites in the city itself, but Sopelana (see page 97) has a good year-round site. Free-campers don't have a chance anywhere around Bilbao.

YOUTH HOSTEL

Albergue Bilbao Aterpetxea, Ctra Basurto-Kastrexana, 70 (tel 944 27 00 54). The city's youth hostel is a huge modern complex a long way out of the centre that even with its good-value rooms is probably not all that practical for most surfers.

Bilbao's accommodation areas can be divided into three zones. The oldest quarter, called the Casco Viejo, is where the majority of the cheaper accommodation is to be found, as well as many of the bars and restaurants. The Ensanche is the newer nineteenth-century business and shopping district on the opposite side of the river from the Casco Viejo and has a few cheap and mid-range options that are often better value than the Casco Viejo. Finally there are some much more expensive places close to the Guggenheim.

CASCO VIEJO

Hostal Mendez, Santa María, 13 (tel 944 16 03 64). This is one of the best-value places in the Casco Viejo, with large and clean en suite rooms on the first floor. (6). And more basic, but much cheaper rooms on the fourth floor. (4). Normally you'll be shown the pricier rooms first, so ask to see the cheaper ones.

Hotel Arriaga, K/Ribera, 3 (tel 944 79 00 01). Close to the Teatro Arriaga and with car parking, which is a huge bonus in Bilbao. The English-speaking owner is friendly, but the rooms are only average; however, the views from some of the rooms are great. (6/7).

Hostal Mardones, K/Jardínes, 4 (tel 944 15 31 05). Small and stuffy rooms, some with showers. As cheap as they come. (4).

Hostal Gurea, Bidebarrieta, 14 (tel 944 16

32 99). Good-sized, clean en suite rooms. Some come with little balconies looking out over the street, but these rooms can be very noisy at night and might be worth avoiding if you want a good night's sleep. It's about as cheap as you'll get. (3/4).

Pension Serantes, K/Somera, 14 (tel 944 15 15 57). A dark and forbidding place, only for the desperate or the really budget-conscious. (2).

Hostal La Estrella, María Muñoz, 6 (tel 944 16 40 66). More of a mid-range place, very close to the Plaza Nueva. Spacious rooms with clean bathrooms. (6).

THE ENSANCHE

Hostal Begoña, Amistad, 2 (tel 944 23 01 34, www.hostalbegona.com). A very bright, clean and friendly place that has been recently renovated. Internet access and free tea and coffee. One of the better options in the city. (6).

Pensión Bilbao, Amistad, 2 (tel 944 24 69 43, e-mail aitor@pbilbao.euskalnet.net). In the same block as the Begoña and also a good option. The rooms are clean and have a bathroom and it's cheaper than the Begoña. (5).

Hotel Ripa, K/Ripa, 3 (tel 944 23 96 77, www.hotel-ripa.com). The rooms are fairly standard and quite small for the price, but there's cheap parking and a friendly receptionist. (6).

Hostel Martinez, Villarías, 8 (tel 944 23 91 78). A central hostel that's cheap enough, but is kind of run-down and a little unwelcoming. (4).

K/San Francisco, to the southeast of the train station, offers the cheapest accommodation in the city, but it's run-down and seedy and not a place to walk around with your bags late at night.

For something a little more upmarket, the **Lopez de Haro**, Obispo Orueta, 2 (tel 944 23 55 00, www.hotellopezdeharo.com), should more than fit the bill, however the bill will be very high; this five-star hotel is about the most exclusive place in the city. (8).

Another top-end place is the **Carlton**, Plaza de Federico Moyúa, 2 (tel 944 16 22 00, www.aranzazu-hotels.com). The haunt of Hemingway, top matador and, for a short time, the Basque government. Yes, it's very nice and very expensive. (8). Both of these are close to the Guggenheim.

EATING

Bilbao has a huge range of places to eat for all budgets and of all types. And if you don't fancy a full sit-down meal then this is one of the best places in the country to hop from bar to bar snacking on tapas.

There's a big branch of **El Corte Inglés**, which includes a supermarket among its

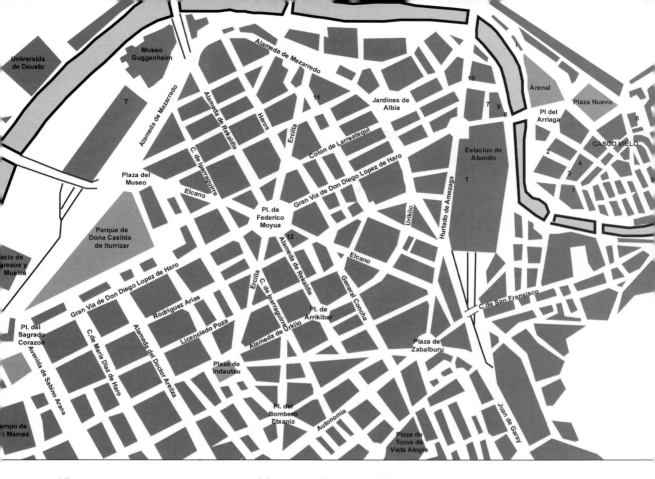

many different sections, on Gran Vía Diego López de Haro. The **Mercado de la Ribera** is the biggest covered market in Spain and obviously a good place to buy fresh food.

CAFÉS

Bilbao has a number of memorable cafés that are worth a stop not just for a coffee, beer or breakfast, but also for their atmosphere and elegant surroundings. The grandest of them all is the **Café Iruña**, Jardines de Albia, with its fabulously ornate décor. Very similar but with a slightly more sombre, fading '20s feel, is the **Café Boulevard**, Paseo del Arenal, 3 and the **Café la Granja**, Plaza Circular, 3, which does good but pricey set lunches. For a complete contrast try the **Salon de Juego café**, K/Navarra, which is a cool US-style café close to the train station.

CASCO VIEJO

All of the following places are in the warren of old streets making up the Casco Viejo, and are usually the best-value eateries in Bilbao.

Rio-Oja, K/El Perro. Right in the heart of the Casco Viejo and one of the best places to eat in Bilbao, with cheap and authentic Basque food and a great atmosphere.

Some of the excitement has gone with the introduction of menus in languages other than Basque, as it's now much harder to order lambs' brains complete with skull and teeth etc by mistake. Always packed.

Restaurante La Deliciosa, K/Jardines. A funky new place with fairly low-priced fish meals. Lots of people come for the good-value set menus.

Berten, K/Jardines. Another well-priced and popular place selling the Basque standards on a road with plenty of options.

Cervecería Casco Viejo, Plaza Miguel Unamuno. A cheap place on a busy little square, with a good atmosphere.

Restaurante Rotterdam, K/El Perro. A small, basic place with a homely feel and cheap and filling meals. Right next-door to the Rio-Oja.

Café Brasil, K/Correo. A reliable bet for inexpensive breakfasts.

THE ENSANCHE

There are many places to eat in this area of the city. On the whole prices tend to be a little higher than the Casco Viejo, but the quality is often better.

Pasteleria Gozotegia, Gran Vía. This is the place to come for pastries.

Bar Mugari, Barroeta Aldamar. A wide

range of tapas and always full of local office workers at lunchtime.

Abando y Barro, K/Iparraguirre. Close to the Guggenheim, and like most around here, it plays a little on this price-wise. However, it's a good place to go for lunch.

Guggenheim, Guggenheim Museum. With an award-winning chef, this is a good place to try out a wide range of Basque dishes. Unsurprisingly it's not cheap, and it's usually best to book a table as soon as you arrive at the museum.

Guria, Gran Vía. Expensive and very good traditional Basque cooking. Closed on Sunday evenings.

NIGHTLIFE

Year-round Bilbao has an excellent nightlife, culminating in the Semana Grande festival beginning on the first Saturday after 15th August. At other times the centre of all the

KEY	
i Tourist Information	4. Hostal Gurea
T Railway Station	5. Pensión Serantes
B Bus Station	6. Hostal la Estrella
	7. Hostal Begoña
Hotels	8. Pensión Bilbao
1. Hostal Mendez	9. Hotel Ripa
2. Hotel Arriaga	10. Hostel Martinez
3. Hostel Mardones	11. Lopez De Haro
	12. Carlton

action is the Casco Viejo, in particular Kalea Barrenkale, which is busier at three in the morning than three in the afternoon.

El Balcón de la Lola, K/Bailén, is a cool bar/club with DJs and lots of people.

Cotton Club, K/Gregorio de la Revilla. One of the more popular clubs in town, with regular live music. The entrance is on Kalea Simón Bolívar.

Caos, K/Simón Bolívar. Indie music and big-screen TVs.

Dakar, K/Heros. Catch it on a good night and it'll be a cool bar playing Spanish music, on a bad night it's one of Bilbao's many karaoke bars.

Dubliners, Plaza Moyúa. Irish bars are hugely popular in Bilbao and this one in the heart of the Ensanche is about the best. Has regular live music and English-language quiz nights.

Distrito 9, Alameda Recalde. One of the best clubs in town.

Palladium, K/Iparraguirre. Another club with a mix of live music and DJs.

For something more highbrow and less alcoholic there's always Bilbao's favourite pastime, the theatre, Plaza de Arriaga, which always draws in the crowds for the opening of a new play. Failing that, there's always the cinema (see INFORMATION).

CITY TRANSPORT

Central Bilbao and all the sites are within a small compact area and so it's very unlikely that you'll need to use public transport. If you do the space-age metro is by far the most painless way of travelling across the centre. There are two north–south lines, one extending up the east bank of the river all the way to Plentzia and another recently opened line travelling along the west bank and forecasted to extend as far as Portugalete by 2006. The most useful central stations are Casco Viejo, Abando (for the train station), Plaza Moyúa (for the Guggenheim) and San Marmés (Termibus). For travelling to the Bilbao area surf spots on the metro see TRANSPORT TO THE BILBAO AREA SURF SPOTS below. Trains run through all the central stations every few minutes throughout the day and night, and tickets cost no more than €1.20 per journey or come in €5, €10 or €20 books. Bilbao's local bus system serves every part of the city, but unless you know the city well you're normally better off on the metro or walking. Taxis are fairly cheap compared to northern Europe and can be hailed on the street or call **Radio Taxi Nervión** (944 26 90 26), **Radio Taxi Bilbao** (944 44 88 88) or **Radio Tele Taxi** (944 10 21 21). Only a masochistic tourist would ever attempt to drive their car around central Bilbao.

TRANSPORT TO THE BILBAO AREA SURF SPOTS

If you're using Bilbao as a base for the nearby beach centres of Getxo, Sopelana and Plentzia then you have two realistic options for reaching the waves. The first is driving, and a right laugh that can be, too, as you're almost guaranteed to get hopelessly lost and quite possibly be forced onto a 40km (24 miles) unplanned detour to get back to where you started from. However, once you've learned the road system then you'll find that you have much more freedom to explore the nooks and crannies of the coast this way. The second and, if you don't know the roads well, infinitely more sensible option is to use the metro, which has a fast and efficient service from central Bilbao to all three beach towns. Trains run, on average, every fifteen minutes or so (less at night) right through the day and night. A ticket from the city centre to Plentzia, the last stop, costs €2.40 return. Except at the busiest times boards are now no problem. What is more of a hassle is getting from the metro stations to the beach. Reaching La Arena, on the western side of the Nervión, is not such an easy task and for this you are better off driving yourself or using the Cercanías local rail system. Bilbao also forms the heart of the Bizkaia regional transport system, which allows you to travel by train to Mundaka from the central RENFE station.

LONG-DISTANCE TRANSPORT

AIR Bilbao airport is the busiest in northern Spain. You can fly to every major Spanish city from here (though often with a change in Madrid), as well as direct to the UK, France and Germany. The airport is 10km (6 miles) from the city centre, but there are frequent buses, and a taxi from the centre shouldn't cost more than about €25.

BUS You can reach virtually any town in the Basque country from Bilbao, and a good

deal of the rest of Spain. The main long-distance bus station is at the Termibus station to the southwest of the centre near the San Mamés stadium (metro: San Mamés). As is normal in Spain you'll find a bewildering array of bus companies to choose from. Rather than trudging all the way out to the station to find out when your bus leaves, ask in the tourist office. There are departures around once an hour for San Sebastián and the bus is quicker, though not as scenic as the train. Heading the other way you'll also find a similar number of buses to Santander. To Madrid there are buses every couple of hours for the five and a half hour journey. To places further along the north coast you'll also find plenty of buses, with several a day going as far as Santiago. If you're heading straight for France there are a couple of buses a day to Bayonne (Baiona), in the French Basque country. Buses serving the smaller towns in Bizkaia leave from a separate terminal, Bizkaiabus, on Paseo del Arenal, close to the old town and from here you'll find lots of transport to all the little coastal villages in the area.

FERRY P&O run a ferry from Portsmouth (UK) to the Portugalete suburb of Bilbao (Cercanías: C1, Portugalete station). For more information see the GETTING TO SPAIN section in the INTRODUCTION<???>. The phone number of P&O's Bilbao office is 944 23 44 77.

TRAIN The train service is as confusing as the buses, with plenty of choice but little organisation to help you get to the right station at the right time. The main long-distance RENFE train station is the Estación de Abando, on Plaza Circular; from here you'll find trains west along the coast, east to France and south to Madrid and beyond. There is one direct train a day to Santiago, out in Galicia; currently it leaves at 09.25, and to Madrid there are up to six trains a day. Just in front of the Estación de Abando and looking out over the river is the ornate Estación de Santander, which has a very scenic but slow line west to Santander and Oviedo up to three times a day and with stops in seemingly every hamlet along the way. If you're not in a hurry then it's worth taking this train just for the views. From the Estación Atxuri, in the Casco Viejo, you'll find trains to Mundaka via Bermeo and Gernika and another line to San Sebastián via Zumaya and Zarautz.

RIGHT: THE GUGGENHEIM. PHOTO BY WILLY URIBE.

CANTABRIA

The small province of Cantabria is an unassuming kind of place and is easily overlooked when compared to the excitement of Euskadi and the promises of further west. It certainly doesn't have the pilgrimage status waves of Mundaka and Rodiles that are on every surf traveller's itinerary, but don't underestimate the waves it does have. The Santander locals rarely head to Mundaka; they don't need to, they've got their own gem of a wave. Hunt around and you might find it, and if you can't then the spots contained in the following pages will be a good enough substitute. The province can be divided into three distinct parts. Santander, Cantabria's capital, sits right in the centre of the coastline and, like most places in Cantabria, it's a place that doesn't immediately grab your attention, but give it a little time and the friendly and laid-back attitude is sure to win you over. The countryside to the east of the city is best avoided in the summer months as most of these spots need a proper swell to get going, but through the remainder of the year you can find some stunning waves along this stretch. The coastline to the west of the city is a much better summer affair, with several beautiful and very consistent beaches and a couple of deservedly popular villages and towns. Cantabria might be an unassuming kind of place, but its been attracting visitors for eons, and close to what almost every visitor has called the prettiest village in Spain are some of the finest cave paintings yet discovered anywhere in the world. So forget the excitement of Euskadi and the promises of further west and slow down a little. Cantabria has enough to keep you happy for a long time.

Weather- and swell-wise it's the same story as all along the north coast. You can get great waves at any time of the year. Summer sees the crowds and the sun on the western beach breaks and winter has more action to the east. For a taste of everything autumn and spring are the best times.

RIGHT: EL BRUSCO. PHOTO BY WILLY URIBE.

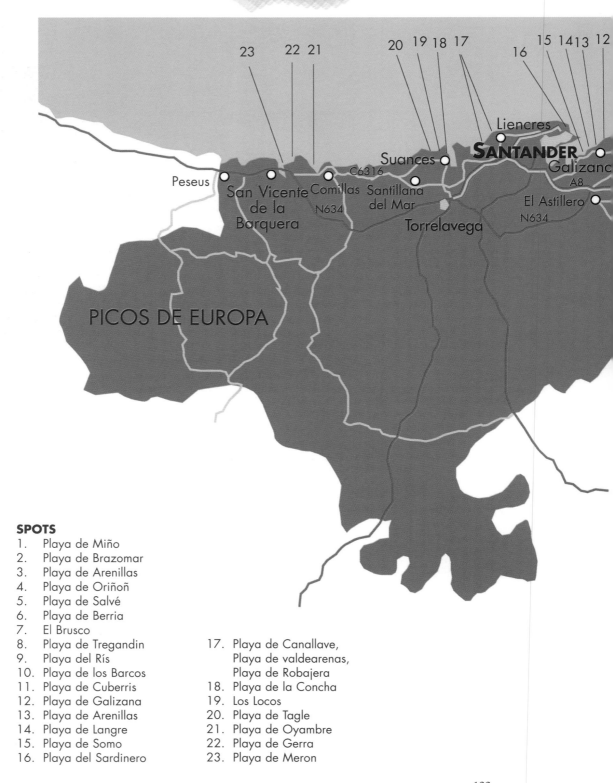

23   22   21   20   19 18   17   15 14 13   12

16

Liencres

Peseus

SANTANDER

Suances

San Vicente
de la
Barquera

Comillas

Galizana

C6316

Santillana
del Mar

A8

El Astillero

N634

N634

Torrelavega

PICOS DE EUROPA

SPOTS

1. Playa de Miño
2. Playa de Brazomar
3. Playa de Arenillas
4. Playa de Oriñoñ
5. Playa de Salvé
6. Playa de Berria
7. El Brusco
8. Playa de Tregandin
9. Playa del Rís
10. Playa de los Barcos
11. Playa de Cuberris
12. Playa de Galizana
13. Playa de Arenillas
14. Playa de Langre
15. Playa de Somo
16. Playa del Sardinero

17. Playa de Canallave,
    Playa de valdearenas,
    Playa de Robajera
18. Playa de la Concha
19. Los Locos
20. Playa de Tagle
21. Playa de Oyambre
22. Playa de Gerra
23. Playa de Meron

ABOVE: SANTANDER. "BIKINIS".
PHOTO BY WILLY URIBE.

CASTRO URDIALES

This is the first town of any size as you enter Cantabria from the east and a little under an hour from central Bilbao. On a sunny summer weekend Castro Urdiales is an immensely popular resort for day-tripping Bilbaínos. The town is centred on its large and colourful harbour fronted by cafés and restaurants and guarded by a medieval castle and the Gothic Iglesia Santa María de la Asunción. The town is a good base in big winter storms as the surrounding beaches are sheltered from the full power of the Atlantic, and the town itself offers many different facilities, though it can be a depressing place on the sort of cold wet day that's likely to see waves here.

THE SURF

A short way to the east of the town is Playa de Mioño. It's a fairly poor-quality beach break, but it can be worth a check when the more exposed spots are closed out, as it needs a solid northwest swell to produce anything. It's offshore with a south wind and needs a dropping tide. Crowds are few and the water is clean.

In town is Playa de Brazomar, which again is a poor-quality beach break that needs an even bigger swell than Playa de Mioño. Again, it's offshore with a south wind and needs a dropping tide. Be careful of the water, as it's none too clean.

SITES OF INTEREST

The Iglesia Santa María de la Asunción is the impressively fortress-like church at the western end of the harbour and about the best example of Gothic architecture in Cantabria. Beside that are the remains of a smaller and older church and a castle used by the Templar knights and today housing a lighthouse and a Roman bridge, one of the few memories from the days of Roman occupation in northern Spain.

INFORMATION

ABOVE: MILO CASTELO, LIENCRES. PHOTO BY F. MUÑOZ.

BANKS Avenida de la Constitución, the main road beside the harbour.

CHEMISTS There is a chemist close to the tourist office at La Plazuela, 24.

DOCTORS If you have any problems go to the health centre on República Argentina, 3 (tel 942 86 42 61).

POST OFFICE Juan de la Costa, a few blocks back from the seafront.

TOURIST INFORMATION Plaza del Ayuntamiento/Avenida de la Constitucíon, 1 (tel 942 87 15 12).

ACCOMMODATION

Accommodation in the cheaper categories is generally pretty basic, but given the number of summer visitors Castro Urdiales receives, the prices are pretty low.

The town has one campsite, **Camping Castro** (tel 942 86 74 23), a few kilometres out of town and inland a little. It's a medium-sized site set among quiet, green countryside and with a good range of facilities.

Pensión el Cordobés, C/Ardigales, 15 (tel 942 86 00 89). In the centre of town. Average rooms come without bathrooms. As cheap as you'll find. (4).

Pensión La Rosa is another cheapie at C/Ardigales, 4. At the time of research it was closed for renovation but it should have reopened by now.

Pension Sota, C/La Correría (tel 942 87 11 88). Clean and flowery rooms in a top-end budget hostel. Close to the town hall and located on a street full of life. Breakfast is included in the price. Probably the pick of the bunch. (6).

If you've got money to burn then the **Hotel Miramar**, Avenida de la Playa, 1 (tel 942 86 02 00), is a well equipped three-star hotel. (7).

EATING

Castro Urdiales is jammed to the gills with places to eat, and many of the cheaper tapas places in the old section of town are the focus of the summer lively nighttime activities. If you're preparing your own, there is a supermarket on Nuestra Señora, a few blocks back from the waterfront.

The prime hunting ground for a cheap meal is Calle Ardigales, one of the old-town streets just back from the harbour.

Bar Harrichu, C/Ardigales. Cheap tapas and some more substantial meals, popular with the locals.

Bodega Manolo, C/la Mar. A good place for snacky food and a drink surrounded by bullfighting memorabilia.

Bar Kike, C/la Ruã. Another of many busy tapas bars.

Bar Correrías, C/Correrías. Overflowing with character and tapas.

Bajamar, C/la Mar. Cheap and always busy with locals and tourists.

Baracaldo, Matilde de la Torre. Cheap and cheerful place with a set menu.

If you want something more than just a basic meal then you'll find a number of very good, but moderately expensive places around the castle and church at the far end of the harbour.

TRANSPORT

There is no train station in Castro Urdiales. Frequent buses to Bilbao and Santander stop a few blocks from the harbour on La Ronda, close to the post office.

ISLARES

Islares is a tiny one-horse village and none too attractive, though with the frequently mist-blanketed mountains rising up above the village and its impressive nearby beaches it does have a somewhat dramatic setting.

THE SURF

Playa de Arenillas is a north-facing beach break that, like many of the spots in this area of Cantabria, needs a good swell to get it going. It's not a very high-quality wave, with multiple-peak waves that have a tendency to close out. The lefts are usually the best. It's a low-tide spot that's offshore on a southerly. Clean water and few surfers.

On the opposite side of the river from Playa de Arenillas is Playa de Oriñón. Again, it's very sheltered and requires even more swell than Playa de Arenillas. It's a better-quality wave that can have a fast left, but it doesn't hold more than 1.5m (4–5ft) of swell. It's offshore on a southerly, but the cliffs that tower above the beach give it plenty of shelter from west winds. The lower the tide is, the better the waves are. Occasionally it can be really good. Clean water and few surfers. Both of these spots are easy to check from the main road.

ACCOMMODATION

You could probably free-camp if you're discreet, down on one of the beaches, especially in the winter, when you're more likely to find waves here.

There's a large campsite on the edge of the village, Camping Playa Arenillas (tel 942 86 31 52), which has a supermarket and plenty of other facilities, and the staff organise various excursions and courses.

Right on the beach of Playa de Oriñón and beside the village of the same name is another campsite, Camping Oriñón (tel 942 87 86 30) that again has plenty of facilities and the advantage of being only a step away from the sea.

Back in Islares there is only one hotel-style accommodation option. The Pensión Playamonte, Carretera Nacional, 57 (tel 942 86 26 96). Set beside a fast road on the edge of the village, it's a friendly and homely place with cheap rooms. You wouldn't choose to spend a holiday here but it's fine for a night or two. (4).

EATING

Aside from buying food from the supermarket campsite or eating in their restaurant the only place to eat is the motorway service station just outside the village. It is, of course, pricey and of poor quality, though the cigarette-vending machine in the bar does have a list of, let's say, 'accommodating' girls' phone numbers scrawled on it in case things aren't going too well!

BELOW: LOS LOCOS. PHOTO BY STUART BUTLER.

LAREDO

Overlooked by a nearly unbroken stretch of apartment blocks and hotels, Laredo's 5km (3-mile)-long beach is jam-packed with sun worshippers from the nearby cities of Bilbao and Santander, as well as Madrid and even France in the summer, and is the closest north Spain comes to a Mediterranean Costa resort. Unlike its southern cousins, though, it is an almost totally Spanish affair, and though it might not be everyone's cup of tea it's certainly one of the liveliest summer towns on the north coast. If you're after nightlife then you're guaranteed a good time here.

THE SURF

Playa de Salvé is Laredo's big tourist-draw card, a huge and gentle beach that during the summer, at least, almost always offers safe swimming for the numerous small children and their families. For surfers it doesn't offer a lot until the winter, when the biggest of northwest swells turn on some pretty good beach peaks that are offshore on southwest through to northwest winds. The fact that it's offshore on such winds means that it gets very busy with surfers from all over eastern Cantabria and even as far as Bilbao; however, the atmosphere is pretty chilled out. There are three distinct peaks here: El Espigón, a powerful and long low-tide right; La Playa, with mixed peaks of a good quality in the centre of the beach, and Los Pinos, a really nice, long and fast left.

Playa de Berria is an above average beach break that usually has somewhere working at any stage of the tide. It's fairly consistent, but can still suffer from long flat periods in the summer. Though it's offshore on a southerly, it isn't badly messed up by light onshores. You'll find multiple peaks all along the beach and they can often be hollow. It's a popular spot, so if it's on you can expect a usually good-natured crowd.

SITES OF INTEREST

It hardly compares to many old Spanish towns, but Laredo's old quarter makes a nice change from the seafront promenade and is the place to go at night.

RIGHT: CLASSIC LOS LOCOS.
PHOTO BY F. MUÑOZ.

INFORMATION

BANKS All over the town, but Calle Lopez Seña has the main concentration.

CHEMISTS Plaza de la Constitución.

DOCTORS There's a health centre on C/San Francisco (tel 942 60 41 02).

HOSPITAL Avenida Derechos Humanos (tel 942 63 85 00).

POLICE Plaza de la Constitución (tel 942 60 57 84).

POST OFFICE P. Ignacio Ellacuria.

TOURIST INFORMATION Alameda de Miramar (tel 942 61 10 96).

ACCOMMODATION

Free-camping definitely isn't going to be easy here. The cheapest places to stay are the campsites. **Camping Carlos V** (tel 942 60 55 93) is a very small summer-only site close to the beach and the town centre. Further out of town is **Camping Laredo** (tel 942 60 50 35), again, a summer-only site and much bigger than the Carlos V.

Hotel-style accommodation is plentiful, but little of it falls into the budget category. The place to look for a cheap pensión is around the edge of the old-town streets not far from the tourist office.

Hostal Tucán, C/Gutiérrez Rada, 2 (tel 942 60 70 53). This small summer-only hostel is about as cheap as they come in Laredo. Its position a few minutes walk from the beach on the edge of the old town, is good. (5).

Hostal Salomon, C/Menéndez Pelayo, 11 (tel 942 60 50 81). This is a large old-fashioned-style townhouse with big rooms, many of which have little balconies overlooking the street. (6).

Higher up the scale is the **Hotel Cosmopol**, Avenida de la Victoria, 27 (tel 942 60 54 00). A large modern hotel with plenty of amenities, right in the very heart of town. Price-wise it's pretty good. (7).

EATING

There's a supermarket on Calle Martinez Balaguer, or a much bigger complex on the road out to Santander.

Laredo is full of places to get a meal, most of which are pure and simple tourist traps; take your pick of any down by the harbour and along the waterfront. The old quarter offers a bit more character, though again they cater primarily to the passing tourist trade.

Planeta Pizzeria, P. Ignacio Ellacuria, has the best pizzas in town and is cheap.

Patrocinio, Marques de Comillas, is the cheapest of cheap places to eat but it's limited to filled sandwiches and snacks.

Bar El Bocata, C/Santa María. In the old town, and the hot tip for tapas and raciones.

Bar Buenos Aires, Rua Mayor. One of many similar places on this street, this one is a favourite with locals for its raciones and good atmosphere.

NIGHTLIFE

Laredo's nightlife is pretty vibrant year-round; in the winter it's limited more to weekends, but in the summer every night is a party night. The big event of the year is the 'Battle of the Flowers', which takes place on the last Friday of August. Dozens of floats parade through the street, all trying to outdo each other with the extravagance of their creations. Another big date in Laredo's calendar is Carnaval in February/March.

Nightlife centres on the narrow old-town streets where there are enough bars to satisfy any thirst. Keep an eye open for **Jardín de Oporto**, which also brews up a mean coffee, and the **Blues Bar**, **Alfil** and **Vértigo**.

TRANSPORT

Buses leave on average every hour for both Santander and Bilbao from the station on Calle José Antonio.

ABOVE: PUNTA UMBRERA. PHOTO BY WILLY URIBE.

ABOVE: LIENCRES. PHOTO BY WILLY URIBE.

NOJA

If you believe the stories, then Noja is named after Noah's Ark, which they say came to ground on one of the nearby mountains. The truth behind this legend is, at best, debatable. What isn't debatable, though, is that Noja is today one of the biggest resorts in Cantabria. Catering primarily to Spaniards, the town is thoroughly modern and, outside of the busiest August weeks, a very pleasant place with clean streets and enjoyable cliff-top walks. The main town beach, Playa de Tregandin, has some amazing rock formations and on flat days it makes a good swimming and snorkelling spot. Nearby you'll find some of the better waves in eastern Cantabria.

THE SURF

Located on the very eastern end of Playa de Tregandin is El Brusco, one of the best beach breaks in Spain. It needs a good-sized swell to get going and holds heavy barrelling and very fast lefts and rights up to 2m (6ft). It's offshore on a south wind and is best at high tide. The good quality of the waves attracts a lot of surfers and it is very localised. Keep a low profile! In general it's rare to get any swell here in the summer. Like all the spots around here, the water is clean.

Playa de Tregandin is the town's central beach and is a poor-quality wave. Primarily a left, it needs a solid northwest swell and south winds, although any sort of light east wind is OK. It breaks from mid- to low tide and rarely sees much of a crowd.

Just to the north of Noja is Playa del Ris, another very-high-quality beach break. Thanks to it being more consistent than many of the nearby spots you can expect crowds and an atmosphere. At high tide a right starts breaking and it's this wave, with its frequent tubes, that draws in the masses. However, it doesn't hold a great deal of swell. Offshore on south or southeast winds.

Playa de los Barcos is a poor-quality beach break that needs a big northwest swell and a low tide. It has the big advantage of being offshore on a southwest wind. It hardly ever gets crowded.

INFORMATION

BANKS Plaza de la Villa.

CHEMISTS Avenida de Santander.

DOCTORS There's a health centre at Avenida de Santander, 26 (tel 942 63 11 98).

POLICE Plaza de la Villa (tel 942 63 16 16).

POST OFFICE Plaza de la Villa.

TOURIST INFORMATION There are two offices: the main year-round one is at Avenida de Ris, 78/81 (tel 942 63 15 16); the other one is a summer-only office on Plaza de la Villa (tel 942 63 03 06).

ACCOMMODATION

Most of the hotels are fairly pricey and so camping is the way to go if you're on a budget. The town's environs contain several different campsites. Just a few hundred metres from Playa de Ris, **Camping Argos** (tel 942 63 02 22) is a moderate-priced, summer-only site. **Camping Playa Joyel** (tel 942 63 00 81) is a much bigger and more expensive site about a kilometre from the town centre, again, close to Playa de Ris.

Britain-based camping holiday companies use it. A cheap site by Playa de Ris is the imaginatively named **Camping Playa de Ris** (tel 942 63 04 15), which is the smallest of all the sites and is open only in the summer. **Hostal Virginia**, C/La Costa, 20 (tel 942 63 00 69). For Noja this is a very well-priced pensión situated close to the town centre. Unfortunately, it's only open in the summer. (5).

Hotel Las Olas, Playa de Tregandín, 4 (tel 942 63 00 36). With great views over the town beach, this is the best-sited hotel in Noja. It has the option of standard rooms at good prices (6), or whole apartments, which have the addition of very basic cooking facilities, and so might be the thing to go for. (7).

EATING

There are a couple of little supermarkets just off Plaza de la Villa.

Down by the beach is the **Restaurante El Pescador**, a typical tourist restaurant with higher than normal prices, but all the same the views make it a good place to eat. **Mesón La Cantina**, C/Marques de Velasco, is one of the top Noja tips for a pure Spanish tapas bar. Cheap. **La Villa Pizzeria**, just off Plaza de la Villa and Avenida de Santander, serves up cheap pizzas and other quick eats.

Breakfast can be taken at the **Café Monte Carlo** on Plaza de la Villa.

NIGHTLIFE

Summer nights see a hectic nightlife schedule, with lots of bars opening their doors to the masses. Boulevard Palacio is one of the busiest streets in this respect. In addition many of the campsite bars can be good for a laugh.

TRANSPORT

Buses ply the route frequently between Noja and Laredo, and there are a few each day to Santander.

AJO

A very popular resort town with day-trippers from Santander, the village is nothing special but it makes a good summer base for those without transport.

THE SURF

Playa de Cuberris is open to all northwest swells, which makes it very consistent, but easily maxed out. Lower tides are the prime time with winds from the southeast. You'll find a mixture of peaks here, and the sandbars are consistently good. For most of the year it's quiet, but you can expect to find a friendly crowd of locals and foreigners in the summer.

INFORMATION

Facilities are extremely limited; basically you get a bank and a small supermarket. For anything else you'd better head to Noja or Santander.

ACCOMMODATION

In season Ajo isn't the easiest of places to free-camp, but it is a great place for campers without their own transport, as there is a campsite right by the beach. **Camping Playa de Ajo** (tel 942 62 12 22) is a small year-round site with basic facilities, but easy surf access. Further away from the beach, up on the headland on the

way to the lighthouse is **Camping Cabo de Ajo** (tel 942 67 06 24). Again, it's open all year and is quite small. It tends to be a little quieter than the other site. **Hotel Costa de Ajo**, Playa de Cuberris (tel 942 62 10 35). Right on the beach and open only in the summer. It may not be the nicest-looking place but its location is unbeatable. (6).

Hostal Labu, Avenida Benedicto Ruiz (tel 942 62 10 15). Good-value large, clean and quiet rooms can be found in this village-centre hostel. It's one of the better-value places this side of Santander. Downstairs is a popular bar restaurant.

EATING

Aside from fending for yourself with supplies from the village supermarket or eating at the Labu, there's the reliably good **Restaurante Sansis**, just over the road from the Labu. It draws in all the Santander locals coming to the beach for the day.

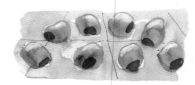

GALIZANO

The little village of Galizano is full of peace, quiet and absolutely nothing but a village shop. The beaches around the village are very popular with Santander-based surfers, but if you want to stay the night you'll find very few facilities.

THE SURF

There are four spots to be found in the Galizano area; the first, Playa de Galizano, is a consistent beach break with fast waves that tend to close out. In front of the cliffs is a good right reef that can have tubes, though it's fickle. It doesn't hold a great deal of swell and is best on lower tides. It's offshore on a southeast wind. The water is clean and crowds aren't an issue.

Next along is Playa de Arenillas, a mid- to low-tide beach break with fast lefts and rights. It has more shel-ter from the southwest winds, but needs a little more swell than Playa de Galizano. It is usually pretty quiet.

Playa de Langre is a very sheltered spot. Most of the time you'll find a standard beach break mixture of peaks, but sometimes there's a good left off the cliffs. Light west winds don't affect it too much, and a south wind is off-shore. Once again, it's a low-tide spot with few surfers. The water is clean and the scenery impressive.

The most frequently surfed beach in the Santander area is Playa de Somo. It's a good-quality beach break with a number of different peaks and so you'll usually find something working on any stage of the tide. It picks up a fair amount of swell, making it a good summer option, although Cabo Mayor cuts out a little bit of swell. It's offshore on a southeast wind. Being so close to the city, crowds are heavy, but things are rarely tense.

INFORMATION

There are no facilities of any sort.

ACCOMMODATION

You could probably get away with free-camping on Playa de Galizano. Otherwise, there are a couple of campsites out by Somo, a village on the road to Santander. **Camping Latas** (tel 942 51 06 31), is a moderate-sized summer-only campsite close to Playa Somo. Much smaller and quieter, but further from the beach is **Camping Somo-Parque** (tel 942 51 03 09). It's a year-round site.

BELOW: WORTH THE WALK, LOS LOCOS. PHOTO BY WILLY URIBE.

SANTANDER

Out of all the cities featured in this book, Santander is the one that is probably the least compelling. Don't get us wrong, there's nothing actually wrong with the Cantabrian capital, and if you've just arrived on the ferry from England then you'll probably come away from Santander with nothing but praise for it. But it's lacking the pure good-time attitude of San Sebastián, the size and diversity of Bilbao, the city-centre surf scene of Gijón, and the pure exotica of Cádiz. Despite its university it can't quite shake off a somewhat staid image. If you're passing, though, it's certainly worth a bit of your time and it makes a great entry/exit point for Britain. And most importantly of all, the surrounding coastline contains some fantastic surf spots.

THE SURF

The most frequently surfed beach in the Santander area is Playa de Somo, for details of which (see the Galizano section on page 131).

Right in the heart of the city is Playa del Sardinero. It's a very sheltered spot and so needs a huge northwest swell, but it does have the advantage of being offshore in southwest winds, and even a northwest won't cause so many problems. It's a pretty good beach break with fast and hollow waves. Its city-centre location means that it gets very busy; however, localism isn't really an issue. In the summer it's forbidden to use surfboards here, although bodyboarders are OK. This beach is one of the birthplaces of Spanish surfing and is still today very popular with learners.

SITES OF INTEREST

Much of old Santander was destroyed by a fire in 1941 and most of the city's central district has been rebuilt since then, so it contains few monuments and other attractions. What remains of the old centre is today the heart of the restaurant and nightlife scene, though physically it's much less interesting than many Spanish cities. There are two museums; the Museo Marítimo, containing displays on the region's fishing industry, and the Museo Arqueología y Prehistoria, which reveals something of Cantabria's ancient days. A nice evening walk can be taken around the Península de la Magdalena, a small promontory jutting out to sea off the end of the city and containing a former royal palace and a zoo. The real life of the city takes place on the beaches; for surfers Playa del Sardinero is the most obvious choice, but all of the city beaches have a good vibe to them.

ABOVE: A CHEAP AND TASTY MEAL. PHOTO BY MIKE ROSE.

INFORMATION

AIRPORT BUS Strangely, there is no bus to the airport, but a taxi shouldn't, but no doubt will, cost more than €6.

AIRPORT INFORMATION
Tel 942 20 21 00

BANKS All over the centre, but especially on Calle Hernán Cortés.

BOOKSHOPS Foreign-language books can be bought from **Estudio**, Paseo de Pereda.

CAR HIRE Alcar, Atilano Rodríguez, 9 (tel 942 21 47 06), **Avis**, Nicolás Salmerón, 3 (tel 942 22 70 25), **Hertz**, Estación Marítima (tel 942 36 28 21).

CHEMISTS C/Jesús de Monasterio

CINEMAS There are no cinemas with regular screenings of original-language films, but if your Spanish is good enough then Cine Capitol, San Fernando, 52, isn't far from the city centre.

CITY TOURS There's a city bus tour that leaves from Plaza de Alfonso XIII. The tourist office can provide tickets and further information.

DOCTORS Centro de Salud, Isabel II, 17 (tel 942 21 81 61).

EMBASSIES There are no full embassies, but a few European nations maintain consular offices in the city.
France C/Jesús de Monasterio, 8 (tel 942 23 45 39).
Germany Avenida Bilbao, 37 (tel 942 25 05 43).
The Netherlands Paseo de Pereda, 27 (tel 942 22 00 00).
Italy Paseo de Pereda, 36 (tel 942 21 58 55).
United Kingdom Paseo de Pereda, 27 (tel 942 22 00 00). Note that The Netherlands and Britain share the same consulate.

FESTIVALS If you've travelled all along the north coast, by the time you've got this far you'll know that Spanish towns and cities love their fiestas and Santander is no exception. The big ones here are Semana Grande, around the week of 25th August, and Carnaval, in February or March.

HOSPITAL Hospital Marqués de Valdecilla, Avenida de Valdecilla (tel 942 20 25 20).

INTERNET There are a number of cybercafés just to the west of the train station. **The New**

Ciber-Café, Perines, 35, and at number 19 on the same road is **La Comedia Café**. Nearby is **Vitual Castle**, C/Vargas, 7.

LAUNDRY Lavomatique, Cuesta de la Atalaya, 16.

LEFT LUGGAGE Bags can be left at the train stations.

LISTINGS MAGAZINES Tantim is a once-yearly free magazine covering all major events of the year. Its yearly publication means it misses out on many of the smaller events. Much better is the monthly booklet, Guía de Actividades Culturales.

POLICE Plaza Porticada (tel 942 20 06 12).

POST OFFICE Avenida Calvo Sotelo.

SUPERMARKETS There's a standard-sized supermarket in the centre on Calle Jesús de Monasterio and a big hypermarket on the road out to the airport.

TOURIST INFORMATION Both the city (tel 942 20 30 01) and regional (tel 901 11 11 12) tourist offices are located in the Mercado del Este building on Calle Hernán Cortés.

ACCOMMODATION

Santander's accommodation options can be divided into two types. The city centre has the widest choice and almost all of the budget rooms, but the beach suburb of El Sardinero has a number of pricier options, many of which are only open in the summer. If you want to free-camp then you're much better off heading out of the city in the direction of Liencres. **Camping Cabo Mayor**, Avenida del Faro (tel 942 39 15 42, e-mail cabomayor@ono.com), is a big site open from the start of April until the end of October. Its location is good for surfers, close to the road leading west to Liencres and within fairly easy walking distance of sheltered Playa del Sardinero.

All of the following are in the city-centre streets. To get from these to the surf beaches you'll either need your own transport or have to rely on the bus.
Pensión Real, Plaza de la Esperanza, 1 (tel 942 22 57 87). Small and plain rooms with communal bathrooms, but it's very welcoming and the staff are as helpful as possible. As cheap as you'll find. (4).
Pensión La Corza, C/Hernán Cortés, 25 (tel 942 21 29 50). A very good-value little hostel with huge rooms overlooking the plaza. Also has cheaper rooms without bathrooms. (5/6).

Pensión La Plaza, C/Cádiz, 13 (tel 942 21 29 67, www.pension-plaza.com). Big, light and well-kitted-out rooms that are handy for the train and bus stations. (6).
Hotel Central, C/Mola, 5 (tel 942 22 24 00, www.elcentral.com). A mid- to top-end hotel that, with its city-centre position and comfortable rooms, is a great one if you can afford it. (8).
Hospedaje Magallanes, C/Magallanes, 22 (tel 942 37 14 21). Spacious rooms with great big beds in an immaculately clean hostel. (6).

The beach suburb of El Sardinero models itself on Biarritz, in France. In other words, on the surface at least, it's seriously cashed up and if you want to stay here you'd better be able to match it. There are some cheaper options here, though, but most of them are closed in the winter.
Hostal Residencial Carlos III, Avenida Reina Victoria, 135 (tel 942 27 16 16). Almost on the beach, this is the best deal you'll find. Its twenty rooms come with bathrooms and TV, and price-wise it's not bad at all. (7).
Hotel Sardinero, Plaza de Italia, 1 (tel 942 27 11 00, www.gruposardinero.com). An elegant, turn-of-the-century hotel crammed with modern amenities and overlooking the beach. A good one if you're feeling flush. (9).

EATING

Santander offers a wealth of places to tuck into a good meal in all price ranges. The best area to look is the old centre, where every other address is a bar or restaurant. For supermarkets see under the INFORMATION section.
Café del Mercado, C/San José, is a busy and somewhat chaotic place for coffee and breakfast.
Bodegas Mazon, C/Hernán Cortés. Healthy-sized raciones in an old wine-cellar-style bar. Cheap.
Another good breakfast and lunch stop is **Cafetería La Oficina**, Calle Jesús de Monasterio, where you can sit and enjoy the sun at the outdoor tables.
About the only vegetarian restaurant in the city is **Restaurante Yerbabuena**, Calle San Antón.
Restaurante Machichaco, Calderon de la Barca, is a reliable bet for a tasty feed.
Quite a way out of the centre to the west is the **Restaurante La Casona de Cantabria**, Barrio Corceño-San Roman, which comes with high praise from the locals.
Also a fair way out of town is the **Restaurante La Cecilia**, Avenida Pedro San Martín, but it's worth the journey for its well-prepared local dishes at low prices.
Mesón Goya, Daoiz y Velarde, is a good one if you want a somewhat more formal, sit-down restaurant atmosphere than you'll

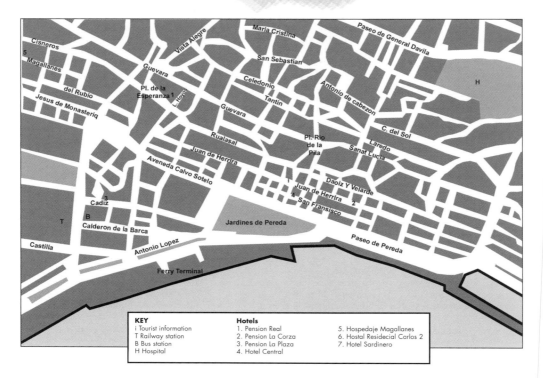

KEY
i Tourist information
T Railway station
B Bus station
H Hospital

Hotels
1. Pension Real
2. Pension La Corza
3. Pension La Plaza
4. Hotel Central
5. Hospedaje Magallanes
6. Hostal Residecial Carlos 2
7. Hotel Sardinero

find in a typical Spanish tapas bar. It serves good food at moderate prices.

Mesón El Cuadro, C/General Mola, is a cheap and central tapas-style place serving up all the staples. Better than many on this street.

For something a little more fancy try the **Mesón El Desfiladero**, Calle los Ciruelos. The food is excellent, but it's a bit of a trudge out of the city centre and is not cheap.

A really good place to go to in the early evening for a couple of tapas washed down with a beer is the old **Mercado del Este** building on Calle Hernán Cortés, where you'll discover two or three very popular bars.

NIGHTLIFE

The heart of Santander's nightlife is the old centre, which is also where you'll find many of the better places to eat. During the week things are pretty quiet, but from Thursday to Saturday night the university students descend en masse on the bars and clubs of this quarter. There are dozens of bars in this area, with Calle Santa Lucía being one long strip of drinking dens. Good bars popular with the student crowd on this street are **Montreal** and **Cambalache**. Nearby **La Luna**, on Calle Hernán Cortés, is a busy bar that attracts a somewhat older crowd, whilst **Molly Dolan's** is an ever-popular Irish

bar on Calle San Emeterio that plays its music at a volume that you can talk over! One of the long-term favourites is **Gran Café Santa Fe**, Calle Valliciergo.

The club scene isn't all that memorable, but if you need to push on through the night the best ones are **El Divino**, Calle Ramon Lopez Doriga, **Disco Indian**, Casimiro Sainz and **Dolce Vita** (sometimes known as **Pacha**), on Calle General Mola.

TRANSPORT

Santander's internal transport system is limited to local buses and taxis. The easiest way of getting from the city centre to Playa del Sardinero is on bus numbers 1, 3, 4 and 7. Taxis, as in all Spanish cities, are widely available and quite cheap.

AIR You can fly from Santander to Madrid and Barcelona every day.

BUS The bus station is almost right in the heart of the city, next to the train station, on Plaza Estaciones. Buses run to Bilbao about eighteen times a day, San Sebastián seven times, San Vicente at least five times, Gijón, in Asturias, five times and Madrid six times.

TRAIN Both RENFE and FEVE trains leave from their respective stations on Plaza Estaciones. To Madrid there are three or four trains a day, Bilbao three a day and

Oviedo twice a day. Both of these services are run by FEVE, and though extremely scenic, are painfully slow. If you're in a hurry take the bus.

FERRY Brittany Ferries run boats from Plymouth in southwest England to Santander twice a week. They're not cheap, but you won't spend much less driving down through France.

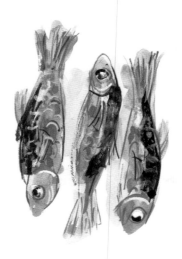

LIENCRES

There's really nothing to Liencres, a tiny village at the point where the countryside starts to take over from the city. It's about the most popular stretch of beach with the Santander surf crews.

THE SURF

Liencres is the most consistent surf zone in the Santander area, but also one of the busiest. The closest spot to Santander is Playa de Canallave, which is an extremely high-quality beach break. It picks up almost any swell going and breaks on all tides except for high. Unfortunately, it doesn't hold a great deal of size, 1.5–2m (4–6ft) is enough, and offshore winds come from the southeast. There are two distinct peaks here, El Madero, which has fast and tubular mixed peaks, and La Lastra, which has a very fast and hollow right that picks up masses of swell. For this and all the other Liencres spots, be aware that there is a heavy local scene.

Further along the Liencres strip is Playa de Valdearenas, with several different waves. The first that you come to is Copacabana, named after the bar beside the car park. This is another very hollow and heavy beach break with shifting lefts and rights, but it's the left tubes that have made this wave so highly regarded. It holds up to 1.5–2m (4–6ft) and breaks with a lot of power into shallow water. Next to Copacabana is another stretch of beach with mixed peaks of high quality. Finally, further to the west, is El Arenal, again with variable, peaky and hollow waves. Somewhere on this stretch of beach will usually be working, whatever the tide state. Offshore winds for all these spots come from the southeast, and all pick up heaps of swell. Again, it's very localised.

Playa de Robayera is the most westerly of the Liencres spots and is a superb left-hand rivermouth, which on its day gives very long tubes. However, it's fickle, needs a moderate swell and is localised. It breaks at low tide only and holds up to 1.5m (4ft). It's rare for it to work in the summer.

The water at all these spots is fairly clean.

INFORMATION

There are no facilities in the village or along the beaches.

ACCOMMODATION

Free-campers will probably be able to find somewhere along the seashore to park up, at least out of season. There are a couple of small campsites: **Camping Playa de Arnía** (tel 942 57 94 50), open in the summer only, and **Camping Costa San Juan de la Canal** (tel 942 57 85 24), which is a little cheaper, but further from the beach. It's open all year.

In the village itself is the small, basic and summer-only **Hospedaje la Picota**, Calle Barrio Salas (tel 942 57 97 43). (5).

EATING

In the village you'll find two little shops selling basic supplies as well as a couple of bars with snacks. The **Bar Güelica** attracts the younger crowds, and the **Restaurante Ontañon**, Calle Barrio Salas, is a moderate-priced restaurant. Down on Playa Valdearenas is the **Cota Zero**, the after-surf hangout in the summer.

TRANSPORT

Buses drop you off right in the centre of Santander.

SANTILLANA DEL MAR AND SUANCES

It would be hard to find two more dissimilar resorts than Santillana del Mar and Suances. Santillana, set among the hills 10km (6 miles) back from the sea, is oh-so-pretty, whilst Suances is thoroughly new and fairly unattractive, and serves as little more than beach escape for Santander and Torrelavega. Stories of the beauty of Santillana del Mar have spread and it seems as if every tourist travelling along the north coast of Spain pops in. If you can ignore the olde-worlde tack and the crowds, which in the summer become oppressive and make finding accommodation impossible for love or money, then

Santillana is indeed outrageously pretty and worthy of all the praise heaped on it. In fact, even if the village weren't such a gem it would be worth coming for the scenery alone. Santillana in the spring could be one of the highlights of your Spanish trip, and if you've got transport, really does make a better base than nearby Suances. Not that there is anything wrong with Suances; it's right on the beaches, has lots of places to stay and has a good scene in the summer. It's just that its, well, not, oh-so-pretty. Santillana is far better set-up for foreign tourists.

THE SURF

On a very strong northwest swell, take a look in the rivermouth at Playa de la Concha and you might find a decent left-hander at low tide. It's more of a walled-up wave than a barrel, but it's fast and lacks the crowds of Los Locos. This, though, is probably because of the dangerous levels of pollution pouring out of the rivermouth that make it best to surf only if it's really going off. It breaks up to 1.5m (4ft) and is offshore on a southwest wind.

A little further on is the world-class beach break of Los Locos. There are three separate waves on this beach, firstly, in the middle are some standard beach peaks breaking both left and right. At the eastern end of the beach you will find El Huerto, a very good right-hand point breaking off the rocks below the lighthouse. It's a fast and hollow wave up to 2.5m (8ft). At the opposite end of the beach is Sopico, an extremely fast left with huge tube sections up to 2m (6ft). It can be a pretty radical wave and is more suited for advanced surfers and bodyboarders. All of these spots work throughout the tide, but it must be big for it to work at high tide. Offshore winds come from the east. Expect lots of surfers and heavy localism. The water here is very clean.

A few kilometres to the west is Playa de Tagle. It's nowhere near as good as Los Locos, but at the same time it might appeal more to some travelling surfers because of the lack of crowd pressure. Has fast lefts and rights breaking on sandbars; needs a bit of swell to turn on and a low tide. Offshore with a southeast wind.

SITES OF INTEREST

It's all about art around here. The buildings of Santillana del Mar and the countryside surrounding them could be called a work of art. And the Picasso of the town is the old monastery, Colegiata de Santa Juliana, which contains the remains of Saint Juliana, who was murdered by her husband for, among other reasons, not giving up her virginity. If the quaintness of the village starts to get to you, a good remedy could be a visit to the museum that contains a quite amazing display of medieval torture instruments – well we liked it, anyway.

Not far from town are the famous caves of Altamira, containing some of the finest prehistoric cave paintings ever discovered. In fact, the tourist board like to call them the Sistine Chapel of palaeolithic art. This is probably a fair description, but as you can't realistically go and see the paintings 'in the flesh', so to speak, and the author of this guide was not allowed into the Sistine Chapel either, we can't really comment on this comparison. Due to the fragile nature of the paintings and the damage done to them by people breathing on them, visitor numbers are limited to around twenty people a day. If you really want to go and see the real thing you'll need to book a ticket around three years in advance, which would be a problem if Los Locos was firing on your chosen day. However, if you're happy with a fake then there's an excellent re-creation of the paintings in the site museum, which is well worth a visit.

INFORMATION

BANKS Santillana: Most of the central squares have banks on them. Suances: Avenida José Antonio.

CHEMISTS Santillana: Plaza del Revologo. Suances: Avenida José Antonio.

DOCTORS Santillana: Centro de Salud Puente San Miguel (tel 942 82 06 84).

POLICE Santillana: Avenida Antonio Sandi (tel 942 81 80 10). Suances: Avenida José Antonio.

POST OFFICE Santillana: Plaza Ramón Pelayo. Suances: Avenida José Antonio.

TOURIST INFORMATION The Santillana office, C/Jesús Otero, 20 (tel 942 81 82 51), is open year-round and unfailingly helpful. The Suances office is only open in the summer and is on the road down to the beaches.

ACCOMMODATION

Free-campers may find something on the quieter beaches to the west. There are also a couple of opportunities to camp in organised sites. Santillana is a popular camping spot for British surfers with families who come down on the ferry from Plymouth to Santander. The campsite, **Camping Santillana del Mar** (tel 942 81 82 50), is a small year-round site with superb facilities and nice views over the mountains. If you're after a little more life or want to be by the beach then **Camping Suances** (tel 942 81 02 80), is the one to go for. It's a summer-only site and is a good deal less organised than Camping Santillana del Mar, but it's also cheaper. If you're relying on public transport then it's about ideal, being just a short walk to Los Locos.

Both Santillana and Suances are loaded down with hotel-style accommodation; the problem is finding something in the budget category. Santillana likes its tourists with money and it knows how to please them. Considering the village is home to little over a thousand people the number of top-end

hotels it has is quite astonishing. At last count it contained no less than ten hotels with at least three stars!

The top pick in town is the stunning **Hotel La Casa del Marqués**, C/Canton, 26 (tel 942 81 80 00). (8).

Somewhat more down to earth is the excellent **Hostal Montañés**, Avenida L'Dorat, 8 (tel 942 81 81 77). This place, just off the main road through the village, has very comfortable, well-equipped rooms in a big old farmhouse and is run by a friendly couple. (5/6).

If this is full, take a look around Plaza Ramón Pelayo, where many bars and private houses offer cheap, unofficial rooms in the summer. Another option, if there are three or four of you, is to rent one of the many Casas Rurales to be found all over the surrounding countryside. Either ask at the tourist office about what's available or look on www.turismoruralcantabria.com.

Suances is also a bit of a tricky one when it comes to finding a cheap place to put your head down for the night. There's plenty around but none of it is very good value for money. The following are about the pick of the bunch.

Hotel Viveiro, C/Palencia, 4 (tel 942 81 00 71). This two-star hotel clearly falls into the mid-range category, but its one of the better options in its price range. (7).

A good summer-only option is the **Hospedaje Roiz**, C/Ceballos, 41 (tel 942 81 13 93). It's about as cheap as you'll get in town and has its own café, which is a pleasant place to have a drink outside in the garden. It's on the road between the main centre and the beach. (6).

EATING

In Santillana you can find a small supermarket in the little square on the opposite side of the road from the main village centre. In Suances you'll find a supermarket on Avenida José Antonio.

Bars and restaurants in both places are geared up for tourism and have correspondingly high prices and low standards. Santillana is much worse than Suances, whose restaurants at least make no bones about being full-on seaside tourist traps. If eating out is a bit of a treat for you, you're better off going somewhere else.

The following are all in Santillana:
Bodega Los Nobles, C/Carrera, is an atmospheric bar with raciones that stand out from the rest in Santillana.
Café El Porche, Juan Infante, has a memorable line in cheeses among other tasty tit-bits.

The best of the lot, though, might be the **Taberna El Picaporte**, C/Jesús Otero, which has a decent selection of tasty tapas and raciones.

Down in Suances, the following are worth a try.
Café Dúo, Avenida José Antonio, is a cheap bar that's good for breakfast and sandwiches, and is full of locals of all ages.
Restaurante Jardines de Viares, Avenida José Antonio, is the place to go for a meal in a peaceful garden environment. Moderately expensive.

Down by the beaches you'll find a whole host of overpriced tourist cafés, most open in the summer only.

NIGHTLIFE

Santillana is an early-to-bed place but Suances, with its younger clientele, knows how to have fun on a summer evening. Any of the beach suburb bars will be noisy until way into the early hours.

TRANSPORT

Buses frequently connect both places with Santander.

SAN VICENTE DE LA BARQUERA and COMILLAS

Initial impressions of San Vicente de la Barquera (or San Vicente, as it's commonly called) are favourable. The town crawls up to the summit of a small hill topped off with a dominating church and a backdrop over the snow-capped and truly magnificent Picos de Europa. San Vicente's position between these mountains and an equally impressive beach is hard to beat and for these reasons it has become immensely popular with Madrileños in the summer. This makes parking almost impossible in the town centre and finding a place to put a towel down on the part of the beach close to town difficult, but it does mean that there's an energetic buzz on the streets. All in all you shouldn't miss it. Nearby at Comillas, just a few kilometres to the east, is another very valid base for the far west of Cantabria, and though you could never say it was undiscovered, it has remained an extremely pleasant little town with a life outside of tourism.

THE SURF

There's more good news for you here as well. San Vicente and Comillas have a whole heap of excellent-quality waves.

Back towards Comillas a short way is Playa de Oyambre, a sheltered beach break that, due to its northeast exposure, needs a decent northwest swell to start working. It breaks throughout the tide but the lower it is, the better. Offshore winds come from the south and southwest; however, light northwesterlies don't mess it up too much. The more west there is in the wind, the further towards the beach's western end you should look. It can't take a lot of size, 1.5m (4ft) is about the maximum. It's only rarely surfed and is worth checking when the main San Vicente beaches are big and messy.

San Vicente's main beach is enormous, with the eastern end, Playa de Gerra having a different name to the western end, Playa de Meron. Playa de Gerra is much quieter than Meron and popular with nudists. It's also about the best of the beach breaks around San Vicente, breaking throughout the tide on the smallest of swells. It's a good bet in the summer, as it gathers a lot of swell, but doesn't hold more than about 1.5–2m (4–6ft). It's also a very wind-sensitive wave; very light northeasterlies are OK, but offshore southeast winds are better. It's quite a walled-up and peaky wave with some fast hollow sections that favour rights.

The busiest stretch of sand in the summer is Playa de Meron, just a short walk or drive over the bridge from the town centre. It's another good-quality beach break, but it picks up less swell than the Gerra end of the beach. It's best from mid- to low tide and has the advantage of being offshore on a south or southwest wind; even a light northwest doesn't mess it up too much. It holds swell from 1–2m (3–6ft). There's also a wave in the rivermouth. This is a quality left that barrels quickly along a sandbar formed by the river flow. This needs a bigger swell than the beach to turn on and holds up to 2.5m (8ft). Get it on and it's a very good wave. It's rare for either of these waves to break in the summer.

SITES OF INTEREST

If it goes flat then the town itself is an attractive enough place to take a walk around, and there are nice views over the mountains from the church courtyard. San Vicente has a couple of good fiestas (see ENTERTAINMENT on page 41) that are worth coming to if you're in the area at that time. Comillas is one of the nicest towns in coastal Cantabria, in addition to it's pretty cobbled streets and several disneyesque-style mansions it has an excellent fiesta in July (see ENTERTAINMENT on page 53) that you really shouldn't miss.

One thing that is impossible to avoid in San Vicente is the mountains and these are obviously the first place to head for during a flat spell. For a rundown on the trekking opportunities presented by these mountains see the PICOS DE EUROPA section on page 139.

INFORMATION

BANKS Plaza José Antonio.

CHEMISTS Plaza José Antonio.

DOCTORS The medical centre is on Paseo de la Barquera.

INTERNET There's nothing in San Vicente, but you'll find an Internet café on Perez de la Riva, in Comillas.

POLICE Tel 666 42 81 16.

TOURIST INFORMATION On Avenida Generalísmo, 20 (tel 942 71 07 97), the main road through town. It's open year-round. Comillas's tourist office is on C/Aldea, 6 (tel 942 72 07 68).

ACCOMMODATION

A few vans congregate in the car park at Playa de Gerra in the summer, but the police frequently move everyone on. There's a very popular campsite right by Playa de Meron, called **Camping El Rosal** (tel 942 71 01 65, www.campingelrosal.jazztel.es), which has reasonable facilities and a good social scene through the summer. Further campsites can be found down towards Playa de Oyambre. **Camping Playa de Oyambre** (tel 942 71 14 61, www.oyambre.com), is a small summer-only site with a good range of facilities. Closer to the beach is **Camping La Playa** (tel 942 72 26 16), which also has the advantage of being open year-round.

In town you'll find a couple of pensiónes and hotels, as well as private rooms in the high season.

Pensión Liébana, C/Ronda, 2 (tel 942 71 02 11). Small but cosy rooms in a nicely kitted-out pensión make this one of the better options in town. (4/5).

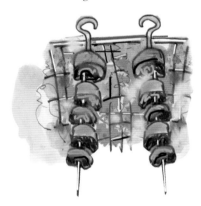

Hotel Luzón, Avenida de José Antonio (tel 942 71 00 51). It's definitely fading away, but at one time this must have been a very grand hotel. Its wide hallways and elegant lamps help it to retain some of its past glory. If you like this kind of thing then it's by far the best option in town. (6).

Hospedaje del Corro, C/Antonio del Corro, 1 (tel 942 71 26 13). Small and basic rooms overlooking the main square. The many posters of the cheesiest of Spanish pop stars make up for anything the rooms lack. (6).

Hostal La Paz, C/Mercado, 2 (tel 942 71 01 80). You expect a lot after the impressive entrance and hallway, but unfortunately the rooms, though the biggest in town, aren't really much to rave about. Overpriced. (6).

If nothing here appeals, then Comillas has a wide range of accommodation options, including the campsites mentioned above at Playa de Oyambre and the cheap and cheerful **Pensión la Aldea**, C/La Aldea, 5 (tel 942 72 10 46), though it's often closed in the winter. (3). Much more of a mid-range place is the **Hostal Esmeralda**, C/Antonio López, 7 (tel 942 72 00 97), which has good rooms in the (7) range.

EATING

SanVicente has a small supermarket on Calle del Padre Ángel.

All of the following are in San Vicente:
Restaurante El Puerto, Avenida **Generalísmo**, is one of many similar places on this road with moderate-priced fish dishes.

Restaurante El Bodegón, Avenida **Generalísmo**, is a busy and cheerful place that gets the locals in for its well-priced raciones.

Pizzeria Ancora, C/Del Padre Ángel, is a good one if you're bored of the garlic and seafood most common in the cheaper Spanish eating establishments.

Café Bar El Manantial is the drinking and snacking den of choice among both locals and tourists. It's on the opposite side of the road from Plaza José Antonio.

NIGHTLIFE

A lot of young people stay on the campsite in San Vicente and there can be a good atmosphere n the height of the season. For bars **Comillas** is a better bet. San Vicente has a couple of fiestas through the year (see ENTERTAINMENT on page??) and in mid-July Comillas has an excellent fiesta.

TRANSPORT

The bus station is at the extreme eastern end of town. There are up to eleven buses a day to Santander, four to the French border via Bilbao and San Sebastían, and five to Gijón and Llanes, in Asturias.

PICOS DE EUROPA

It doesn't seem to matter in which direction you look in western Cantabria and eastern Asturias, the mountains seem to be all over you, and they are, of course, the first place to head for in a flat spell. The Picos de Europa are fast gaining a reputation as containing some of western Europe's most enjoyable walking country. The mountains are not the highest in Spain but they are certainly some of the most beautiful. The whole range extends for little more than 40km (24 miles) in any direction over Cantabria, Asturias and León, and is divided up by three rivers and their gorges. The whole range was made into a national park in 1995, and is the home of some of the last remaining wolves and bears in western Europe. Although full details of trekking possibilities are beyond the scope of this book, most tourist offices close to the main mountain gateways will be able to help you out, or if you plan on spending a fair bit of time around the mountains, get hold of a copy of Picos de Europa by Robin Collomb (West Col). If you just want to do a day trip into the Cantabrian section of the Picos then Potes, a short inland journey up the dramatic gorges of the Desfiladero de la Hermida via Unquera, is the main launch pad. From Potes, head out to Turieno, 3km (2 miles) to the west, and take a walk down any of the tracks that usually lead to picturesque little villages. Or, 20km (12 miles) further from Potes, is Espinama, right in the heart of the mountains and with numerous possibilities for some very impressive walks. The most famous destination in the Cantabrian Picos is the teleférico (cable car) at Fuente Dé. If that big day at Meñakoz didn't get you going then this sheer 900m (2,700ft) drop off the side of a mountain should prove sufficient. It's only open in the summer, and is, thankfully, many would say, also closed on windy days. Queues can be very long. Once at the top you can make a good walk back down to Espinama, or better still, you could cycle down on a track that's regarded as one of Europe's best mountain-bike trails.

The western half of the range lies in Asturias and is equally impressive. Llanes and Ribadesella are close to Cangas de Onís, the normal starting block for the western end of the mountains. From here, gentle canoe trips down mountain rivers can be organised by several agencies in town. An interesting little spot nearby is Covadonga, where, in the eighth century, the Moors suffered their first defeat and the reconquista began. Obviously there is much mystery and legend surrounding the event and it's said that an image of the Virgin appeared for the Christian soldiers in a cave here shortly before battle commenced. The cave and the chapel subsequently constructed here have become a popular place of pilgrimage. It's said that if you drink from the nearby Fuente de la Siete Caños you'll be married within a year, though the sceptical author would like to point out that it hasn't yet helped him. An impressive drive is to take the N625 south of Cangas de Onís through the gorges of the Desfiladero de los Beyos. Another, stupidly popular, but worthwhile drive, is to the Lagos de Covadonga, a series of beautiful lakes from where a couple of surprisingly quiet and very beautiful easygoing walks begin.

In the central Picos, the Garganta del Cares walk is the most famous route in the whole of the mountain chain. For some it's just a bit too busy, but for most people the mountain scenery and the gorges more than compensate for the crowds. The trailheads for this route are either Poncebos, in the north, or Caín, in the south. Off to the east is the highest village in the Picos, Sotres, from where there are a number of excellent walks and climbs including one to the foot of El Naranjo de Bulnes, where you'll need to stay the night at the Refugio de la Vega. Another popular walk from Sotres is the 16km (10-mile) hike to Urdón.

ASTURIAS

If surfers are drawn to Euskadi for Mundaka then they are drawn to Asturias for Rodiles, a wave that on its day has a remarkable similarity to Mundaka, and is quite possibly the country's next-best wave. Yet after surfing Rodiles most people jump back in their cars and head straight for Galicia, pausing maybe briefly at the through-and-through surf town of Tapia. Asturias, though, has a huge coastline with a thousand surfing possibilities, many of which are overlooked by the Picos de Europa mountain range, which in itself offers a wealth of flat-spell trekking diversions along with some of the finest scenery in the country. The central Asturian coast, with the cities of Gijón, Avilés and nearby Oviedo, is heavily surfed and in places heavily industrialised, though lively and friendly Gijón, with its consistent beaches, is always worth a bit of your time. Elsewhere, Asturian surfing is generally a rural affair and might offer Spain's best chances of an empty wave, be that a fun summertime beach break or a super-heavy winter reef. To travel through Asturias is to travel through the oldest corners of the modern Spanish state. Whilst the rest of the country was under Muslim rule Asturias remained Christian, and it was from here that the reconquest of the country began. This has led many Asturians to feel slightly superior to other Spaniards, as the 'creators' of the modern country, yet they indulge in some very un-Spanish habits, including bagpipe-playing and cider-drinking. All of this makes Asturias an enigmatic surf-travel destination.

Climatically, Asturias has much in common with its other north-coast neighbours; warm and reliable summers that are prone to long flat spells and mild winters full of serious surf. Though Asturias has plenty of consistent summertime spots it is at its best in the darker months of winter, when many heavy reefs come alive. On the whole the weather here is better than the west coast of Galicia, but not as nice as further east.

OPPOSITE: BEACH VIEW – ASTURIAS. PHOTO BY STUART BUTLER.

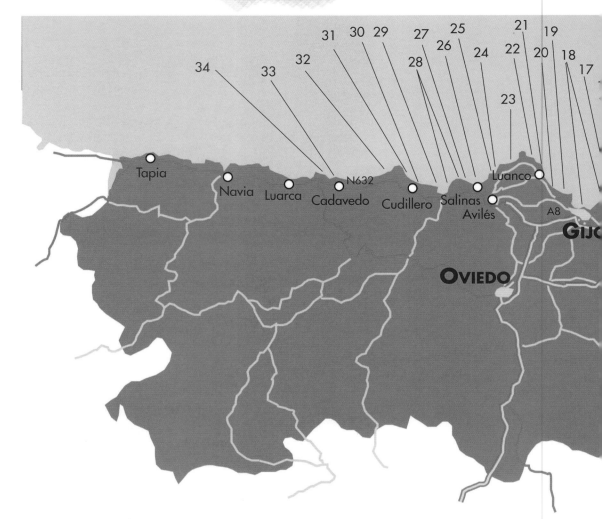

SPOTS

1. Playa de Mendia
2. Playa de Vidiago
3. Playa de Andrin
4. Playa de San Martin
5. Playa de Palombina,
   Playa Los Frailes
6. Playa de Niembro
7. Playa de Torimbia
8. Playa de San Antolin
9. Playa de Santa Marína
10. Playa de Vega
11. Playa de Viso and
    Playa Espasa
12. Playa de la Griega
13. Playa de Lastres
14. Rodiles

15. Playa de Meron
16. Playa de España
17. Playa de la Cagonera
18. Playa de Peñarrubia,
    Playa de Cervigón,
    El Mongol,
    Playa de San Lorenzo
19. Playa de Tranqueru
20. Playa de Candas
21. Playa de Luanco
22. Playa de Llumeres
23. Playa Aguilera
24. Playa de Xago
25. Playa de San Juan/Espartal
26. Playa de Salinos
27. Playa de Arnao

28. Playa Santa María de Mar,
    Playa Bahinas,
    Playa de Bayas
29. Playa de la Atalaya
    y Cazanera
30. Playa Concha de Artedo
31. Playa de Oleiros
32. Playa de San pedro
33. Playa de Cadavedo
34. Playa de Cueva
35. Playa de Otur
36. Playa de Barrayo
37. Playa de Frexulfe
38. Playa de el Moro
39. Playa de Navia
40. Playa de Tapia, La Paloma
41. Playa de Peñarronda

4
13
12
11
10
9
8
7
6 5 4
es
Lastres
ciosa
La Vega
3 2 1
N634
Ribadesella
Llanes

ABOVE: SECRET SPOT, ASTURIAS.
PHOTO BY JUAN FERNÁNDEZ.

BELOW: SECRET SPOT, ASTURIAS.
PHOTO BY JUAN FERNÁNDEZ.

FOLLOWING PAGES: RODILES. PHOTO BY F. MUÑOZ.

143

LLANES AND BARRO

The old and lively town of Llanes might be one of the most popular resorts in northern Spain, but even though in the summer things can get a little hectic, the town retains a friendly small-town feel. It is, thanks to a bunch of good waves nearby and a bit of year-round life, one of the best bases in eastern Asturias.

THE SURF

The beaches in the Llanes and Barro section are spread over a 33km (20-mile) stretch of coast leading from the Cantabrian–Asturian border to the beach of San Antolin, around 11km (7 miles) beyond Llanes.

Just beyond the border is Playa de Mendia, an empty year-round beach break of average-quality left and right peaks that prefer lower tides. It needs a little bit of swell to get going and is offshore on a southerly. Like most of the spots around here, the water is very clean.

Playa de Vidiago needs a moderately powerful swell, but not too big, or the mixed sandbar peaks, which

break on a partially rocky bottom, close out. It breaks throughout the tide and is offshore with a southeast wind. Again, it's largely empty.

The nice Playa de Andrin is worth a look, particularly at high tide when a good left up to 2m (6ft) starts breaking on a medium-sized swell. If it's not big enough for this wave or the tide is too low, then you'll find a fun shore break. It can have waves at any time of the year and is rarely surfed.

Beyond Llanes (which doesn't get any surf), beside the village of Poo is Playa de San Martin. It's a beach break that can't handle much size, but if you get it right it can be a great wave. It only breaks at low tide, and though offshore on a southeast wind, it's not too badly messed up by light onshores. About the only people who surf it are the Llanes crew.

Close to this beach are the sheltered northeast-facing beach breaks of Playa de Palombina and Playa los Frailes. They're the best bet in the Llanes area when a

ABOVE: RODILES. PHOTO BY WILLY URIBE.

solid swell hits and the wind is from the southwest. They both like low tide and offer very ordinary beachbreak peaks. They only break with any frequency in the winter, and even then they are quiet.

Playa de Niembro and the picturesque little namesake of a village beside it is a sheltered and very poor-quality beach break that takes a hefty swell to produce anything. It breaks at low tide and doesn't hold above 1.5m (4ft) of surf. Go there when the wind is blowing from the south around to the northwest and don't expect much company in the water.

Beautiful Playa de Torimbia is close to Niembro, but picks up much more swell and the quality of the wave is a little higher, though it's still just a beach break of mixed peaks. Best on the pushing tide and offshore on a southeast wind.

The best spot in this area is Playa de San Antolin, a pebbly beach hemmed in by cliffs. It's easy to get to and is clearly visible from the main road, yet remains quiet. A good bet at any time of the year, as it makes the most of very small swells but can also hold a good-sized wave. Low tide and rising is ideal with a wind from the southeast, though a light onshore isn't much of a problem. You'll find a range of different peaks along its length, from a standard beach break in the centre to a consistent and hollow right at the far eastern end, and on bigger days at low tide a left off the rocks at the western end beside the car park. You'll see few locals and little pollution.

SITES OF INTEREST

Llanes is a great base to strike up into the Picos de Europa, which seem to hang over the town and provide a memorable backdrop to any surf sessions. For a general introduction to the mountains and a brief rundown of the trekking opportunities, see the PICOS DE EUROPA section on page 139.

INFORMATION

BANKS C/Nemesio Sobrino.

CHEMISTS C/Nemesio Sobrino.

DOCTORS Centro de Salud, Avenida de San Pedro (tel 985 40 36 15).

INTERNET Travelling Café, C/Genara Riestra.

POLICE C/Nemesio Sobrino (tel 985 40 18 87).

POST OFFICE C/Pidal.

TOURIST INFORMATION Alfonso IX, La Torre (tel 985 40 01 64). Up in the old and quiet castle.

ACCOMMODATION

Many of the beaches around Llanes are quiet and easy places to park up for the night. There are also several campsites close to the surrounding beaches. Near to Playa de Vidiago is the top-end **Camping La Paz** (tel 985 41 12 35). On the edge of Llanes is the summer-only **Camping Las Bárcenas** (tel 985 40 28 87). Almost on the beach in the restful little village of Barro is **Camping Playa de Troenzo**, a small year-round site, except for a break in December.

Accommodation in Llanes can be heavily booked-up year-round, so it's wise to phone ahead.
Pensión La Guía, Plaza de Parres Sobrino 1 (tel 985 40 25 77). A big, old-fashioned townhouse right in the heart of all the action. The en suite rooms are nice, if a little cramped, and the front ones have good views over the square. Prices vary a lot between high and low seasons, falling as low as €30 a double in the winter; otherwise they're in the (6) range.
La Posada del Rey, Mayor, 11 (tel 985 40 13 32, www.laposadadelrey.iespana.es). A very nice, friendly little three-star hotel in the centre of the old town. Rooms are spacious and have all the standard facilities. A good mid-range option and with worthwhile low-season rates. (8).

Another mid-range place with plenty of character is **Hotel Las Rocas**, Marqués de Canillejas, 3 (tel 985 20 24 31). Again, it's a three-star place in old-town house close to the centre and is cheaper than La Posada del Rey. (7).

If you're looking more at the budget end of the market then you might be better off heading a short way along the coast to Barres, a truly rural experience with an untouched little village centre and a few accommodation and eating options down on the beach. **Hostal la Playa** is the cheapest place to stay, though it's closed in the winter. Nearby are a number of more expensive options.

EATING

There are plenty of standard Spanish bars and restaurants accross the town, most of which are alike. Around Plaza de Parres Sobrino are a couple of delicatessens with a good range of high-quality local food and drink. A good place to stock up on cakes and bread is the **Confitera Vega**, on Plaza de Parres Sobrino.

There are numerous bars selling tapas and basic meals. Right in the centre is the modern and popular **Café Bitacora**, Plaza las Barqueras. Its drinks and snacks are moderate in price.

At the **Hotel/Restaurante Los Molinos**, Calle Cotiello Bajo, pizzas and pasta are certainly nothing to rave about, but it's surprisingly popular and price-wise it can't be beaten.

Beside the river and just upstream from the town centre are a few different restaurants that serve up some of the better-value food in town, and normally come complete with a good atmosphere. **Al Campanu** is probably the best.

The best-known of the spit-and-sawdust sidrerías is **El Bodegón**, Plaza de la Magdalena. It's normally full of locals and clued-up tourists washing down the raciones with tasty Asturian cider.

TRANSPORT

The bus station is a short walk from the centre on Calle La Bolera. There are around ten buses a day to/from San Vicente and on to Santander, and twelve buses a day to Ribadesella and villages on the way. The slow FEVE trains stop here several times a day en route to Santander and Oviedo.

RIBADESELLA

Ribadesella doesn't see all that many travelling surfers compared to some places in Asturias, and true, the wave is hardly one of the region's best, but its handy town-centre location makes it a good spot for those relying on public transport. The attractive town is split into two by the Río Sella, with the elegant old quarter on the eastern bank and the beach and newer residential quarter opposite. Most of the town's facilities are to be found in the old half. At the start of August the town hosts a big fiesta based around canoe races down the Río Sella. As is normal at such events, the entire population uses this as a reason to get hammered. Don't turn up during this without having pre-booked accommodation.

THE SURF

The town-centre beach is called Playa de Santa Marína. It arcs around a small bay with old houses overlooking the waves and as far as urban beaches go it's about as nice as they come. It's a very average beach break that sees a few local surfers hitting the water at low tide as it begins to push back up. The far corners of the beach are the best, though smaller. You'll find a right off the eastern end that breaks down the harbour wall and a left on the western side peeling out of the rivermouth, though this wave is much rarer. In the middle are mixed lefts and rights, though they're not too hot. The waves have the advantage of being sheltered from light west winds and are offshore on southwest through to southeast winds. Unfortunately, the water is not very clean, with pollution coming out of both the river and the harbour.

SITES OF INTEREST

Ribadesella has been a popular place to set up home for a long time. The first arrivals were keen artists and you can see the results of their work at the Tito Bustillo Caves (summer only), where a series of 15–20,000-year-old paintings of animals and people cover the walls.

INFORMATION

BANKS C/Comercío.

CHEMISTS C/El Pico.

DOCTORS C/Manuel Caso de la Villa.

POST OFFICE C/Manuel Fdez Jungos.

TOURIST INFORMATION El Muelle (tel 985 86 00 38). In the car park on the old-town side of the waterfront, right by the bridge crossing over the river.

ACCOMMODATION

If you want to free-camp then you should find somewhere suitable on the coast either side of town. There are two campsites; closest to town is **Camping los Sauces**, a little over a kilometre from the western end of the beach on Ctra San Pedro (tel 985 86 13 12). The slightly cheaper **Camping Ribadesella** (tel 985 85 77 21) is a tiny site with plenty of trees, but unfortunately it's a bit further from town, in the village of Sebreño and not really an option for those without transport.

A good place for single surfers looking for a cheap bed right by the waves is the **Albergue Roberto Frassinelli**, C/de Ricardo Cangas (tel 985 40 02 05). This grand old building overlooking the surf offers summer-only beds in small dorms at bargain-basement prices and you don't need a Hostelling International card to stay. (1). **Hotel Marína**, C/Gran Vía (tel 985 80 00 54, e-mail hmarina@plas.es). Inside the elaborate pink building you'll find spacious and comfortable rooms, but slightly dull interior decoration. Good price, though, for a two-star hotel. (6). **Hotel Boston**, C/El Pico, 7 (tel 985 86 09

LEFT: ASTURIAS.
PHOTO BY
JUAN FERNÁNDEZ

FOLLOWING PAGES:
PABLO DIAZ,
LA VERDAD.
PHOTO BY
JUAN FERNÁNDEZ.

66). Good-value rooms if you can ignore the less-than-inspiring location by the busy main road, though it is only a couple of minutes' walk to the waves. (5).

Hotel Covadonga, C/Manuel Caso de la Villa, 6 (tel 985 86 01 10). Aside from the Albergue this is the best-value place in town. Big en suite rooms in a large old-town house with a decent restaurant. (5).

If you've got money to burn then the twisted **Disney fantasy Hotel Villa Rosario**, Dionisio Ruisánchez, 6 (tel 985 86 00 90, www.hotelvillarosario.com), overlooking the beach, is a good place to do it. (8).

EATING
There's a wide range of places to eat in town, covering all price ranges. For breakfast everyone stops off in **Café Capri**, Plaza Nueva, for a caffeine boost before going to work.

Restaurante El Mesón, C/Manuel Fdez Jungos. Mid-range meals and good raciones served up with atmosphere.

Sidreria El Rompeolas, C/Manuel Fdez Jungos. Similar to the El Mesón and with just as many locals.

For something cheaper and more snacky try **Piccolo on C/Comerico**.

Good stuffed rolls and other cheap lunch things are available from the **Pasteleria Pan Calientedoes**, C/El Pico.

TRANSPORT
Buses arrive and leave from Paseo de la Vencedores del Sella, just to the south of the main bridge. There are nine buses a day to/from Gijón, twelve to Llanes and one each to Santander and Bilbao. The train station is a little further out on the road to Llanes. There are around five trains a day to/from Oviedo and a couple to Santander.

LA VEGA

The tiny village of La Vega, with the beautiful countryside surrounding it, is one of the better places in eastern Asturias to really get away from it all.

THE SURF

One of the more consistent spots in eastern Asturias is Playa de Vega, a long and popular beach break with often-high-quality sandbars. It picks up almost anything in the Atlantic and different peaks turn on along its length throughout the tide. Unfortunately, it doesn't hold a great deal of swell, 1.5m (4ft) being about ideal. The setting is impressive and it draws in local sunbathers on summer days to its eastern end, but by walking further up the beach you'll find a peak to yourself. Offshore on a southerly and still OK if a strong northeast wind is blowing. On the surface the water appears very clean, but pollution from the mines back up in the hills gets washed out here by the little stream.

Another very attractive beach is Playa de Viso and Espasa, which curls around the coast, offering exposed northwest-facing waves through to super-sheltered northeast-facing shore breaks. On the whole it's best at low tide with a moderate swell from the northwest. At the western end, close to the village, you'll find a very

good wedgy shore break that, with its air sections, is perfect for bodyboarding. This is the most sheltered part of the beach and takes a fair swell to get going. It can also be quite busy. As you head further down the beach, crowds decrease and swells increase. For much of its length you'll find standard shifty beach peaks, whilst at the eastern end a good left sometimes appears off the rocks. Because of the beach's length and contorted shape, offshore winds come from the southwest through to the east.

INFORMATION

There are no real facilities of any kind in La Vega; Ribadesella is about the nearest place to get business done.

ACCOMMODATION

Until recently you'd have had no problem with free-camping on **Playa La Vega**, but the car park has recently been tarmacked and improved and a new beach walkway put in, so it might be that the authorities will start to take a much dimmer view of such activities. There is a really nice little summer-only campsite back up on the edge of the village, **Camping Playa de Vega** (tel 985 86 04 06). Halfway between La Vega and Lastres is the village of La Isla, with another good campsite right above the more consistent end of the beach. For food and drink, unless you want to rely entirely on the summer-only cafés on the beach, then you'd better be totally self-sufficient.

ABOVE: SECRET SPOT, ASTURIAS. PHOTO BY WILLY URIBE.

LEFT: QUALITY BREAK., ASTURIAS. PHOTO BY JUAN FERNÁNDEZ.

FOLLOWING PAGES: DAVID SASTRE, RODILES. PHOTO BY WILLY URIBE.

COLUNGA AND LASTRES

Colunga and Lastres are only a couple of kilometres away from each other, but in terms of look and feel they're a world apart. Colunga is known for its high-quality sidra and, to be honest, it's the sort of place that you'd expect a lot of cider to be drunk. A one-horse-town where the busy main road cutting right through the middle of it is about the main thing happening. Lastres, in contrast, is one of the Asturian tourist board's favourite places, and it's true, it is undeniably a pretty little fishing port where the old fisherman's cottages mountaineer their way up the steep hill above the new harbour. However, Lastres has cottoned onto tourism and it likes its tourists to have money.

THE SURF

Popular with tourists in the summer, Playa de la Griega is for surfers an average beach break a little sheltered from the brunt of swells and best on a pushing low tide up to 1m (3ft). It has a variety of different peaks that are offshore on a southerly. It doesn't break very much in the summer and is a good spot to find some peace and quiet.

Lastres town beach, Playa de Lastres, is a pebbly affair that needs a big northwest winter swell to break, at which time you'll find a range of section peaks at low tide. The wave quality is definitely nothing to get excited about. Offshore on a southerly. Fairly clean water.

INFORMATION

All of the following refers to Lastres unless otherwise stated.

BANKS C/San Antonio.

CHEMISTS C/San Antonio.

TOURIST INFORMATION C/San Antonio (summer only). In Colunga there's a small, computerised tourist information booth beside the market square.

ACCOMMODATION

The best place to stay is the campsite very close to Playa de la Griega. **Camping Costa Verde** (tel 985 85 6373) is a cheap, summer-only site, and if there is a swell running, its closeness to the waves and ease of access by public transport makes it a good bet for those without their own vehicles. There aren't a lot of options for free-campers.

The cheapest accommodation is to be found in Colunga at the **Hostal El Meson**,

Carretera General (tel 985 85 63 35). It's on the main road right at the far end of town on the way to/from Villaviciosa. Basic but acceptable, it has the cheapest beds in the area, though it's not exactly a bargain. (4).

All of the following are in Lastres, where accommodation tends to be pricier:
Hotel Eutimio, C/San Antonio (tel 985 85 00 12, e-mail casaeutimio@fade.es). For the price you'll be paying the rooms are only average, though the views from the seaward-facing ones help soothe the pain a little. Nice restaurant below. (7).
Hotel Miramar, Bajada al Puerto (tel 985 85 01 20). Another mid-range place with possibly even better views. Summer only. (4/5).

EATING

There's a 'supermarket' in Lastres on the road to Villaviciosa and another little one on Carretera General in Colunga.
Bar Azul in Lastres, on Calle San Antonio, is a 'surf bar' with character and cheap food.
Bar Bilacora, also in Lastres, is a cheap to

moderate-priced place in the old centre with stunning views to accompany your fish meal.

For something fancier in Lastres the restaurant in the **Hotel Eutimio**, Calle San Antonio, is a high-quality place specialising, not surprisingly, in seafood.

Back in Colunga the **Sidreria El Llagar**, at the Cantabria end of Carretera General, has a moderate-priced menu and lots of locals. It's about the only proper restaurant in town.

Cheaper is the **Restaurante El Roble**, Carretera General, which serves basic pizzas and meat dishes.

TRANSPORT

Most buses passing along this coast stop in Colunga and Lastres.

VILLAVICIOSA AND RODILES

Villaviciosa is an old market town and one of the bigger centres in eastern Asturias (population 8,000), yet it doesn't feel like anything more than an overgrown village, and with its pretty old quarter and a park complete with strutting peacocks, it is one of the nicer spots in Asturias. A good time to be here, though accommodation will be in short supply, is during the town's main fiesta that takes place between 14th and 17th August. If

you're planning on staying in town it's worth remembering that it's around 7km (4 miles) to Rodiles.

THE SURF

The other Mundaka.... Rodiles is one of the best waves in Spain and without a doubt the biggest draw card in Asturias. The similarities between this left rivermouth and the more famous Mundaka can be startling. Both waves offer full-speed, foot-to-the-floor barrels that on the perfect day can reel off for a couple of hundred metres. Both waves rely heavily on the flow of water out of their respective rivers to form good sandbars. Both waves are low-tide-only spots, with Rodiles breaking until about two hours before or after low tide, though the pushing tide here is, unlike Mundaka, best. Both waves need a good-sized northwest swell to light up, though Rodiles breaks on smaller days than Mundaka. Both are offshore on a southerly, both can have a short, intense right into the channel and both have very heavy crowds and a talented local crew who demand the best waves. There are, of course, some differences: the sandbars at Rodiles tend to be a little more fickle than at Mundaka and the wave usually not as heavy, long or quite as perfect, though the tubes can be easier to make. Rodiles also holds much less swell than Mundaka; after

2m (6ft) it starts to close out. The best season is autumn. Although it gets outrageously busy here and the localism factor can be as heavy as the crowd, it is, on the whole, somewhat less intimidating than Mundaka. You're more likely to get a set wave off the peak here (though not much more). In general, if you show respect to the locals and patiently wait your turn then you'll get a wave. If you're not prepared to do that, don't come here.

If things get too intense for you in the river, move further down the beach and surf the standard beach peaks. They tend to be better at higher tides and are predominantly right-handers. If it weren't for the quality of the rivermouth wave then these beach peaks alone would be worth the trip; as it is they go relatively unnoticed. The sandbars at this eastern end gather a lot more swell than the river and are a good place to head for on a small summer swell.

INFORMATION

BANKS Plaza Generalisimo.

CHEMISTS Plaza Generalisimo.

DOCTORS C/Manuel Alvarez Miranda (tel 985 89 22 88)

POLICE (Tel 985 89 01 75)

POST OFFICE C/Manuel Alvarez Miranda.

TOURIST INFORMATION In the central Parque Ballina (985 89 17 59)

ACCOMMODATION
People do free-camp in the wooded parkland around Rodiles, but it's frowned on by the local police, so you're probably better off in one of the nearby campsites. **Camping La Ensenada** (tel 985 89 01 57) is as close to the rivermouth as you could hope to be. It's very cheap and open year-round. Not surprisingly lots of surfers hole-up here for the season. Nearby is the bigger, summer-only, **Camping Fin de Siglo** (tel 985 87 65 35) and the **Camping Nery** (tel 985 99 61 15), which is also only open in the summer. Around five or ten minutes' drive back towards Villaviciosa is the **Camping La Rasa** (tel 985 97 66 11 www.netcom.atodavela.com), which has many more facilities than the other sites and is open year-round.
Hotel El Congreso, Plaza del Ayuntamiento, 25 (tel 985 89 11 80). Nice rooms in a very clean and quiet two-star hotel with a good downstairs bar. The only downside is that the rooms are a little cramped. (7).
Hotel Casa España, Plaza Carlos I, 3 (tel 985 89 20 30). By far the best value in

town. Large and well-equipped rooms with a super-friendly management. The hotel overlooks a pleasant square and inside is all old-fashioned charm. There are two types of room available, with the more expensive ones being just bigger and airier. A bit of a bargain. (6).
Hotel Neptuno, Plaza Obdulio Fernández, 8 (tel 985 89 13 02). Another place with good rooms, many with balconies overlooking the old theatre, but not quite as welcoming as the other hotels. (6).
Hotel La Ría, Marqués de Villaviciosa, 5 (tel 985 89 15 55). Decent rooms with friendly English-speaking staff. Good value. (6).
Café del Sol, C/Sol, 27 (tel 985 89 11 30). The cheapest option in town, with much more of a 'travellers' hostel' feel to it than the others, which are proper hotels. The rooms are good, the management

friendly and the other guests are primarily younger and more budget-conscious. The downstairs bar is a basic and popular local drinking haunt. Recommended. (3).

EATING
There's a supermarket opposite the Parque Ballina, on Calle Placido Jove Flevia.
The El Tonel Sidrería, Manuel Alvarez Miranda, is quite a posh, moderate-priced sidrería.
Two very popular and cheap places to eat are the **Café Rice** and the **Café Monserrat**, both on the corner of Plaza Generalisimo and Calle Cervantes. The Café Rice has €6 set menus and a range of other cheap dishes, and the Café Monserrat is similar but with more than just fish on the menu.
Sidrería La Olivia, Calle Eloisa Fernández, is always full of locals stuffing themselves with the cheap to moderate raciones, and is one of the better places in town to eat.

NIGHTLIFE
There's a popular Irish bar, **O'Conel**, on Calle De Agua, and two bars that double up as nightclubs, Booguie Boogiue, Calle Magdalena, and La Muralla, Calle El Carmen.

TRANSPORT
The bus station is on Calle Magdalena. There are around half a dozen buses a day to Gijón and Ribadesella.

ABOVE: EL MONGOL. PHOTO BY JUAN FERNÁNDEZ.

PLAYA DE ESPAÑA

If you're looking for somewhere close to the city for peaceful surf with a rural vibe then Playa de España fits the bill perfectly.

THE SURF

A fun wave that's predominantly a right-hander can be found on low tide at Playa de Meron on small to medium swells. It's a peaceful place to come for a surf with only occasional crowds. Best with light southeast through to southwest winds.

Playa de España is a release valve for the crowds around Gijón and is where the city surfers come for a surf with a bit of a country vibe. This means that it can get busy at weekends, but there is no localism to worry about. It breaks on a mixture of sand and rock and can have a good shore break. Although it has waves at all tidal stages, mid-tide seems to be best. It faces north and so gathers a fair bit of swell, though it doesn't pick up the smallest of summer swells. Has some nice hollow sections that are offshore on a southerly. Both spots have clean water.

ACCOMMODATION AND EATING

Facilities are extremely limited, free-campers can probably find something to suit somewhere nearby. Otherwise, there is a campsite open from 1st March to the end of September; Camping Playa de España (tel 985 89 42 73) sits right on the beach and so is a great place for those who don't want to move much. The only place to eat is the basic summer-only beach café, or you can stock up from the campsite supermarket.

GIJON

If you're a city fan, then of all the cities in Spain in which to be a surfer, Gijón could well be the best of them all. It's big enough (274,000 people) to mean that something interesting is always likely to be going on, but not so big that it's overwhelming. It has an attractive setting on a narrow peninsula similar to Galicia's La Coruña, and best of all, it is the city with the highest-quality waves closest to the centre. In fact, the most consistent wave is the decent beach break of San Lorenzo, right in the very centre of the city. It's a beach with a real party air to it in the summer. All in all, it's not to be missed.

THE SURF

The first of the city-area beaches is Playa de la Cagonera, a northeast-facing beach break that requires a solid swell to come to life, and even then it's not that memorable a wave, though the left has its moments. Come on a low tide and remember that it's an option when a southwest gale is blowing. It's one of the quieter Gijón spots.

A much better alternative is the big-wave reef at Playa de Peñarrubia; it's quite exposed to swell, but it doesn't start breaking until about 2m (6ft), and holds 3m (10ft). There are two waves here; the most-commonly surfed and mellower wave is the left, which is usually quite a fat wave. On the opposite side of the beach is an intense right with big open walls and heavy sections that should only be approached by experienced big-wave riders. Be warned that the current on the right can be extremely strong. Both waves are good from mid- to low tide with light southeast winds. The water quality can be pretty nasty.

Another good reef break can be found at Playa de Cervigón. It's a busy left in front of the campsite and can hold a fair-sized wave on a dropping tide. It is quite sheltered from the swell and is offshore on a northeast wind.

The best and most famous wave in Gijón is the big-wave point to the west of Playa de Cervigón called El Mongol. This is primarily a winter-only spot, as it needs a really heavy swell to turn on a high-quality and fast right up to 3m (10ft). It gets busy but the atmosphere is calm. High tide only.

Right in the centre of town and very busy with both surfers and summer sunbathers is Playa de San Lorenzo, a good-quality beach break with shifty peaks. It is, considering the shelter it receives from the Cabo de Peñas headland, a surprisingly consistent wave. Low tide and a south wind. Even though it gets busy you don't have any localism worries. Dirty water.

SITES OF INTEREST

Gijón's main attraction is its people and atmosphere. The summertime seems to be one continuous fiesta, with all life focused on the beach during the day and the nearby restaurants and bars at night. The most interesting area of the city to explore is Cimadevilla, the old district built around the headland looking out over the sea and the central area. There are a couple of monuments and museums here worth tracking down. Museo Casa Natal de Jovellanos, Plaza Jovellanos, houses a collection of art belonging to the city's favourite son, the politician Gaspar Melchor de Jovellanos. Nearby is the Termas Romanas del Campo Valdés, Campo Valdés. These first- to fourth-century underground Roman baths are a new discovery to the city and the on-site museum helps to shed a little light on Rome's north Spanish possessions. Just to the north, on Calle Recoletas is the Torre del Reloj, a clock tower with good views over the town and exhibitions on the city's past. If Gijón's Roman past caught your imagination then you might like to take a trip out to the Parque Campa Torres, a few kilometres to the northwest of the city centre, and the site of the city's foundations. Here you'll find the remains of a pre-Roman village, which from the first century became fully romanised.

For something less art- and history-based the Rastro is a large open-air market that takes place every Sunday morning (except in August) out by the El Molinón football stadium to the east of the centre.

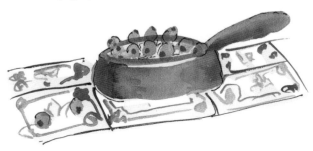

INFORMATION

BANKS There are branches everywhere but the main offices are all centrally located, with Calle Corrida being the main banking street.

BOOKSHOPS Foreign-language books are available at the **libreria Inglesa**, C/Ezcurdia, 58.

CAR HIRE Avis, Plaza Nicanor Piñole, 3 (tel 985 34 08 09). **Global**, Pablo Iglesias, 26 (tel 985 13 11 13). **RVH Renting**, Estación FEVE (tel 985 17 13 00).

CHEMISTS Can be found all over the city and usually display a list of which chemists are open at night.

DOCTORS Centro de Salud, Avenida de Juan Carlos I (tel 985 32 11 10).

EMBASSIES Countries with diplomatic representation in the city include:
France C/Claudio Alvargonzalez, 2 (tel 985 35 04 00).
The Netherlands C/Cabrales, 20 (tel 985 34 44 00).

FESTIVALS Life in Gijón during the summer is almost one big fiesta (see NIGHTLIFE later in this section), but the one to be there for is the week of Semana Grande from 12th to 18th August.

HOSPITAL Hospital de Cabueñes, out to the southeast of the centre, in the Cabueñes area (tel 985 18 50 00).

INTERNET Two centrally located Internet cafés are **Café Albeniz**, C/San Bernardo, 62, and **Ciber Capua**, C/Capua, 4.

LEFT LUGGAGE There are left-luggage lockers at the train station.

LISTINGS MAGAZINES The city produces two monthly listings magazines giving you the low-down on events in the city for that month. Qué Ver, Qué Hacer is in newspaper-style and El Tranvia de Gijón is a small magazine. Both are available free from tourist offices and many museums and monuments etc.

PARKING Trying to find somewhere to park for free near the centre is all but impossible, but there are a number of car parks, including one on Plaza 6 de Agosto, Plaza de San Agustín and Plaza de Europa.

POLICE San José, 2 (tel 985 18 11 00).

POST OFFICE Plaza 6 de Agosto.

SUPERMARKETS There's a big **Carrefour** hypermarket complex at Plaza de los Fresnos to the south of the centre.

TAXI Call **Radio Taxis** on 985 14 11 11.

TOURIST INFORMATION The main city tourist office is on a wharf in the harbour, Paseo de la Infancia, 2 (tel 985 34 17 71, e-mail smtf@infogijon.com). It's open from 10.00 until 20.00 and is very helpful. For information on Asturias as a whole, use the office very close by on Marqués de San Esteban, 1 (tel 985 34 60 46, e-mail info@infoasturias.com). A number of smaller kiosks open in the summer, including one about halfway up Playa de San Lorenzo.

ACCOMMODATION

Gijón's a big city with no real opportunities to free-camp: if you want to you're better off heading along the coast to the east and just driving into the city for the day. There are two campsites within the city limits. One, **Camping Gijón** (tel 985 36 57 55), is surprisingly central and in front of a good wave. It's a cheap and good-sized two-star site open in the summer only, and isn't all that much of a walk into the centre. Further out, in Deva, is the year-round and more expensive, but better-quality **Camping Municipal** (tel 985 13 38 48).

Gijón has no shortage of accommodation to fit all budgets, and unless you arrive mid-fiesta or late on a summer day then you should never struggle to find something to suit. The richest picking grounds are in the central Ayuntamiento and Fomento districts (otherwise known collectively as Centro), both of which are no more than a few minutes' walk from Playa de San Lorenzo and right in among all the restaurants, services, bars and shopping areas.

Albergue Juvenil, Camino de los Caleros (985 16 06 73). The city's youth hostel is about the cheapest place for single surfers to stay, and for once it's quite convenient, being only a short walk to the beaches and very close to Camping Gijón.

Hostal Manjon, Plaza del Marqués, 1 (tel 985 35 23 78). The rooms are very cramped with tiny bathrooms, but it's friendly, right on the harbourside and only five minutes from the waves. (5).

Pensión El Altillo, C/Capua, 17 (tel 985 34 33 30). The closest to the waves at Playa San Lorenzo of all the cheap places, and though it doesn't extend the warmest of welcomes and the rooms are not the best in town, its positioning makes it a sure-fire winner. (5).

Hostal Campoamor, Avenida de la Costa, 8 (tel 985 34 49 39). It can be a little noisy because one of the main roads runs past the building, but the old couple running it are super-friendly and that makes up for a lot. (4).

Hotel Costa Verde, C/Fundición, 5 (tel 985 35 42 40, www.hotelcostaverde.es). A cheap and central one-star hotel that's very popular because of its price. (6).

Hostal San Félix, Donato Argüelles, 19 (tel 985 34 06 62). Huge rooms come with a warm reception, but without bathrooms. (5).

Hostal Covadonga, C/La Libertad, 10 (tel 985 34 16 85). Light and airy rooms that are some of the nicest budget beds in town. The same management have another hostel, **Hostal Plaza** at C/Decano Prendes Pando, 2 (tel 985 34 65 62), which is to the south of Plaza de Europa. (5).

Pensión González, San Bernardo, 30 (tel 985 35 58 63). Extremely good-value large rooms with separate bathrooms. Many of the rooms have little balconies overlooking the street below. One of the city's cheapest options. (3).

Pensión La Argentina, San Bernardo, 30 (tel 985 34 44 81). Same building as the González. It's not as nice, but makes a useful fallback if the González is full. However, if price is your main concern then this is as cheap as you'll find. (3).

Hotel San Miguel, Marqués de Casa Valdés, 8 (tel 985 34 0025). A medium-sized two-star hotel right in the city centre with large but unimaginative rooms. (7).

If you're after something with a bit more class then the beautiful **Parador Molino Viejo** (tel 985 37 05 11, www.parador.es), is a small four-star hotel in among the duck ponds of Parque de Isabel La Católica and a short walk to the quieter and more consistent south end of Playa San Lorenzo.

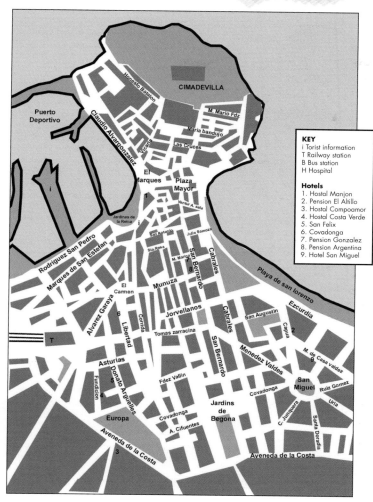

KEY
i Torist information
T Railway station
B Bus station
H Hospital

Hotels
1. Hostal Manjon
2. Pension El Altillo
3. Hostal Compoamor
4. Hostal Costa Verde
5. San Felix
6. Covadonga
7. Pension Gonzalez
8. Pension Argentina
9. Hotel San Miguel

EATING

When in Asturias the only way to eat is at a sidrería, and Gijón loves its sidrerías. If you're preparing your own then see the INFORMATION section for details of supermarkets.

In Cimadevilla, the oldest part of town, and the Centro district, just to the south, you can find many different and often very good sidrerías as well as a range of more international restaurants.

Restaurante El Planeta, Tránsito de las Ballenas. Overlooking the harbour, this place has been conjuring up well-priced and tasty local raciones and seafood for well over a hundred years.

Centenario, Plaza Mayor. An atmospheric sidrería in an old-town house with food and drink that won't break the bank. Closed on Mondays.

Restaurante La Marnia C/Trinidad. Close to

the harbour and with really good raciones and meat dishes.

Comida Sana, Plaza Arzobispo Valdés. One of Spain's all-too-rare vegetarian restaurants.

Zagal, C/Trinidad. Recommended for its good-quality local dishes.

Two decent Italian restaurants, **Sepeitto** and **El Poviodoro**, both of which are cheap, are to be found on Calle San Bernardo, which is just off Plaza Mayor.

Further away from the centre are a couple of restaurants worth tracking down: **Al Jaima**, C/Ezcurdia, out in La Arena at the eastern end of Playa de San Lorenzo is a tasty Middle Eastern/North African restaurant dishing up moderate-priced tajines and couscous.

For South American food, check out **El Bembe**, Calle Principe, also in La Arena.

There are scores of places all over the city to relax with a coffee or fuel-up on pastries for breakfast. The café inside the **Teatro Jovellanos**, on the corners of Paseo de Begoña and Covadonga, is the oldest in the city and certainly about the classiest. In the **Central** on Calle San Bernardo you can buy some books and read newspapers at the same time as drinking your coffee.

NIGHTLIFE

As the biggest and certainly the liveliest city in Asturias you can be sure to find a good night out in Gijón, whatever your tastes. Things are at their best in the summer, when it can feel as if every day is another fiesta. The biggest events of the year, though, are the Semana Negra (around the last week of June), featuring concerts, fairgrounds, and alternative films and literature combined with a great atmosphere. Asturias Day, at the start of August, focuses on local traditions and has lots of music and dance, all washed down with Asturias's favourite tipple. A few days later, though, is when the city really goes to town, with the Semana Grande and the Gran Noche de los Fuegos Artificiales (normally the second week of August). No one appears to sleep during this fiesta; even if you wanted to the noise from the all-night parties would probably make it impossible, and all that's before the grand finale on the 14th when a huge firework display is held that burns up over two tonnes of gunpowder! If you're into bullfighting, the moment this festival ends another begins: the Fería Taurina de Begoña, featuring four days of bullfights. And so it goes on throughout the rest of the summer and right through the winter until, before you know it, you're back to square one again.

For the rest of the year the lively bar scene is concentrated in the Centro districts of Fomento and La Ruta.

Magic, Rodriguez Sampedro. A busy bar playing a mix of Spanish pop and rock music.

El Zapatero, Santa Rosa. A good bar with the standard mix of music.

Other names to watch out for in the La Ruta area are **La Sruta**, **El Sovoa** and **El Pio**, which all draw in the crowds around midnight and play a wide variety of Spanish and international music.

All the groms go to the bars in La Arena, at the eastern end of Playa de San Lorenzo, where the two most popular bars are **Zero**, **Pablo Iglesias**, and **Tierra**, on Marqués de Urquijo.

After the bars close at about two or three in the morning the clubs kick into action: **La Cachamba**, Rodriguez Sampedro. A very busy, but predominantly young teenage crowd make their way to this Latin music club in the Centro district later in the night.

For the older, 20- to 30-something crowd, better clubs can be found a little further out of the centre in the Somio area, to the east of Playa de San Lorenzo. **Oasis**, on Carretera de la Providencia, and **Tik**, on Carretera de Villaviciosa, are both good places that'll take you through to the early hours.

All the latest films are shown at **Cines Hollywood**, on the central Avenida de la Costa. The place to catch a show or musical is the **Teatro Jovellanos**, on the corners of Paseo de Begoña and Covadonga.

TRANSPORT

The city centre is crammed onto the narrow isthmus between the beach, the harbour and the headland, and it's unlikely that you'll need public transport to get around the central area and the waves at Playa de San Lorenzo. If you're loaded down with bags and need to get to the campsite then it's best to take a taxi rather than try and work out the head-spinningly complex local bus system.

AIR Gijón's airport (from where there are flights to Madrid, Barcelona, several Mediterranean cities, London and Paris) is about half an hour away, just to the west of Avilés.

BUS The long-distance bus station is on Calle Llanes, close to Plaza El Humedal. Heading east, you can pick up buses about six times a day to Ribadesella and Llanes, nine to Santander, eight to Bilbao and six to the French border. Heading west, there are dozens of buses to Avilés and it's often easier to catch a bus from here to towns in western Asturias, though there are a couple of direct buses a day to Tapia. If you're going straight to Galicia then there are four buses a day to La Coruña. There are up to ten buses a day to Madrid, all via Oviedo.

TRAIN The train station is very close to the bus station on Plaza del Humedal and, as normal, working out exactly which ticket office you need for what train is a confusing experience. Starting in the east, there are four trains a day to Ribadesella and Llanes, and two to Santander, where you have to change for Bilbao and France. Going west you travel to Cudillero, Luarca and Navia three times a day and Tapia, Viveiro and Ferrol twice a day.

LUANCO

Purely a beach escape for the two nearby cities, the newer parts of Luanco may not seem too promising, but if you carry on down to the centre you'll find a small and friendly town with a nicely restored old quarter. Even though it is so close to Gijón and Avilés, you're likely to be surprised at just how rural the surrounding area is.

THE SURF

Much quieter than the Gijón beaches is Playa de Tranqueru, a fast beach break with a good deal of protection from south and west winds. It needs a medium-sized swell and dropping tide. Few locals and much cleaner water than in the city.

A good place to head for in huge winter storms is the beach break of Playa de Candas, and although you def-

initely won't be alone the atmosphere in the water is fine. It's actually not that good a wave most of the time. Mid- to low tide.

When the main surf spots get above 3m (10ft) and the tide is low, come to the high-quality right reef break at Playa de Luanco. You'll find a very hollow right that can have great tubes. It's offshore on a southwesterly, which makes it a place to remember in the winter. Doesn't hold much above 1.5m (4–5ft). The water quality is OK.

If you're after some peace and quiet, though the waves are unfortunately not overly good, you might want to take a look at Playa de Llumeres. It's very protected from both swell and wind, so only come when conditions are completely out of control everywhere else. A west wind is offshore. Dropping tide.

ABOVE: LA LLASTRA DE LUANCO. PHOTO BY JUAN FERNÁNDEZ.

INFORMATION

BANKS Plaza Zapardel.

CHEMISTS Plaza Zapardel.

TOURIST INFORMATION There's a summer-only information booth at the seafront (tel 985 88 26 44).

ACCOMMODATION

Free-camping can't really be recommended anywhere around here, but there are a couple of campsites to the south of town on the road towards Candás. **Camping Perlora** (tel 985 87 00 48) is open year-round,

whilst **Camping Buenavista** (tel 985 87 17 93, www.campingbuenavista.com) is a bigger site with more facilities, but is closed for December and January.
Hotel La Estación de Luanco, C/Gijón, 10 (tel 985 88 35 16/17). A standard business-class hotel but with good winter rates (6 winter, 8 summer) and very friendly receptionists.
Hotel La Plaza, Plaza de la Baragaña (tel 985 88 08 79, www.pdixital.org/hotelplaza.htm). Right in the heart of the old town in a nicely restored building, this two-star hotel is pretty good value. (7).

EATING

Bar el Aldeano, Plaza de la Ribera and the **Bar la Marína**, Calle de Teatro, are both highly recommended places to get cheap and decent meals with the locals.
For something more up-market the **Restaurante Robus**, Ortega y Gaset, has high-quality food at high prices.

TRANSPORT

Buses run every half hour to Gijón and Avilés from Plaza de la Villa.

AVILÉS

Avilés is an unfortunate kind of place that seems to have just dropped off all tourist maps. One of the reasons for this could be that the town didn't drop off the industrialists' maps and today the journey through the outskirts is a fine example of how not to make a city look inviting. It is kilometre after kilometre of smoke-belching factories that at one time made this one of Europe's most polluted cities. Understandably it kept away all but the most determined of tourists. Once through this, you'll find a city with a surprisingly attractive and animated old centre, and when it comes to Carnaval there is really only one place in northern Spain to celebrate it. At any other time of the year surfers are unlikely to want to stay here unless it's as an alternative to sleeping in the nearby beach suburb of Salinas.

THE SURF

From mid- to high tide on a 1–2m swell (3–6ft) you can find a good left peeling off a big rock (be careful of submerged rocks) at Playa Aguilera, and in addition to this wave you'll find a nice right breaking down a point. It's a consistent spot and normally quiet with clean water.

A very consistent beach break and with often good sandbars is Playa de Xago. Because it acts as a bit of a swell magnet it's the place to head for in the summer. It does, of course, get very crowded at such times with surfers from Avilés and Gijón, but localism is not an issue. It's offshore with an east wind and has something worth riding at most tidal stages.

Playa de San Juan/Espartal gets very busy and the atmosphere can become a little tense at times – tread lightly. The wave itself can be really good with a consistent right coming off the side of the jetty, and even if this isn't working you'll find fun peaks along the beach. Breaks throughout the tide. Offshore on a southeasterly and not too badly messed up by light southwesterlies. The water quality is a bit dodgy.

SITES OF INTEREST

The old centre is worth a look. The Plaza de España is an impressive square flanked by grand buildings and cafés. On the streets radiating off this square can be found a number of interesting palaces and churches, including the Casa de Valdecarzana, a fourteenth-century Gothic merchant's house, and the San Nicolás de Bari, and Santo Tomás churches. The Parque de Ferrera is a nice place to go and relax and is the most popular place with locals for the evening stroll.

INFORMATION

AIRPORT INFORMATION Tel 985 12 75 00.

BANKS Plaza de España.

CAR HIRE Most of the big companies have branches out at the airport. Call **Avis** on 985 56 21 11, **Nacional Atesa** on 985 51 93 31, or **Europcar** on 985 51 93 31.

DOCTORS The hospital is on Camino de Heros, 4 (tel 985 12 30 00).

FESTIVALS In the last week of August the San Agustín fiesta is when the city tries really hard to outdo its enormous Carnaval celebrations in February/March (see ENTERTAINMENT page 41).

INTERNET Telecentros, C/Jovellanos, 3.

POLICE C/José Cueto, 23 (tel 985 12 21 33).

POST OFFICE C/La Ferreria.

TAXI For **Radio Taxi-Avilés** call 985 56 22 22.

TOURIST INFORMATION The friendly tourist office is on Ruiz Gómez, 12 (tel 985 54 43 25).

ACCOMMODATION
Avilés isn't really used to catering to tourists and accommodation is surprisingly limited for a place of its size, and is aimed primarily at business travellers. There is no way you'd want to free-camp around here. The nearest campsites are on the coast to the west around Santa María del Mar (see page 153).
Hotel Luzana, C/La Fruta, 9 (tel 985 56 58 40, www.hotelesasturianos.com/luzana). A three-star business hotel in the city centre. It's efficient and impersonal, but not bad price-wise. (7).
Hotel Don Pedro, C/La Fruta, 22 (tel 985 51 22 88, www.hoteldonpedro@telecable.es). A small three-star hotel with eight nicely kitted-out double rooms that make it a much better bet than the Luzana.
Pensión La Fruta, C/la Fruta, 19 (tel 985 51 22 88). Run by the same people as the Don Pedro and right opposite it. It's an equally nice place in an attractive old building in the heart of Avilés. (5).

EATING
Restaurante Sidrería Casa Paco, C/La Estación. Cheap and busy sidrería with a guaranteed good feed.
Sidrería Casa Lin, Avenida los Telares. A fairly cheap restaurant with good meat dishes.
Bodega Paxaru Pintu, Avenida los Telares. Very cheap menus of the day with good fish.

NIGHTLIFE
The nightlife highlight of the year in Avilés is the Carnaval celebration in February/March (see below). For the remainder of the year the Sabugo area of the city, close to the train station, is the place to head for. Bars to look out for are **El Ángel Azul**, **La Habana Vieja**, **Mini Teide** and **La Quinta de las Lagrimar**. All of these close at around 03.00, after which people move on to the **El Florida**, on Plaza la Merced.

TRANSPORT
AIR Avilés's airport, from where there are flights to Madrid, Barcelona, several Mediterranean cities, London and Paris, is just to the west of town.

BUS The bus station is on Avenida los Telares, close to the train station. There are up to nine buses a day heading west to points along the Asturian coast and the border with Galicia. Travelling east, you're better off going to Gijón first. To Madrid there are up to four buses a day.

TRAIN The train station is on Avenida los Telares and there are three trains a day to Ferrol, in Galicia, stopping in most coastal towns along the way.

SALINAS

The closest and most popular of the Avilés beach suburbs with an enormous, and in the summertime, very popular, sandy beach. The town itself is an entirely modern tower-block creation and scenically not very exciting.

THE SURF
The most popular beach with Avilés locals, Playa de Salinas is a consistent year-round beach break with many different good-quality peaks. Normally, somewhere will be working at every stage of the tide. The bad points about this spot are the pollution and the sometimes heavy localism. It's offshore on a southeast wind.

At the western end of Salinas is the less hectic Playa de Arnao, another fair-quality beach break that requires much the same conditions as Playa de Salinas, except it prefers a dropping tide and can hold a little more swell.

INFORMATION

BANKS The main town-centre road, Avenida Juan de Sitges.

POST OFFICE Avenida Juan de Sitges.

TOURIST INFORMATION A small seasonal office on Avenida Juan de Sitges.

ACCOMMODATION
Free-camping is not a good idea around Salinas; head further west instead. For campsites you'll also have to go a little to the west, to Santa María del Mar (see page 153).

Hotel Esperanza, C/Príncipe de Asturias, 31 (tel 985 50 02 00, e-mail hotelesperanza@fade.es). Two sizes of room, both of which are good value. The largest rooms are very big and more like little apartments. (6).

EATING
There's a supermarket on Avenida Juan de Sitges.
The Restaurante Gaspora and the **Restaurante Tres Montos**, next to each other on Calle Príncipe de Asturias, are equally cheap and cheerful places to eat.

Restaurante Carmin, Avenida Juan de Sitges is another cheap and decent place to get a feed.

At the Las Conchas end of the beach, by the big tower blocks, are a bunch of cafés, restaurants and bars that can have a good scene on summer evenings when everyone comes out of the city for a swim and a drink.

TRANSPORT
From 07.30 to 22.00 frequent buses run into Avilés.

SANTA MARÍA DEL MAR

Santa María del Mar is either a small and lively summer beach town or a quiet and peaceful winter escape; either way it makes a good alternative to the beaches of Salinas.

THE SURF
Playa Santa María del Mar is a small beach break with a decent left up to 2.5m (8ft), but because this spot is sheltered it does need a solid swell to get it going. All-tide break and offshore with an east wind. Clean water and mellow crowds.

Another beach break needing a hefty swell is Playa Bahinas, which has both a high-quality left and an equally good right. It doesn't hold quite as much swell as Playa Santa María del Mar, but is more consistent. Again, it's an all-tides break, with few crowds.

A worthwhile look on a small swell is Playa de Bayas, a 3km (2-mile)-long beach with plenty of waves to choose from. Come on a day when the wind is from the east and the tide dropping down to low. Doesn't hold above 2m (6ft). Few locals and clean water. A hunt around here should reveal more waves....

For some shelter during storms, check out Playa de la Atalaya y Cazanera and its mix of sandbar and reef waves. Mid- to low tide is best and a southwest wind is offshore. Not a very good-quality wave but at least it's normally deserted. Winter only.

INFORMATION

There is little in the way of facilities of any sort. If you have business to do, go into Avilés.

ACCOMMODATION

In the winter, especially, you should be able to find a quiet corner in which to park up for the night. You have a choice of campsites. The best site, thanks to its location almost on the beach, is **Camping Las Gaviotas** (tel 985 51 94 91), a large, year-round site that might be a bit too noisy for some in the summer. **Camping Las Lunas** (tel 985 51 97 71) is another big, summer-only campsite not far from the beach. **Hotel Aires del Mar**, C/Bellamar, 8 (tel 985 51 96 25). The town's only hotel looks out over the sea and has bargain-priced rooms. (4).

EATING

Two choices for a meal: one is the basic beach-front café; the other is the restaurant attached to the **Hotel Aires del Mar**. Not surprisingly, it specialises in seafood. Crabs are kept in huge vats at the back of the restaurant; pick your crab and it'll be plucked out and brought to your table.

CUDILLERO

The St Ives or Île d'Réi of Asturias is a yuppified and expensive but extremely attractive fishing town loved by the Asturian tourist board. The town basically consists of one main street that winds down a stupidly steep hill to a picturesque old harbour and its surrounding, almost unrealistically quaint, houses. It is, of course, a very popular spot and finding any sort of accommodation in the summer can be almost impossible unless you've booked ahead. You're also going to need your own transport in order to reach the nearby surf spots.

THE SURF

Playa Concha de Artedo offers standard beach-break peaks on a moderate swell at low tide. The beach has some protection from a southwest wind. Few locals and clean water.

You can find a reef at Playa de Oleiros that on a big winter swell and light southeast winds can have a few OK lefts and rights. It's not usually very good, but is almost always deserted. Rising tides are best.

Another fairly sheltered beach break can be found at Playa de San Pedro. It's nothing out of the ordinary, and on a moderate swell will give uncrowded waves throughout the tide. It's about the most consistent spot close to Cudillero. Offshore on a southerly.

INFORMATION

Despite its popularity the town has very few facilities for getting business done.

BANKS Plaza de la Marína.

TOURIST INFORMATION A summer-only booth on Plaza de la Marína.

ACCOMMODATION

There's nowhere to free-camp in town, but the surrounding coastline should turn something up. There are a few campsites in the area. Close to the waves at Playa Concha de Artedo is **Camping Yolimar** (tel 985 59 04 72), a tiny, very cheap, summer-only site. Also nearby is **Camping Concha de Artedo** (tel 985 59 11 08), another cheap, summer-only site. Close to Playa de Aguilar is the larger and more expensive site, **Camping Cudillero** (tel 985 59 06 63), whilst closer to town is **L'Amuravela** (tel 985 59 09 95), the most expensive and largest of them all. **Hotel Isabel**, C/Suárez Inclán, 36 (tel 985 59 11 55). A brand-new hotel with fourteen nicely kitted-out rooms, a couple of hundred metres from the port. (6).

Hotel La Casona de Pio, Riofrío, 3 (tel 985 59 15 12, www.arrakis.es/~casonadepio). A beautiful mid-range hotel close to the harbour. Enormous beds and balconies overlooking the street. Good service and an excellent, though far from cheap restaurant below. (7).

On Garcia de la Concha you'll find a couple of cheaper summer-only pensions; the **Alver**, at number 8 (tel 985 59 00 05), and at number 4, the **El Camarote**, (tel 985 59 12 02), These are about the cheapest two around. (5).

EATING

Food, like accommodation, is not all that cheap, but there's plenty of choice.

At the top of the pile is the **Mesón El Faro**, Riofrío, with expensive and predictably good seafood.

Nearby, on the harbourside, are two much cheaper places, **Taberna del Puerto** and **Restaurante La Parra**, both of which serve up reliably good seafood. **Rincon Pixueto**, C/Suárez Inclán. Probably the pick of the bunch for cheap seafood raciones.

There are a whole bunch of other places to eat and drink around the harbour, all of them good, but they are all aimed squarely at the tourist market and so are quite expensive. If you have the energy to climb the hill you'll find a few cheaper places in the newer part of town.

TRANSPORT

There are buses every hour or so to Avilés, but little in the way of a westward service without traipsing out to the main road at El Pito. Trains stop at the station a couple of kilometres out of town at the top of the hill on their way westward three times a day.

CARNAVAL IN SPAIN

Carnaval is one of the biggest dates in the Spanish festival calendar, taking place 40 days before Lent. Most towns stage some sort of celebration but it's Avilés, in Asturias, and Cádiz, in Andalucía, that put on the biggest shows. Carnaval began as a 'people's' celebration and was in many ways a controlled defiance of the traditional social order. During the Franco years it was seen by the authorities as having too much potential to get out of hand and turn into a genuine backlash against the government, and so it was banned. However, it, like all other Spanish fiestas, reappeared almost as soon as Franco and his cronies were out of the way. And in today's celebrations it can still often feel as if it all has the potential to turn into nothing short of a riot. If you're attending the carnival celebrations in Cádiz or Avilés make sure you dress up, otherwise you'll stand out like a sore thumb, and as is normal in the big fiestas, don't expect to find any accommodation unless you've booked up well in advance. The celebrations centre around Shrove Tuesday, which falls on 4th March in 2003, 24th February 2004, 8th February 2005 and 28th February 2006. Events usually take place in the week leading up to and following these dates.

CADAVEDO

If you're looking for peace and solitude then Cadavedo should fit the bill nicely. There's nothing at all here but a tiny village where nothing much ever seems to happen and, a couple of kilometres away, some empty and beautiful beaches ringed by green hills and valleys.

THE SURF
On a huge northwest swell you can find a reasonable right breaking over a reef at Playa de Cadavedo up to 1.5m (4–5ft). Lower tides and northeast winds are ideal, though it's still far from the best-quality wave in the area. Very rarely surfed.

A good bet on an average swell is Playa de Cueva, where a rivermouth helps to form good sandbars. At the western end of the beach you can often find a decent, tubing left, whilst at the other end of the beach is a right of similar characteristics. There will be something to ride at any stage of the tide, but neither wave can deal with much size. Offshore with an east wind. Pretty clean water and very few surfers. A nice place to hang out.

INFORMATION,
The only facilities are a nice campsite, which also has apartments to rent and one or two bars, all of which are in the village and a long, steep walk to the beach.

LUARCA

For many people Luarca is an Asturian highlight. The town, unlike Cudillero, is a proper working town, a small, friendly and very attractive place built along the banks of a river, with one of the better-preserved and more interesting old quarters in Asturias. Combine these things with a wide range of accommodation and eating options and some good, consistent surf and you've got yourself a great place to spend a few days.

THE SURF
On small days with north swells up to 1.5m (4–5ft), come to Playa de Otur for good-quality sandbar rights that get hollow. It gets fairly busy with the Navia crew, but the atmosphere is welcoming. Offshore winds are from the south, but it also has some protection from west winds.

Another good-quality beach break is Playa de Barrayo. It's worth coming here on bigger days as it's a little sheltered. Holds up to 2m (6ft) with some hollow sections. Offshore on a southwest wind. It's surfed less than the other waves around here.

INFORMATION

BANKS Plaza de Alfonso X.

DOCTORS The **Hospital Ambulatorio** is just off to the east of the centre (tel 985 47 02 29).

INTERNET Cibernet.es, Párroco Camino, 32.

POLICE Plaza de Alfonso (tel 985 47 07 08).

POST OFFICE C/de Ramón Asenjo.

TOURIST INFORMATION The very helpful tourist office is on Calle Olavarrieta, 27 (tel 985 64 00 83).

ACCOMMODATION

The coastline either side of Luarca is full of opportunities for free-campers. Those after the comforts of an official campsite can try the year-round and impressively situated **Camping Los Cantiles** (tel 98564 09 38, www.conectia.net/cantiles) on the cliffs to the east of town or, better still for surfers, **Camping Playa de Otur** (tel 985 64 01 17, www.inicia.es/de/cotur), a very small, summer-only campsite close to the surf at Playa de Otur.

Hotel La Colmena, C/Uria, 2 (tel 985 64 02 78, e-mail lacolmena@lacolmena.com). A very good-value one-star hotel with big rooms, some with glassed-in balconies overlooking the river. Downstairs is a good bar for coffee and breakfast over a newspaper. (6).

Hotel Rico, Plaza de Alfonso X, 6 (tel 985 47 05 85). Very ordinary rooms but cheaper than La Colmena and in an equally good position. (6).

On Calle Crucero are three cheap places: the small **Hotel Oviedo** (tel 985 64 09 06), though this is a bit overpriced (6), the cheaper **Oria** (tel 985 64 03 85) (5), and the even cheaper, but very basic **Pension Moderna** (tel 985 64 00 57). (4).

EATING

Restaurante La Estrella, Ramón Asenjo. The daily menus are cheap, tasty and a favourite with local workers.
Restaurante La Montañesa, Nicanor del Campo. This is probably the best bet in town if you're after a steak or meat dish.
Restaurante Salinas, C/Pilarin. A cheap and rustic place for a feed with the locals.

Down by the harbour are several other, more expensive, tourist-orientated places, all with good food.

NIGHTLIFE

A good time to be in town is during the San Timoteo Fiesta that takes place in the week around 22nd August. For bars busy with young locals the **Bur-Bur Bar**, down by the port, and **El Muro**, on Plaza de Alfonso X, are both worth a look.

TRANSPORT

Buses leave from the station on Paseo de Gómez for Ribadeo, on the Galician border, and eastwards towards Gijón about seven times a day

The train station is a couple of kilometres away, with two trains a day winding along the Galician coast to Ferrol, and to Avilés/Gijón and Oviedo three times a day.

NAVIA

After Luarca the coastline and its towns lose much of their attractiveness until a fair way into Galicia, though good waves remain. Navia, with its noisy and polluted main street, is one of the less attractive coastal towns in Asturias, though the fact that it is a proper working town does give it a bit of life, and its lack of concessions to tourism means that even in the high season you're likely to be one of only a few tourists staying here.

THE SURF

High-standard peaks break at Playa de Frexulfe at any tidal stage. It doesn't do a lot on the very smallest of swells, but it's quite consistent, meaning that it's worth a look in the summer. You won't see many surfers here.

Offshore with a south wind.

A really good right point can be found at Playa de el Moro. It's a consistent wave with fast and hollow walls that in the right conditions can reach 3m (10ft), but it starts breaking from 1m (3ft) upwards. You can find waves here year-round and much of the time it's quiet. A south wind is offshore.

The town beach, Playa de Navia looks quite nice at first and is yet another good-quality beach break that can have a worthwhile left, but it does have the drawback of very dirty water, which is thanks largely to industrial pollution from further upstream. It can handle a bit of size, but it doesn't pick up anything on smaller days. Lower tides. Offshore on a south wind.

INFORMATION

BANKS Avenida Regueral.

CHEMISTS Plaza de la Constitución.

DOCTORS Call the medical centre on 985 47 34 72.

POLICE C/Real, 6 (tel 985 63 17 64).

TOURIST INFORMATION Plaza del Ayuntamiento (tel 985 47 37 95).

ACCOMMODATION

In the winter you could probably free-camp on **Playa de Navia** without many problems.

The nearest campsites are either back towards Luarca or in Tapia.
Arco Navia Hotel Apartamentos, C/San Francisco, 2 y 8 (tel 985 47 34 95, www.hotelarco.com). Should you choose to stay the night this is a really friendly and good-value place on a quiet back street. (6).

The only other place is the top-end and

very luxurious **Palacio Arias**, Avenida de Los Emigrantes, 11 (tel 985 47 36 75), which as the name indicates, is a converted palace just outside the town centre. (7).

EATING

When it comes to food you're going to do a lot better than in the accommodation stakes. There's a supermarket on the road to Playa de Navia.

Café Oriental, Avenida Regueral. Full of older locals and plenty of atmosphere.

The Sidrería Antolín, down by the port, is the town's favourite eating and drinking establishment. Good value.

Restaurante La Barcelona, also down by the port, is a much classier place with good food at higher prices.

TRANSPORT

Seven buses a day pass by on the way to Ribadeo and Tapia and nine head back to Gijón. Two trains go to Ferrol and three head back east along the coast.

TAPIA

The small fishing town of Tapia is one of the more popular stops with travelling surfers in Asturias. They are drawn here by the laid-back atmosphere, lively summer bar scene and more importantly, a consistent and fun beach break and some good options in heavier swells. These things have made Tapia about the closest thing Asturias has to a full-blown 'surf town'.

THE SURF

The main town beach, Playa de Tapia, has a classy left from mid-to-low tide on a strong northwest swell. It's more of an autumn-to-spring break and it gets very busy, with quite a lot of tension in the water. Offshore on a southerly.

The break most commonly surfed by the bands of travelling surfers is La Paloma, a little way out to the west of the town centre. It's a very consistent spot, picking up even the smallest of summer swells and turning them into a fast wave, though one that often closes out. An east wind is offshore and it's better at lower stages of the tide. Its summer consistency means that it draws in the crowds, but the atmosphere is usually cool.

A few kilometres out of Tapia towards the Galician border is Playa de Peñarronda, a fairly good beach break that requires a little more swell than La Paloma for its fast and peaky lefts and rights to start working. Mid-tide is best, and winds from the southwest through to the southeast are offshore. Crowds are much less of a problem here.

INFORMATION

BANKS The central Plaza de la Constitución.

DOCTORS Health centre on C/San Martín.

POLICE C/La Torre.

POST OFFICE C/Marques de Casariego.

TOURIST INFORMATION A summer-only kiosk on Plaza de la Constitución (tel 985 47 29 68).

ACCOMMODATION

Until recently it used to be possible to free-camp on the small headland above Playa La Paloma, but with the resurfacing of the car park and 'tidying up' of the headland this is now much less accepted. There is a decent little summer-only campsite, **Camping Playa de Tapia** (tel 985 47 27 21), with good-sized grassy pitches, just on the other side of this beach and a short walk into town.

Hotel Puente de Los Santos, C/General. Primo de Rivera, 31 (tel 985 62 81 56). You can choose between good-value doubles at the front of the hotel or the

slightly cheaper but not quite as good-value rooms at the back of the hotel. (6).

Hotel La Ruta, C/General. Primo de Rivera, 38 (tel 985 62 81 38). Some of the rooms have vague views out over the sea, and though the rooms are very ordinary it's probably the best bet in town. (6).

EATING

There's a small supermarket on Plaza de la Constitución where you can stock up on most of the essentials. Near to the hotels on Calle General Primo de Rivera is a bakery with really good cakes.

Restaurante Bar El Bote, C/Marques de Casariego is one of the town's posher eating places and isn't the place to go if you're on a budget, but the food is good.

Sidrería La Cubierta, C/Santa Rosa. All the standards at moderate prices and if you drink enough sidra then you might get some tapas thrown in.

La Marina, C/del Puerto. Very good-value menus of the day make this one of the better places to eat.

There are also a number of super-cheap burger bars catering to hungry surfers throughout the town.

NIGHTLIFE

The San Pedro fiesta takes place on 29th June, whilst in July there's the El Carmen fiesta. The harbour is the place to head for at night; **Bar Marajada** and **La Sal** are among the most popular spots with the town's surf population, and when they close people head to the nearby **Disco Tapi O.K.**

TRANSPORT

There are seven buses a day in either direction between Tapia and Ribadeo and Gijón as well as two trains.

GALICIA

Galicia is a strange sort of place. After Euskadi it's probably the second-most popular area of the country with travelling surfers, yet its reputation is one of a wild and untapped surf zone where it's still possible to get excellent waves all to yourself, even in the height of the summer. In many respects this image is a truthful one; along the beautiful Costa da Morte (Coast of Death) it is possible to find not just a perfect empty wave for yourself in August, but also an entire beach, whilst in the winter it can sometimes feel as if you're the only surfer around. Yet on the other hand Galicia contains a large number of urban centres – with active and ever expanding surf populations – on whose beaches you'll never surf alone, and the beautiful Galician coastline has also had to put up with some remarkably short-sighted and ugly coastal developments that can hardly sit easily with anyone's impressions of Galicia. Most travelling surfers enter Galicia from Asturias and shoot straight towards the beaches around Ferrol, before scooting quickly along the Costa da Morte and on into Portugal. These are the most consistent areas of the region and in the summertime it's a route that can't really be faulted. Through the rest of the year you could happily spend weeks exploring the nooks and crannies of Galicia's contorted coastline surfing beaches that only come alive on the biggest of swells. Scenically, Galicia is one of the gems of Iberia and would have no problem drawing tourists for this alone, but Galicia has another ace in its pack: the end of the road. Santiago de Compostela has been the goal of millions of pilgrims for over a thousand years; a pilgrimage here can help to wipe your past clean of any sins and is almost as good for the soul as a pilgrimage to that Holy of holies, Jerusalem. This granite city might not be on the coast, but it really should be on your itinerary.

Galicia receives great waves year-round, but its position at Iberia's most northwesterly tip means that it's also the windiest and stormiest area of the country, which can make the deep winter months an unpleasant time to travel around. On the other hand this wide exposure to Atlantic swells makes the area around Ferrol and parts of the Costa da Morte about the most consistent summer surf destination in Europe. As in most of Spain, autumn is by far the prime surf time and the weather is still suitable for camping.

OPPOSITE: THE HARBOUR, CAMARIÑAS. PHOTO BY STUART BUTLER.

SPOTS

1. The beaches of Foz
2. Playa A Marosa
3. Playa de San Cibrao
4. Playa de Area
5. Playa de San Roman
6. Playa de Esteiro
7. Playa de Castro,
   Playa de Sarrigal
8. Playa de Espasante
9. Playa de Cariño
10. Playa de Baleo
11. Pantin
12. Playa de Frouxeira
13. Playa de Campelo
14. Playa de San Xurxo
15. Playa de Doniños
16. Playa de Bastiagueiros
17. 17-Playa de Riazor (Matadeiro)
    Playa del Orzán
18. Playa de Sabon
19. Playa de Barrañan
20. Playa de Caión
21. Playa de Razo
22. Playa de Malpica,
    Playa de Seaia
23. Playa de Area Suerto
24. Playa de Traba
25. Nemiña
26. Playa do Rostro
27. Playa de Carnota
28. Playa de Lariño
29. Playa de Louro
30. Playa Aguieira
31. Playa de Fonforron
32. Playa de Baroña
33. Playa de Rio Sieira/Furnas
34. Playa de Ladeira
35. Playa de Lanzada
36. Playa de Montalbo
37. Playa Melide,
    Barra and Negra
38. Playa de Patos
39. Playa de Madorra
40. Santa Maria de Oia
41. Playa do Carreiro

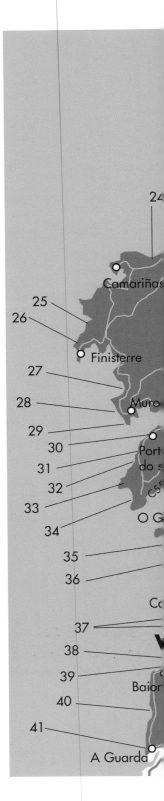

ABOVE: GALICIA. OLD AND NEW. PHOTO BY STUART BUTLER.

FOLLOWING PAGES: DONIÑOS. PHOTO BY WILLY URIBE.

LA CORUÑA

Razo

Ferrol

Cedeira

Ortigueira

O Barqueira

Viveiro

Burela

Foz

SANTIAGO DE COMPOSTELA

Lugo

Pontevedra

Orense

C542

A55

N634

N640

N541

A52

PILGRIMAGE TO SANTIAGO

All over northern Spain you'll notice signs illustrated with a picture of a scallop shell or you may come across groups of walkers loaded down under heavy backpacks and with a scallop shell hanging around their necks or attached to their bags. What's it all about? Do the Spanish have some strange fetish with shellfish? Well, the truth is much more strange; the signs are marking El Camino de Santiago (the Way of St James) and the walkers are pilgrims travelling along Spain's oldest tourist trail to the Cathedral of Santiago de Compostela. St James was one of the first disciples chosen by Jesus, and the story goes that after the Crucifixion St James headed west to Spain, where he tried unsuccessfully to convert the people of Zaragoza to Christianity. Giving them up as a bit of a lost cause, he returned to the Middle East, where he was promptly beheaded because of his beliefs. However, not being one to let such a minor problem get in the way of converting the masses and destroying the infidels, he managed to get his corpse put into a stone boat by a couple of his disciples and, though the stone boat also had the disadvantage of no sails or crew, his decapitated body managed to float back to Spain, where he was supposedly buried in a small cemetery called Compostela, and forgotten about. Around 800 years later a hermit, who was led to the burial spot by shooting stars, rediscovered his remains. It was an opportune discovery, given that at the time the Muslim Moors had largely overrun Spain. Alfonso II, King of Asturias, which was about Spain's only remaining Christian enclave, came soon after the discovery to pay his respects and afterwards had a chapel built on the site. It was only shortly afterwards that St James began to appear on the side of the Christian forces in the battle against the Moors, dressed as a knight in armour and slaying Moors by the thousand in numerous battles. The story of his heroics spread throughout Christian Europe and pretty soon a trickle of pilgrims coming to pay their respects and gain a healthy chunk of time off from purgatory turned into a flood. So popular did the pilgrimage become that a full-scale tourist industry sprung up in any town lucky enough to be on the standard route from southwest France across northern Spain to the now booming city at the trail's end, Santiago de Compostela. Its popularity even gave birth to the world's first travel guidebook, which provided much useful information for the pilgrim of the Middle Ages as well as a look into the people and cultures of the lands through which the pilgrim would pass. In one instance it reveals how the Basques protected their mules from the advances of their neighbours with chastity belts. Eventually the city was attracting more pilgrims than Jerusalem itself and it was given another huge boost when Pope Alexander III declared Santiago a Holy City equal in status with those Holy of holies Jerusalem and Rome. In special Holy Years people making the pilgrimage gained a full remission from purgatory (the next Holy Year is 2004). Aside from a shorter spell in Hell the other reason for the pilgrimage's popularity was the chance it gave the Medieval European to travel and see something of the world.

The route retained its popularity right up until the end of the eighteenth century. By the middle of the twentieth, though, it was almost as dead as St James, but then, quite suddenly, it began to re-emerge, possibly in response to disillusionment with the modern world. In 1982 Pope John Paul II became the first Pope to visit and in 1985 UNESCO declared it the 'Foremost Cultural Route in Europe' and now once again a huge tourist industry is springing up around the legend.

FOZ

How you feel about Foz can depend a lot on your mood and the weather. At one moment it can seem like a dull working town to be escaped from as quickly as possible, whilst in a different light it can be a strangely attractive town – at least in the tiny old quarter down by the waterfront. Whatever, it certainly makes a better base than nearby Burela.

THE SURF

The first of the Foz area spots is in the village of Reinante, Playa de San Miguel de Reinante, a fairly consistent beach break on a pushing tide up to 1.5m (4–5ft). You'll find fast and walled-up peaks with few other surfers. The water quality is not too bad.

Separated by small rocky promontories are the similar Playas de Fontela, Abalea, Peña da Salsa, Coto, Remior, San Bartolo and Oliñas do Mar. All are standard beach breaks that need a medium-sized northwest swell (2m) to start breaking. You will find something worth riding at one of these spots no matter what tidal stage it is. On the whole the wave quality is good with plenty of fast, hollow sections being common; none, though, hold very much swell. Offshore on a south or southwest wind. The usually small crowds are well spread-out.

If you get a good-sized swell it can be worth taking a look at the mouth of the Ría Foz, as a good sandbar can be formed by the river currents which very occasionally can have a really good left-hander on it up to 1.5m (4–5ft). Offshore on a south or southwest wind. It can get quite busy but if you're cool, then they are. The water can be quite dirty.

A fairly mediocre but always quiet beach break can be found at Playa Rapadoira, which is pretty much in Foz town centre. Mid-to low tide and though it takes a bit of swell to get going, it doesn't hold very much size. Like all the other spots around Foz it's offshore with a southwest wind. The wave is primarily a right and the water can be quite polluted.

INFORMATION

BANKS Avenida Alvara Cunqueiro.

CHEMISTS Avenida Alvara Cunqueiro.

DOCTORS The health centre is on Paseo A Ribería (tel 982 14 00 04).

POLICE Avenida Alvara Cunqueiro, 24 (tel 98214 00 27).

POST OFFICE Avenida Alvara Cunqueiro.

TOURIST INFORMATION Avenida Alvara Cunqueiro (tel 982 14 02 51).

ACCOMMODATION
There isn't much in the way of free-camping possibilities here, as the surrounding area is pretty built-up. There are, however, two official campsites, **Rapadoira Ilas** (tel 982 14 07 13), which is close to the town centre, and the small **San Rafael** (tel 982 13 22 18), which is on a little beach a couple of kilometres to the north of town.
Hostal Norte, Avenida de Viveiro, 25 (tel 982 13 21 81). Very average rooms that can be a little noisy because of the busy main road. It's a little overpriced, but the downstairs bar is cheap and full of locals. (5/6).
Leyton Hotel, Avenida da Marína, 6 (tel 982 14 08 00). Very large rooms in the town centre but with a terrible '70s feel to the deco. Overpriced. (7).

EATING
There are a couple of little supermarkets right in the town centre.
Restaurante O Lar is a small place on the harbour that has very cheap seafood.
Xoyma, Avenida da Marína, Lots of cakes and cheap, basic meals.
The restaurant in the **Leyton Hotel**, Avenida da Marína, is pretty reasonable.

TRANSPORT
Four trains a day pass through town on their way to Ferrol and Gijón, and a couple of buses head to Viveiro and Ribadeo.

FOLLOWING PAGES:
CLYDE MARTIN, DONIÑOS.
PHOTO BY F. MUÑOZ.

BURELA

An ugly and grey port town that is, to be honest, best avoided, although for some people the fact that this is a working town with very few concessions to tourism is enough of an attraction to justify a stay. For everyone else, push on to the towns and beaches a little to the west.

BELOW: A MARIÑA LUGO. PHOTO BY WILLY URIBE.

THE SURF

A quiet spot that breaks on a fair-sized swell at any tide and with few crowds is Playa A Marosa. You'll find a fun right at one end of the beach and a left breaking close to the cliffs at the other end that can be reasonable. It's offshore on a southerly.

Close to the San Cibrao headland is Playa de San Cibrao, a poor-quality left-hander needing a heavy swell and south winds. It breaks throughout the tide and is usually empty. The water quality is fairly good.

INFORMATION

BANKS Rúa Pardo Bazon, the main road through town.

CHEMISTS Rúa Pardo Bazon.

DOCTORS There's a Red Cross branch down in the port (tel 982 58 14 52).

TOURIST INFORMATION Rúa do Correo (tel 982 58 06 09).

ACCOMMODATION

You might be able to free-camp at Playa A Marosa.

Hostal Mesón da Pedra, Rúa da Lamestra (tel 982 58 53 57). With its friendly reception and decent rooms, this is the best place to stay in town. It's close to the sheltered, safe and none too attractive town beach. Lively downstairs bar. (4).

You'll find another similar hotel, the **Hostal Rompeolas**, on Avenida da Marína.

EATING

There's a supermarket on Rúa Pardo Bazon. Also on this road is La Bodeguilla, just opposite the library, which does tasty raciones and drinks, or there's the **Artezzo**, which is also on Rúa Pardo Bazon and serves up cheap-to-moderate-priced meals.

TRANSPORT

Four trains a day stop in Burela en route to either Ferrol or Gijón.

ABOVE: PLAYA DE RAZO. PHOTO BY STUART BUTLER.

VIVEIRO

Viveiro is the biggest tourist centre on the north coast and though the old centre of town is a lively and attractive place to hang out in and the surrounding countryside a big draw, it may be that Viveiro has become a little bit too concerned with tourism. In addition, the waves on the nearby beaches are not likely to keep you here for very long.

THE SURF
Legend has it that the waves breaking at Playa de Area are doing so on top of an ancient city that was destroyed for not listening to the words of St James. If this is true it must have been an enormous swell that was responsible, because today this is one of the more sheltered spots around here and you'll need a massive winter swell to turn on a very average mid- to low-tide beach break that doesn't hold much size. Offshore with a southeast wind.

Somewhat more consistent, but still needing a bit of energy to get going is Playa de San Roman. It's a rocky beach break and it's definitely not worth travelling too far to ride its shifty peaks. Mid- to low tide and south or southwest winds are best.

INFORMATION

BANKS Avenida de Galicia.

CAR HIRE There's a small car hire company based just outside the bus station on Avenida Ramón Canosa.

CHEMISTS Avenida de Galicia.

DOCTORS The health centre is on Avenida Ramón Canosa (tel 982 56 01 26).

INTERNET Fox Ciber, C/Nicolas Cora Monteregro.

POLICE Plaza Mayor (tel 982 56 29 22).

POST OFFICE Avenida Ramón Canosa.

TOURIST INFORMATION The friendly and enthusiastic year-round tourist office is at Avenida Benito Galcerán, 22–24 (tel 982 56 08 79).

ACCOMMODATION
Viveiro is a bit of a strange place when it comes to accommodation: there's plenty of it, but it's primarily in the upper end of the price scale. Also, and most surprisingly, there's not really anywhere to stay inside the old town, which is obviously where most people would prefer to stay. For free-camping, the beaches outside town might offer something. There's a summer-only campsite, **Camping Viveiro** (tel 982 56 00 04), on the very sheltered Playa Cova, which is in the newer half of town on the opposite side of the ría to the old town. **Hotel Vila**, N. Cora Montenegro, 57 (tel 982 56 13 31). It definitely doesn't extend the warmest of welcomes, but its location at the top of a hill right next to the old town is good. (5).

The only place to stay actually in the old town is the extremely basic **Fonda Nuevo Mundo**, Rúa María Teodoro de Quirós, 14 (tel 982 56 00 25). The old woman who runs the place is very selective about who she allows to stay, so put on your best smile! (2/3).

Hostal Residencial As Areas I and II. As Areas I is on Granxas, 12 (tel 982 56 06 05), and is, despite its distance to the old town centre, a much better place to stay than many places in the town centre. It's pretty much on Playa Cova and has decent comfortable rooms. (6). As Areas II, Avenida de Santiago, 22 (tel 982 55 05 23), is much the same and is also close to Playa Cova.

Hotel Orfeo, C/J. García Navia, 2 (tel 982 56 21 01). A three-star hotel right on the waterfront and close to the old centre. It even has its own in-house cinema. It's quite a good deal in the off-season. (7).

EATING
There's a big supermarket on the edge of town, on Avenida Ramón Canosa, very close to the tourist office and bus station. **Restaurante A Fonte**, C/Lodeiro. This might well be the best place in town to get a decent fish meal that's not overly expensive. **A'Làreira**, C/Lodeiro. Cheap, daily menus and good tapas, including octopus and prawns in garlic. **Moncho da Playa**, Avenida de Ferrol. Nice views over the river from this moderately priced fish restaurant. **Bar Martínez**, Misericordia, 67 (tel 982 56 29 62). In addition to cheap food there are also a few basic rooms to rent here.

TRANSPORT
Four trains a day in either direction to Ferrol and Gijón. If you're going by bus then there are ten a day to Ferrol, two to Santiago, six to La Coruña and two or three to Ribadeo, where you can change for towns in Asturias.

O BARQUEIRO

Delightful O Barqueiro is a tiny sheltered fishing village on the main coastal rail and bus lines. It's one of the more attractive spots on the north Galician coast. It's infinitely preferable to Ortigueira as a base for the nearby surf spots and when there's no surf then there are dozens of other little coves to explore. Nothing much happens here and if you're after a peaceful spot to get away from it all then this is the place. If you liked Elantxobe, in Euskadi, then you'll love this place.

THE SURF
Playa de Esteiro is the most northerly of the spots in the Ortigueira region, a fairly low-quality beach break that likes low tide, east winds and needs a small-to medium-

sized swell. It's never too crowded and the water is clean.

Playa de Castro is a little difficult to access and, for many people, not worth the effort. This, of course, means you'll have it all to yourself. The waves, though not great, do have their moments. It's a low-tide spot

that needs a bit of swell. Southeast winds are offshore.

A similar beach break, but one that holds slightly more swell is Playa de Sarrigal. The waves are fairly standard beach peaks, better on a dropping tide and with a southeast wind.

INFORMATION

The village is used to tourists and has a number of places to stay and eat, but no other real facilities.

ACCOMMODATION
You won't be able to free-camp in the village itself but there are plenty of secluded little coves where you might be able to stay. **Hostal O Forno**, on the harbourside (tel 981 41 41 24). Small but nice rooms with superb views out over the harbour. Good bar/restaurant below. The best-value place to stay in the village. (5).
Hostal La Marína, on the harbourside (tel 981 4140 98). Whilst the set-up is not quite as inviting as the O Forno, you can't

complain at the rooms, and the price makes this a bit of a bargain. (4).
Bar Estrellas del Mar, on the harbourside (tel 981 41 41 05). It might be the most basic of the three, but you can't really go wrong for the price. (3) summer (1) winter.

EATING
Aside from the three bar/restaurants below the hostales, which are among the best places to eat, you'll also find a couple of other cheap café bars selling fish bought straight from the boats that morning.

TRANSPORT
O Barqueiro is on the train line and bus routes to Ferrol and Asturias, with several buses and trains a day in both directions (see VIVEIRO page 165 for more information).

ORTIGUEIRA

First impressions may not make it the nicest town in Galicia, but its views over the ría from the waterfront square and the general peace and quiet of the tiny old centre make up for those first bad impressions. It's worth trying to be in town during the Mundo Celto music festival in early August.

THE SURF
For a very sheltered spot that is only likely to ever break in the winter, head to Playa de Espasante. It needs a

huge northwest swell and is a good place to go in gale force south winds. The waves are fairly standard beach peaks that are better at lower tides. When it breaks you will usually find a few other guys in the water.

It needs a good swell to get it going, but Playa de Cariño is a little-surfed beach break that can handle any sort of wind from the west. The waves can be quite fast and a lot of fun on a dropping tide. Again, it's only really a winter spot.

INFORMATION

BANKS Avenida Franco, the main C642 road running right through the town.

CHEMISTS Avenida Franco.

DOCTORS There's a health centre by the church in the old quarter.

INTERNET Rúa Curvxeira.

TOURIST INFORMATION Down on the waterfront square. Summer only.

ACCOMMODATION
If you're a camper then your only option is to free-camp on one of the nearby beaches.
Hostal Monterrey, Avenida Franco, 105 (tel 981 40 01 35). Reasonable rooms without bathrooms. (4).
Hostal La Perla, Avenida de la Perla (tel 981 40 01 50). On the road into town from the east. It's more expensive than the Monterrey but has much better-quality rooms; it's just a shame about its location. Good-value winter rates. (6).

EATING
A supermarket can be found on Avenida Franco. There isn't a huge range of choices in the restaurant department: the **O Malecon** and **Café Alameda**, both on the square by the tourist office, have cheap snacks. Slightly further up the scale is **Bodegón 90**, on the same square. All are favourites with locals on a Sunday afternoon.
Mesón D'Carlos, Avenida Franco, is another similar-style cheap spot for a meal.

TRANSPORT
Trains and buses stop at the eastern end of town and there are four trains a day to/from Ferrol and Oviedo.

FOLLOWING PAGES:
GOING FOR IT., DONINOS.
PHOTO BY F. MUÑOZ.

CEDEIRA

The pretty little fishing town of Cedeira, divided into two by a river and stuffed up inside the corner of a steep-sided, tree-hugged ría is the only vaguely substantial place between Viveiro and Ferrol, excluding the ugly summer-only beach town of Valdoviño, and makes an excellent place from which to spend a few days exploring the many nearby beaches.

THE SURF

Cedeira has a couple of very attractive beaches just around the edge of the town, none of which ever get any surf, and all offer very safe swimming.

Consistent beach peaks can be found at Playa de Baleo at low tide, though it's usually the worst-quality wave around Cedeira. Southeast winds are offshore. Crowds are rare and the water's clean.

Galicia's best-known wave is Pantin (or Playa de Rodo). It's a regular stop-off on the WQS circuit and is crowded year-round. The waves are very consistent and it can hold solid swells. There are two distinct peaks, a left and a right, both of which are fast and hollow. Low tide is best, though you can find something to ride at any tidal stage. The best winds are from the southeast. There is usually a channel on the northern end of the beach. If you get it on a good day then you can expect epic overhead spitting barrels, but the downside of this quality is the heavy, and often very localised, crowds. It's quite common to find people free-camping in the beach car park.

The huge Playa de Frouxeira (or Valdoviño) is the place to head for when everywhere else is flat, as it almost always has something worth riding. There are different sandbars running down the length of the beach; they're usually good and can hold a decent swell. There's a small island at the northern and main access point to the beach that can often have a really fast and hollow right breaking off it. You'll find waves at every stage of the tide, but in general, low tide is best. It's north-facing aspect makes it a good bet in south winds. The consistency and quality of the waves draws in the surfers from the surrounding area, but the atmosphere is usually pretty chilled.

Another really high-quality and consistent beach break is Playa de Campelo. If you get it good you'll find a long right-hander with tube sections, best at low tide and with light southeast winds. Again it can hold a healthy swell, but still works well on small summer days. It's a very beautiful beach with clean water, though it's a little difficult to find. Can be the best spot around.

INFORMATION

BANKS The central square, Praza de Galicia.

CHEMISTS Praza de Galicia.

INTERNET Café Bar Ciber, C/Ponte Nova. It also doubles up as a busy bar.

POST OFFICE Avenida de Area.

TOURIST INFORMATION The summer-only tourist office is by the bridge into the older part of town, Plaza de Esquíel Lopez de la Ballina (tel 981 48 21 87).

ACCOMMODATION

As already mentioned, Pantin usually attracts a few free-campers, but to be honest most of the quieter beaches around here will probably be fine to park up for the night on.

There are three campsites in Valdoviño, none of which are open all year: **Camping Valdoviño** (tel 981 48 70 76) is the smallest, best-equipped and not especially cheap; **Camping Fontesín** (tel 981 48 50 28), and the closest to the beach, **Camping Lagoa** (tel 981 48 71 22), is bigger and half the price.

For rooms there are a couple of different options in Cedeira:
Hostal Brisas, Arriba da Ponte, 19 (tel 981 48 10 54). Right by the upper bridge into the old town. Nice and large but basic rooms. Still, it's cheap, central and friendly, and so for most people, will be ideal. (4).
Hostal Chelsea, Plaza Sgdo Corazón, 9 (tel 981 48 23 40). It's a little overpriced, but is a nice enough place, located on a central square in the new town. (5).

EATING

There are a couple of supermarkets on Calle Cuatro Caminos, which is the road leading towards Ferrol.

A nice place for a beer on a sunny evening is the **Gran Café Bar Pinzon**, C/de la Marína Espanola.

Also on C/de la Marína Espanola is the **O'Peirao**, which has cheap pizzas, burgers and sandwiches that can be eaten on the outdoor tables overlooking the river.
A Bodega Xamoneria, C/Ponte Nova. A colourful and lively place to eat local food with the townspeople.

You can get a good breakfast and a mouth-watering range of cakes as well as strong coffee from the **Los Camelias** bakery, C/José Pascal Lopez.
Mesón Muiño Kilowatio is on the road out to the harbour, Avenida A Moreno, and does decent dishes in the cheap to moderate price range.

TRANSPORT

Cedeira is on the main rail and bus routes along the north coast of Galicia and most trains and buses stop here. See FERROL AND SAN XURXO for more information on timetables.

FERROL AND SAN XURXO

In most respects Ferrol is a highly missable naval and dockyard town that's suffering badly from the collapse of the shipbuilding industry. Most tourists, unless they have some strange compulsion to visit the birthplace of Franco, drive straight by on the way to more-fertile tourist destinations. Surfers, though, are likely to find themselves, at the least, passing through town in a hunt for the elusive road to the nearby surf spots of San Xurxo and Doniños, two of Galicia's best. If you do come to one of these beaches then it's worth a stroll around Ferrol. The people are friendly and the university gives the bars a bit of life during term time. There are two summertime fiestas; San Xiao, on 7th June, and the city fiesta, at the end of August.

THE SURF
Playa de San Xurxo is a high-quality beach break that offers a bit more protection than Doniños in south winds and bigger swells. The left at the southern end of the beach is the best and most consistent wave. Come during south winds at low tide. Sometimes, at the north end of the beach, opposite the campsite, there is an equally good left that can be very hollow. East winds are best for this wave. In between the two you'll find a number of other peaks. Busy when it's on.

Playa de Doniños is a large dune-backed beach that picks up the slightest ripple in the Atlantic; therefore it's a great summer surf beach, though its consistency, proximity to Ferrol, and high-quality waves guarantee crowds. It's best on lower tides and with northeast winds. The north end of the beach generally has the better sandbars and it can have a really nice shore break. This is one of the better beach breaks in Spain and is well worth checking out. The water is pollution-free, but unfortunately not always hassle-free.

INFORMATION

Almost all of the facilities are in Ferrol.

BANKS The main street, Rúa Igrexa.

CAR HIRE Autos Brea, S.L. María, 15 (tel 981 32 35 99) and **Autos Sol**, Sol, 130 (tel 981 35 80 70).

CHEMISTS Rúa Igrexa.

DOCTORS Fontela Marisany Health Centre, Praza de España, 19 (tel 981 31 10 50).

HOSPITAL Caranza (tel 981 31 25 00).

POLICE Virxe da Cabeza (tel 981 31 44 03).

POST OFFICE Praza de Galicia.

TAXI Radio Taxi (tel 981 35 55 55) and **Tele Taxi** (tel 981 35 11 11).

TOURIST INFORMATION Magdalena, 12 (tel 981 31 11 79). Quite a way out of the centre of town, on the road to La Coruña.

ACCOMMODATION
In the summer it would be very hard to free-camp on any of the beaches close to Ferrol unless you were very discreet and only stayed a night. In the winter, although you will still have to be discreet, you might get away with it in the forest behind Playa San

Xurxo. The best place by far to stay is the summer-only campsite about halfway along **Playa San Xurxo** (tel 981 36 57 06), a fairly large and cheap site set under the shade of the pine trees.

There are no hostales or hotels of any kind on the beaches, though you may come across private rooms to rent in the summer. **Hostal Real**, C/Dolores, 11–13 (tel 981 36 92 25). A modern, clean, efficient but unfortunately not very friendly hotel on one of the main streets in Ferrol. (5/6)

Hostal Ryal, Rúa Galiano, 43 (tel 981 36 90 31). Larger than the Real but otherwise similar. (5/6)

EATING
The two main restaurant areas are either down by the port, where you'll find some cafés and bars that can be good places to go on a nice summer evening. In town there are heaps of places to get a cheap meal on and around the main streets. On Rúa Magdalena you'll find the **Casa do Fol**, which has tasty local food, and the **Café Stroller**, the swankiest coffee shop in the city.

Out at the beaches there are a couple of summer-only cafés, including the **Restaurante Claudina**.

TRANSPORT
The train station, which is to the north of Praza de España, has two direct trains to Oviedo and Gijón a day, stopping at most coastal towns on the way, and another couple of indirect trains. Going the other way, towards La Coruña, there are four a day.

The bus station is beside the train station and there are buses to La Coruña every hour throughout the day (less at weekends) and almost as many buses heading up the coast towards Asturias.

In the summer there are also two or three ferries a day to La Coruña.

There are frequent local buses to the beaches.

LA CORUÑA

Though few people come away on a surf trip to spend their time surfing busy city breaks, La Coruña (A Coruña) and its environs will more than fairly reward you for any time you devote to it. The second-biggest city in Galicia after Vigo and full of character, the outskirts may not fill you with hope for the city, but like so many Spanish towns, once you reach the centre you'll find an energetic and attractive port city with enough diversions, surf spots and nightlife to keep you busy for a few days. If you've just come from the Costa da Morte then you're going to find cosmopolitan La Coruña a bit of a shock.

The city's origins go way back. If the legends are to be believed then Hercules came to perform one of his twelve labours here. Certainly the Phoenicians and Romans used its perfect harbour for trading with the Britons for tin from the Cornish mines. The city is best known, though, as the launching point for the invincible Spanish Armada's doomed expedition to Britain in 1588.

THE SURF

On really big winter north swells you'll find a poor-quality beach break at Playa de Bastiagueiros. It's an extremely sheltered wave and is very close to the city centre, and as such it gets very busy, but you won't find anyone stressing over the waves. It's a high-tide spot, primarily a right-hander, and has lots of shelter from any wind except those from a northerly direction. As you might guess, the water quality isn't too hot.

Right in the centre of the city are Playa de Riazor (Matadeiro) and Playa del Orzán, which are, to all intents and purposes, one and the same. Whichever way you look at it, it would be hard for a city to ask for a better central feature than this long stretch of sand. It's more consistent than Bastiagueiros, but still needs a strong swell to start breaking. Again, it's hardly the best beach break in Galicia, and once again, it gets very busy. Dropping tides and east winds are ideal. In the far corner of Playa del Orzán is a wedgy right favoured by bodyboarders.

The best-quality wave in the environs of La Coruña is the very consistent Playa de Sabon. This is the place to come in the summer, but you certainly won't be alone. The right tends to be the best wave and it normally has something to ride whatever the tide. It's not too bad with even a bit of a southwest wind on it, though southeast is straight offshore. The water is much better than the city beaches but it still suffers from some pollution.

Another very consistent spot, and one that has much less of a city influence to it, is the very long Playa de Barrañan. It's another good one to check in small summer swells, with a wide variety of beach peaks that work well up to 1m or so (3ft-plus) and on south winds. Mid- to low tide seems to be best. It's much quieter than the other La Coruña-area breaks, and much cleaner.

Playa de Caión is a fun little beach break that draws in all the swell, so making it a great summer surf spot. Crowds aren't an issue and the waves, which favour rights, can be some of the best around. With a small fishing town overlooking the waves, this is an attractive place to come for a surf. Offshore on a southeast wind.

SITES OF INTEREST

The city is not crammed with monuments and attractions that make you really feel you should see them. Just chilling out on the beaches and in the bars and cafés is a good enough way to get to know the place. If you can drag yourself away, the following are worth a bit of your time.

The Coruña Card allows free entry to most of La Coruña's sites as well as the tram system that runs around the seaward edge of the city. It costs €12 for adults and €25 for a family card, and is available from the tourist offices and the airport.

Torre de Hércules, at the end of Avenida de Navarra, is the city's best-known attraction and is, it's claimed, the only working Roman lighthouse in existence. What you see from the outside is actually a seventeenth-century restoration; the base of the second-century lighthouse is visible inside. You can climb, and we really mean climb, the apparently never ending flight of steps to the top for great views over the city and coastline.

Aquarium Finisterrae has good displays of North Atlantic marine life as well as an interactive museum, on Paseo Marítimo.

Another interactive museum that's well worth a visit is Domus, Casa del Hombre, Santa Teresa, a museum devoted entirely to the human body and how it works, or at least how it would work if you didn't keep spending all your evenings in the city's bars.

A couple of other museums of less general interest are: the Planetario, which is a planetarium and science museum in the Parque de Santa Margarita; the Museo Arqueológico e Histórico, Castillo de San Antón, with displays covering the history of the city, and a trio of art galleries. Contemporary art is found in the Museo de Arte Contemporáneo Unión Fenosa, on Avenida de

Arteixo, fine art from Madrid's world-famous Prado museum is on show at the Museo de Bellas Artes, C/Zaleata, and sacred art at the Museo de Arte Sacro de la Colegiata, on Puerta de Aires.

La Coruña is best known for the glass balconies fronting many of the houses along the harbourside that have given the city the nickname 'the crystal city'. If you can't appreciate them by sailing into the city then a walk along Avenida de la Marína will suffice. The Ciudad Vieja is the compact old quarter spreading up the hill behind the café-lined Plaza de María Pita, which might be the most impressive square in northern Spain. It's a nice area to stroll around and is much quieter than the rest of the city centre. A couple of goals here might be the Plaza Santo Domingo and its church, and the Santiago Apóstol Church, the city's oldest and the first port of call for Santiago-bound pilgrims arriving by boat. On the edge of the Ciudad Vieja is the shady and relaxing Jardín de San Carlos, containing the tomb of General Sir John Moore, the British military hero killed by a cannonball as his men retreated from the French Army in 1809.

INFORMATION

AIRPORT BUS On weekdays there are nine buses out to the airport from the bus station starting at 06.15 and finishing at 20.15. Note that this service doesn't run at weekends or on holidays. The journey takes around 25 minutes.

AIRPORT INFORMATION Tel 981 18 72 00.

BANKS You'll find banks scattered all over the city.

BOOKSHOPS Foreign-language books and newspapers can be found at Colon, Calle del Real.

CAR HIRE There are plenty of international and local car hire firms in the city and out at the airport. The following are just a few. **Autocares Antonio Vázquez**, Avenida Finisterre, 337 (tel 981 25 41 45). **Empresa Gómez, Estación de Autobuses** (tel 981 23 18 80). **Rasposo Garcia**, Gambrinus, 17 (tel 981 26 56 98). **Hertz**, Joaquín Planés (tel 981 23 40 12). If they don't have anything to suit, the tourist office will be able to supply you with a full list.

CAR PARKS There are lots of car parks and it's rarely a problem finding a space. Central car parks can be found on Plaza de María Pita (for the old town), Avenida de Pedra Barré (for the beach), just off Calle de San Luis (for the train station), and Avenida Alcalde Pérez Arda (for the bus station). You can also park for free on the Paseo Marítimo, which is very handy for the old town, shopping districts and most sites of interest.

CHEMISTS There is a 24-hour chemist on Calle del Real. Otherwise, there are others all over the city.

CINEMAS Fórum Metropolitano, in the Parque Europa, sometimes has original-language films.

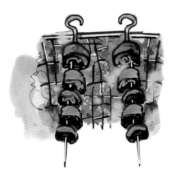

CITY TOURS Summer only, departing from Plaza de María Pita. Ask in the tourist office for information on times.

CONSULATES Only the US maintain a consulate in La Coruña. Its address is Canton Grande, 6 (tel 981 21 32 33). It's close to the tourist office.

DOCTORS C/Ramón Cajal, close to the bus station.

FESTIVALS The two main fiestas are the month-long celebrations in August and the city fiesta from 1st to 9th October, but peaking on the 7th to celebrate the city's patron saint, Nuestra Señora del Rosario.

FOOTBALL La Coruña's team, Deportivo La Coruña, is one of the big boys of Spanish football and if you want to go and see a game their stadium, Estadio de Riazor, is just beyond the western end of Playa de Riazor. Tickets can be bought from the office on Avenida de la Marína.

HOSPITAL Hospital Juan Canalejo. Out to the east of the city centre, on Avenida del Pasaje (tel 981 17 80 00).

INTERNET There's a small Internet café just off Plaza de María Pinta, another on Juan Canalego, two more on Calle de Zalaeta, and another in one of the amusement arcades on Estrella.

LAUNDRY C/Atocha, a little to the north of the old centre, and C/Mantelerío, right in the heart of the shopping district.

LISTINGS MAGAZINES La Coruña in is a free bi-monthly magazine that lists all of the events taking place in the city at the time. Available from tourist offices and at many attractions.

POLICE Miguel Servet (tel 981 37 13 86).

POST OFFICE Avenida de la Marína.

SUPERMARKETS Out at La Rosales, on the way out of the city to the west, is a big shopping complex with supermarkets. If you don't have transport, there are two on Calle San Andres, in the very centre of town.

TOURIST INFORMATION There are two offices in town, both very helpful and close to each other. The one right by the Jardínes de Méndez Núñez on Avenida de la Marína (tel 981 18 43 44), deals primarily with Galicia as a whole, though they can usually help you with any questions you might have about the city. The other one, on Dársena de la Marína (tel 981 22 18 22), deals exclusively with the city.

ACCOMMODATION

Free-campers aren't going to get away with it in the city centre. It might be worth taking a look around the beaches further outside the city, but to be honest the only one where we thought it might be possible was right out in Caión, and staying there would kind of defeat the purpose of being in La Coruña. There are also no campsites in the city itself. To the east you'll find a very small, summer-only site out at Playa de Bastiagueiro (tel 981 61 48 78), and another one to the west of the city and inland a little, at Arteixo (tel 981 60 10 40), which is open from April to the start of October.

There's no shortage of accommodation in La Coruña for all budgets and it's only in the height of season that you might have to

put in a bit of slogging around. At this time it's best to call ahead and reserve a bed. For budget accommodation the prime hunting ground is in the city centre (La Franja) between the old town (Ciudad Vieja) and the beach district of Orzán. This will put you within easy walking distance of the waves and in the heart of the restaurant and nightlife district.

Hostal Linar, General Molo, 7 (tel 981 22 10 92). Small and fairly standard rooms, but clean and very quiet. (5).

Hostal Centro Gallego, Estrella, 2 (tel 981 22 22 36/981 22 30 68). Has cheap and large rooms but it's hardly the most welcoming of places. (5).

Hostal Carbonara, Rúa Nueva, 16 (tel 981 22 52 51/981 20 14 29). This is one of the better-value options in the city, spacious and airy rooms with a friendly management in the heart of all the action. (6).

Hostal La Perla, Torreiro, 11 (tel 981 22 67 00, www.meiga.com/laperla-centrico). Don't let the ropey exterior put you off, as this very homely place is a bargain. You'll also get the chance to see something of Spanish family life as you're staying in the family's house. (4).

Hostal Alborán, C/de Riego de Agua, 14 (tel 981 22 65 75, www.meiganet.com/hostalalboran). This is another standard hostal with clean and quiet rooms very close to the central square. (5).

Pensíon La Alianza, C/de Riego de Agua, 8 (tel 981 228 114). Run by the welcoming and helpful Gabriel, it's in the same sort of mould as La Perla and is very cheap. It is, though, very basic, but perfectly adequate for most purposes. (3).

If you hunt around the Ciudad Vieja you'll find a couple of cheap pensiones, but they don't seem at all keen on letting

people stay. If you have more luck than us, let us know!

Further up the price scale is the two-star **Hotel España**, Juana de Vega, 7 (tel 981 22 45 06). A moderate-sized business-class hotel close to the beach and the centre. (7).

The city's best hotel, coming with all the trimmings is the four-star **Hotel Finisterre**, Paseo del Parrotr, 2 (tel 981 20 54 00).

EATING

For the location of some of the supermarkets, see under the INFORMATION section.

La Coruña is full of possibilities for a good meal. The following are divided up into the different quarters of the city:

LA FRANJA

The city centre is known as La Franja and is where you're likely to be spending much of your time.

Highly recommended comes the **Casa Jesusa**, C/de la Franja, 8. It specialises in seafood, but sells most of the staples. Cheap.

Coral, Avenida de la Marína. Is a much more expensive seafood restaurant, but the quality can't be faulted.

El Manjar, Alfredo Vicenti, 29. Right down at the southern end of this quarter, towards the Ciudad Jardín is the El Manjar, which has a decent menu of local food at moderate prices.

Out towards Domus, Casa del Hombre is the **Adega O Bebedeiro**, Ángel Rebollo, 34, one of the city's better bets for cheap and very tasty local dishes.

If you're fed up with carrying all that paper stuff around in your wallet then **Trueiro**, Avenida Pedra Barrié de la Maza, should help lighten the load. Its wide-ranging menu is very expensive and very good. It's out by Playa del Orzán.

CIUDAD VIEJA

There are a few options up in the heart of the old town and this is also a good place to start a night out.

Vexetariano, C/Puerto de Aires, 3. Cheap to moderate-priced, good-quality vegetarian food in a modern-style restaurant.

La Penela, Plaza de María Pita, 12. Moderate prices, specialising in tortillas.

Taberna da Penela, Plaza de María Pita, 9. Its speciality is meat, but like most on this square, it seems to do a bit of everything.

ZONA SARDIÑEIRA

This area is to be found just behind Playa de Riazor.

Restaurante da India, C/Puerto Rico 2. If you want a change then this is one of the only Indian restaurants in Galicia. Closed on Mondays.

CASTRILLÓN

It's a bit of a hike from the centre out to here, way east of the centre, but it will give you an opportunity to see a part of town that you are unlikely to otherwise visit. **La Viña**, Avenida del Pasaje, 123. Cheap seafood for an almost exclusively local crowd.

SAGRADA FAMILIA

Again, it's a little further out than you might be willing to go, but if you're visiting the Planetario then it's a convenient area to eat. **Panaché**, Avenida de Arteixo, 14-1. Typical home cooking at cheap prices.

If you want to eat less formally and just snack on tapas and raciones over drinks then there are any number of good tapas bars all over the Ciudad Vieja, and even more so in La Franja. The following are maybe the ones to keep an eye out for, **Mesón do Pulpo**, **El Rey del Jamón**, **Arume** and **El Serrano**.

As well as numerous tapas bars there are also an endless range of cafés that make good spots for breakfast or a lunchtime caffeine rush. **Farggi** and **La Barra**, both on Calle Riego del Agua, are two of many.

NIGHTLIFE

If you've spent a bit of time out in the sticks and are after a big night out then La Coruña is one of the best places in northern Spain to bust out your dancing shoes and brush up on your Spanish chat-up lines. The city has a number of fiestas and special events throughout the year, but the main ones are the María Pita Fiesta in August when a wide range of different events take place all over the city for the whole month, and the Patron Saint Rosario fiesta from 1st to 8th October (peaking on the 7th). Otherwise, you can usually find something going on most nights of the year. Thursday to Saturday nights are obviously the busiest nights.

Start your evening off in one of the bars in the Ciudad Vieja. **Velvet** and **El Cairo** are both bars playing a good mix of primarily Spanish pop music. If you prefer your music heavier then **Hydra** should suit. Another good place to start the night off is between La Franja district and Orzán, where the **Dublin** is a popular Irish bar. Things really start to get into gear after midnight and then you should head over to the bars in Orzán, almost all of which will be packed with a young crowd. Ones to look out for

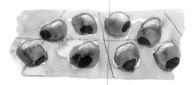

are the **Celtic A Casa da Lubre Bar**, and **Bar Tracío**, which plays a pop and rock mix. There's good dance music at **Cisco**, and alternative music at **Bar Egeo**. The trendiest bars, though, are **Copyright**, **Grietax**, **Chic**, **Club Coruña**, and **No Sé**, all of which are also found in this area. When these close at around 03.00 it's time to move on to the nightclubs, of which the **Playa Club** is by far the most popular. It's at the southern end of Playa Riazor. Other favourites on the Coruña night circuit are **Oh Coruña**, **Pirámide** and, if you've got the energy and the transport, **Disco Class**, out at Playa de Bastiagueiro, which doesn't usually finish until after you'd normally have had your first surf. And finally, if you've made it this far through the night, don't think you can go home yet, as now it's time to hit the after-club bars, **El Cabo** being the best. OK, that's it, you can go and sleep it off now.

If this all sounds a little too hectic for you then you could always catch a play or musical at the **Teatro Rosalia Castro** on Calle de Riego de Agua. For a look at what's on, get a copy of La Coruña in from the tourist office.

TRANSPORT
La Coruña's city transport system is limited to buses, which, as is normal in cities, are quite confusing to use unless you know the city well. The most useful lines are 1 and 1A, which travel along Calle Real to the bus station and the nearby train station. Lines 4 and 6A travel from the Torre de Hércules to the central Plaza de Pontevedra. An interesting way of travelling from the Torre de Hércules to the city centre is on the tram, which runs along the waterfront. It only runs on weekends and holidays in the winter, and daily in the summer. Taxis are a convenient way of getting from the centre to the train and bus stations. They can either be waved down in the street, or call **Radio Taxi** on 981 24 33 33 or **Tele Taxi** on 981 28 77 77.

AIR La Coruña's airport is around 10km (6 miles) from the centre and has daily flights to Madrid and Barcelona.

BUS The bus station is a couple of kilometres to the southwest of the centre, close to the train station. Three buses a day leave for Gijón, in Asturias, departing at 09.00, 17.00 and 18.15. To Santander, in Cantabria, Bilbao, in Euskadi, and the French border at Irún there are two buses a day, at 09.00 and 18.15. To Madrid there are around four buses a day (though it varies slightly from day to day). The first bus leaves at 09.00 and the last at 22.30. There's about one bus an hour to Santiago and Ferrol and nine buses a day to

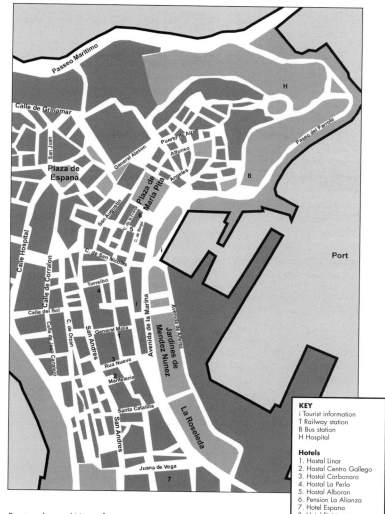

KEY
i Tourist information
T Railway station
B Bus station
H Hospital

Hotels
1. Hostal Linar
2. Hostal Centro Gallego
3. Hostal Carbonara
4. Hostal La Perla
5. Hostal Alboran
6. Pension La Alianza
7. Hotel Espana
8. Hotel Finisterre

Pontevedra and Vigo. If you want to go even further afield then there are two buses a week to Porto and Lisbon, in Portugal, and two a week to Paris and London.

TRAIN There are two train stations, only one of which, the Estación de San Cristóbal, takes passengers. Trains for Santiago and Vigo leave up to seventeen times a day, four times a day to Ferrol , two a day to Gijón, three to Santander, one a day to Bilbao, at 08.00, and up to four a day to Madrid.

BOAT In the summer two or three ferries a day leave the port for Ferrol.

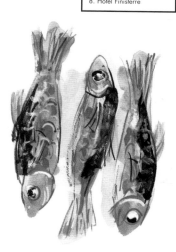

RAZO AND BALDANIO

At the end of a maze of narrow lanes are the tiny villages of Razo and its neighbour Baldanio. For much of the year the whole place is windswept, deserted and for you alone. However, weekends in July and August see half of La Coruña descend on the place.

THE SURF

Consistent and good-quality beach waves can be found at Playa de Razo. It's a big beach and normally has at least one peak working at any stage of the tide. It gets busy on summer weekends; the atmosphere in the water, though, is usually fine. It's offshore on a southeasterly and is very susceptible to onshore northwest winds. In the winter you'll have the waves to yourself, though at this time of the year it's often maxed out; in which case,

take a look at the slightly more sheltered northern end, called Baldanio. Very clean water.

INFORMATION

There are no real facilities at all in either of the villages. You can free-camp almost anywhere, but be discreet in the height of summer. Otherwise, there are two summer-only campsites in Baldanio, just a few minutes walk from the beach. Both seem to have a semi-permanent population and, not to put too fine a point on it, a slightly weird atmosphere, but maybe that was just us. They also both have cabins available. You won't do much better in the hunt for food either, Bar O'Corobbes, beside the beach in Razo serves up super-cheap and basic meals, and there are a couple of other cafés in the village centre.

MALPICA

Aesthetically, Malpica might not be the most attractive of towns, but it's a lively little place that still relies more on fishing than tourism. Its handy location close to the surf spots at the northern end of the Costa da Morte, and relatively easy access from La Coruña and the end of the motorway at nearby Carballo mean that, for many visiting surfers, this is their first taste of the Costa da Morte. It shouldn't disappoint.

THE SURF

Playa de Malpica has a little shelter from west swells and

southwest winds, thanks to a blocking headland. This makes it a good place to go on a moderate swell with south or southwest winds. The wave itself is a good-quality, fast and hollow peak holding up to 2m (6ft). It does get busy and there is a bit of a localism element. Mid-low tide.

Another wave needing a reasonable swell to get going can be found at Playa de Seaia, very close to Malpica. It's not going to be the best you'll ever surf, but it's worth checking in stormy southwesterly conditions.

INFORMATION

BANKS On the main road, Praza Villar Amigo.

CHEMISTS Rúa Emilio González and Rúa Santa Catalina.

DOCTORS The health centre is on Rúa Emilio González (tel 981 72 13 14).

INTERNET Just around the corner from the Hostal Panchito, down the side street that leads to the beach.

POLICE Rúa Emilio González (tel 981 72 02 31).

TOURIST INFORMATION There's actually no tourist office here, but the hotel owners are uniformly helpful. The woman who runs the **Hostal Panchito** can supply you with maps of the town and give suggestions of things to see and do, but she only speaks Spanish.

ACCOMMODATION

If you keep a low profile then free-campers have pretty much got the run of the surrounding beaches. There's a summer-only campsite, **Sisargas** (tel 981 72 17 02), about halfway back along the road to Carballo. **Hostal Panchito**, Plaza Villar Amigo, 5 (tel 981 72 03 07). Very good-value rooms, **Hostal Nova**, Rúa Emilio González, 30 (tel 981 72 00 17). Nice, but smaller rooms than the Panchito. Some come with sea views. (5). **Hostal J.B.**, Area Maior, 3 (tel 981 72 09 62). A good deal with really big rooms, many with sea views. (4).

EATING

A Roda, Folgueira. Meals, drinking and the Internet. Full of the town's young.

San Francisco, Rúa Eduardo Pondal. Moderately expensive but great seafood, including the local delicacy of barnacles.

Isidoro, Praza Santa Lucia. All the standard menu fillers at inexpensive prices.

Pizzeria Vagalume, Area Maior. Cheap pizzas and other fast food on the beach. Very popular in the summer.

Bar Submarino, Areal. As well as tapas and light meals, this is a good place for a night out in the summer.

Pub Leno, Areal. Smaller and sweatier than the Submarino, but an equally good summer night out.

TRANSPORT

Eight buses a day head off to La Coruña on weekdays (less at weekends) from outside the Bar Ibarra.

CAMARIÑAS

Roughly halfway along the aptly named Costa da Morte (Coast of Death) is Camariñas. It's not the most compelling of towns but it makes a good base for what is, with little doubt, some of the wildest and most beautiful coastal scenery in all Iberia. If you're lucky and are on this stretch of coast during one of the all-too-rare settled and sunny periods, you may wonder where the sinister name came from. Come here on a stormy winter day, though, and you'll understand. This coastline has seen too many shipwrecks and drownings to count, only the latest of which is the sinking of the Prestige oil tanker in November 2002, which has led to environmental devastation that will leave the local wildlife and economy in chaos for a long time to come.

THE SURF

The quiet little beach of Playa de Area Suerto has some pretty good waves on an average west swell. It's very rarely surfed and breaks throughout the tide on south through to east winds. The water is, like that at most of the spots on Galicia's west coast, very clean.

Surrounded by tiny fields, pretty villages and wild headlands, Playa de Traba is one of the nicest spots in Galicia. Dozens of different and often high-quality peaks break on sandbars all along the 3km (2-mile)-long beach. You'll find something to ride at most stages of the tide and you can safely say that if it's flat here, then it's flat everywhere. If the swell is more than 2m (6ft) you're better off looking somewhere else, as chances are it'll be closing out here. Offshore winds come from the southeast. Crystal-clear water and an immaculately clean beach. In the summer you'll find a few vans of surfers camping out in one of the beachside car parks; in the winter you'll have the place totally to yourself.

SITES OF INTEREST

Take a walk up to the end of the cliffs at Cabo Vilán, a few kilometres out of town, for some great views.

INFORMATION

BANKS Just off Canton Miguel Feijoo, the seafront road.

CHEMISTS Rúa Areal.

DOCTORS There's a health centre just off Rúa Areal (tel 981 73 08 95).

POLICE Praza de Insuela (tel 607 48 23 82).

POST OFFICE Rúa de San Miguel.

TOURIST INFORMATION A seasonal office on Canton Miguel Feijoo.

ACCOMMODATION

Playa Traba is a popular spot with free-campers, but to be honest, any of the nearby beach car parks will be suitable. There are three official campsites in and around Muxía, a small fishing town on the southern side of the little ría in which Camariñas sits. **Lago Mar** (tel 981 74 58 35) and **El Paraiso** (tel 981 75 07 90) are both on Playa de Lago, whilst the third, **Camping Playa Barreira Leis**, is slightly closer to Camariñas.

Hostal Plaza, Praza Maior (tel 981 73 61 03). A cheap and homely place where the women are likely to be sat in the front room making lace stuff. Very friendly, they speak French but not English. The rooms, though, are only average. (4).

Hostal Gaviota, C/do Río (tel 981 73 65 22). This is a big place and always likely to have a bed for the night. It's right in the centre of town, set beside a little square just back from the harbour. The rooms are average and the bathrooms a little cramped. (4).

EATING

You can find a little supermarket on the seafront.

The hunt for food is surprisingly hard; one of the few places is the **Café Bar Porto Mar**, on the road into town. It sells cheap, freshly caught fish as well as burgers and other simple meals.

Café Bar O Curbeiro, just opposite the harbour jetty, is a bright and cheery place for food and drink on a warm summer evening.

TRANSPORT

Three buses a day leave for Santiago and four to Cée.

FOLLOWING PAGES. PANTIN. PHOTO BY F. MUÑOZ.

FINISTERRE

For the pilgrims travelling the Camino de Santiago this was it, the final stop, the place where not just the road came to an end, but so, too, did the world. From here you had no choice but to turn around and retrace your steps all the way back home. Things haven't changed all that much really; the road, if not the world, still ends here and the pilgrims are still coming, only now the tour buses have joined them. But before you turn around and head home, spend a few days exploring the little town, its surrounding beaches and great surf.

THE SURF

Hidden away close to the tip of Europe, Nemiña might be hard to find, but it's more than worth the effort. Year-round deserted beach and rivermouth peaks breaking in beautiful surroundings on northeast winds, and with an average west swell. It doesn't really hold much above 2m (6ft), but it can be perfect with fast, tubing lefts peeling off sandbars in the rivermouth. Best at lower stages of the tide.

Playa do Rostro is a super-consistent, fair-quality beach break with lots of different peaks breaking along the big beach. It picks up anything at all in the Atlantic, so if it's flat here you needn't bother looking anywhere else. East winds are offshore, and once again, the waves are likely to be for you alone. The water is as clean as it gets in Europe, and the beach as beautiful.

SITES OF INTEREST

There aren't all that many places that can claim to have the end of the world as a tourist attraction, but lucky Finisterre is one of them. Cabo Finisterre is around a couple of kilometres beyond the town, and even though there's a perfectly good road leading to the lighthouse on the headland, it really doesn't seem right to drive there. Leave the car back in town and walk; at least that way you can pretend you've walked the whole Camino. Once up on the headland, look carefully down at the ocean and see if you can spot any signs of the mysterious sunken city that locals swear disappeared under the waves at the time Pompeii vanished under the ash.

Back in the town is the Iglesia de Santa María das Areas, a twelfth-century church and the last one on the Camino.

After all this history and geography you could just take it easy on the surprisingly nice little town beach, which is very safe for the not-so-strong swimmer.

And finally, a 'site of interest' that, if you're planning on having the money to go on any future surf trips, might be worth avoiding, is Monte Facho, one of the hills above the town, and a place where childless couples can increase their chances by having a go at it here...

INFORMATION

BANKS On the main square, C/Plaza.

CHEMISTS C/Plaza.

DOCTORS Plaza Francesco Esmoris.

POST OFFICE Plaza Francesco Esmoris.

TOURIST INFORMATION There's a seasonal turismo just up from the eastern end of the harbour, near the hotels.

ACCOMMODATION
Once again free-campers have got a virtual free reign, but the northern side of Finisterre is quieter. The nearest campsite is about 10km (6 miles) away, close to the village of Cée (tel 981 74 63 02). It's a very large site with a huge range of facilities and is right beside a nice beach.
Mariquito Hostal, Santa Catalina, 24 (tel 981 74 00 84). Big, clean doubles many with good views out over the harbour. Recommended. (5).

Hotel Cabo Finisterre, C/ Federico Avila, 8 (tel 981 74 00 00). The rooms are, at a push, a little better than the Mariquito. (5).

EATING
There's a supermarket just off Plaza Francesco Esmoris.
Bar Tito, C/Plaza. Cheap and cheerful seafood snacks.

Down by the harbour is the Bar Miramar, a very cheap little place selling fresh seafood back to the local fishermen.
The Café Bar Puerto, down by the harbour, is just one of several similar and very cheap places selling freshly fried sardines in the summer months. These are without a doubt the best places to eat.

NIGHTLIFE
Well, OK, maybe 'nightlife' is overstating it a bit, but there is a disco on Calle Plaza. It's as lively as you'd expect, but then how many opportunities do you get to be the dancing queen at the end of the world? Nearby is the **A Galeria Bar**, which usually has a few young locals and passing tourists in.

TRANSPORT
Buses leave from down by the harbour. There are five a day to Santiago, seven to La Coruña and nine to Cée, from where there are connections to Muxía and Muros.

DEATH AT THE END OF THE WORLD

Any geographer will accurately point out that the westernmost tip of mainland Europe is at Cabo Touriñán, and not, as tradition holds it to be, at Finisterre. Still, with Finisterre holding all the cards in the tradition and legend stakes it seems a bit of a shame to let such a small technical matter get in the way of a good story. Certainly, no one has let it bother them in the past, and Finisterre has, from the days of Galicia's earliest arrivals, been the end of the world and the jumping-off point for the other side. The Celts have always believed that the souls of the dead wandered the rugged Galician shoreline until reaching Finisterre, where they'd head out west beyond the setting sun. These beliefs continued through the years of Roman occupation and on through the busiest days of the Santiago pilgrimage. Many of these pilgrims would feel that after reaching Santiago de Compostela they may as well carry on to the end of the world, and maybe, in the process, prepare themselves in some way for their eventual death and their own soul's journey out here.

BELOW: FINISTERRE.
PHOTO BY STUART BUTLER.

MUROS AND AROUND

Of all of the Rías Bajas, it is the Ría de Muros y Noía that is the most beautiful and least spoilt. This section focuses on the north bank of the ría and back up towards the southern reaches of the equally beautiful Costa da Morte. The main centre in this region is the pleasant old granite fishing town of Muros, which makes an excellent base for exploring this bank of the ría. For the southern bank see the Porto do Son section on page 203.

THE SURF
Playa de Carnota is a stunning beach with some great waves that are almost certain to be completely empty. You'll find a whole range of different peaks at different stages of the tide; low tide often has long rights, whilst at Mid- to high tide a good, fast left can start breaking close to the shore. It doesn't pick up the smallest of swells, but any northwest swell over 1m (3ft) will get in here. Doesn't hold more than about 2m (6ft). Offshore on a northeast wind. You shouldn't have much trouble finding a place to camp nearby. The water and the beach are as clean as you could ever hope for.

Slightly more sheltered from the standard northwest swell is Playa de Lariño, a good-quality beach break that is also rarely surfed. Low tide is best, with winds from the northeast.

Still more sheltered, though getting a fair chunk of northwest swell and the full force of southwest swells, is Playa de Louro. Once again, it's a good beach break that holds up to about 1.5m (4ft) on a northeast wind from mid- to low tide. This dune- and lagoon-backed beach (with safe swimming) is one of the most beautiful beaches in the whole of Galicia, and normally you'll be the only person surfing here.

SITES OF INTEREST
Sites of interest... just take a look around you, what more do you want! When the natural beauty gets too much for you there's some man-made beauty to complement it. The 1,000-year-old town of Muros is one of Galicia's more attractive towns and contains some of the best traditional architecture outside of Pontevedra. The town crawls up into the forested slopes above the little harbour (from where it's possible to take a glass-bottomed-boat ride) and is full of narrow, wobbly streets, small local bars and perfect granite fishing cottages. There's also a very safe little beach on the edge of town, if you've got kids with you.

If it does look like going flat for a day or so then without any doubt at all the place to head for around here is Santiago de Compostela (see page 202), which is only about an hour away.

RIGHT: PONTEVEDRA.
PHOTO BY JUAN FERNÁNDEZ.

INFORMATION

BANKS On the seafront, Avenida de la Marína.

CHEMISTS On the seafront, Avenida de la Marína.

DOCTORS Centro de Saúdade, C/Rosaliá de Castro (tel 981 86 78 02).

POLICE Casa del Ayuntamiento (tel 981 82 72 76).

POST OFFICE C/del Descanso, 6.

TOURIST INFORMATION Seasonal office in the kiosk by the harbour (tel 981 76 21 48).

ACCOMMODATION

Free-campers are in seventh heaven around here. Cruise around, find a secluded spot hidden from the road and enjoy. If you want the security of an official campsite then there are three of them in this area, all of them off to the west of town. The first is in Bouga, and is a big site with lots of facilities (tel 981 82 62 84). Next along is the campsite right on Playa San Francisco (tel 981 82 61 48), again with lots of facilities. The best one for surfers, though, is a few kilometres further on, right on Playa de Louro.

Back in town, you can find rooms at the **Hospedja Avenida**, Avenida de la Marina. It has a choice of rooms overlooking the harbour or cheaper back rooms with no view. It's nothing special, but is perfectly adequate. (4/5).

Hostal Ría de Muros, Avenida de la Marína, 53 (tel 981 82 60 56). Almost next-door to the Avenida and cheaper, but basic. If you were here in the winter you'd want to bring an extra jumper, as the rooms are none too well insulated. (3/4).

You can also find a couple of other cheap hostales in the little village of San Francisco, a couple of kilometres to the west of town. Up on the north coast of the ría and set among much wilder scenery than that of the south coast is the village of O Pinlo, which, with a couple of basic bars and hotels, makes a good alternative base, especially if the swell isn't big enough for the Muros area.

EATING

Very small supermarkets are to be found in the back streets of Muros, on Calle Real.

Bargain-basement-priced pizzas, sandwiches and tapas are on sale at **Bar Encontras**, on Calle del Dr Novo Campelo, which is in among the maze of streets behind the hostales.

Tasco Eladao, C/del Dr Novo Campelo, has cheap tapas and basic meals.

Pizzeria Candilexas, Avenida de la Marína, is a reliable place for a low-cost feed.

Next-door to the pizzeria is the equally well-priced **Pulperia Pachanga**, which as you'd guess by the name, has more of a seafood flavour.

TRANSPORT

Buses leave with some regularity for Noía and Santiago from down by the harbour.

SANTIAGO DE COMPOSTELA

'The heart of whoever beholds this city will swell with pleasure and wondrous enjoyment at its variety and greatness.'

So go the words written in a pilgrim's guide nearly 900 years ago.

Eventually all roads, in Galicia at least, lead to the Holy City of Santiago de Compostela. It may not be on the coast, but to come to Galicia and not visit Santiago would be like going to Paris and forgetting to go and see the Eiffel Tower. Santiago is, thanks to the pilgrimage that began over a thousand years ago and continues to this day, Spain's oldest tourist destination (for more information on this see page 176). It also just happens to be one of the most beautiful cities in Europe and, thanks to the big student population, remains more than just a tourist museum.

Santiago is stunning at any time of the year. Most people come in the summer months for obvious reasons, but maybe the city is at its most alluring through the long, dark days of winter. The tourist crowds are long gone, but the students keep the bars and restaurants busy, and even though the drizzle never seems to stop, there's a magical air to the place. On a damp December evening, if you can overlook the odd bit of piped carol music and shops full of religious tourist tack, then there's enough atmosphere to make even the most humbug of Christmas spirits get into a festive flow.

The old city is today a UNESCO World Heritage site and the pedestrianised granite streets probably have more attractions than any other city in northern Spain. The focus of it all is the cathedral, a massively impressive Baroque giant with twin bell towers that reach up above everything else in the city and the whole cathedral is carved all over with statues. A visit to this cathedral is the equal of a pilgrimage to Jerusalem or Rome. Work began on the cathedral in its current form in the eleventh century, though there has been a church on this site since the remains of St James were first discovered here by a wandering hermit in the ninth century. Since the eleventh century there have been numerous additions and modifications, and today's façade dates from the eighteenth century. The original front to the cathedral, Pórtico de la Gloria, remains just behind the main façade and is one of the most perfect examples of medieval art in Spain. On first entering the cathedral it's traditional to place the fingers of one hand into the roots of the Tree of Jesse and offer a prayer. Over the centuries the millions of people who have done this have worn five smooth finger marks into the rock. Tradition also states that you should then gently knock your head against the figure of Maestro Mateo. When these formalities are over, continue through to the High Altar, where you are expected to embrace the statue of Santiago and kiss his cape. If you can come during a High Mass then you'll see the world's biggest incense burner being slowly swung across the transept. Below the altar is a crypt containing the tomb of the Saint, which you can visit. It's worth spending some time in the cathedral to watch the arrival of the pilgrims and take in everything it contains.

Back out in the daylight, the square on which the cathedral stands, Praza do Obradoiro, is as magnificent as they come and is the centre of all life in Santiago. Standing next to the cathedral is the Pazo de Gelmírez, a twelfth-century palace built by two bishops, one of whom, Diego Gelmírez, did much to encourage the myth of St James and the pilgrimage. As you stand facing the cathedral the building on the left of the square is the fifteenth-century Hostal Reis Católicos, built by Ferdinand and Isabel to provide accommodation for poor pilgrims; it now provides accommodation for extremely rich pilgrims, having been converted into one of the best hotels in the country. Directly opposite the cathedral is the eighteenth-century Pazo de Raxoi and the home of today's regional government. Covering the fourth side of the square is the Colegio de San Jerónimo, a fifteenth-century university building.

The attractions don't stop with this square, and any route through the old town is likely to reveal something interesting at every turn, whether it be an animated square, a trickling fountain, a moss-covered monastery or an old church. Try and spend at least one night here, as the large student and tourist population gives the city many decent and cheap places to eat, and loud nightlife. The tourist office on Calle Vilar, 43 (tel 981 58 40 81), in the heart of the old town, will be able to help you out with accommodation. A good time to visit Santiago is during the Feast of Santiago on 25th July, which coincides with Galicia's national day. The night before has huge firework displays as well as the burning of a giant façade of the cathedral, right in front of the real one. Not surprisingly, this leads on into a night of alcohol abuse and all-night parties. Better yet, try and visit Santiago during a Holy Year, when numerous events are put on and zillions of pilgrims pour into the city.

The next one takes place in 2004.

PORTO DO SON

The little village of Porto do Son is ideal if you're looking for somewhere nice and quiet to really get away from it all. The surrounding countryside is some of Galicia's finest, and there are a whole heap of waves within easy striking distance of the town. Porto do Son and the Ría de Muros y Noía could easily be one your Galician highlights. It's worth bearing in mind, though, that the surf spots around Porto do Son don't gather as much swell as some of the beaches on the Costa da Morte, so try and come when there's at least an average swell running.

THE SURF

On very strong west and northwest swells you'll find a really nice low-tide left at Playa Aguieira. It doesn't hold very big waves; 1.5m (4ft) is about tops. It's offshore on a southerly wind and is a really good place to go in a big gale, though you won't be alone and the atmosphere can be competitive.

Another place needing a decent-sized winter swell is Playa de Fonforron. It's a sand-covered reef with an average right breaking on it from mid- to low tide. Light south winds blow offshore. It rarely gets very busy.

Fairly consistent waves can be found at Playa de Baroña on a northwest swell from mid- to low tide. There is a range of different peaks breaking on a mix of sandbars and rocks, and all are usually of a high standard with hollow sections. It's fairly quiet and offshore on a southeast wind.

Consistent and good-quality beach peaks and shore-break waves can be found at beautiful Playa de Rio Sieira/Furnas. It's a popular place in the summertime but the beach is very long, so you shouldn't have much trouble finding a wave to yourself. Lower stages of the tide are best, with southeast winds. You shouldn't have difficulty finding a place to free-camp for the night.

On big northwest swells or any southwest you'll find very average waves at Playa de Ladeira. North or northeast winds are offshore, and though it needs a big northwest swell, it can't hold much in the way of size before it starts closing out. Dropping tides usually give better conditions. There are quite a few local surfers but little hassle. The water is very clean.

INFORMATION

BANKS On the seafront road, Avenida de Galicia.

CHEMISTS On the central square, Plaza de España.

TOURIST INFORMATION Just outside town on the road to Noía is a small summer-only booth, which can supply you with information on the surrounding beaches and accommodation options in most villages along the ría.

ACCOMMODATION

Free-campers have got the run of the western end of the ría, and shouldn't have much difficulty finding a place to park up for the night.

There are two campsites on the beaches close to town; **Punta Batuda** (tel 981 76 65 42) is the bigger of the two. It's open year-round and is found beside Playa de Ormanda, back towards Noía. The other site is probably better for surfers, being closer to town and the surf beaches. **Cabeiro** (tel 981 76 73 55), is on Playa de Cabeiro. It has fewer facilities and is about half the size.

The only other accommodation is the **Hotel Vila del Sol**, Rúa de Trincherpe, 11 (tel 981 85 30 49). This is the best-value accommodation in the whole area, and makes a great base for spending a few days exploring this region. Clean and spacious rooms with a friendly reception. (6).

EATING

There's a small supermarket on Rúa de Trincherpe. On Plaza de España you'll find a couple of basic bars. The best bets for a cheap and good feed in town are the **café bar Porto N** and **Bar O Chinto**, both on Avenida de Galicia and recommended by the girl in the hardware shop.

TRANSPORT

The bus service is limited indeed, but you should find the occasional service winding along the coast road from Noía, and from there you can get regular buses to Padron, Santiago and Pontevedra.

O GROVE

O Grove is about the most popular beach escape for Pontevedra locals, and it's certainly a lot more appealing than Cangas, its equivalent for Vigo locals. The heart of the town is a small square with a couple of streets leading off it down to the seafront, which is a long strip of modern hotel blocks and restaurants.

THE SURF

On heavy northwest swells or a fair-sized southwest you'll find average waves on the horseshoe-shaped Playa de Lanzada. There are a mixture of sandbar peaks and a left reef break, neither of which are great waves. The northern end of the beach especially offers some shelter from northwest winds, but it also receives less swell (unless a southwest swell is running). A northeast wind is straight offshore. Crowds are rare.

On really big swells you can, if you're lucky, find some really good waves at Playa de Montalbo. There are a variety of different peaks, which in general don't start to break properly until they're 1.5m (4ft), and they can hold up to 3m (10ft). You'll find a good tubing right reef break and, a bit further up the beach, a fast and hollow left. If these don't appeal then try the standard beach peaks. When it's on this is a really good spot that draws in the crowds, though the atmosphere stays relaxed. Best on a northeast wind and at lower stages of the tide.

SITES OF INTEREST

If you want to see who's sharing the waves with you then the Acuariumgalicia is a very modern and large aquarium a short way out of town. It specialises in Atlantic species, though it also houses tropical marine and freshwater species, as well as sharks. It's well worth a visit. It's also possible to take a glass-bottomed-boat ride out into the ría to take a look at the wildlife in their natural environment. If you have more than just a vague interest in wildlife then you might want to take a look in the forests above the town at the Centro de Visitantes A Siradella, which contains displays and information on the local wildlife.

Another popular excursion is out to A Toxa Island, though it's hardly worth the effort, as any beauty it may once have had has disappeared under the developers' dreams of a perfect environment. It's now full of luxury hotels and all the trappings that come with them.

The highlight of the area, though, is undoubtedly the small and very manageable city of Pontevedra, about 35km (21 miles) away. The old centre is a delightful tangle of solid granite buildings covered in moss, and small paved squares around which are many, often very animated, bars and restaurants. In fact, Pontevedra is considered the place to come and see traditional Gallego architecture at its best. With frequent buses from O Grove or a short and easy drive, you should try and make the effort to come and have a look around and indulge in a bit of bar-hopping. The tourist office is on Xral. Gutiérrez Mellado, 3.

INFORMATION

BANKS Rúa Pablo Iglesia and all along the seafront.

DOCTORS Centro Medico O Grove, Rua Castelao, 33 (tel 986 73 21 57).

CHEMISTS Rúa Castelao, 44.

INTERNET Planetabit, Rúa O Marino, 8.

POLICE Lordelo (tel 986 73 33 33).

POST OFFICE Rúa Castelao.

TOURIST INFORMATION On the seafront, in the very centre, Plaza do Corgo, 1 (tel 986 73 14 15). It's only a small office but it's open year-round and is helpful.

ACCOMMODATION

Campers will have to head to San Vicente, a couple of kilometres from O Grove, where there are several different sites, all quite close to Playa A Lanzada. They range from fairly basic and cheap campsites (**Siglo XXI**, (tel 986 73 81 00), and **Paisaxe II**, (tel 986 73 83 31) up to the three-star **O Espiño** (tel 986 73 80 48). Free-campers should try the quieter, western end of the peninsula, and around Playa A Lanzada.

If you want a higher-end hotel then you're spoilt for choice around here. Though many can be booked through travel agents or on the Internet before you leave home you may find it cheaper to do the rounds when you arrive and see what you can come up with. On the other hand, if it's high summer and you've got your heart set on staying here, you'd better play safe and book in advance. Most of these hotels are set along the seafront leading out of town.

For the rest of us there isn't a huge choice in the budget range (though if you're here in midwinter it's worth visiting some of the mid-range hotels on the seafront as they'll often turn up some unexpected bargains). Back in the very centre of town is the **Hostal María Aguiño**, Pablo Iglesias, 26 (tel 986 73 11 87). A nicely situated hotel away from the glare of the main seafront strip, though the rooms are a little cramped. (5/6).

Similar is the **Hostal Isolino**, Rúa

Castelao, 30 (tel 986 73 02 36). It's not only the cheapest option, but it's also situated on the road with the most bars, and so is ideal in most respects. (5).

EATING

There are so many different places for a cheap meal that the best advice is to just take a stroll along the seafront and find one that takes your fancy. You can be sure that the menu and quality will be pretty similar in all of them. However, a couple that stand out are **Restaurante Marisqueria Beiramar**, Avenida Beiramar – it's not the cheapest but the service and food are good – and **Casablanca**, Avenida Beiramar, which is considerably more basic than the Beiramar, but its also much cheaper. Back in the older part of town, the **Bakon Café** is a nice and cheap place on the central square. If you want to prepare your own, then there's a small supermarket close to the tourist office on Plaza do Corgo.

NIGHTLIFE

The nightlife scene, which is concentrated on Rúa Castelao, can be pretty good in the summer, and even weekend nights in the winter can be busy. Bars that attract a youngish clientele are **K-Torse**, Rúa Castelao, **Metropol**, Rúa Montiño, and **Vinilo**, on Rúa da Praza. Down by the tourist office you'll find a little kiosk called **O Moscón** that serves up snacks in the daytime and lots of drink at night.

TRANSPORT

Numerous buses run throughout the day to/from O Grove to Pontevedra from the bus station right in front of the port. To Santiago there are five buses a day.

THE SOUTH AMERICAN CONNECTION

Smugglers have always loved Galicia; its numerous little coves and general remoteness have made it an easy place for a boat to land undetected, and smuggling has long been one of the mainstays of the Galician economy. For much of the time smuggling has been confined to tobacco, but in recent years this trade has turned to something much more lucrative, and Galicia is now thought to be the main entry point into Europe for Colombian cocaine. The centre of all this activity is the town of Vilagarcía de Arousa, where, in the last twenty years or so, certain members of the public seem to have suddenly become inexplainably rich. In fact, the trade has become so important to certain areas of Galicia that official wealth statistics can no longer be said to be entirely accurate. Alongside this trade has come a marked increase in local drug addiction and a growing organised-crime network that leaves some fearing that Galicia is on its way to becoming another Sicily.

As a travelling surfer exploring, and maybe sleeping on, remote beaches, you should be aware of this problem and the very real risks you run of bumping into smugglers in no mood for negotiation. It could be a wise move to avoid sleeping on any of the more remote beaches and not to free-camp anywhere in or around the Ría de Arousa.

CANGAS

Cangas is not everybody's idea of a good place for a holiday. At its best it's a lively beach suburb of nearby Vigo (the largest city in Galicia and situated just across the ría); at its worst it's a run-down and grey place liable to sap your will to live. Well, OK, it's not actually that bad, but it is one of the finest examples of Galicia's tendency to produce highly uninspiring beach resorts.

THE SURF

If there was a really big northwest swell then you might find a few waves wrapping into the series of beaches to the west of Cangas, called Melide, Barra and Negra. The only other times they work are on good-sized southwest swells and even at best they're generally low-quality beach peaks. They have lots of shelter from north or northwest winds, and the lack of crowds can make them worth a look in heavy northwest winter gales.

SITES OF INTEREST

Vigo, the biggest city in Galicia and home to Spain's biggest fishing fleet, is just a short drive, or better still, a ferry-hop away. On the whole the city lacks the character of La Coruña and the history of Pontevedra and Santiago, but the slightly seedy atmosphere of its back streets, and the sunny waterfront cafés and bars do have a certain charm to them. Coming from Cangas, the best way to arrive is by sea on the regular ferry linking the two. Once in town, head to Praza da Constitución and the old town. In the mornings you can buy fresh oysters from women on Rúa da Pescadería. The tourist office is on Muelle de Trasatlánticos, down by the ferry port.

INFORMATION

BANKS Avenida Eugíno Sequeiros, the main street through town.

CHEMISTS Avenida Eugíno Sequeiros.

DOCTORS There's a medical centre on Avenida de Marin, which leads up the hill away from the town centre.

POST OFFICE Avenida Eugíno Sequenios.

TOURIST INFORMATION There are two tourist offices; one is a small booth beside the bus station and porµt, whilst the other is an office about 500m (1,500ft) back along the road to Vigo. Both are seasonal.

ACCOMMODATION

No chance for free-camping around the town; try your luck further towards the seaward end of the ría. There is a normal campsite several kilometres out of town on the road back towards Vigo. It comes with great views over the ría towards the city.

There are a couple of hotel-style accommodation options in the town; mostly they're unimaginative modern hotel blocks and you're unlikely to want to stay for more than a night.

In the heart of the town is the **Hotel Airiñas**, Avenida Eugíno Sequenios (tel 986 30 40 00). It's a huge place looking out over the central park and though there's nothing wrong with the rooms as such, in fact they're better than many, the '70s style of the place doesn't encourage a

stay. (6 in high season, 3 in low).

A far better option is **Hostal Playa**, 8 Trav. Av. de Ourense, 15 (tel 986 30 13 63, www.hotel-playa.com), right beside the surprisingly nice town beach, Playa de Rodeira (no surf, but good for kids). It's by far the best option in town, maybe in the whole area. It's friendly, quiet and has nice rooms. Couldn't be any closer to the beach, has great views and best of all, it's cheap. (5) Also has much more expensive apartments. (7).

EATING

There's a basic supermarket on Avenida de Marin.

There are many places to eat in Cangas, but few worthwhile options. Almost every other place on the seafront is a bar or restaurant, and all are pretty similar. In the morning a good place to get breakfast is the **Venecia Patesseria**, Rúa de Mendez Nuñez, or the **Oasis Bar**, on Avenida de Marin, which has cheap breakfasts and snacks.

Opposite the bus station on Avenida Eugíno Sequinos is the **Cervecia Kactus**, a small and narrow watering hole full of locals.

Next-door to the Kactus is the **Bar Alondres**, which has outdoor seating and basic food overlooking a little park.

Up among the narrow little streets leading off the main road is the **Bar Terra Nosa**, Rúa de Valentin Losada, a spit-and-sawdust tapas place.

For somewhere a little more glitzy, try the **Café Casablanca**, right on the waterfront. It doesn't serve much in the way of food, but in the daytime it's a good place for coffee and pastries, whilst on summer nights it gets lively.

Taberna O Arco, Praza do Arco, offers more substantial seafood dishes.

TRANSPORT

The bus station is on the seafront, right next to the port. There are buses about every half an hour to Vigo, and just over once an hour to Pontevedra via the villages on the north side of the peninsula. Buy your tickets from the booths inside the café at the station.

There are also ferries about every half an hour to Vigo, which, if you're staying in Cangas and just fancy popping into the city, is a much more pleasant way of travelling.

BAIONA

Baiona was the first place in Europe to hear of the discovery of the New World when, on 1st March 1493, Christopher Columbus sailed into port claiming to have found the sea route to the Indies. As it later turned out he was wrong and what they'd actually discovered was the Americas, though it wasn't a bad substitute. The town has faded from importance since those heady days when it was a major port, and today it is just an attractive little resort close to some good waves.

THE SURF

Good but fickle and highly localised waves can be found on the reefs around Playa de Patos. The wave is called El Pico, it's a left and right peak with excellent barrelling sections and lots of speed and power. The right tends to be the better wave, often being very hollow. El Pico needs a big northwest swell, higher tides and south to southwest winds. When these conditions come together and the barrel machine turns on you can be sure of lots of surfers and just as many bad vibes. It would be a very rare day that these waves would break in the summer.

Nearby is the poor-quality Playa de Madorra. It's a standard beach break with lots of south wind shelter and an equal amount of shelter from the swell – come only on the biggest of northwest swells. It breaks in similar conditions to the reefs, and because of the worse conditions, is always going to be quieter. However, this means a far less hectic scene in the water.

SITES OF INTEREST

The first thing you'll notice on arriving in Baiona is the huge walls dating from the eleventh to seventeenth centuries that surround the forested hill at the western end of town. It's worth forking out the nominal payment to take a walk around the grounds they enclose and which today house one of the most magnificent hotels you could hope to find.

Aside from surfing or sunning on one of the beaches, there are two more water-based attractions. In the harbour is a replica of the Pinta, which carried Columbus into port, that you can go out and visit. On calm summer days the best thing to do is take a boat trip out to the idyllic Cies Islands, just a short way offshore. Boats leave five times a day.

All over southern Galicia, horses are given free reign in the hills, and every now and then there are big round-ups of the animals. These events are normally a great excuse for a party and it's worth being in Baiona when they take place. Dates are a little flexible, but normally they take place on the first and third Sundays in June.

INFORMATION

BANKS C/Elduayen.

DOCTORS Centro de Salud, La Junquera, Ctra Ramallosa, Gondomar (tel 986 35 27 37). It's a few kilometres out of town, on the way to Vigo.

INTERNET c.y.b.e.r, Rúa Ventura Misa, 14.

POLICE Lorenzo de la Carrera, 17 (tel 986 35 80 11).

POST OFFICE Rúa Cidade de Vigo, 3.

TOURIST INFORMATION The main one is on Paseo Ribeira (tel 986 68 70 67), opposite the car park for the medieval walls. There is another office on Rúa Ventura Misa, 17.

ACCOMMODATION

There's not a lot of scope in Baiona for free-camping; you could try your chances somewhere just off the road to A Guarda, but to be honest you'd be much better off in the **Camping Bayona Playa**, Playa Laderia, Sabarís (tel 986 35 00 35). It's a big, year-round site with a wide range of facilities, though it's one of the more expensive campsites.

There are plenty of choices for a night's accommodation in the mid-range budget, but less in the cheaper categories. About the cheapest is the small and centrally located **Hospedaje Kin**, Rúa Ventura Misa, 27 (tel 986 35 56 95). (3).

Hotel Anunciada, C/Elduayen, 16 (tel 986 35 60 18). Is a good option in the middle price range. It's a small hotel and, if you get a room at the front, has great views. (6/7).

Nearby is the similar, but cheaper **Hotel Pinzon**, C/Elduayen, 21 (tel 986 35 60 46). Again, this one has good views, and is a good bet for the price. (6/7).

The best mid-range option is the **Hotel Tres Carabelas**, Rúa Ventura Misa, 61 (tel 986 35 51 33, www.hoteltrescarabelas.com). The bathrooms are a little small, but the rooms are good and the staff friendly. (6).

EATING

As in any seaside resort, the best place to look for restaurants is along the seafront, though some of the cheaper options are to be found one street back, on Rúa Ventura Misa.

Mesón Pulperia, on the seafront. Sells more than the name suggests, cheap and basic.

A cool place to go for a drink is the **Café Picar**, looking out onto the small Plaza Fernando.

For something a little different from the standard fish places, there's a fast-food/pizza place on the seafront, called **Pizza Móvil**.

The fanciest restaurant on the seafront is the **Pazo de Mendoza**. The food is good and the fish as fresh as it gets, but its not the cheapest place.

Restaurante Pomodoro is an Italian restaurant on Rúa San Lorenzo with pizzas and pasta for a good price.

There are two branches of the excellent, though not overly cheap, **Jaqueyui** restaurants in Baiona. They are on Rúa Ventura Misa and Calle José Antonio, and serve good traditional raciones in nice surroundings with lots of character.

TRANSPORT

There are buses every half an hour from 06.00 to 21.00 to Vigo on weekdays and slightly less often at weekends. From Vigo you can get bus or train connections to bigger Galician, other Spanish, and some Portuguese towns.

A GUARDA

The first town of Spain or final town before Portugal, A Guarda, is a largely very forgettable place. If you have the choice you're better off either staying in Baiona, just to the north, or over the river, in Portugal.

THE SURF

The best-known wave in this stretch is the left reef break of Santa María de Oia. It's a good-quality wave that needs a decent northwest swell, and though it doesn't start breaking properly until 2m (6ft), it holds up to 3m (10ft). It's a very heavy wave and should definitely only be attempted by experienced big-wave riders. Mid- to high tide and southeast winds. If it's on then you'll find a few local surfers giving it a go; they're usually a welcoming bunch as long as you show respect and are ready to charge.

Depending on the direction you're heading in, Playa do Carreiro is either the first or the final wave in northern Spain; either way you aren't going to be disappoint-

ed. This fast-breaking and tubular wave breaks on moderate west or northwest swells and, though normally pretty quiet, when you do find other surfers here they're just as likely to be Portuguese as Spanish. A northeast wind is offshore and rising tides are best. The Minho River marks the Portuguese border and breaking out of the rivermouth on the Portuguese side is a classic right-hander, whilst a short way beyond that are a whole series of spots that are worth heading to in small swells.

SITES OF INTEREST

If you've got an hour or so to kill then it's worth heading up to the Monte de Santa Tecla, where you'll find the remains of a pre-Roman village and a museum, as well as stunning views over the surrounding coastline and over into Portugal. Otherwise, a 30km (18-mile) drive inland will take you to the fortified and attractive border town of Tui (Tuy) and its equally pretty Portuguese neighbour of Valença.

INFORMATION

BANKS Scattered throughout the town centre.

DOCTORS Follow the road out to Camposancos and the ferries to Portugal and you'll drive right past the health centre (tel 986 61 44 44).

POLICE Praça do Relogio (tel 986 61 00 25).

POST OFFICE Ramón Sobrino.

TOURIST INFORMATION C/Rosalía de Castro. Inside the cultural centre, right at the top of town on the way to the ferry port.

ACCOMMODATION
Free-campers won't get a lot of joy in town itself, but you may find somewhere on the coastal road between Baiona and here. It's a busy road, though, so don't be surprised to get moved on.

There is a year-round campsite, **Camping Santa Tecla** (tel 986 61 30 11), between Camposancos and A Guarda. There's another campsite on the road leading up to Baiona.

There are a surprising number of places to stay in town.

Hostal Marti Rey, Rúa de Galicia, 8 (tel 986 61 03 49). Right in the centre of town, this is a large and friendly place that's rarely full. The rooms are quiet and a good size. Cheapest place in town. Serves reasonably priced meals as well. (4).

Hotel Eli-Mar, C/Vicente Sabrino, 12 (tel 986 61 30 00). A standard, modern hotel block. Rooms are a fair size, though the place is a little dull. (5).

Hotel Convento de San Benito, Plaza de San Benito (tel 986 61 11 66). This beautiful hotel is housed in an old Benedictine monastery and overlooks the port and a small plaza. It's very quiet and has medieval-flavoured decor – very in keeping with the building. It's friendly, and if your budget stretches this far (winter sees some heavy discounts, making it affordable), comes highly recommended. (7).

EATING

There is a small and not very well-stocked supermarket on Calle Concepción Arenal, almost opposite the Hotel Convento de San Benito.

Otherwise, there are a whole string of the standard fish speciality restaurants all along the seafront road of Rúa do Porto. Ones that stand out above the others are **Valladero**, which has moderate prices, or the slightly more expensive, but best option, **Restaurant Os Remos Marisqueria**. Otherwise, you'll find plenty of cheap bars selling basic meals throughout the town.

TRANSPORT

There are buses every half an hour or so to Tui, and three a day to Baiona. To reach Portugal you have two options: either one of the regular ferries that run most days about every half an hour from Camposancos (4km – 2.5 miles from A Guarda) to Caminha; or a 30km (18-mile) drive inland will bring you to Tui, where a bridge runs over the Minho River to Valença.

BELOW: LUIS RODIGUEZ, EL PACO. PHOTO BY JUAN FERNÁNDEZ

ANDALUCÍA

The birthplace of the Spanish imagination and the home of all the country's colours and clichés. Sherry and fiestas, bullfights and flamenco, all of them grew up in Andalucía's warm southern sun. Each year millions of tourists roast themselves on Andalucía's Mediterranean beaches and a hundred van-loads of surfers fly past, anxious to reach a Moroccan point, blissfully unaware of what's taking place on the beaches around the ancient port of Cádiz. Most surfing here is done on beach breaks, endless kilometres of them, stretching south from Cádiz to the gates of the Mediterranean. The most consistent and popular are the punchy peaks of El Palmer, but in addition to the beaches you'll find a smattering of reefs and a long and very good right point. There's no doubting that Andalucía is less consistent than Spain's north coast and the swells not as powerful, but Atlantic Andalucía, with its fun waves and myriad attractions, is the perfect place to break the journey between the north coast and the winter juice of Morocco, Portugal or even, by taking advantage of the weekly ferries from Cádiz, the Canary Islands. Don't be surprised, though, if Andalucía turns out to be your perfect winter getaway, you certainly won't be the first.

The only time worth considering for coming on a surf trip down here is winter and early spring. Swells coming from the northwest Atlantic need to be big to wrap onto the beaches down here; a 2.5m (8ft) swell on Portugal's west coast (a frequent wintertime occurrence), will be 1.5m (3–4ft) here. Direct west and southwest swells are also common in the winter, and it can be overhead here when the north coast is knee-high, but these swells often come with onshore winds. On the whole, winds come from the east (offshore) and blow hard, hard enough, in fact, to make this area Europe's finest windsurfing destination. One area in which the north coast can never match Andalucía is sunshine; even in the depths of winter, weeks can pass by without a cloud in the sky to suppress the mild temperatures. Summertime, though, can be extremely hot and is almost certain to be flat.

OPPOSITE: ALCÁZAR, SEVILLE. PHOTO BY STUART BUTLER.

MOORISH ANDALUCÍA: THE TOP SITES

The arrival of the Moors from North Africa in 711 brought many changes to Spain. From food to architecture, the influences they brought with them endure in Spanish culture to this day. It is in the deep south, though, where the Moors held on for the longest, that the most lasting visible reminders can be found. If you venture down to Andalucía it's well worth taking the time out to visit at least one of the big three centres of Moorish power.

Sevilla is the biggest city in southern Spain and, being only around an hour inland from Cádiz, is the easiest of the three main Moorish cities in Andalucía to visit. It's also one of the most exciting and beautiful cities in all of Europe. The monuments that the Moors left behind in Sevilla include what used to be the main mosque, but with the city's fall to the Christians in 1248 it became a cathedral of such giant proportions that 'future generations will take us for lunatics', or so its designers hoped. The 90m (270ft)-high La Giralda minaret was converted to the bell tower and is the highlight of the cathedral complex. There are many other sights in and around the cathedral, including the supposed tomb of Christopher Columbus. The nearby Alcázar is the magnificent palace of Sevilla's past rulers. The whole complex is a stunning mix of delicate arches, cool marble rooms, sun-splashed courtyards and peaceful gardens that shouldn't be missed. At the city's peak it was one of the wealthiest, most powerful and sophisticated cities in western Europe, and the Alcázar became home for a harem of over 800 women, which, when you see the quality of the girls in Sevilla today, will make you realise that the ruler was a very lucky man indeed. And this leads nicely onto Sevilla's other attraction; its colourful streets and crazy nightlife. Sevilla is proud of its reputation for flamboyance and this is shown off on an almost incomprehensible scale during the Semana Santa and Fería de Abril celebrations in the spring (see page 42). Even if you can't time your visit to coincide with one of these you will still be guaranteed a good time here, day and night.

Córdoba is a handy stop-off on the route down from Madrid, and though of the three Moorish cities it is the one least likely to grab your imagination, don't let this put you off, as its old quarter is a beautiful World Heritage site that more than repays a stop-off. Córdoba's most famous attraction is the Mezquita. This massive mosque was converted into a cathedral on the city's recapture by the Christians. Its best-known feature is probably the numerous rows of red and white columns and arches inside the building. Other worthwhile sites to seek out in the city include the Alcázar de los Reyes Cristianos, a thirteenth-century castle with ornate and very tranquil gardens. Just strolling around the old town also makes for an enjoyable afternoon.

There can be few buildings on earth more sublimely beautiful than the Alhambra, in Granada. Perched at the top of a hill and with a backdrop of the often snow-covered Sierra Nevada, this is where Islamic architecture has reached its absolute pinnacle of perfection, and if you are going to see one inland site in Spain, make it this. It's worth coming a long way for. The fortress palace of the Alhambra and its gardens is essentially a city within a city, for which you should allow a good deal of time. A full rundown of the treasures that lie within its almost stark walls is way beyond the scope of this book, but you will find plenty of information available in Granada. A word of warning; due to the huge number of visitors the Alhambra receives, visitor numbers have recently been restricted to 8,000 a day in order to prevent further damage to the complex through the sheer volume. These tickets must be bought in advance and you only have a half-hour time slot in which to enter the complex, though once inside you can stay as long as you like. Tickets can be bought on the day from the ticket office outside, though there is no guarantee that you'll get one for that day. More sensibly, get one from any big Banco BBV branch or by calling 902 22 44 60 and paying with a credit or bank card. During Easter and high summer it's worth booking ahead as far in advance as you can; in midwinter you can often get in on the same day by buying a ticket at the ticket office. Don't let any of this hassle put you off, though, as you will not regret going. Aside from the Alhambra, Granada is a lively city with a large young student population and good nightlife.

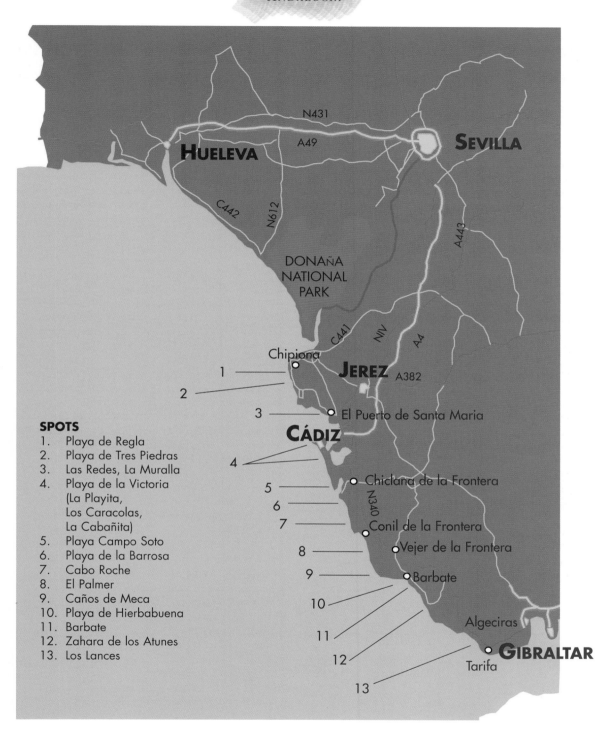

SPOTS
1. Playa de Regla
2. Playa de Tres Piedras
3. Las Redes, La Muralla
4. Playa de la Victoria
   (La Playita,
   Los Caracolas,
   La Cabañita)
5. Playa Campo Soto
6. Playa de la Barrosa
7. Cabo Roche
8. El Palmer
9. Caños de Meca
10. Playa de Hierbabuena
11. Barbate
12. Zahara de los Atunes
13. Los Lances

FOLLOWING PAGES: ROCHE. PHOTO BY JUAN FERNÁNDEZ.

CADIZ

The raw and gritty streets of Cádiz have a certain air of eastern exotica to them. It could be the steamy summer heat, the golden-domed cathedral, or the slightly dirty lanes and alleys of the old town. Whatever it is; Cádiz is one of the most memorable cities in Spain. This is especially so during the colourful carnival celebrations, when the noisy streets are filled with the creatures of fairytale fantasies and nightmare monsters. Cádiz is one of the oldest cities in Spain, if not western Europe, having been originally founded by the Phoenicians around 1100 BC, but much of today's city is a somewhat more modern creation, having been constructed on the wealth of the gold trade from the Americas in the eighteenth century. Most surfers visiting Andalucía stay further to the south in and around the village of Conil and just visit Cádiz on day trips, but if you like a more urban atmosphere then it can make for an enjoyable few days.

THE SURF

Cádiz is built on a peninsula with beaches extending for some distance south of the city on both sides. The ones on the eastern side never get any waves and can be quite dirty; by contrast the west-facing beaches pick up Atlantic groundswells and are much cleaner (though not clean). In the summer it's quite rare for even these beaches to get any surf.

Around half an hour's drive north of the city is the little beach resort of Chipiona, where there are two surf spots. Just to the south of the town is the long sweep of Playa de Regla, a mid-to high-tide break with good A-frame peaks and long rides. Although, like all Andalucían spots, it's primarily an autumn through to spring break, its tendency to break best with small swells, coupled with the fact that it picks up anything hitting this coast, means that any small depression forming low down in the north Atlantic can occasionally produce summer swells. Lots of surfers, but a chilled-out attitude prevails.

Further south still is Playa de Tres Piedras, a good beach with scattered rocks breaking in almost identical conditions to Playa de Regla and with similar, though maybe more reliable, peaks. Again, you won't be alone in the water, but the atmosphere is fine.

On the north side of the Bahía de Cádiz is the popular family resort of Puerto de Santa María, with two different spots. The first is Las Redes, the main town beach. It's a reasonable peaky beach break, popular with local surfers and guys from the nearby American naval base, and has a pretty chilled-out atmosphere. It needs a west or southwest swell to work properly and is best around mid-tide on swells up to 1.5m (4–5ft). Offshore winds come from the north.

A little further south of Santa María is La Muralla, a pretty good right-hand reef break that needs north winds and a southwest swell. It's a fast wave holding up to 1.5m (4–5ft) and it gets busy, but retains a friendly vibe. To get to Puerto de Santa María you can either make the 22km (13-mile) drive around the edge of the bay or get the ferry from Cádiz, which is much more atmospheric, though it means you'll have to walk to the waves when you get there.

Back in Cádiz, the main west-facing beach is called Playa de la Victoria. It has three different spots covered here in a north–south direction. La Playita is the first of the spots. It's a busy, mid-to low tide small-wave beach break, good up to 1.5m (4–5ft). There are plenty of local surfers to share the multiple-peak waves of varying quality, and they aren't always super-happy about having visitors. Offshore on a north or east wind (Levante). The water can be quite dirty with city run-off.

Las Caracolas is a sand-covered reef on Playa de la Victoria, although it has much the same characteristics as a beach break, with shifty lefts and rights of a reasonable quality. Again, it's good up to 1.5m (4–5ft) with north or east winds, and there are lots of locals. It's at it's best at mid-tide.

The most southerly of the Cádiz spots, La Cabañita is a good right-hand reef with fast tubular sections. It breaks throughout the tide and, like all the Cádiz spots, needs a west or southwest swell and north winds. Also like all of the breaks around the city, it only holds small swells, it's a little fickle, and is often pretty quiet. The water is considerably cleaner than closer to the city.

SITES OF INTEREST

It's the atmosphere of the city that is most captivating. Take a stroll down any of the little alleys in the old quarter and it's easy to imagine yourself lost in the medina of a Moroccan city. The whole labyrinth is surrounded by some hefty defensive walls and is entered through the Puerta de Tierra gate. Pass through this gate and you'll soon come to the main square, the Plaza San Juan de Dios, with many busy cafés. The cathedral is also nearby and worth a visit. It's easily visible from much of the

OPPOSITE: VEJER DE LA FRONTERA, A HILL TOWN SOUTH OF CÁDIZ. PHOTO BY STUART BUTLER.

city because of its gold roof, although sadly it's not real. There are three museums in town, the Museo de la Catedral, Plaza de Fray Félix, and the Museo de las Cortes de Cádiz, Calle Santa Inés, with a huge model of the city carved out of wood in the eighteenth century, and the Museo de Cádiz, Plaza de Mina, which contains finds from the city's Phoenician days. Also worth hunting down is the Torre Tavira, at Marqués del Real Tesoro, 10, an eighteenth-century mansion with great views over the city from the top of a tower. Around the seaward outskirts of the old town you'll find a number of parks to lounge around in for an afternoon, the Alameda de Apodaca is a small, formal Andalucían park and the larger Parque Genovés is a wilder, more natural park full of big trees.

In February Cádiz hosts one of the best parties in the country. Carnaval is big throughout Spain, but Cádiz is one of the few places that carried on the tradition throughout the Franco years when Carnaval was banned owing to its rebellious nature. Today's celebrations take their form from the nineteenth century, when a local resident totally reinvented Cádiz Carnaval by giving it a much more structured plan than previously, and it's now about the best-known carnival in the country. Many local people spend a lot of time and money on their costumes (be warned that if you don't make some effort to dress up you're going to stick out like a sore thumb).

The exact dates change from year to year but it always falls at the start of Lent in February or early March (check dates with tourist office). If you're in Andalucía at this time then don't miss it.

That most traditional of Andalucían drinks, sherry, comes from the province of which Cádiz is the capital. If you want to go and see how it's produced and, more importantly, get some free drinks, then you can go and visit some of the bodegas in nearby Jerez de la Frontera. About the biggest and oldest is González Byass, which has guided, winter-only, English and Spanish tours several times a day and French and German tours once or twice a day.

To the north of Cádiz are the huge and vitally important wetlands of the Doñana national park. The park covers a range of habitats that takes in beaches, sand dunes, wetlands and dry woodlands, all of which are teeming with life, including flamingos and other water birds, birds of prey, wild boar, deer and the extremely rare pardel lynx. The most straightforward, but from a wildlife-watching perspective, least rewarding way of visiting the park is on one of the daily boat tours from Sanlúcar de Barrameda (book ahead on 956 36 38 13). A better, and in fact, the only other way of visiting the park, is on an organised 4WD tour along a set route. These run only in the spring and summer and it's essential to book as far in advance as possible on 959 44 87 11.

ABOVE: PEPPERS. PHOTO BY WILLY URIBE.

INFORMATION

AIRPORT INFORMATION The airport is in Jerez de la Frontera. For information on flights call 956 15 00 00.

BANKS On the central Plaza San Juan de Dios.

BOOKSHOPS Quorum, Calle Ancha, sells foreign-language titles.

CAR HIRE There are a couple of places renting cars out on Plaza de Sevilla: **Hertz** (tel 956 21 22 90) and **Bahía** (tel 956 26 44 77).

CHEMISTS Plaza San Juan de Dios.

DOCTORS Cruz Roja, Sta María de la Soledad, 10 (tel 956 25 42 70).

EMBASSIES Only the Italians maintain any diplomatic representation in the city. Their consulate is on Ancha, 8 (tel 956 21 17 15).

HOSPITAL Avenida Ana de Viga (tel 956 24 21 00).

INTERNET You can find Internet cafés on **Calle Nueva**, Cuesta de las Calesas and C/Sacramento.

LISTINGS MAGAZINES El Visitane is a monthly magazine listing all that's taking place in the city that month. You can get hold of a copy from tourist offices and many of the city's attractions.

POST OFFICE Plaza del Topete.

POLICE Campo del Sur (tel 956 22 81 03).

SUPERMARKETS There's a big hypermarket complex on Avenida las Cortes de Cádiz

TOURIST INFORMATION There are two offices very close to each other. Dealing primarily with the city itself is the super-helpful office on Plaza San Juan de Dios, 11 (tel 956 24 10 01, e-mail delegacion.turismo@cadizayto.es). The other office deals with all of Andalucía and is on Avenida Ramón de Carranza (tel 956 25 86 46).

ACCOMMODATION

As would be expected there are few free-camping opportunities in the city, and there are also no campsites within the city boundaries. If you want to camp, head out to Chiclana de la Frontera (see page 207), where you'll find a couple of campsites.

There are plenty of cheap hostales in Cádiz centre and unless it's late on a summer day or during a fiesta you should never have much trouble finding somewhere to suit. All of the following are to be found in the old town:

Pension Comercio, C/Flamenco, 6 (tel 956 28 30 53). This is the cheapest place in town and is very basic; for many people it would be a bit of a last resort. On the plus-side, it does have a lot of character. (3/4).

Hostal Ceuta, C/Montañés, 7 (tel 956 22 16 54). Really good-value rooms, some with complete bathrooms, some with only a shower. It's a really friendly place with lots of atmosphere and is well situated right in the web of streets at the heart of the old town. (5/6) depending on room type.

Hostal Bahia, Plocia, 5 (tel 956 25 91 10, e-mail hostalbahia@terra.es). It's a nice place but the rooms are a little small and very ordinary. (6).

Hostal San Francisco, C/San Francisco, 12 (tel 956 22 18 42). Another really good-value little hostel built in classic Andalucían style with spacious en suite, blue and white tiled rooms all facing onto a central patio.

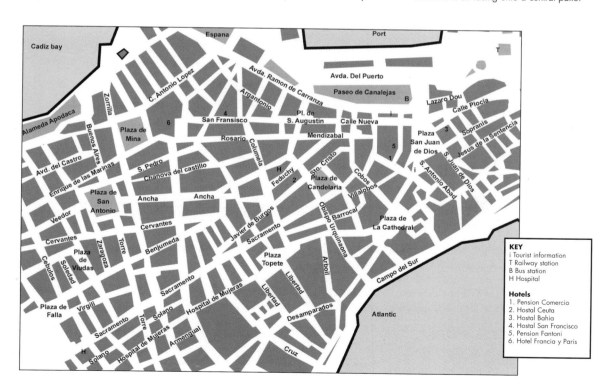

Friendly English-speaking management. (5).
Pension Fantoni, C/Flamenco, 5 (tel 956 28 27 04). Beautifully tiled cool, blue Andalucían townhouse with spacious, basic rooms without bathrooms, built around a central patio. (5/6).
Hotel Francia y Paris, Plaza de San Francisco, 2 (tel 956 21 23 19, www.hotelfrancia.com). A large, modern mid-range hotel with an excellent location but little character.

EATING
From a plate of the traditional fried fish in a simple bar to an extravagant banquet, Cádiz has literally hundreds of places to get a satisfying meal. For supermarkets see the INFORMATION section.
Café Novelty, Plaza San Juan de Dios, is a good breakfast stop.
Bar Sevilla, Plaza de San Juan de Dios. A small bar with a couple of outdoor tables and more locals than tourists. Serves a decent and cheap plate of fried sardines.
Freiduría Cervecería las Flores, Plaza de San Juan de Dios. Another good bet for fried fish. There's another branch in the new town on Gran Muñoz Arenilla.
For typical Andalucían seafood and superb tapas, head to **El Balandro**, Alameda Apocada.
La Catedral, Plaza de la Catedral. Lots of foreigners eat at this authentic local restaurant that specialises in seafood.
El Sardino, Plaza San Juan de Dios. As the name suggests, it's fried fish all the way here, and the results are excellent.
Cumbres Mayores, C/Zorrilla. If you've had enough of fish then this place specialises in meat dishes.

Veedor, C/Veedor. For some of the city's most mouth-watering tapas this is the place to come.
Finally, if you really want to splash out and try Andalucían cooking at its most perfect then the **El Faro**, Calle San Felix, is the best restaurant around, though it certainly isn't a budget option.

NIGHTLIFE
Cádiz nightlife can be divided into two different areas, each of which is good at a different time. In the winter the little bars of the old town come alive, particularly those around Plaza de San Francisco. In the summertime, though, much of the late night drinking scene radiates down towards the beaches in the new town, particularly Gran Muñoz Arenalla.
In the old town, names to look out for include **El Hoyo**, **Calle Manuel Rances**, with

its '80s beats, **El Bazar Inglés**, **Calle Sagasta**, and **La Noche** and **Ce Nobia**, both on Rafael de la Viesca.

TRANSPORT
AIR The Aeropuerto de Jerez is just to the north of Jerez de la Frontera, and has flights to Madrid, Barcelona and, travelling via Madrid, to most other bigger Spanish cities. Of more use, though, might be the cheap flights to London with budget airline Buzz.

BUS The main long-distance bus station is on Plaza de la Hispanidad. There are buses once an hour to Sevilla, six a day to Malaga, about ten a day to Conil de la Frontera, and five to Tarifa.
TRAIN The train station is on the edge of the old town, by the port, on Plaza de Sevilla. Trains make the two-hour run to Sevilla between ten and twelve times a day, from where there are fast and frequent trains to Madrid.

FERRY One interesting extension of a Spanish surf trip that's rarely used by surfers is to catch one of the weekly car ferries to the Canary Islands. Boats depart from Cádiz every Tuesday, arriving in the Canaries two days later. The crossing with your own vehicle isn't cheap, but it does give you the enormous advantage of being on these wave-blessed islands with your own van, which if you're intending to spend the winter in the Canaries, will save you a fortune in the long run. Book berths well ahead on 902 45 46 45.

CHICLANA DE LA FRONTERA

Chiclana de la Frontera, with an old quarter that in places resembles parts of Cádiz, could be a really nice town. Unfortunately, though, it has a problem – it's in desperate need of pedestrianisation. The noise and pollution from cars and bikes darting up and down the street is bad enough on a cool, windy winter day, but on a hot and oppressive summer afternoon you may as well be in an Indian town. Until the authorities solve this problem the town is destined to remain as little but a working suburb of Cádiz.

THE SURF
Though technically Playa Campo Soto is the most southerly of the Cádiz beaches, we have included it here as the most northerly of the Chiclana de la Frontera beaches because of its closer proximity to this town. Either way, the waves are much the same as the Cádiz beaches, with mixed peaks on an average swell from mid- to low tide. Busy, with a bit of attitude. Offshore with a north wind.

It certainly needs a little more swell than the surrounding breaks, but Playa de la Barrosa can have some decent hollow waves up to 1.5m (4ft) from mid- to low tide. Often you'll have it much to yourself. Northeast winds blow offshore.

INFORMATION

BANKS C/Constitución.

CHEMISTS C/Constitución.

INTERNET El Navío Ciber Café, C/San Antonio, 9.

POST OFFICE C/Jesús Nazareno.

POLICE C/Fraile (tel 956 40 01 54).

TOURIST INFORMATION Alameda del Río (tel 956 53 59 69).

ACCOMMODATION
Free-camping isn't going to be much fun around here. Official campsites can be found just outside of town. **Camping la Rana Verde** (tel 956 49 43 48) is open from April to December and has lots of facilities. On the way to the beach, **Camping la Barrosa** (tel 956 49 45 05) is a well-equipped site open year-round, except for January.

Few tourists spend the night in Chiclana and so there isn't a great deal of accommodation available. **Hostal Villa**, C/Virgen del Carmen, 14 (tel 956 40 05 12). Should you want to stay, this hostel has fairly average rooms on a quieter side street on the opposite side of the river from the main town centre. (6). **Hotel Alborán**, Plaza de Andalucía, 1 (tel 956 40 39 06). Aiming more at the business traveller, this is a large, modern hotel with little character. (7).

EATING
The town is crammed with cheap cafés and snack bars, though few are worth going out of your way for.
Café Bar El Cubildo, C/Constitución has cheap and basic meals, as do several similar places on this central road.

TRANSPORT
Frequent buses make the short journey into Cádiz from the bus station on Plaza de Andalucía.

ABOVE: SURF CÁDIZ. PHOTO BY F. MUÑOZ.

CONIL DE LA FRONTERA

Conil is the Mecca of Andalucían surfing and despite the small town's scruffy appearance, this is where most passing surf travellers choose to base themselves. In the summer it's a growing name with Spanish tourists, who give the town an animated nightlife, but at the time of year you're likely to be here you'll find things considerably quieter, and the only other tourists are likely to be fellow surfers and windsurfers. At any time of year, though, the town has a welcoming and friendly atmosphere and you're certain to have a good time.

THE SURF

Cabo Roche is a few kilometres to the north of town and is one of the most consistent spots in Andalucía. To reach the beach you have to turn off the main N340 road at the large 'Roche' sign and drive through the housing estate until you reach the beach. It's a big beach with scattered rocks and hollow, wedgy semi-shorebreak waves that pack a bit of a punch; unfortunately it closes out a little. Best from mid- to low tide up to 1.5m (4ft) and with a northeast wind. Can get busy with a bit of localism.

The best-known and busiest wave in Andalucía, though not necessarily the best quality, is Playa el Palmer. The beach appears to go on forever, with dozens of different peaks, though most people tend to congregate on the closest peak to the car park, which is about halfway down the beach and a couple of kilometres south of town. If you want a bit of peace and quiet then head off up the beach and find your own sandbar. Breaks throughout the tide and can hold over 2m (6ft-plus). The rights tend to be the best and it can be a very good wave with tubes and fast, walled-up sections, though rides are often pretty short. It's offshore on a northeasterly and is badly affected by onshore winds. Lots of local surfers but a friendly enough vibe. Clean water.

INFORMATION

BANKS C/Rosa de los Vientos.

CAR HIRE There's a branch of the cheap Crown Hire Car at C/Rafael Alberti, 2 (tel 956 45 60 03).

CHEMISTS C/Rosa de los Vientos and Plaza de España.

DOCTORS C/Rosa de los Vientos (tel 956 44 27 47).

HOSPITAL Gonzalo Sánchez Fuentes.

INTERNET Café de la Habana, Plaza Santa Catalina, **Café de la Mar**, Carril de la Fuente, and **Siobhan**, Carretera el Punto.

LANGUAGE COURSES Atlantika, C/Bodegueros, 5 (tel 956 44 12 96).

POLICE Plaza Santa Catalina (tel 956 44 01 25).

POST OFFICE C/Toneleros.

TOURIST INFORMATION The very helpful year-round office is on C/Carretera (tel 956 44 05 01).

ACCOMMODATION

Alongside Tarifa, Conil is the most popular beach town on the Costa de la Luz, and there's a wide range of accommodation

options in all budgets, including Winter Waves, the only surf camp in the country. If you want to free-camp then **El Palmer** is the place; you'll normally find a few other vans parked-up down there through the winter.

There are plenty of normal campsites in the area. Very close to the beach at Roche is the large, year-round **Camping el Faro**, Puerto Pesquero (tel 956 23 20 90) and **Camping Roche** (tel 956 44 22 16), which is a smaller site set back from the beach and surrounded by trees. It too is open year-round and is full of north Europeans in campervans through the winter. A cheaper, summer-only site, on the edge of Conil, is **Camping Los Eucaliptos** (tel 956 44 12 72). **Hostal Venta Pericon**, C/Rosa de los Vientos (tel 956 44 07 46). This hostel offers large and good-value-for-money rooms with TV and bathroom. (6).

Hostal Blanco y Verde, C/Rosa de los Vientos, 3 (tel 9956 44 26 13). Small rooms with friendly management, but probably a little overpriced. Good restaurant. (6).

Hostal Malia, Pascual Junquera, 46 (tel 956 44 09 25). Fairly standard rooms with small bathrooms. Good for the price, but it's a little out of the centre and not too friendly. (5).

Hostal Barbacoa El Yunque, C/Carretera, 5 (tel 956 44 28 55, www.hostal-elyunque.com). Very good-value rooms that are clean, quiet and come with TV and bathroom. (6).

Winter Waves is an English-run surf camp based in Conil and has accommodation both in the town and pretty much on El Palmer beach. It's by far the best place for anyone, surfer or not, to stay. Their accommodation in El Palmer consists of several very comfortably equipped cottages with all the facilities of home, including fitted kitchens, washing machines and small gardens with terraces and barbecues. The cottages are located just a few minutes walk away from the waves at El Palmer, and sleep between two and six. If you're travelling alone then the Winter Waves townhouse is likely to be a better option for you. Located in the heart of Conil, the accommodation here is in comfortable two-person rooms. To keep costs down you can use the kitchen, and for evening entertainment you've got the nearby bars and a wide range of surf videos. Boards and wetsuits can be hired and lessons are available for beginners. They can also organise other activities and excursions in the area, including horse-riding, mountain-biking, fishing and sightseeing trips to nearby towns and cities. Accommodation costs are based on a per-person, per-night rate. (6). To find out more or book, you can contact them at info@winterwaves.co.uk, www.winterwaves.co.uk or by calling their UK number ++ 44 (0) 7734 681377 or, if you're already in Spain, call Andy on (987 03 16 72). The main Europe-wide booking agent for Winter Waves is **Pure Vacations** (who also provide a range of other destinations in Spain); see their website www.purevacations.com. They can supply you with a package that includes a hire car, but not flights.

EATING
There's a supermarket on Calle Pozuelo.

For some of the tastiest tapas and raciones in town, head to **Galindo**, Calle Chiclana, or **La Gaviota**, Plaza de las Virtudes, which also does pizzas. **Blanco y Verde**, C/Rosa de los Vientos.

Serves up moderately priced and well-presented typical Andalucían flavours. **Pizzeria Dapietro**, C/Rosa de los Vientos. A cheap and cosy pizzeria with all the trimmings.

NIGHTLIFE
As a popular summertime resort with the Spanish, Conil can have a lively nightlife scene during the warmer months of the year. The main fiestas are La Fería de Primavera de el Colorado, in early June, and the fiesta of the Virgen del Carmen in mid-July.

The centre of nightlife in town is Plaza de Goya, which has at least half a dozen busy pubs. **Sala Aqua** is one of the better places on this square, and on Plaza de España is the reliable **Palo Palo**. For some much more spit-and-sawdust, traditional local pubs, those on **Calle José Tomás Borrego** are worth a look.

TRANSPORT
The local bus station is on Calle Carretera, from where buses head off to Sevilla twice a day, stopping at Chiclana and San

Fernando (for Cádiz). Most buses don't actually come into Conil itself, and instead stop at Casa de Postas, about 2km (1 mile) from town, up on the main road. From here there are six buses a day to Cádiz, five to Tarifa and Algeciras (ferries to Morocco and Ceuta), and two to Málaga.

BARBATE and LOS CAÑOS DE MECA

Barbate, a run-down, working port town, is the least obvious tourist destination on the Costa de la Luz, and even with the handful of beautiful and largely deserted beaches stretching away to either side of the town, it's likely to remain off the tourist circuit. The reason is that Barbate nowadays has the dubious distinction of being one of the smuggling capitals of Europe. It isn't just the obvious trade in Moroccan drugs but also the growing 'industry' of people smuggling (see page 225), and if smuggling weren't enough, the town is also gaining a name for itself among the Russian Mafia as a good place to set up base. It's said that Barbate is one of the few places in the country where the Guardia Civil fear to tread and though the average tourist is unlikely to notice much overly untoward going on, you will quickly become aware that the town is noticeably poorer than the other towns on the Costa de la Luz. Don't let this reputation scare you off; the seafront promenade is a pleasant place for an afternoon drink, and aside from some car security problems, the surrounding beaches are perfectly safe to visit, but only in the daytime. Though spending the night in town is also completely trouble-free you may find a slightly more welcoming atmosphere in Conil or Tarifa.

Nearby Los Caños de Meca couldn't be more differ-ent. It's a tiny one-horse village that's made a name for itself as a hippy centre and a quiet coastal getaway for inland Andalucíans.

THE SURF
The area around Barbate contains a number of good spots; though most of them gather less swell than the spots around Conil, and the closer you get to the Strait of Gibraltar, the windier it's going to be.

The first spot coming from the north is Caños de Meca, a good flat-slab reef break right next to Cabo Trafalgar. The wave is a left-hander, best at mid-tide and quite a mellow wave with long walls. It holds up to 2m (6ft), but doesn't start to break until El Palmer is at least 1m (3ft). The break is offshore with northeast winds and very sensitive to onshore westerlies. If it's on then it will be busy and there's a little bit of localism to contend with.

A great reef and pointbreak wave with some hollow sections can be found at Playa de Hierbabuena, a short way outside of Barbate. It's a right-hander that breaks at all tidal stages on a northeast wind. It can hold up to 2m (6ft). The major problem with this wave is car security and a bit of localism. Keep a low profile, don't expect many set waves and never leave valuables in the car

223

unattended. It's not annoyed local surfers who are responsible for the car break-ins, but kids from Barbate. Never park in the pine forests beside the road. In fact, the best place to park is in the car park of the Puerto Recreational, on the edge of Barbate, as the security there is pretty good.

Occasionally a good sandbar forms at the mouth of the River Barbate, over which breaks a zippy little left-hander with miniature pretensions to its more famous Basque cousin. It breaks even when it's less than 1m (0–3ft), but it doesn't hold a big swell very well. It's quite rare to get it good.

Extending to the south of Barbate are kilometres of beach peaks, most of which are out of bounds because of military bases. It is, though, possible to access the waves from the little village of Zahara de los Atunes. You'll find a peak working somewhere on the beach at any stage of the tide, and they're often empty. Receives significantly less swell than the beaches around Conil. The break is offshore on a northeast wind.

SITES OF INTEREST

Vejer de la Frontera is a classic whitewashed Andalucían hill town that sits like snow on the peak of a hill and overlooks the surrounding plains and nearby coast. A wander through its blinding white alleys is a great afternoon-filler. It wasn't so long ago that the women of Vejer hid themselves away from men's gazes under long black cloaks, something which obviuosly has its past in its Moorish influences.

Before the Moors came the Romans and their past is visible in the quiet ruins of Bolonia, between Barbate and Tarifa. The town earned its living through the production of salted fish, and the workshops where the salting took place are still visible, as are a small and crumbling theatre and a few pillars from the forum.

While you're in Caños de Meca, take a walk out to Cabo de Trafalgar, a low headland with a lighthouse on it. It was just offshore here that the Battle of Trafalgar took place in 1805 between the naval fleets of Spain and Britain. Within a few hours Lord Nelson's fleet had won the war, but he had lost his life.

INFORMATION

All the facilities are in Barbate.

BANKS Avenida R. de Valcárcel.

RENTAL Avenida R. de Valcárcel.

POLICE Avenida R. de Valcárcel (tel 956 43 10 09).

POST OFFICE Juan Morillo.

TOURIST INFORMATION C/Vazquez Mella (tel 956 43 39 62).

ACCOMMODATION

Not surprisingly, there aren't a lot of accommodation options in Barbate and what there is only opens in the summer. You can free-camp in the car park in front of **Caños de Meca**; you'll find plenty of other people doing likewise, primarily German hippies, who seem to have found it the perfect spot in which to find inner peace, and one or two other surfers. You may also manage to free-camp down by Zahara de los Atunes, though you're more likely to be alone here. Never even think about free-camping on any of the beaches directly around Barbate.

If, and it's a good idea, you want the security of an official site then there are a couple around Los Caños de Meca. **Camping Caños de Meca** (tel 956 43 71 20) is a small, summer-only site, as is **Camping Faro de Trafalgar** (tel 956 43 70 17), which is closer to the beach.

Hotel Playa da Carmen, C/XI de Marzo. A modern, summer-only two-star hotel, right in the centre of town and usually half empty. (6).

Costa de la Luz Tourist Apartments, C/XI de Marzo (tel 956 43 18 85). Some nicely kitted-out apartments for short-term rental. **Caños de Meca** is a far nicer place to stay, though during the winter surf season almost everything in the village is closed.

The Hostal Fortuna (tel 956 43 70 75) is at the very end of the village street in the direction of Barbate. It's a large nicely located hostal with views over the sea from some of the balconies. (6).

About as close as you can get to the reef is the **Hostal Miramar** (tel 956 43 70 24), though unfortunately this large place is only open in the summer, when the surf's certain to be flat. (5/6).

You'll find further hostales on the road between Caños de Meca and El Palmer.

EATING

One of the more colourful places to stock up on food supplies if you're fending for yourself is the morning-only **Mercado Municipal Abestos**, on Avenida de Andalucía, in Barbate. Failing that, you'll find a couple of little supermarkets on the central streets.

There's a whole string of restaurants along the seafront promenade, all in the moderate price range and serving similar fare. A couple of the better ones are **Pepe el Malagueño** and **Café Bar Ruffo**.

Down in Caños de Meca you'll find a handful of chilled-out cafés and restaurants, though many of these are shut in the winter except at weekends.

Las Dunas, on the road to the lighthouse, is the local surf hangout and has TV, pool tables and good tapas, as well as rooms for rent.

At the very end of the village, past the Hostal Fortuna is the **El Pirata**, which has tasty seafood and stunning views.

TRANSPORT

The bus station is at the southern end of Barbate and there are buses a couple of times a day to both Conil and Tarifa.

If you're driving your own car or van then be aware that the roads around here are subject to heavily armed police roadblocks, so make sure you have your papers with you. You may also see some dodgy-looking characters hitch-hiking; it goes without saying to be careful if you do offer one of them a lift.

A DEADLY TRADE: PEOPLE-SMUGGLING IN ANDALUCIA

One of the biggest issues facing Europe today is that of illegal immigration. It has been estimated by experts that human-trafficking has surpassed the drugs trade as the world's largest illegal business. One of the biggest entry points for illegal immigrants into Europe is along the coast of southern Andalucía, where, at the Strait of Gibraltar, only 14km (8 miles) separate Africa from Europe. Exact figures are, predictably, hard to come by, but the number of Africans who are willing to risk everything, and frequently lose it all, on a journey across a continent to escape from a hell that is beyond our comprehension is into the thousands and growing fast. A survey by the Moroccan daily, Le Journal, revealed that 97 per cent of young Moroccan men wanted to migrate to Europe in search of a better life, and you have to consider that

Morocco is in fact one of the better African countries to live in.

So how do they reach the gold-paved streets of Europe? For between €1,000 and €3,000, a vast sum for most Africans, criminal gangs will provide a passage over the Strait in leaky old boats or carry them, packed like sardines, in the back of lorries. Safety precautions are zero and it's thought that five Africans a day die trying to make the crossing. Even if they survive the crossing they're far from home and dry: each year the Spanish authorities round up and deport 17,000 illegal immigrants, but it's thought that 20,000 do make it across undetected to start a new life, often without papers, and for many of these people their Europe of dreams quickly becomes a nightmare to rival the one they left behind.

TARIFA

Standing on mainland Europe's most southerly point and with a view, over the mountains of Africa, that cannot fail to get the imagination running wild, is the picturesque town of Tarifa. The fortunes of the town have altered radically in the past twenty years; back in the early '80s Tarifa was a forgotten and dying place, best known among Spaniards for having the highest suicide rate in the country. Then, quite suddenly, the never ceasing wind that was responsible for the high suicide rates by turning people mad became the cloud with the silver lining as word spread among the world windsurf community that Tarifa was the place to go in Europe. The number of windsurfers visiting continues to increase and in turn other tourists have followed, all of which has turned this once dying town into a thriving, lively and highly enjoyable place. For surfers the only drawback is that it's about a 45-minute drive to the nearest consistent waves, and for non-windsurfing partners hoping to work on their tan the problem is that the wind that brought your other half here is likely to blow you straight off the beach.

THE SURF
For surfers, Los Lances beach, stretching to the north of Tarifa, is a bit of a non-event. Only the biggest of swells get in here to turn-on average-quality beach peaks, though it does have its moments. It breaks on all tides

and is usually very windy. What this beach and the others around here are much more famous for is windsurfing. In fact, many people will tell you that this is the finest stretch of coast in Europe for windsurfing.

SITES OF INTEREST
The old quarter of Tarifa, though tiny, is a bit of a gem, with flower-filled plazas and cool, whitewashed streets. A couple of goals could be the fifteenth-century Iglesia de San Mateo and the pavement cafés around it, and the Castillo de Guzmán, where, in a tragically romantic moment during the thirteenth century, the son of Guzmán el Bueno, the commander of Tarifa during a siege by the Moors, was captured and held hostage. Guzmán was given a choice: his son's death or the surrender of the city. Guzmán replied, 'Honour without a son, to a son with dishonour', and threw down his own dagger for the execution.

There are daily whale and dolphin-spotting boat trips that leave from the harbour. If you don't see any on the first day you can go on a free trip the following day. If you want to gaze across the Strait to Africa and dream of the waves to be found on the beaches of that continent, there's a viewpoint in the hills on the road towards Algeciras. If you want a closer look then you can be in Tangier, a real one-of-a-kind city, in just over half an hour by hovercraft from Tarifa port.

INFORMATION

BANKS Avenida Andalucía.

BOOKSHOPS Foreign-language books are on sale at **Babel Ocean**, Avenida Andalucía.

CAR HIRE You're much better off hopping on the bus to Malaga, but if you really want to rent a car in Tarifa, try **Hertz** on Calle Batalla del Salado.

CHEMISTS Avenida Andalucía.

DOCTORS The health centre is on Amador de los Ríos (tel 956 68 15 15).

INTERNET Digital Phone, C/Bailen, 3 and **ALM** Ordenadores, C/San Sebastían.

POLICE Plaza de Santa María, 3 (tel 956 68 41 86).

POST OFFICE Coronel Moscardó.

TOURIST INFORMATION Parque de la Alameda, on Paseo de la Alameda (tel 956 68 41 86)

ACCOMMODATION

Tarifa has a huge range of good-value accommodation, either in the town itself or along the road to Bolonia. People do try and free-camp on the beaches to the north of town, but with several campsites in the immediate proximity, it's frowned upon and you're likely to be moved on. These campsites, which line the road between Tarifa and Bolonia, are full of windsurfers down forthe season. **Camping Torre de la Peña** I (tel 956 68 49 03) and **Torre de la Peña II** (tel 956 68 41 74) are both large, year-round sites on the beach with a good range of facilities. **Camping Tarifa** (tel 956 68 47 78) is another big, slightly cheaper and year-round site. In addition to these three you'll find several others and some cheap hostales, all perfectly kitted-out for windsurfers.

Hostal Facundo, Batalla del Salado, 47 (tel 956 68 42 98, e-mail h.facundo@terra.es). A basic but perfectly adequate and friendly hostel that's about as cheap as you'll find in town. (4).

Hostal Alborada, C/San José, 52 (tel 956 68 11 40, www.hotelalborada.com). A really good-value mid-range option with clean and cool traditional-style Andalucían tiled rooms built around a large, sunny courtyard. (6).

Hostal Tarik, C/San Sebastían, 34 (tel 956 68 06 48). Standard, clean en suite doubles. Some of the rooms are a little noisy owing to passing traffic. Friendly receptionists. (5).

ABOVE: NOT FOR THE INEXPERIENCED. YERBUERA.
PHOTO BY F. MUÑOZ

EATING

Tarifa's status as a bit of a 'travellers'' town means that there are plenty of places to get a cheap feed, and international menus are more common here than elsewhere on the Costa de la Luz. There's a supermarket in the centre, on Calle Cánovas del Castillo.
Pizzeria Renato, C/Manuel de Falla. A cheap and popular place with tasty pizzas.
Panaderia Bakery, C/Batalla del Salado. With a large range of cakes and decent coffee, this is a great place to come for breakfast or a light lunch.
Ristorante la Trattoria, Paseo de la Alameda. Another Italian restaurant, but fancier than the Renato and with a wide range of pasta dishes as well as pizzas.
Restaurante Tijuana, C/Batalla del Salado. Considering that Tarifa essentially serves as the border between Morocco and Spain, this slightly ironically named restaurant serves

good Mexican food at moderate prices.
   Inside the old town, on Plaza San Martin, **La Dolce Vita** serves up good food and is a favourite for breakfasts.
Mediterraneo, Plaza San Martin. Fish and pasta is the speciality here.
Café Central and **Restaurante Morilla**, Plaza de Oviedo, are by far the two most popular places to sit in the sun and have a drink.
The Morilla also serves up some fairly pricey seafood. Also on this square is a super-cheap sandwich/kebab shop.

NIGHTLIFE

As you'd expect, the nightlife in Tarifa can be pretty good, especially if there's a big windsurfing contest on. At such times the little bars in the old town will be full of the famous and star-struck groupies. The **El Pato Reloco**, C/María Antonia Toledo, gives out free tapas during the three-hour Happy

'Hour' from 19.00. The **Rif Discoteca**, C/Batalla del Salado, is the after-bar event in town. During the summer there's an open-air disco down on the enticingly named town beach, Playa Chica.

TRANSPORT

The bus station is on Calle Batalla del Salado. There are about five buses a day to Cádiz, a couple to Algeciras and Malaga, and five to Conil.
   Hovercraft leave for Tangier every day from the port; the journey takes only 35 minutes. Cheaper car ferries depart every couple of hours from Algeciras to both Tangier and Ceuta, a Spanish enclave on the north Moroccan coast. Remember that you are leaving Europe and so will need all of your papers for both yourself and your car. Spanish hire cars will not be allowed into Morocco without prior permission from the car hire company and the necessary papers.

THE MEDITERRANEAN

The infamous Costas of the Spanish Mediterranean are the original package tourist destination and to this day the rest of Europe continues to flock to the brash resorts of Torremolinos, Benidorm, and others. The unplanned explosion of building that took place in a multitude of resorts from the Costa Brava to the Costa del Sol in the '60s and the subsequent devastation of the surrounding environment and local culture is well known. This, coupled with the Mediterranean's renowned flat, lake-like characteristics, is unlikely to attract many surfers. Take a look beyond the English pubs, though, and you'll find a coastline of often-incredible beauty, some of the most exciting of Spanish cities and, believe it or not, more waves than you'd expect.

This section has a different structure from the rest of the book and is more of a summary of Spanish Mediterranean surfing than a comprehensive examination. We have only listed the very best of spots or those most likely to be surfed by a visiting surfer, and we have also reduced practical travel information to a minimum, simply because of the tiny number of surfers likely to come here on a surf trip. Don't let any of this put you off, though, as it's not unusual to have a period of poor-quality winter surf on Spain's north coast while the Mediterranean is firing, and at such times you shouldn't totally disregard the idea of going surfing in the Med.

OPPOSITE: FUN, FUN, FUN. SURF GIRLS. PHOTO BY F. MUÑOZ.

ANDALUCÍA

As well as a short, exposed Atlantic coast Andalucía also has a longer and much more famous Mediterranean coastline. It's here that you will find the infamous Costa del Sol, the king of mass tourism destinations. Mediterranean Andalucía is the least consistent stretch of Spanish coast, having only a very small swell window giving at best only mediocre conditions. However, with Malaga airport being about the cheapest place to fly to in Spain, many surfers do pass through this region, usually heading for the beaches around Cádiz, Portugal (for which you'll need the OceanSurf Guidebook: Portugal) or Morocco, and if you do find yourself passing through during a strong south, southeast, or even southwest wind then it might be worthwhile checking out some of the following spots:

TORREMOLINOS

Close to the high-rise hotels and fry-ups of the oldest of Spanish resorts and just a short drive from the airport in Malaga is Playa la Carihuela, a reasonable-quality beach break. It needs swells from the southeast and only ever breaks when a strong east or southeast wind (the Levante) is blowing, or better still, has been blowing and then switches suddenly to the northwest, allowing the waves to clean up for a short time before going flat. This is not a very common occurrence. It's best around mid-tide and you'll unsurprisingly find only a few locals, all of whom are friendly.

VELEZ-MALAGA

To the east of the town of Torre del Mar and on a strip of coast that, though not on the scale of the Costa del Sol, can still hardly be described as attractive, is Playa de Lagos (Toskapi), a low-tide beach break of shifting but quite good-quality peaks. It picks up southwest swells and is easily maxed out. However, to build up any west swell at all the Poniente (west wind) needs to be very strong; if the wind was to go around to the north then the waves would clean up. This spot actually breaks more in the summertime than in the winter.

CARCHUNA (CALAHONDA)

On the appropriately named Costa Tropical you'll find Playa de Carchuna (Calahonda), a rocky beach that, like Playa de Lagos, needs a southwest swell with, ideally, north winds, but as at Playa de Lagos, this happens only once in a blue moon. A shame, as the wave is a good right-hander with some hollow, tubing sections when it's on. Once again, it's more of a summertime spot.

SAN JOSÉ AND CABO DE GATA

If the tourist chaos of the rest of Andalucía's Mediterranean coastline is getting too much for you then a trip out to San José, to the east of Almería, could be the solution. San José is set among the stunning and near-desertlike scenery of Cabo de Gata, which, though tourism is certainly well established, is nothing like the resorts to the west, and here some of Spain's most beautiful beaches are left relatively deserted. San José village contains the best of several spots around here. Pico de las Cocheras is an east-facing low-tide beach break of fairly poor quality. It needs an east swell kicked up by the Levante wind. Pico de el Puerto is a much better-quality wave. A left-hander breaks over a reef at low tide, and even has the occasional tube. Again, it needs an east swell created by the Levante.

MURCIA

Murcia is Mediterranean Spain's least-known corner, a small and sun-baked province with little to attract foreign visitors. Yet it's this that may be its greatest asset. Towns and villages across the region have retained a largely Spanish flavour and what resorts there are cater almost exclusively to fellow Spaniards. Surfers really are a novelty here and, as long as you show respect to the local crews, you are likely to be warmly welcomed. By far the best place to head for in this region is La Manga del Mar Menor, a natural lagoon formed by a 22km (13-mile)-long finger of sand that's popular with Spanish tourists for its year-round warm water. On the outside of this lagoon you will find a concentration of average spots that break on east swells.

Playa de Levante is the first spot that you get to on the peninsula, and is probably the best. It's a rocky beach break with fast, mixed peaks. Like all of the spots in this area, it needs an east wind to generate waves.

Next along is Playa de Entremares, another empty beach break that can hold up to 2m (6ft) with an offshore wind.

Playa de Galua is right up at the northern end of the peninsula, and contains a series of reefs and sandbar waves along its length. All of them pick up a lot of swell, though again, only from the east. Look out for a reef called Pico de el Errizo, which gets tubular on small waves, and a right called Pico de la Autopista, which holds up to 2m (8ft).

The final spot is Punta de la Raja, around 3km (2 miles) north of Playa de Galua and the most consistent of them all, needing only a light east wind to kick up some swell. The reef the waves break on can generate some fun little peaks.

VALENCIA

The three provinces that make up the Valencia region, Alicante, Valencia, and Castellón, are an interesting mix of old Arab villages and modern tourist disasters. Maybe the highlight of the region is Valencia city, one of Spain's more exciting cities and famed for its Las Fallas festival in March. For the passing surfer the coastline of Valencia, with its many reefs, beaches and headlands, offers enormous potential when a good swell is running.

ALICANTE

Starting down in the south of the region, just to the north of lively and worthwhile Alicante and close to Cabo Huertas, are two reef breaks worth checking. La Punta is the more consistent of the two, picking up even the smallest of north and northwest swells that, with a light south wind, can have good conditions. You'll find a short and fast left, and when the swell is up a bit, a nice, walled-up right. Almost next-door to this is La Placa, a reef that requires a very big north or northwest swell, and on such days a nice right can form, but be careful of the rocks in front of the take-off zone. It can hold up to 2m (6ft).

BENIDORM

With over 40,000 hotel beds, 5 million visitors a year and almost as many English pubs and greasy caffs, Benidorm is like nothing you might have encountered before, and though it's certainly not to everyone's taste, if you come prepared, you can't really fail to have a good time. Just a short way to the south is Playa Finestrat, a reasonable beach break with fast lefts and rights that need a southeast swell.

CULLERA

Cullera is the last proper coastal town before Valencia and between the two you will find a series of largely poor-quality beach breaks and the odd reef, again not of the highest standard. The best couple of spots are around Cabo de Cullera. To the south is El Jucar, a pretty good beach break and rivermouth that is predominantly a right. It needs a decent northeast swell and only really works with any regularity in the depths of winter. Just on the northern side of the headland is Playa del Dosel, one of the better beach breaks on this stretch. Close to the lighthouse is a right that gets hollow; otherwise, you'll find a series of shifty peaks. It also needs an east swell and is actually alright when it's onshore. It's one of the more consistent spots around.

VALENCIA

One of the biggest and most enjoyable cities in Spain with a nightlife to rival anywhere, Valencia is worth a visit at any time, but during the huge Las Fallas de San José festival in mid-March things explode, quite literally, with huge firework displays, deafening noise, burning statues and all-night parties. Even if the surf isn't up to much a visit at this time could be the highlight of a Spanish trip, but remember to book accommodation well in advance. Almost in the city centre is Playa de Levante/Las Arenas. Far from being Spain's best wave, it's a beach break needing a big north swell, but also light winds – a rare combination.

ABOVE: PET STORE IN THE RAMBLAS, BARCELONA. PHOTO BY MIKE ROSE.

CATALUNYA

In the past Catalunya (Cataluña in Castilian Spanish and Catalonia in English) was a powerful kingdom ruling much of Mediterranean Spain and even places as far afield as parts of Greece. Ever since, the sense of regional identity has been strong and today you will find that Catalunya can still feel like a separate country, most obvious in the increasing predominance of the Catalan language over Castilian and the greater wealth compared to much of Spain. Though the highlights of Catalunya are many and varied, from 3,000m (9,000ft) peaks in the Pyrenees to crumbling Roman ruins, it's the Catalan capital that is by far the main attraction. Barcelona is a city of inexhaustible possibilities, bursting with energy and confidence, stunning architecture, museums and unforgettable street and nightlife that together have made it one of the most thrilling cities in Europe. For surfers Catalunya offers about the best surf on the Spanish Mediterranean and the most established surf scene.

BARCELONA

The city has a number of beaches, all of which on hot summer days are overflowing with sunbathers and, when a swell hits, a surprising number of surfers, but don't worry; the atmosphere always remains friendly. Though it's still the Mediterranean and therefore lacking the wave quality of Spain's north coast, if you are lucky enough to get a swell it is, when combined with the city's atmosphere and sights, a great place to be. Playa de Sant Sebastià is a beach break by the marina that's good on swells from the northeast through to the south. You'll find a consistent right that can get up to 2m (6ft). The water, like all the Barcelona beaches, can be a little dirty. Right next to this beach is Platja de la Barceloneta. Again, it's a beach break popular with local surfers and it breaks in almost identical conditions to Playa de Sant Sebastià. It's often the best wave in Barcelona. The construction of a jetty here has helped improve the sandbars. In addition to these two you'll find a couple of other city spots.

MONTGAT AND EL MASNOU

Sixteen kilometres (10 miles) to the north of central Barcelona are the suburbs of Montgat and El Masnou, both with good surf spots. Playa de Mongat is a good beach break holding swells of up to 2m (6ft). It needs any swell with east in it and ideally the wind should have swung around to the northwest; on the rare days when this happens the wave can become fast and tubular. A little further up the coast is Playa el Masnou, which again can have good lefts and rights breaking off the end of the jetty. The left is especially good. It picks up swells from the southeast through to the northeast and can handle a northeast wind. A little further still up the coast, in the resort of Premià de Mar, the beach here, Playa de Premià, is a sheltered spot, but one of the better waves in the area. It receives a lot of protection from the wind and can have some good, clean lines on strong north winds when everywhere else is blown out. The quality of the wave depends a lot on the constantly shifting sandbars, but it can have a short, sharp and hollow right and longer, mellow lefts up to 2m (6ft). There will always be a few guys out on it when it's good.

LLORET DE MAR

The over-the-top eyesore of Lloret de Mar is the Costa Brava's – one of the three great Spanish holiday costas – most tacky resort and, like Benidorm and Torremolinos, has very little to recommended it if you're not interested in overpriced steak-and-kidney pies. About half an hour's drive south of Lloret de Mar, past Blanes, is Desembocadura del Tordera, a reef catching east and southeast swells and turning them into fast lefts and rights. Further towards Lloret de Mar is Cala de Santa Cristina, a rocky beach break that picks up any east swell and strong southwest swells. The waves are OK at best, with a variety of peaks to choose from.

ABOVE: THE GAUDI CHURCH OF THE SAGRADO FAMILIA, BARCELONA. PHOTO BY MIKE ROSE.

INDEX

Index

notes